NAG HAMMADI STUDIES

VOLUME VI

NAG HAMMADI STUDIES

EDITED BY

MARTIN KRAUSE - JAMES M. ROBINSON
FREDERIK WISSE

IN CONJUNCTION WITH

ALEXANDER BÖHLIG – JEAN DORESSE – SØREN GIVERSEN
HANS JONAS – RODOLPHE KASSER – PAHOR LABIB
GEORGE W. MACRAE – JACQUES-É. MÉNARD – TORGNY SÄVE-SÖDERBERGH
WILLEM CORNELIS VAN UNNIK – R. MCL. WILSON
JAN ZANDEE

VI

VOLUME EDITOR
MARTIN KRAUSE

LEIDEN
E. J. BRILL
1975

ESSAYS ON THE NAG HAMMADI TEXTS

In Honour of Pahor Labib

EDITED BY

MARTIN KRAUSE

LEIDEN
E. J. BRILL
1975

ISBN 90 04 04363 2

PRINTED IN BELGIUM

CONTENTS

ABBREVIATIONS

Apocr. Jn. Berol.	W. C. Till, Die gnostischen Schriften des koptischen Papyrus Berolinensis 8502, Berlin 1955, 78-194.
ASAE	Annales du Service des Antiquités d'Égypte.
BIE	Bulletin de l'Institut d'Égypte.
BIFAO	Bulletin de l'Institut Français d'Archéologie Orientale.
Bruc. 2	C. Schmidt, Gnostische Schriften in koptischer Sprache aus dem Codex Brucianus, Leipzig 1892, 226-277.
BSAC	Bulletin de la Société d'Archéologie Copte.
Ciasca	A. Ciasca, Sacrorum bibliorum fragmenta copto-sahidica Musei Borgiani iussu et sumptibus S. Congregationis de Propaganda Fide edita, II, Rom 1889.
CSCO 99-100	L. Th. Lefort, S. Pachomii vitae sahidice scriptae, Louvain 1933.
CSCO 150	L. Th. Lefort, S. Athanase, lettres festales et pastorales en copte, Louvain 1955.
CSCO 157	K. H. Kuhn, Letters and sermons of Besa, Louvain 1956.
CSCO 159	L. Th. Lefort, Œuvres de S. Pachôme et de ses disciples, Louvain 1956.
CSCO 268	K. H. Kuhn, A panegyric on John the Baptist attributed to Theodosius archbishop of Alexandria, Louvain 1966.
Maspero	J. Maspero, Fragments de la version thébaine de l'Ancien Testament. Mémoires publiés par les membres de la mission archéologique française au Caire, VI, Paris 1892, 1-296.
MDIK	Mitteilungen des Deutschen Archäologischen Instituts, Abt. Kairo.
NH I, 2	M. Malinine, H.-Ch. Puech, G. Quispel, Evangelium Veritatis, Zürich 1956.
NH II, 1 (mit NH III, 1 u. NH IV, 1)	M. Krause und P. Labib, Die drei Versionen des Apokryphon des Johannes im Koptischen Museum zu Alt-Kairo, Wiesbaden 1962.
NH II, 2	A. Guillaumont, H.-Ch. Puech, G. Quispel, W. Till, Y. 'Abd-al-Masih, L'Évangile selon Thomas, Leiden 1959.
NH II, 3	W. C. Till, Das Evangelium nach Philippos, Berlin 1963; J. E. Ménard, L'Évangile selon Philippe, Paris 1967.
NH II, 4	P. Nagel, Das Wesen der Archonten aus Codex II der gnostischen Bibliothek von Nag Hammadi, Halle (Saale) 1970; R. A. Bullard, The Hypostasis of the Archons, Berlin 1970.
NH II, 5	A. Böhlig und P. Labib, Die koptisch-gnostische Schrift ohne Titel aus Codex II von Nag Hammadi, Berlin 1962.
NH II, 6 (mit NH VI, 1 usw.)	M. Krause und P. Labib, Gnostische und hermetische Schriften aus Codex II und VI, Glückstadt 1971.
NH III, 1	siehe NH II, 1.
NH III, 2	J. Doresse, Le Livre sacré du grand Esprit invisible, Journal Asiatique 254, Paris 1966, 317-435.

NH IV, *1*	siehe NH II, *1*.
NH V, *4*	A. Böhlig und P. Labib, Koptisch-gnostische Apokalypsen aus Codex V von Nag Hammadi im Koptischen Museum zu Alt-Kairo, Halle (Saale) 1963.
NH VI, *1*	siehe NH II, *6*.
NH VII, *2*	M. Krause, Neue Texte in : F. Altheim u. R. Stiehl, Christentum am Roten Meer II, Berlin 1973, 1-229.
NTS	New Testament Studies.
OLZ	Orientalistische Literaturzeitung.
P. Bodmer XXII	R. Kasser, Papyrus Bodmer XXII et Mississippi Coptic Codex II, Jérémie XL,3-LII,34, Lamentations, Epître de Jérémie, Baruch I,1-V,5, en sahidique, Genève 1964.
P. Bodmer XXIII	R. Kasser, Papyrus Bodmer XXIII, Esaïe XLVII,1-LXVI,24, en sahidique, Genève 1965.
P. Morg.	H. Hyvernat, Bibliothecae Pierpont Morgan codices Coptici photographice expressi, Rom 1922.
PS	C. Schmidt, Pistis Sophia, Kopenhagen 1925.
Schleifer	J. Schleifer, Bruchstücke der sahidischen Bibelübersetzung. Sitzungsberichte der kaiserl. Akademie der Wissenschaften in Wien, phil.-hist. Klasse 170, Wien 1912.
Tattam	H. Tattam, Prophetae majores in dialecto linguae aegyptiacae memphitica seu coptica, Oxford 1852.
ThLZ	Theologische Literaturzeitung.
ThR	Theologische Rundschau
Worrell	W. H. Worrell (und E. M. Husselman, L. A. Shier, H. C. Youtie, O. M. Pearl, W. Vycichl), Coptic Texts in the University of Michigan Collection, Ann Arbor 1942.
ZÄS	Zeitschrift für ägyptische Sprache und Altertumskunde.
ZPE	Zeitschrift für Papyrologie und Epigraphik.

GRUSSWORT AN DEN JUBILAR

Zur Vollendung Ihres siebten Jahrzehnts bringen Ihnen, lieber Herr Dr. Pahor Labib, die Mitglieder des Internationalen gnostischen Komitees, die Herausgeber und die Mitglieder des Herausgeber-Kollegiums, vermehrt um einige Kollegen, diesen Band der Nag Hammadi Studies mit den herzlichsten Glückwünschen dar. Unsere Gaben beschränken sich nur auf ein Teilgebiet Ihres Faches, das die gesamte Ägyptologie und Koptologie umfaßt. Diese Beschränkung auf die Nag Hammadi Texte wurde uns durch die Reihe, in der wir unsere Beiträge veröffentlichen, auferlegt. Weitere Beiträge, die Ihnen gewidmet sind, sind nach unserer Kenntnis in anderen Publikationsorganen erschienen bzw. im Druck.[1]

Am 19. September 1905 in Ein Shams bei Kairo als Sohn von Cladios Labib Bey geboren, bestimmte das Elternhaus Ihren Werdegang. Bereits als Kind wurde Ihnen das Bohairische vertraut, um dessen Wiedererweckung als Umgangssprache in koptischen Familien Ihr Vater neben seinen sonstigen Arbeiten zur Koptologie[2] sich große Verdienste erworben hat. Im Jahre 1926 erhielten Sie nach 10-jährigem Besuch des Staatlichen Gymnasiums "Khedivieh School" in Kairo das Reifezeugnis und wandten sich dem Studium der Jura und Ägyptologie zu. Obwohl Sie ab 1930 sich ausschließlich der Ägyptologie widmeten, haben Sie viele und wichtige Arbeiten auf dem Gebiete der Geschichte des altägyptischen Rechts publiziert.[3]

Als Schüler der Ägyptologen Garstang, Golenischeff, Junker, Kuentz, Newberry, Peet und Sobhy legten Sie im Mai 1930 die Staatsprüfung (Licence es lettres) an der Universität Kairo ab. Nach einem Jahre praktischer Museums- und Ausgrabungsarbeit sandte Ihr Land Sie nach Deutschland, das, nach Ihrer eigenen Aussage, Ihnen zur zweiten Heimat wurde, um Ihre ägyptologischen Studien bei Kurt Sethe, dem damals führenden Ägyptologen, zum

---

[1] Carsten Colpe, Heidnische, jüdische und christliche Überlieferung in den Schriften aus Nag Hammadi III, in *Jahrbuch für Antike und Christentum* 17, 1974, 109-125, vgl. auch Anm. 3.

[2] Vgl. den Nachruf von W. E. Crum, in *JEA* 5, 1918, S. 215.

[3] Vgl. auch die Würdigung von Saufy Abou Taleb, The Works of Dr. Pahor Labib on the History of Pharaonic Law.

Abschluß zu bringen. In Berlin ab Sommersemester 1932 waren Sie Schüler der führenden Vertreter ihrer Fächer von Kurt Sethe, Hermann Grapow, Heinrich Schaefer und Alexander Scharff in der Ägyptologie und von Carl Schmidt in der Koptologie. Daneben studierten Sie Alte Geschichte bei Weber und Hans Erich Stier, Klassische Archäologie bei Gerhard Rodenwaldt und Philosophie bei E. Spranger. Im November 1934 promovierten Sie mit der Untersuchung, *Die Herrschaft der Hyksos in Ägypten und ihr Sturz* zum Dr. phil.

An der Universität Kairo wurden Sie 1935 am Archäologischen Institut zum Privatdozenten ernannt und lasen über koptische Sprache und Alte Geschichte. Daneben wurden Sie 1941 und 1942 als Professor für Alte Geschichte an die Universität Alexandria delegiert.

Ihre Ernennung zum Kustos am Ägyptischen Museum in Kairo im Jahre 1945 leitete einen neuen und auch für uns sehr wichtigen Abschnitt Ihrer Laufbahn ein. Sie gipfelte 1951 in Ihrer Ernennung zum ersten Direktor des Koptischen Museums in Kairo, nachdem Sie vorher delegierter Kustos des Koptischen Museums, 1948 Direktor der Gaumuseen und delegierter Direktor des Koptischen Museums gewesen waren. Diesem Museum blieben Sie bis zu Ihrer Pensionierung am 19. September 1965 treu, unterbrochen nur durch eine kurze Delegierung als Direktor des Ägyptischen Museums zu Kairo im Sommer 1964.

Sie führten Ausgrabungen durch (1947/48 in der Festung Babylon, 1949 in Elephantine, 1951/52 in der Menasstadt, 1961 zusammen mit dem Deutschen Archäologischen Institut Kairo) und wirkten bzw. sind noch heute tätig in mehr als 30 Kommissionen, von denen nur einige hier genannt werden sollen : Ihre Tätigkeit als Mitglied im High Council für ägyptische, koptische und arabische Denkmäler und für Tourismus, im Verwaltungsrat des Koptischen und Islamischen Museums. Sie waren Präsident der Nationalgesellschaft für Kunst und sind Präsident des Komitees für koptische Denkmäler und Ausgrabungen des Koptischen Patriarchen und Mitglied im Verwaltungsrat des Koptischen Instituts. Vor allem aber sind Sie seit 1963 zum Mitglied des High Council für Kunst und Literatur berufen worden und arbeiten dort auch in den Ausschüssen für Rechtsgeschichte und Geschichte der Medizin mit und sind Mitglied des Komitees, das die Staatspreise verleiht.

Für Ihre wissenschaftliche Arbeit wurden Sie auch durch Ernennung zum Mitglied wissenschaftlicher Institutionen geehrt, des Institut d'Égypte, des Deutschen Archäologischen Instituts und des Ägyptologischen Instituts an der Universität von Prag.

Als 1956 der größte Teil der 1945/46 bei Nag Hammadi gefundenen gnostischen Handschriften Eigentum des ägyptischen Staates und das Koptische Museum ihr Aufbewahrungsort wurden, ergriffen Sie die Initiative zu ihrer Publikation. Bereits in demselben Jahre legten Sie einen Tafelband vor, der die in Kairo verbliebenen Seiten und Fragmente von Codex I und Codex II Seite 1-110 enthält. Im September 1956 trat das erste Internationale Gnostische Komitee, dem Sie als Präsident vorstanden, in Ihrem Museum zusammen. Sie stockten den Verwaltungsbau des Museums auf, um Raum für die gnostischen Papyri und ihre Bearbeiter zu schaffen. Mit der Verglasung der Papyri in den Jahren 1959 bis 1961 schufen Sie die Voraussetzung für ihre Publikation, an der Sie mit Alexander Böhlig, Ihrem Berliner Studienkollegen, und mit dem Schreiber dieser Zeilen mitwirkten. Mit Ihnen durfte er nicht nur an der Verglasung der Papyri, sondern 1961 auch mit Ihnen und Michel Malinine an einem Inventar der 13 Codices und einem Plan für ihre Publikation zusammenarbeiten. Diesem internationalen Vorkomitee, das in Zusammenwirken der ägyptischen Regierung mit der UNESCO gebildet wurde, saßen Sie als Präsident vor, das von denselben Instanzen geschaffene Internationale Komitee für die Nag Hammadi Codices wählte Sie im Dezember 1970 bei seiner Konstituierung nach Ihrer Pensionierung zum Ehren-Vizepräsidenten. Ebenso wie Sie als Direktor des Koptischen Museums die Arbeit aller Wissenschaftler in Ihrem Museum unterstützten, helfen Sie auch jetzt noch den Mitgliedern des technischen Unterkomitees bei ihrer Arbeit.

Seit der Begründung der Nag Hammadi Studies 1971 sind Sie Mitglied des Herausgeber-Kollegiums und haben am 4. Band dieser Reihe, dem Ägypterevangelium, mitgearbeitet, ebenso als Mitglied des Herausgeber – Kollegiums der Facsimile Edition of the Nag Hammadi Codices seit 1972.

Wir wünschen Ihnen ϣⲉ ⲛ̄ⲣⲟⲙⲡⲉ, ⲟⲩϫⲁⲓ ϩⲙ ⲡⲭⲟⲉⲓⲥ, daß Sie noch lange gesund bleiben und Ihre Schaffenskraft erhalten bleibt, damit Sie in den vielen Kommissionen weiter mitwirken und noch alle geplanten Arbeiten abschließen können.

MARTIN KRAUSE

A BIBLIOGRAPHY OF THE BOOKS AND ARTICLES OF PAHOR LABIB

COMPILED BY

VICTOR GIRGIS

1936

Die Herrschaft der Hyksos in Ägypten und ihr Sturz; Glückstadt-Hamburg-New York (Phil. Diss. Berlin).

The Stela of Nefer Ronpet, ASAE 36, 194-196.

1941

A Selection of Ancient Egyptian Laws (in Arabic), Magazine of Law and Economics; Cairo.

1942

The Naos Statues, Citadel; Cairo.

Neb-Hapet-Ra, King of Egypt (in Arabic), Magazine of the Faculty of Arts, Cairo University; Cairo.

A Selection of Criminal Laws (in Arabic), Magazine of Law and Economics; Cairo.

The Hyksos, their Capital and Period of Duration (in Arabic), El Moktataf; Cairo.

1944

The Serapeum, the Temple of Alexandria (in Arabic), El Moktataf; Cairo.

1947

A Glance over Some Ancient Egyptian Studies (in Arabic); Cairo.

1948

Feudalismus in der Ramessidenzeit, ASAE 48, 467-484.

1949

The Pharaonic Sign for Victory (in Arabic), The Magazine of the Egyptian History Society; Cairo.

1950

Das Wesirat, ASAE 50, 363-364.
La Royalité et les ministres sont d'origine Égyptien, Bulletin Culturel de l'Égypte, Departement de la Presse; Cairo.
The Pharo was the Head of all Authorities in Ancient Egypt (in Arabic); Cairo.

1951

The Virgin and Child Jesus, Reliefs in the Coptic Museum, BSAC 13, 191-192.

1953

Fouilles du Musée Copte à St. Menas, BIE 34, 133-138.
The Coptic Museum and the Fortress of Babylon of Old Cairo, (Reprinted 1958, 1960, 1962); Cairo.

1954

Agriculture in Ancient Egypt (in Arabic), El Reef Magazine; Cairo.
Coptic Monuments (in Arabic), Mar Mina Magazine, Safha min Tarikh El Kipt 5, 103-115; Cairo.

1955

A Guide to the Coptic Museum, Vol. III, The Stone Section in the New Wing (in Arabic); Cairo.

1956

Coptic Gnostic Papyri in the Coptic Museum at Old Cairo, Vol. I; Cairo.
Les Papyrus gnostiques Coptes du Musée Copte du Vieux Caire, La Revue du Caire 19, 275-278; Cairo.
A Group of Fifteen Ancient Copto-Egyptian Leaves Important from the Musical, Cosmological, Religious, Artistic, and Historical View Points, (with the Collaboration of Gulezyan Aham), 27-36.

An Early Christian Musical Manuscript of Six Leaves Originating in
   Egypt about the Fifth to the Seventh Century, of Coptic Origin,
   (with the Collaboration of Gulizyan Aham).

1957

Ein Fatemidenerlass vom Jahre 415 A.H. (1024 A.D.) im Koptischen
   Museum in Alt-Kairo, RSO 32, 1957, 641-654, (with the Collaboration of Adolph Grohmann).

1959

A Brief Guide to the Coptic Museum (in Arabic); Cairo.

1960

Everyday Life in Coptic Art, BIE 42, 1960-1961, 63; Cairo.
Islamic Art in Egypt, Egypt today.

1961

Die Koptische Periode, 5000 Jahre Ägyptische Kunst, 49-50; Vienna.
A Glance over Fine and Minor Arts with Regard to the Egyptian
   Monuments (in Arabic), (with the Collaboration of Mohamed
   Hammad); Cairo.
Coptic Art, The First Annual Book of the Society of Amateurs des
   Beaux Arts, 71-83, (in Arabic); Cairo.

1962

Die drei Versionen des Apokryphon des Johannes im Koptischen
   Museum zu Alt-Kairo (with the Collaboration of Martin Krause)
   (Abhandlungen des Deutschen Archäologischen Instituts Kairo,
   Kopt. Reihe Bd I); Wiesbaden.
Die Koptisch-gnostische Schrift ohne Titel aus Codex II von Nag
   Hammadi im Koptischen Museum zu Alt-Kairo, (with the
   Collaboration of Alexander Böhlig), (Deutsche Akademie der
   Wissenschaften zu Berlin, Institut für Orientforschung Veröffent-
   lichung Nr. 58); Berlin.

1963

Koptisch-gnostische Apokalypsen aus Codex V von Nag Hammadi

im Koptischen Museum zu Alt-Kairo, (With the Collaboration of Alexander Böhlig), (Wissenschaftliche Zeitschrift der Martin-Luther-Universität Halle-Wittenberg, Sonderband).

Das koptische Kairo, Koptische Kunst, Christentum am Nil, Essen, 92-94.

1969

Die Stellung des Wesirs in der Verwaltung des Ramessiden-Reiches, MDIK 25, 68-78.

Monuments in the Sites of the Visit of Jesus to Egypt, (in Arabic), Book of the fifth Archaeological Arab Countries Congress, Arab League, 701-722; Cairo.

1971

Gnostische und hermetische Schriften aus Codex II und VI, (with the Collaboration of Martin Krause), (Abhandlungen des Deutschen Archäologischen Instituts Kairo, Kopt. Reihe Bd II); Glückstadt.

Coptic Art in the Early Christian Period, (in Arabic), Muhit El Funun, Dar El Maaref; Cairo.

1972

The Facsimile Edition of the Nag Hammadi Codices, Codex VI and VII, in 2 volumes (with the Collaboration of the International Committee of the Nag Hammadi Codices); Leiden.

The Gospel of Matthew, (in Arabic), (with the Collaboration of the Popal Committee); Cairo.

The Legislation of King Horemheb, (in Arabic), (with the Collaboration of Sofy Hassan Abou Taleb); Cairo.

1973

The Facsimile Edition of the Nag Hammadi Codices, Codex XI, XII and XIII, (with the Collaboration of the International Committee of the Nag Hammadi Codices); Leiden.

1974

The Facsimile Edition of the Nag Hammadi Codices, Codex II (with the Collaboration of the International Committee of the Nag Hammadi Codices); Leiden.

1975

Nag Hammadi Codices III, 2 and IV, 2. The Gospel of the Egyptians.
(The holy Book of the great invisible Spirit) edited with Translation
and Commentary by A. Böhlig and F. Wisse in Cooperation with
P. Labib (= Nag Hammadi Studies IV); Leiden.

In addition to these several articles appeared in Al-Ahram news-
paper such as "Digging Shafts in the Desert was an Ancient Egyptian
procedure", and "King Khian".

WORKS IN PROGRESS

Six further volumes of the Facsimile Edition of the Nag Hammadi
Codices.

GREEK AND COPTIC PAPYRI FROM THE COVERS OF THE NAG HAMMADI CODICES

A Preliminary Report

BY

JOHN W. B. BARNS †

When in Cairo early in 1971 I was fortunate enough to visit the Coptic Museum, whose splendid collection of Christian antiquities has owed so much to the devoted Directorship of the scholar to whom this volume is dedicated, at a time when an international team was working upon the Nag Hammadi material. On this occasion I was shown the leather cover in which one of the codices—No. VII—was bound; this, like several others, had been found to have been reinforced by a wad of waste papyrus, and a trial separation of a layer or so had been made, exposing parts of several papyri, in Greek and Coptic, which promised to be of interest.[1] I expressed my eagerness to study this material with a view to its publication, and was granted permission to do so by the Technical Sub-Committee of the International Committee for the Nag Hammadi Codices of A.R.E. and UNESCO later that year. The work of separating the papyri in this cover, and those of Codices IV, V, and VIII, was ably executed in the laboratory of the Department of Antiquities in Cairo by Mr. Abd el Moeiz Shaheen, Sub-Director of the Centre for the Study and Conservation of Antiquities; photographs of the resulting mass of material were made by Mr. Basile Psiroukis in December, 1971, and placed at my disposal.[2] Another codex from the same find, No. I, better known as the Jung Codex, was also found to have papyri in its cover; the latter were separated in November 1973 at the Institute for Antiquity and Christianity of Claremont Graduate

---

[1] A photograph of the material at this stage is published in the *Facsimile Edition of the Nag Hammadi Codices*, Codex VII (Leiden, 1972), plate 4.

[2] Some useful photographs of part of the material were made earlier by Mr. P. H. van der Velde, and by the Centre for the Study and Conservation of Antiquities.

School which acquired the cover in 1973; see my remarks, below. When I was able to revisit Cairo in December 1972, I had already had time to make preliminary readings of the Cairo material from photographs, and to suggest joins and rearrangements of the fragments, which I was able to check and supplement, partly from consideration of their fibre patterns.[1]

The scheme of publication decided upon for this material necessarily differs from that of most collections of papyri. In order to conform with the treatment of the Codices themselves, a practically complete photographic reproduction of both sides of all the fragments from the covers bearing any writing on either side will be published in a volume of the *Facsimile Edition* of *the Nag Hammadi Codices*, while a critical edition of the texts will appear in the Nag Hammadi Studies series.[2]

In general it may be said that the material from the covers is largely fragmentary, and much of it might at first sight seem unpromising; were it not for the circumstances of its discovery, some of it might well have been set aside as hardly worth publication. In fact, however, some of the most insignificant-looking scraps have yielded valuable information.

The contents of the covers may now be summarily described, in order of their Codex numbers:

I. At the time when this report was written the contents of this cover had not yet been fully separated, and I have not been able to examine the originals. Two photographs supplied by Professor Robinson show fragments of documentary texts (all in Greek), including a letter, two contracts, and an account.

IV. contains only half a dozen insignificant scraps, in Greek, evidently from official accounts, as in the next.

V. Numerous fragments, in Greek, many in identical hands; the

---

[1] See my paper in *Proceedings of the IX International Congress of Papyrology*, Oslo 1961, pp. 136 ff.

[2] In the *Facsimile Edition* fragments of the same text which do not join, even where their relative position is known, will be given separate but consecutive numbers. The material will be arranged according to the numbers of the codices with which they were found; within these divisions the arrangement will be according to the category of text, the Greek preceding the Coptic. The publication of the texts in the N. H. Studies series will present the material in the same order, but the numeration will be continuous, and fragments of the same text will be included under one number. A concordance with the photographs in the fascimile volume will be given at the end of the book.

recto texts [1] are from official accounts, evidently relating to a wide area of Middle and Upper Egypt; the nomes concerned are specified. Some texts on the *versos* also concern fiscal matters.

VII. This cover has yielded the greatest number and variety of texts, and (as we shall see below) the most informative. There are four dated Greek documents, and a piece of an account (domestic rather than official) in Greek. The bulk of the material, however, is private correspondence, mostly in Greek, but some in Coptic; its significance will be discussed below. There are also two leaves (one almost complete, the other but a fragment) from a fine codex of *Genesis*, which has already been published by Professor R. Kasser in *Le Muséon* 85 (1972), pp. 65 ff. There is also a fragment of what appears to be a literary epistle or homily; for a suggestion about its authorship, see below.

VIII contains, besides a few scraps of letters in Greek and Coptic, fairly extensive, though tantalizingly incomplete, remains of two texts in Greek which seem to be without an exact parallel among the papyri. They are evidently copies of imperial ordinances, applying not particularly to Egypt, but to the Empire as a whole. Their style is reminiscent of the letters of Constantine preserved in Eusebius, but they are evidently concerned not with religious matters, but with administrative and fiscal abuses and reforms. They are couched in the most general terms, and there is nothing in them which points to particular occasions or to the authorship of particular emperors; but the mention in one of them of *exactores* and *praepositi* indicates a date after A.D. 309.[2] I cannot identify them with any of the extant ordinances of Constantine or his immediate successors in the Roman legal codices.[3]

Before we consider the historical evidence presented by the material from these covers in detail, we may ask ourselves what, in general, we should expect to be its relationship with the codices themselves. Now it seems unlikely that the writing of the codices and their binding should have been the work of two different establishments;

---

[1] I use the term "*recto*" to mean the side evidently written first, irrespectively of the direction of its surface fibres.

[2] See D. Thomas, *Chronique d'Égypte* 34 (1959), pp. 124 ff.

[3] Parts of these remain stuck to the cover of the codex, from which they could not have been detached without damage to the binding; since in every case the written side seems to be uppermost, and the *verso* in all the detached fragments is seen to be blank, the operation would hardly have been worth while.

and even more unlikely that the waste papyrus used to pack and
strengthen the covers should have had no connection with the
binders. The contents of the texts from the covers must therefore
be vitally relevant to the provenance of the codices themselves.
First we note that most of the contents of VII, and some of I and
VIII, indicate a monastic background. This is plain from the correspondence; from the four dated documents in VII the religious
background is not evident, but the rather uncommon names of two
of the parties concerned—Psenetumis and Komēs—almost certainly
identify them with persons named in the letters who are evidently
monks. The earliest of these documents is a small scrap from the
end of a deed of sale; it has a fragmentary mention of the name of
a consul, either Domitius Zenophilus (333) or (less probably) Tettius
Facundus (336). The next in date is a receipt for a loan of corn by
Aurelius Psenetumis, written for him (since he is illiterate) by an
exmagistrate, Aur. Statillius, and dated in the consulship of Antonius
Marcellinus and Petronius Probinus (341). Next comes another corn
receipt, addressed by Aur. Komēs son of Harmogis, of the village of
Techthu of the Diospolite nome, to Aur. Ptolemaeus, son of Pachomius,
ex-magistrate of Tentyra, and dated in the fourth consulship of
Constantius and the [third] of Constans (346).[1] The latest is a deed
of surety addressed to an *eparchos* and *proedros* (name lost) by Aur.
Melas, guaranteeing the presence and availability of one Theodora;
the dating clause preserves the name of the consul Flavius Salias (348).
This evidence places the binding of Codex VII some time in the latter
half of the fourth century.[2] Another contract, from Codex I, has a
more explicitly monastic origin; it mentions a $\mu o \nu \acute{\eta}$ and a *proestōs*,
and the name of Chenoboskion occurs in it.[3]

In the correspondence from VII the designation of the addressees
is general $\dot{a}\delta\epsilon\lambda\phi\acute{o}s$ or $\pi a\tau\acute{\eta}\rho$ or their Coptic equivalents; the word
$\mu o \nu a \chi \acute{o} s$ is used in[4] two letters, and several writers designate them-
selves or their correspondents as $\pi\rho\epsilon\sigma\beta\acute{\upsilon}\tau\epsilon\rho os$. All these are regular
terms of normal and orthodox Egyptian religious life. Nowhere do

---

[1] And not the second, as I formerly read; see the general *Introduction to the Facsimile
Edition*, p. 4; *Facs. Ed.* of Codex VII, p. ix.

[2] On the general question of the time lapse between use and re-use in papyrus
documents, see E. G. Turner, *JEA* 40 (1954), pp. 102 ff.

[3] See Comment on page 17 f.

[4] Cf. $\mu o \nu \acute{a} \chi \iota o \nu$ in a Greek letter from VII.

we find any suggestion of heresy or heterodoxy; indeed, this seems ruled out by a passage in one letter which speaks of the commendation (συνέστησεν) of an individual to a group of the brethren by "our father [the holy?] bishop". Now if the papyri, and the codices which they accompany, originated in a monastic group of good orthodox standing, we must immediately be struck by the fact that at this time, and in this neighbourhood, there was in fact flourishing a monastic organization which was already winning for itself the fame which it has enjoyed ever since. The foundations of the great Pachomius, whose death is generally dated 348,[1] extended from Panopolis in the north southward to Esna; and the central point in the chain was in the Diospolite nome, where Chenoboskion (Shenesēt) was one of his most famous establishments. Since it is hardly conceivable that there could have been more than one orthodox monastic organization simultaneously operating in the same place, we should be justified in concluding, even without further evidence, that the Nag Hammadi material came from a Pachomian monastery. Such evidence, however, is in fact forthcoming from our documents. One of these is a letter, in Coptic, from the cover of VII,[2] of which unfortunately only the opening phrases can be reconstructed; it begins: "To my beloved father Pahômĕ, Papnoutĕ, in the Lord, greeting". Neither Pachom(ius)[3] nor Pap(h)nut(ius) are particularly rare names, but neither are they very common; the probability that this (evidently autograph) letter is addressed to the great monastic founder himself by his οἰκονόμος, the brother of Theodorus (his second in command), a person well known from the *Lives*, etc.,[4] is heightened if I am correct in reading the word "prophet" as an epithet applied to the addressee on the *verso*. This designation, which implies the highest respect, is repeatedly applied to Shenoute in the *Life* by his disciple and successor Besa. A Greek letter from the same cover mentions a Papnutius as a person evidently in high authority; he is probably the same man. A number of other names prominent in the Pachomian biographical literature are to be found in the

---

[1] See, however, D. J. Chitty, *Journal of Ecclesiastical History* V 1, pp. 38-77, who makes it 346.

[2] Another fragment in the same hand seems to be part of another letter.

[3] The name occurs in two other documents from VII, one of which (a document dated 346) must belong to another individual.

[4] See Halkin, *Sancti Pachomii Vitae Graecae*, pp. 43; 53; 69; 74; 79.

documents from VII. Some of them, e.g. Paul,[1] Peter,[2] John,[3] Pekōsh (Pekusis),[4] Besarion,[5] Efōnekh (Eponychus),[6] and (from I) Copres[7] are too common to be significant; others, however, are not. One of these is Sourous, mentioned in the long Coptic letter from VII; this is the name of a high authority prominent in the *Lives*, etc.,[8] who is said to have died (with Papnutius and Pachomius himself) in the plague which decimated the monasteries before the middle of the century. Another name of significant rarity is Zacch(a)eus;[9] a presbyter so named, evidently a person of consequence, is the writer of one Greek letter, beautifully written and well composed, and one of the three signatories of another. Zacch(a)eus appears in the *Lives* (etc.) as one of Pachomius' most responsible subordinates.[10] The name Macarius is so common in monastic circles that its occurrence as that of the writer of the fragmentary letter in VII would be hardly worth noting, were it not for the fact that he addresses Sansnōs (for whom see below), called "father" or "brother" by all his other correspondents, as "my son"; this suggests that [Ma]carius here is a person of high seniority; we note that a Macarius was the successor of Sourous as head of the monastery of Pachnoum.[11] As for Sansnōs himself, it would appear from his prominence in the archive that the documents in VII come from a file especially concerned with him and his immediate associates and subordinates, and that he was in charge of a particular unit in the Pachomian organization—the farming of sheep and goats and the preparation of wool and leather. The superb leather covers of the codices will have been the work of his department; hence the use of documents from his files to reinforce them. These

---

[1] Ibid., pp. 16; 53; 79.

[2] Ibid., p. 84.

[3] Ibid., pp. 16; 53; 79.

[4] Ibid., pp. 16; 21; 53; 86; 101; 104; 108; 109.

[5] Ibid., p. 117.

[6] Ibid., p. 36.

[7] Ibid., pp. 97; 115; 116.

[8] Ibid., pp. 15; 53; 69; 74; 78.

[9] The name occurs only once certainly, and once doubtfully, elsewhere in Greek documents from Egypt; there are, however, rather more instances from Coptic documentary sources, as Mr. J.-D. Dubois points out.

[10] See Halkin, op. cit., pp. 71; 74; 77; 150. The Coptic *Life* (Lefort, *Vit. Pach. Copt.*, p. 178, 6) makes him a dwarf (κολοβός); hence, no doubt, his name; cf. Lk xix, 3.

[11] See Halkin, op. cit., p. 78.

documents illustrate the practical and industrial side of the Pachomian administration in the most vivid way.

Apart from the financial documents from IV and V, and the imperial ordinances from VIII, whose scribal fluency and accurate Greek seem to reflect an origin in government official circles rather than a domestic and monastic background, the standard of literacy in the documents, particularly in the correspondence from VII, varies greatly, both in Greek and Coptic, and it does not necessarily correspond with the status of the writers. For instance, a Greek letter from Sansnōs, a man of evident standing, is so badly composed and spelt as to be barely intelligible in places. An even worse case is a letter in Coptic by one Aphrodisius, so misspelt that its interpretation is in places doubtful; it is written on the back of one addressed to him in terms of respect by a correspondent who commiserates with him on his illness[1] in a long and well composed letter which makes apt and accurate use of a citation from *Hebrews*. Another Coptic letter seems to compare the growth of the particular community to which it was addressed to that of a grain of mustard seed. The dialect at which the Coptic documents evidently aim is pure Sa'idic, which we find in the finely executed text of *Genesis* in VII; a less high standard is seen in the fragment of what appears to be a monastic epistle or homily, perhaps by Pachomius himself. Departures from the Sa'idic standard are no doubt due to the influence of local dialect, but most of them can be accounted for as mere vulgar spellings. This contrasts oddly with the contents of the codices themselves, whose dialect varies between Sa'idic and Sub-Akhmimic. It looks as if their scribes reproduced texts exactly as they found them, without attempting to adapt them to their own linguistic standard. It would perhaps be not too bold to see an analogy to this in their theological attitude. This may at first seem surprising; one would expect writings from an Egyptian monastery to contain only what its authorities considered orthodox; and indeed we hear in the Pachomian *Life*[2] of the founder's furious condemnation of the

---

[1] The latter mentions that he has been informed of an improvement in Aphrodisius' health by Sourous, for whom see above; Aphrodisius, however, in his letter expresses doubt about his own recovery. One is tempted to wonder whether he may have been one of the earlier victims of the epidemic in which Sourous himself was to die; it is seen from the *Lives* to have been a lingering illness.

[2] See Halkin, op. cit., pp. 130 ff.

writings of Origen, which he forbade his monks to read and ordered to be thrown into the river. But here we find works of extreme and varied heterodoxy in a plainly orthodox context. To take but one example : the anti-clerical doctrine seen in the *Apocalypse of Peter* in Codex VII contrasts with the perfectly normal and orthodox respect for Church discipline and orders reflected by the contents of the cover of the same Codex. How was such inconsistency possible, and what relevance to this problem is to be seen in the fact that the codices were found hidden in a tomb? It might be suggested that the heretical nature of the books was at first not recognized, but that subsequent investigation in the library resulted in a purge of its contents. But it seems unlikely that such heterodoxy could have escaped the vigilance of authority at all; and if they were thus condemned, why were they not simply destroyed, as the works of Origen were? Another possible suggestion might be that the codices represent a private cache of illicit heretical literature belonging to some member of the community, which if discovered would have suffered the fate of those works of Origen. But their standard of production suggests nothing as furtive as this. A much more likely solution seems to be that suggested by Säve-Söderbergh :[1] that the Nag Hammadi texts were brought together, not because they expressed the beliefs of those who wrote these codices—this would in any case be impossible, as he points out, since they do not represent the tenets of any one sect—but for *heresiological* purposes. The occasion for this may have been the spread of the Pachomian organization to Panopolis, for many years a notorious centre of pagan intellectual reaction, which may well have been also a hotbed of heresy. The Coptic *Life*[2] has an interesting account of debates between "philosophers" from that place and Pachomian monks on the interpretation of Scripture; this might be the motive for the copying of such Gnostic and other material as would furnish the monastery's theologians and apologists with subjects for discussion; we may be sure that it would not be accessible to its rank and file.

It only remains to conjecture an explanation of the storage of the codices in the place where they were found, and to suggest when they were placed there. It has been suggested (see the general

---

[1] In *Le origini dello gnosticismo : Colloquio di Messina, 13-18 Aprile 1966 : Texte & discussioni* (ed. Ugo Bianchi): Supplements to Numen 12, Leiden 1967, pp. 552 ff.

[2] See Lefort, *Les Vies coptes de Pachôme*, pp. 117 ff.

Introduction to the Facsimile Edition) that the occasion may have been Theodorus' promulgation in the Pachomian monasteries (c. 367) of Athanasius' general order for the suppression of heretical writings. This may well be so. Possibly, however, it may have taken place at a later date, when the heresies which produced these books were no longer a living issue, and their study had become unnecessary; it would then represent their relegation to what in a modern library would be called the "stack".

Whatever the explanation may be, the evidence which we now have for the study of these abstruse works in a Pachomian monastery should help to counteract the still all too prevalent impression that Egyptian monasteries were inhabited only by blind unlettered zealots. If this one had its illiterate and semi-literate members, it also had its theologians; and, if I am not mistaken, critical theologians at that.

COMMENT, BY E. G. TURNER

Professor Barns does not quote the actual context of the damaged document.

On 10 December 1973 I visited Claremont at the invitation of Professor J. M. Robinson, and was shown the original papyrus pieces from the covers of Codex I. I could not find a piece which contained the word $\mu o\nu\eta$. Two vertical strips fitted together and contained in consecutive lines the abbreviation $\chi\eta\nu o\beta'$ and the word $\kappa\omega\mu\eta s$. It seems possible that the word $\kappa\omega\mu\eta s$ was misread from a photograph as $\mu o\nu\eta s$ (the strips could not be physically united, and in photographs I have been sent from Claremont they occur in separate plates, which is probably how they were seen also by Professor Barns). At least five further pieces could be joined to form a contract in which the parties agree to fulfill their obligations in regard to the *euthenia tes poleos*. The handwriting probably belongs to the first half of the fourth century. The beginning can be reconstructed as follows :

	frag. 4	frag. 3	
Line 1	$]\varDelta\iota o\varsigma\pi o^\lambda\ \pi\epsilon\rho\iota$ [	$]\varDelta\iota os$	
	$].o\upsilon\rho\gamma\omega\nu\|\ K\omega\mu\omega\nu$		
	$]\mu o\upsilon\ \delta\iota\ \varPi\|\epsilon\kappa\upsilon\sigma\|\iota\|os$		frags. 2 and 1 begin
	$]\sigma\ a\pi o[$	$]\|X\eta\nu\|o\beta'$	
5		$]\kappa\omega\mu\|\eta s$	
		$]\psi\iota\ \sigma\upsilon\mu\|\pi\rho a\text{-}$	

Frag. 5   [ξαντ-   ]ος προεστωτος [απο της] (αυτης) κωμ|ης
           ] χαιρειν   [   ]   blank
           ]εδοξεν ωστε   [   ]   text continues
           ]text continues   (frag. 6)

1] Διοσπολ (ιτ) περὶ Διὸς [πόλιν, apparently "from or to a person described as 'Diospolite around Diospolis' ". The geographical location is upper Egypt. This confirms the interpretation of Χηνοβ′ as the place-name Χηνοβ(όσκιοι) (cf. Mitteis *Chr.* 87,38) rather than as occupational designation ('gooseherd') or amphodon name ('from the gooseherds' quarter) of some town. It therefore supports Professor Barns' argument for local craftsmanship. I do not, however, know of any parallel for this phrase applied to Diospolis Parva (*Hiw*), which is on the south bank of the Nile opposite Chenoboskion, and should have expected it to apply to Diospolis Magna. But few papyrus documents survive from Diospolis Parva, and we are badly informed about its topographical terminology.

2] .ουργων, i.e. a craft designation (there are many names for craftsmen ending in -ουργός), which suggests that the text may concern a trade guild.

3] μου : the end of a name such as Διδύ]μου is more likely than the genitive of the personal pronoun.

7 προεστῶτος : the term seems to be used of an administrative officer whose provenance is given by his village. The term is found elsewhere outside monastic contexts : cf. M. *Chr.* 361,24 ἀπὸ προεστώτων 'Ελεφαντίνης; P. Fouad 52.8 προιστα-σαμένους (1. προιστανομένους) ἀρτοκοπείου.

Immediately on my return to the U.K. before Christmas 1973, I communicated my observations to Professor Barns and received an acknowledgement from him. It is my belief that, had he lived, he would have incorporated a modification in his paper.

ZUM "PLURALISMUS"
IN DEN SCHRIFTEN VON NAG HAMMADI

Die Behandlung des Adamas in den Drei Stelen des Seth
und im Ägypterevangelium

VON

ALEXANDER BÖHLIG

I. Oftmals war man der Meinung, das Wesen des Gnostizismus sei der Mythos und ein Ur-Mythos liege gewissen Variationen zugrunde. Doch schon an den Texten des Mandäismus konnte man erkennen, daß hier religiöser und theologischer Inhalt von den Ausdrucksformen zu trennen war. Das Verhältnis von Form und Inhalt zu analysieren, ist für den Gnosisinterpreten eine notwendige Aufgabe. Die griechische Philosophie hatte neben dem Dialog, der wohl oftmals nur ein Scheindialog war, den Mythos verwendet. Das dialogische Element war auch im Gnostizismus vorhanden, ob nun Jesus mit seinen Jüngern vor oder — besonders gern — nach der Auferstehung in Frage und Antwort spricht oder ein Problem vom Verfasser der jeweiligen Schrift beantwortet wird oder auch in den Kephalaia, den Lehrgesprächen der Manichäer, verschiedentlich nicht nur ein erzählender Rahmen, sondern auch Frage und Antwort zu finden ist. Daß aber der Mythos bei den Gnostikern in besonderem Maße beliebt war, dürfte in erster Linie mit dem Versuch zusammenhängen, ein allseitiges Weltbild den Gläubigen vor Augen zu stellen. Wie die Theologie mit den Denkformen des modernen Menschen dem denkenden Menschen ein Selbstverständnis seines religiösen Glaubens geben will, so will der Gnostizismus mit den Denkformen seiner Zeit, zu denen beide, Dialog und Mythos, gehören, dem Gnostiker dazu verhelfen, sein Wesen zu verstehen. Daß man darüber hinaus noch dazu übergehen konnte, den Mythos logizistisch zu interpretieren, ist ein Zeichen für dessen Erstarrung. Im Manichäismus hat man die Kanonisierung des Mythos, den Mani geschaffen hatte, mit diesem Mittel zu überwinden versucht. Im Gnostizismus im engeren Sinne kannte man solche Uniformierung gar nicht.

Das Vorhandensein verschiedener Häresien nebeneinander, die nicht in konfessionellem Haß einander mit Feuer und Schwert bekämpften, machte es möglich, daß in der Bibliothek von Nag Hammadi Schriften stehen, die nicht ohne weiteres zueinander gehören, die aber durch das gemeinsame Ziel vereinigt werden. Ja, es scheint, daß bereits bei der Gestaltung der einzelnen Schriften verschiedenartige Traditionen zusammengefügt wurden, um einen speziellen Gedanken zum Ausdruck zu bringen. Die Mythologumena sind also weitgehend Ausdruck eines Gedankens. Allerdings scheinen sie sich auch sehr früh entwickelt zu haben. Neben der verschiedenartigen Tradition, aus der die einzelnen Gedankengänge und Mythologumena stammten, spielte es für die Verwendung solchen Materials auch eine Rolle, welche Literaturform in den einzelnen Schriften, aber auch in den Traditionsstücken vorlag, und wieweit die Literaturform zur Umgestaltung von Ausdrucksformen, insbesondere der Mythologumena, beigetragen hat. Die Frage wird umso interessanter, wenn es sich um Texte handelt, die derselben Häresie zugeschrieben werden können. Es zeigt sich, daß die Traditionen für den, der sie verwertet, Ton in des Töpfers Hand sind. Doch dürfen wir nicht von Gedankenspielen sprechen. Dazu ist den Verfassern der von ihnen behandelte Gegenstand zu ernst. Die Bibliothek von Nag Hammadi, in der sich keine Schrift selbst einer bestimmten gnostischen Richtung zuweist, zeigt also stark pluralistische Züge.

Ist die Auffindung einer solchen pluralistisch ausgerichteten Bibliothek etwa gerade für Ägypten charakteristisch? Dieses Land, das einst aus einzelnen Gauen zusammengewachsen, dann aus Ober- und Unterägypten zu einem "vereinigten Königreich" geworden war, hat niemals eine einheitlich geformte theologische Dogmatik hervorgebracht. Wenn einst F. Cumont meinte, daß das Prinzip des Widerspruchs für dieses Volk nicht existiere,[1] so mag das wohl eine sehr weitgehende, ja zu weit gehende Behauptung sein. Wahr ist aber, daß eine Fülle von Diskrepanzen hingenommen wurde. Deshalb mag Ägypten auch ein besonders geeigneter Boden für das pluralistische Nebeneinander von Richtungen oder Vorstellungen im Gnostizismus gewesen sein. Es sei allerdings darauf hingewiesen, daß über Ägypten hinaus in der Zeit vor der Kanonisierung in der christlichen Kirche eine solche Tendenz auch in der Bibelüberlieferung vorhanden war,

---

[1] F. Cumont, *Die orientalischen Religionen im römischen Heidentum*. Überarbeitete Übersetzung von A. Burckhardt-Brandenberg (5. Aufl. Darmstadt 1969), S. 80 f.

wie Altsyrer und Altlateiner beweisen. Wie stark solche Tendenzen auch gerade in Ägypten waren, zeigt der sahidische Proverbientext [1] und der Gebrauch der Proverbienversionen durch Clemens Alexandrinus.[2] Es fragt sich also, ob es sich beim Pluralismus im Gnostizismus um eine zeitlich-historisch bedingte Erscheinung handelt oder um eine regionale. Um diese Frage lösen zu können, müßte man allerdings mehr von der Entstehung des Gnostizismus überhaupt wissen, als wir dies bis jetzt vermögen.

II. Eines der wichtigsten, wenn nicht das wichtigste Problem überhaupt, ist für den Gnostiker der Aufstieg der Seele in ihre himmlische Heimat. Hier liegt ein Thema vor, das seit der Zeit der Orphiker immer wieder die griechische und dann die hellenistische Welt beschäftigte, um im Gnostizismus, Mandäismus und Manichäismus zentrale Bedeutung zu erlangen. Aus der Bibliothek von Nag Hammadi seien nur einige Beispiele, die dieses Problem behandeln, genannt: II,6 "Die Darstellung über die Seele", VI,3 "Der Authentikos Logos", VI,4 "Die Erfahrungsgesinnung".[3] Aber nicht nur die Schicksale der Seele im Rahmen des gesamten himmlischen und kosmischen Geschehens sind Gegenstand der Betrachtung und werden aufmerksam beobachtet. Auch die visionäre, manchmal auch geradezu mystische Erhebung der Gläubigen zu den himmlischen Höhen oder zum höchsten Gott ist ein Vorgang, der gern beschrieben wird. In der Paulusapokalypse (V,2) [4] wird vom Aufstieg des Paulus in den zehnten Himmel durch ihn selbst berichtet. Im Ägypterevangelium (III,2 und IV,2) [5] findet sich ein aus zwei Gesängen bestehender hymnischer Abschnitt, der von der Verbundenheit des Gläubigen mit dem Äon des Lichts spricht. Besonders beeindruckend ist die Erhebung des

---

[1] A. Böhlig, *Untersuchungen über die koptischen Proverbientexte*, (Stuttgart 1936), S. 50-76.

[2] A. Böhlig, *Zum Proverbientext des Clemens Alexandrinus. Polychordia*, (*Festschrift Franz Dölger zum 75. Geburtstag* besorgt von P. Wirth) III, S. 73-79.

[3] Edition in M. Krause und P. Labib, *Gnostische und hermetische Schriften aus Codex II und Codex VI*, (ADAIK, Kopt. Reihe Bd. 2) (Glückstadt 1971): II,6 : S. 68-87. VI,3 : S. 133-149. VI,4 : S. 150-165.

[4] Edition in A. Böhlig und P. Labib, *Koptisch-gnostische Apokalypsen aus Codex V von Nag Hammadi im Koptischen Museum zu Alt-Kairo*, (Sonderband der Wiss. Zeitschr. d. Martin-Luther-Univ. Halle-Wittenberg) (Halle/S. 1963), S. 15-26.

[5] Edition: A. Böhlig and F. Wisse in cooperation with P. Labib, Nag Hammadi Codices III,2 and IV,2 : *The Gospel of the Egyptians* (*The Holy Book of the Great Invisible Spirit*), (Nag Hammadi Studies IV), Leiden 1975.

Gläubigen zum höchsten Gott in den "Drei Stelen des Seth" (VII,5),[1]
die möglicherweise als Beispiel eines gnostischen Rituals angesehen
werden kann, zumal wenn man den Schluß des Textes als Beschreibung
der liturgischen Handlung betrachtet.

Im Gegensatz zu den zwei Stelen des Seth, die aus jüdischer
Tradition bekannt sind,[2] finden sich hier drei Stelen. Es fragt sich
also, wie die Sethianer hier zur Zahl drei gekommen sind.[3] Das liegt
wohl an der Bedeutung, die diese Zahl drei in der Theologie des
Gnostizismus überhaupt gewonnen hat. Die Drei ist eine Primzahl.
Die Eins ist in sich noch keine Zahl, sondern erst im Verhältnis zu
anderen. Das Zählen fängt mit der Erkenntnis an, daß es ein Zweites
gibt. Darauf dürfte auch das Vorhandensein eines Duals gerade in
Sprachen zurückgehen, die alte Strukturen bewahrt haben. Im
Ägyptischen schreibt man den Dual z.B. mit zwei Strichen, während
drei Striche den Plural ausdrücken. Drei ist also das Zeichen für eine
Vielheit, und zwar das einfachste. Darum hat neben der Zwei, die
Alternativen zum Ausdruck bringt, wie Tag und Nacht, die Drei den
Charakter des Umfassenden erhalten, z.B. zeitlich : Morgen — Mittag
— Abend; der da ist, der da war, der da kommt; oder anthropologisch :
Leib (Fleisch) — Seele — Geist. Auch das antike Weltbild, das dem
astrologischen voranging, besteht aus drei Stufen : Himmel — Erde
— Unterwelt. Darum ist es nicht verwunderlich, wenn auch in der
Religion Göttertriaden auftreten. Gerade in der Welt, in der sich der
Gnostizismus entwickelte, findet sich die göttliche Dreiheit von Vater,
Mutter, Sohn, die in Schriften von Nag Hammadi auch anzutreffen
ist. Ihr ging in Ägypten die Dreiheit Osiris — Isis — Horus und in
Syrien (Baalbek) Zeus — Aphrodite — Hermes voraus.[4] Diese Familien-
dreiheit trägt natürlich den Charakter der Abstufung in sich. Der
Vater steht an der Spitze, als zweite Person steht neben ihm die
Mutter, der Sohn als ihrer beider Produkt folgt als dritte. Dieselbe

---

[1] Edition : M. Krause und V. Girgis in F. Altheim und R. Stiehl, *Christentum am
Roten Meer II*, (Berlin 1973), S. 180-199.

[2] Vgl. Jos. Antiqu. I 2, 3, § 68-70.

[3] R. Mehrlein, RAC II, 269-310.

[4] Für die ägyptische Trias vgl. H. Bonnet, *Reallexikon der ägyptischen Religions-
geschichte*, (2. Aufl. Berlin 1971), S. 326 ff. Für die syrische Trias vgl. H. Gese, Die
Religionen Altsyriens (in *Die Religionen der Menschheit*, Bd. 10,2) (Stuttgart 1970),
S. 222 ff. In ihrer Aphrodite vereinigen sich auch Züge der Atargatis und der Astarte.
Daß der junge Gott gerade eine Mittlergestalt ist, darf als besonders interessant für
die von uns behandelten Texte angesehen werden.

Dreiheit ist auch im Johannesapokryphon (II,*1*, III,*1*, IV,*1*, BG)
vorhanden : der unsichtbare Geist, die Barbelo, der μονογενής
Christus. Auch das Ägypterevangelium kennt die Trias von Vater,
Mutter und Sohn. Ebenso steht auch im Manichäismus neben dem
Vater der Größe noch die Mutter des Lebens und der erste Mensch
als Sohn. Dies nur als einige Beispiele !

Nach den drei Stelen des Seth steigt der Gnostiker über die übrigen
Stufen der Trinität zum höchsten Gott auf und auf dem gleichen
Wege wieder herab.[1] Die Trinität, die aus Vater, Mutter und Sohn
besteht, wird gebildet vom wirklich Präexistenten als Vater, der
Barbelo als Mutter und dem Lichtadamas als Sohn. Der präexistente
höchste Gott wird in seiner Erhabenheit und Alleinheit gepriesen, die
Barbelo als die, welche die Zahl hervorbringt,[2] und der Adamas als
das Lichtwesen, von dem Seth (und damit die Sethianer) abstammt.[3]
Es ist also kein Wunder, wenn die drei Hymnen auf diese drei Größen
dem Seth in den Mund gelegt werden. Der Charakter der religiösen
Gemeinschaft tritt im Übergang von der singularischen Rede zur
pluralischen hervor. (120,21 "der uns gegeben wurde"; von 29 ab
geht auch der Lobpreis in den Plural über : "wir preisen".) Berücksichtigt man, daß z.B. ein so markantes Mythologumenon wie die
Séduction des Archontes vom Manichäismus aus gnostizistischer
Tradition übernommen worden ist, kann man auch in der Trias der
Stelen durchaus eine Vorform der manichäischen Trias sehen. Der
höchste Gott und die Barbelo entsprechen dem Vater der Größe und
der Mutter des Lebens (bzw. der Lebendigen), dem großen Geist, der
Adamas dem ersten Menschen. Das Verhältnis des ersten Menschen
zu den in der Zerstreuung der Welt befindlichen Seelen erinnert
teilweise an das Verhältnis des Lichtadamas zu den Sethianern. Im
Kampf verliert im Manichäismus der erste Mensch seine Lichtrüstung,
die auch nach seinem Wiederaufstieg zum Teil im Kosmos gefangen-
gehalten wird, um nach und nach ausgeläutert zu werden. Bei den
Sethianern wird Adamas nicht befleckt, sein Sohn Seth und seine
Kinder befinden sich aber teils in der himmlischen Welt,[4] teils im
Kosmos.[5]

---

[1] Nag Hammadi Codices VII 127,20 f.
[2] VII 122,8 ff.
[3] VII 118,25 ff.
[4] Vgl. EvAeg III 56, 14-22 = IV 67, 28-68,5.
[5] Vgl. EvAeg III 60, 9-18 = IV 71, 18-30. III 61, 1-15 = IV 72, 10-27. Hierher

Die Stelen des Seth können also mit Recht als ein Text betrachtet werden, der ein typisches Produkt der Sethianer ist. Berücksichtigt man, daß das Ägypterevangelium ein Werk ist, in dessen Zentrum Seth steht, also sicher den gleichen Kreisen zuzuschreiben ist, so ist es vielleicht angemessen, im Rahmen eines kurzen Aufsatzes einmal an einem markanten Beispiel die Arbeitsmethode der Verfasser zu vergleichen. Da in beiden Texten ausführliche Angaben über den Lichtadamas gemacht werden, eignet sich diese Figur besonders gut für einen exemplarischen Vergleich.[1]

III. Wie eingangs bereits erwähnt, muß bei einem solchen Vergleich auch der Literaturtyp berücksichtigt werden. Die drei Stelen des Seth, deren erste den Lichtadamas besingt, dürften ein Werk aus einem Guß sein. Das Ägypterevangelium dagegen ist eine unter einem Gesamtthema stehende Kompilation von Traditionsstücken, unter denen auch solche sind, die über den Lichtadamas handeln.[2] Ist in den Stelen des Seth der Lichtadamas in eine Trinität aufgenommen, so ist er im Ägypterevangelium nur eine Figur unter vielen anderen in der himmlischen Welt.

Im Ägypterevangelium wird ausgegangen von dem unsichtbaren Geist als der höchsten Gottheit, die sich über allem, was jetzt ist, befindet und einst für sich ganz allein vorhanden war, charakterisiert durch Schweigen und Pronoia. Mit dieser Vorstellung von einem jenseitigen, abgesehen von dem Prädikat des Lichts nur mit negativen Prädikaten zu beschreibenden höchsten Gott ist die Vorstellung von einer Göttertrias, die aus Vater — Mutter — Sohn besteht, derart verbunden, daß sie aus dem höchsten Gott evolutioniert ist. Aus dieser Dreiheit entsteht als Siegel eine weitere Dreiheit, die zu einer Fünfheit wird, weil ihr erstes Glied, das aus dem Vater gekommen ist, bereits als dreifaltig vorgestellt wird. Die himmlische Götterwelt ist in einer kollektiven Größe, dem Domedon ("Hausherr"), der zugleich Doxomedon ("Glanzherr") heißt, manifestiert. Danach erscheint auch

---

gehören auch die Rettungsaktionen des Seth: 1. durch seine Bitte um Wächter III 61, 23 ff. = IV 73, 7 ff., 2. durch sein persönliches Erscheinen III 62, 24 ff. = IV 74, 9 ff.

[1] Insofern beschränkt sich die Darstellung auf einen Vergleich der *ersten* Stele, in der Adamas angesprochen ist: VII 118, 24-121, 17.

[2] Schaffung des Adamas III 49, 1-7 = IV 60, 30-61,8. Herkunft III 49, 8-16 = IV 61, 8-18. Vereinigung von Adamas und Logos III 49, 16-22 = IV 61, 18-23. Gemeinsamer Lobpreis von Logos und Adamas III 49, 22-50, 17 = IV 61, 23-62,16. Gemeinsame Bitte von Logos und Adamas III 50, 17-51,14 = IV 62, 16-63,8.

die Pronoia als ein das Pleroma ordnendes Element. Ihr folgt der
Logos, der das Pleroma wesentlich mit Leben und Licht erfüllt und
als Schöpfer tätig ist. Er schafft durch das Wort die vier Äonen,
führt dann die Erschaffung des Lichtadamas herbei und danach
gemeinsam mit diesem die der vier himmlischen Leuchter nebst
ihrem Anhang sowie des Seth als des Sohnes des Lichtadamas. Die
Figuren der himmlischen Welt entstehen also entweder von selbst
oder sie werden durch eine Schöpfergottheit geschaffen, so der Lichtadamas, die Leuchter und Seth sowie die Kinder des Seth. Der
Ablauf der Schöpfung ist liturgisch gestaltet. Auf die Bitte der
entstandenen Götter hin erfolgt eine erbetene Neuschöpfung. Die
für die Sethianer wohl wichtigste Bitte ist dabei die, daß das
Geschlecht des Vaters mit dem Geschlecht des Seth identifiziert
werden möge. Mit der Erfüllung dieser Bitte sind ja die Sethianer
autorisiert. Der zweite Teil des Textes schildert dann, wie Seth seine
Kinder geschenkt werden, die zum Teil in der himmlischen Welt,
zum Teil im Kosmos angesiedelt werden, wie er seine kosmischen
Kinder vor den bösen Mächten bewahrt, schließlich selbst zu ihrer
Erlösung entsandt wird und in der Gestalt Jesu auf Erden erscheint.
Daß gegen Ende des Textes auch ein hymnischer Teil sich findet,
der stark mystisch wirkt, führt bereits in die Nähe der drei Stelen
des Seth.

Seth ist schon im Alten Testament der Sohn Adams. Diese Tatsache,
besonders aber der Umstand, daß er als Ersatz für Abel der Lieb-
lingssohn Adams war, hatte die Gnostiker dazu geführt, ihm eine
besondere Stellung in Metaphysik und Soteriologie einzuräumen. Das
hatte auch zur Folge, daß eine Gruppe der Gnostiker ihn als die
Größe ansah, von der sie sich Heil versprach. Doch ist deshalb noch
nicht anzunehmen, daß jede Schrift, in der Seth vorkommt, auch
sethianischen Ursprungs ist.

In der ersten der drei Stelen des Seth preist Seth und dort, wo der
Preis in den Plural übergeht, die sethianische Gemeinde den Adamas.
Es preist aber dabei nicht etwa Seth seinen irdischen Vater Adam,
sondern der himmlische Seth den himmlischen Adamas. Wahrschein-
lich geht darauf die Bezeichnung ⲡⲓⲅⲉⲣⲁⲇⲁⲙⲁⲥ zurück. Der
Bestandteil ⲡⲓ- dürfte demonstrativer Artikel sein, der mit der Zeit
für den koptischen Leser vielleicht zu einer Einheit mit dem folgenden
Wort wurde.[1] Der Bestandteil ⲅⲉⲣ- könnte wohl vom gleichen Stamm

---

[1] VII 118, 26 befindet sich über dem Namen kein Strich im Gegensatz zu II 8, 34 f.

wie γέρων kommen. Somit würde der Sinn des Namens "Altadamas, Uradamas" bedeuten.[1] Also wird mit diesem Namen schon zum Ausdruck gebracht, daß es sich bei der beschriebenen Figur um eine Urform des Adam handelt, die vom irdischen Adam durchaus zu trennen ist. Im Gegensatz zum Johannesapokryphon des Codex II verwendet das Ägypterevangelium diese Namensform nicht. Seth bezeichnet sich als ЄMMAХA СHΘ.[2] Dieser Name erinnert an das MAХAP im Ägypterevangelium.[3] Dort wird Seth mit dem dreifach-männlichen Sohn identifiziert, der eine Dreiheit bildet, deren dritter Teil MAХAP genannt wird. Adamas ist in den Stelen "Vater" des Seth,[4] doch nicht durch irdische Zeugung; Seth wurde erschaffen "nicht durch Geburt".[5] Hier werden Eigenschaften des Adamas auch auf Seth übertragen, die auch für den Adam der Genesis gelten. Im Ägypterevangelium, wo Adam *sich* einen Sohn erbittet, wird der Sinn dieses Unternehmens ausführlich beschrieben : "damit er zum Vater dieses nichtschwankenden und unvergänglichen Geschlechts werde und damit durch dieses Geschlecht das Schweigen und die Stimme erscheine und durch es der tote Äon auferstehe, damit er aufgelöst werde".[6] Damit ist die Erschaffung Seths bereits im Blick auf Soteriologie und Eschatologie umrissen. Auch im Ägypterevangelium erfolgt die Entstehung des Seth nicht durch menschliche Zeugung und Geburt. Hier dient ein Mittelwesen, die Prophaneia, als Schöpfer.[7] Auch Adamas wird darin geschaffen, und zwar durch

---

(längere Form des Johannesapokryphons), wo der Strich auch über den Artikel mit hinweggeht. Das ist aber durchaus kein Beweis dafür, daß ΠI Bestandteil des Namens ist. Denn in VII 119, 11 f. ist ein Strich sowohl über dem vor MIPШΘЄAC gesetzten unbestimmten Artikel wie auch 119, 12 f. über dem vor MIPШΘЄOC stehenden Possessivartikel zu finden. Es ist natürlich denkbar, daß in der Zeit, als die uns vor-liegenden koptischen Handschriften abgeschrieben wurden, das Verständnis gerade für den Sinn der Namen schon soweit verlorengegangen war, daß solche fehlerhaften Schreibungen entstehen konnten.

[1] Die Deutung von -iger- als -ier-, wie sie H. M. Schenke in Studia Coptica (hrsg. v. P. Nagel, Berlin 1974), S. 170, vermutet, um dahinter die Urform von AAAMAC ЄTOYAAB (II 156,23) zu sehen, ist sehr fraglich. ἱερός wird im Koptischen mit 2 geschrieben. Deshalb müßte am Beginn des Wortes Π2 oder ф stehen.

[2] VII 118, 28.

[3] IV 59, 20. III 62,3 f. = IV 73, 14. III 65, 9 = IV 77, 9. P am Wortende kann durchaus wegfallen. Fraglich ist ЄM-.

[4] VII 118, 27. 31.

[5] VII 118, 28 f.

[6] III 51, 8-14 = IV 63, 1-8.

[7] III 51, 17 = IV 63, 11.

Μοιροθεά.[1] Daß diese Gottheit ein Mittel der Darstellung ist, das die
Menschenschöpfung zum Ausdruck bringen soll, wird deutlich durch
die Uminterpretation, die sich in den Stelen des Seth findet. Hier
wird Adamas von Seth als ein ΜΙΡΟΘΕΑC bezeichnet.[2] Der Name
ist hier also durch die Endung ins Maskulinum verwandelt. Seth
sieht in Adamas einen Schöpfergott. Durch eine weitere Veränderung
in ΜΙΡΟΘΕΟC wird eine solche Auffassung noch eindeutiger sichtbar.
Der Gebrauch des unbestimmten Artikels vor dem Namen bzw. dem
umgewandelten Namen gibt diesem noch dazu den Charakter eines
Gattungsnamens.[3] Der Hymnus betont, daß Seth um des Adamas
willen, von dem er herstammt, seine Existenz besitzt.[4] Seth preist
Adamas auch wegen seiner Kraft, die ihm geschenkt worden ist.[5]
Ja, er geht soweit, daß er Adamas als seinen Nus bezeichnet.[6] Wenn
an anderer Stelle in der ersten Stele des Seth ausgesprochen wird,
daß Adamas durch den Nus gepriesen und mit der Stimme gesprochen
werde,[7] so weist damit der Adamas als Nus auf sich selbst zurück.
Gerade der Nus ist aber in vielen gnostischen Schriften der göttliche
Vermittler des Geistes. Wenn auch Seth und Adamas als verschieden-
artig einander gegenübergestellt werden — Seth sät und erzeugt,[8]
Adamas dagegen sieht die Ewigen [9] —, so hat doch Adamas eine
Funktion als Mittler. Sie ist allerdings nur zu verstehen, wenn man
seine metaphysische Verwurzelung feststellt.

Schon oben ist auf Charakteristika des Adam hingewiesen worden,
die aus der Tradition der Genesis stammen. Zu ihnen ist noch die hinzu-
zufügen, daß der Name Adams ein erster Name sei.[10] Wenn auch solche
Eigenschaften in den Beginn der Urzeit zurückgeführt werden können,

---

[1] ΜΙΡΟΘΟΗ. Zur Form vgl. den Kommentar zur Stelle a.a.O. 171.

[2] VII 119, 11 f. ΜΙΡΟΘΕΟC 119, 12 f. 120, 15.

[3] Die Endung -*ᾶς* bildet gerade seit hellenistischer Zeit Berufsbezeichnungen, z.B.
κλειδᾶς "Schlosser" (vgl. E. Schwyzer, *Griechische Grammatik I* [3. Aufl. München 1959],
S. 461), wozu die Interpretation in der ersten Stele gut paßt. -*ᾶς* kann neben -*ος* stehen,
so daß nicht unbedingt weiterführende Interpretation aus -*ος* entnommen werden muß,
m.E. aber auch nicht verneint zu werden braucht, weil der Verfasser sich ein in der
Sprache vorliegendes Phänomen zunutze gemacht hat.

[4] VII 119, 6.

[5] VII 120, 16 f.

[6] VII 119, 1.

[7] VII 119, 27-30.

[8] VII 119, 2.

[9] VII 119, 3.

[10] VII 119, 21.

der Adamas der Gnostiker wird transzendiert und metaphysisch
begründet. Während die Apokalypse des Adam dies noch in sehr vor-
sichtiger Weise tut, machen die Stelen des Seth, das Ägypterevangelium
und das Johannesapokryphon aus Adamas eine Figur der himmlischen
Welt, die nach der ersten Stele des Seth sogar den Charakter der
Göttlichkeit annimmt.[1] Adamas stammt aus dem "Auserwählten",[2]
d.h. aus dem höchsten Gott. Er ist ein Wort aus einem Befehl,[3] ein
Vater durch einen Vater;[4] er existiert um seinetwillen.[5] Besonders
eindeutig ist die Zugehörigkeit zum höchsten Gott und die Ausrichtung
auf ihn in einer Aussage gegeben, die seinen Weg charakterisiert : "Du
bist geworden aus einem durch einen; du bist gewandelt und gekommen zu einem".[6] Daß er die Schau der himmlischen Welt genießt [7]
und selbst Licht ist, weil er Licht schaut,[8] erhebt ihn über die
kosmische Welt. Er wird darum von Seth gepriesen N̄Θє N̄OYNOYTє
"wie ein Gott", "als Gott".[9] "Gott" kann hier wohl nicht im Sinne
des höchsten Gottes gemeint sein, weil πNOYTє in dieser Bedeutung
einige Zeilen vorher begegnet.[10] Hier soll vielmehr der göttliche
Charakter des Adamas betont werden. Darum wird "seine Göttlichkeit" mit einer doxologischen Aussage in der dritten Person gepriesen :
"Groß ist der von selbst entstandene Gute, der hervorgetreten ist, der
Gott, der zuerst hervorgetreten ist".[11] Damit entspricht er als dritte
Größe der Trinität der Figur, die sonst auch die Bezeichnung
αὐτογενής führt. Im Ägypterevangelium ist dies ja gerade beim
Logos der Fall.[12] Daß Adamas und nicht der höchste Gott gemeint

---

[1] VII 120, 13 ff.
[2] VII 120, 23 f.
[3] VII 120, 28 f.
[4] VII 120, 27 f.
[5] VII 119, 7.
[6] VII 120, 32 ff.
[7] VII 119, 3.
[8] VII 119, 9 f.
[9] Vgl. o. Anm. 1.
[10] VII 119, 7.
[11] VII 119, 15-18.
[12] III 49, 17 = IV 61, 19. III 50, 19. 22 = IV 62, 17. 22. III 52, 8. 15 = IV 64, 1. 9.
III 53, 13 = IV 65, 6. III 55, 5 = IV 66, 18. III 62, 26 = IV 74, 12. III 68, 16 (IV
zerstört). Auch in der Vorlage dürfte III 65, 16 entsprechend IV 77, 9 ff. den Logos
als αὐτογενής gemeint haben. In der jetzigen Form ist aber Adamas der Autogenes.
An zwei anderen Stellen scheint der höchste Gott gemeint zu sein : III 41, 5 (fehlt in
IV), wo aber αὐτογενής wohl sekundär ist (der höchste Gott wird außerdem bereits

ist, erscheint gesichert auch durch die Aussage "du hast dich hingestellt, du hast dich zuerst hingestellt".[1] Das allumfassende Wesen
der höchsten Gottheit kommt in Adamas zum Ausdruck, wenn er
als unvergänglich,[2] an allen Orten gleich,[3] vollkommen [4] und überall
mächtig [5] bezeichnet wird. Zugleich ist er aber eine geteilte Größe.[6]
Da er aber gleichzeitig *"einer"* bleibt,[7] wird gerade auch darin sein
allumfassender Charakter deutlich. Insbesondere wird er in den
Stelen als "dreifachmännlich" bezeichnet,[8] ein Prädikat, das einerseits
eine superlativische Bedeutung hat, andererseits aber in der mythologischen Vorstellung der Gnostiker eine konkrete Teilung beinhaltet,
so daß es auch heißen kann : "der die wirklich existierenden Männlichkeiten männlich werden ließ dreimal".[9] Weiter ist noch die Teilung
in die Fünfheit hinzugefügt.[10] Zur metaphysischen Verwurzelung des
Adamas bietet das Apokryphon des Johannes noch eine Auskunft,
die dort allerdings infolge ihrer Überlieferung nicht ganz klar ist.[11]
Immerhin scheint aber daraus hervorzugehen, daß der Adamas auf
Grund des Willens Gottes und seines Autogenes entstanden ist.[12]
Wesentlich ausführlicher ist hier das Ägypterevangelium. Hier wird
der Adamas auf die Initiative des Logos hin geschaffen, durch
Μοιροθεά.[13] Wohl ausgehend von A als Zeichen für 1 und als dem
ersten Buchstaben seines Namens wird er mit der Anrede benannt
"ΪЄΝ" = εἶ ἕν bzw. der koptischen Übersetzung "Du bist Eins".[14]
Auch die Bezeichnung des Adamas als Licht entspricht der Auffassung

---

mit dem Prädikat αὐτογένιος versehen) und III 66, 24 (in IV 79, 6 übersetzt), wo im
zweiten Hymnus wohl die höchste Größe angesprochen ist.

[1] VII 121, 9 f. Zur dynamischen Bedeutung von ΑϨЄΡΑΤ⸗ vgl. z.B. in sa. Mc 9,
27; 10, 49; Lc 2, 38; 6, 8.

[2] VII 119, 7.

[3] VII 121, 8.

[4] VII 121, 6.

[5] VII 119, 30.

[6] VII 121, 10 f.

[7] VII 121, 11.

[8] VII 120, 29. 121, 8 f.

[9] VII 120, 17 ff.

[10] VII 120, 20.

[11] II 8, 29 ff. = III 12, 24 ff. = BG 34, 19 ff.

[12] Vgl. die hymnischen Worte des Adamas, die sehr an die erste Stele erinnern :
II 9, 7 ff. = IV 14, 4 f. = III 13, 11 ff. = BG 35, 13 ff.

[13] III 49, 4.

[14] III 49, 6 f. (griechisch) = IV 61, 6 f. (koptisch).

der ersten Stele;[1] nur ist in der Version des Codex IV des Ägypterevangeliums das Verhältnis zum höchsten Licht umgekehrt als in
der Stele. Die Stele läßt Adamas das Licht sehen, während Codex IV
den Adamas als Auge des Lichts bezeichnet.[2] Diese Benennung fehlt
zwar in der Version des Ägypterevangeliums in Codex III, aber
beiden gemeinsam ist der Gedanke, daß Adamas aus dem ersten
Menschen stammt; dabei wird der höchste Gott als der erste Mensch
betrachtet.[3] Die Identifizierung von Licht und Mensch ist aus der
Gleichsetzung von $\phi\tilde{\omega}s$ "Licht" und $\phi\acute{\omega}s$ "Mann" sehr leicht zu
erklären.[4] In der Art des Neuen Testaments wird von diesem Gott
"Mensch" im Ägypterevangelium ausgesagt "um dessentwillen dies
alles ist, auf den hin alles (abzielt) und ohne den nichts ist".[5] Daran
erinnert in der ersten Stele die Stelle, an der vom Weg des Adamas
die Rede ist; doch fehlt hier der dritte Teil, weil nicht eine allgemeine
Aussage, sondern eine Anrede an Adamas vorliegt, die eine andere
Nuance hat. Daß im Ägypterevangelium der Vater in Adamas herabkommt,[6] entspricht dem Wort "Vater vom Vater" in den Stelen.[7]

War die Antwort auf die Frage, woher Adamas stamme, im wesentlichen die gleiche im Ägypterevangelium und in der ersten Stele des
Seth, so liegt in der Verbindung des Adamas mit dem Logos eine
verschiedenartige Vorstellung vor. Die Kompilation des Ägypterevangeliums läßt in Adamas den Logos[8] auftreten. In der ersten
Stele begegnet dieser nicht; hier ist Adamas der im Auftrage des
höchsten Gottes wirkende Autogenes, eine Funktion, die im Ägypterevangelium der Logos hat.[9] Es ist darum in dieser Schrift eine
besondere Aufgabe, Logos und Adamas, die wohl konkurrierende
Figuren waren, zu vereinigen.[10] Das ist auch gelungen. Dennoch tritt
im darauf folgenden gemeinsamen Gebet wieder eine Aufgabenteilung

---

[1] III 49, 8 f.
[2] IV 61, 10.
[3] III 49, 9 f. $\approx$ IV 61, 11.
[4] Clem. Alex. Paed. I 6.
[5] III 49, 10-12 = IV 61, 12-14.
[6] III 49, 13 ff. = IV 61, 14 ff.
[7] VII 120, 27.
[8] III 49, 16-22 = IV 61, 18-23.
[9] Vgl. o. S. 28, Anm. 12.
[10] Darauf weist die Gleichheit des himmlischen Wohnortes hin. So wie Seth und
Jesus, die identisch sind, auf dem zweiten Leuchter Orojaël wohnen, so wohnen der
Autogenes (d.i. der Logos) und Adamas auf dem ersten Leuchter Harmozel.

ein. Der Logos erbittet die Leuchter, Adamas den Seth.[1] Eine
Bezeichnung des Adamas als dreifachmännlich kennt das Ägypterevangelium nicht. Das dreifachmännliche Kind ist hier eine eigene
Größe, die um des Vaters willen entstanden ist.[2] So wie in der ersten
Stele der αὐτογενής Logos zugunsten des αὐτογενής Adamas weggelassen
wurde, hat man gewisse Figuren der himmlischen Welt in Adamas
zusammengerafft. Dadurch wurde er außerordentlich aufgewertet. Es
sind in ihm als Sohn des Vaters zusammengefaßt die Eigenschaften der
zweiten Trinität des Ägypterevangeliums, so daß er als Sohn des Vaters
sowohl den dreifachen Jüngling darstellt als auch die fünf Siegel,[3] d.i.
dreifachmännlicher Jüngling, Jungfrau Juel[4] und Esephech.[5] Die Aus-
drucksweise der ersten Stele, Adamas habe die Männlichkeiten dreifach
entstehen lassen und sei in die Fünfheit geteilt worden, machen ihn
als den Sohn zum übergeordneten Element. Man könnte sagen, daß
die Stelen die weitschweifige mythologische Tradition unter dem
Gesichtspunkt einer zu verehrenden Trinität komprimiert haben,
wobei Andeutungen auf verarbeitete Mythologumena noch begegnen.

Adamas ist aber nicht nur eine Lichtgröße, die ihre Aufgabe
innerhalb der himmlischen Welt zu erfüllen hat; er nimmt auch eine
Mittlerstellung ein. Schon das Ägypterevangelium sieht in ihm eine
Selbstoffenbarung des Vaters mit dem Ziel, den Mangel zu vernichten.[6]
In der ersten Stele des Seth wird er dagegen im Rahmen seiner
Verherrlichung als der Gute bezeichnet, der das Gute offenbart,[7] als
der Vollkommene, der volkommen macht,[8] der Kraft spendet,[9] der
das Licht, die Ewigen und die wirklich Seienden offenbart,[10] der das
Sein, das er selbst vom höchsten Gott besitzt,[11] der seine Kraft an

---

[1] III 50, 17-51, 14 = IV 62, 16-63, 8. Hier ist allerdings bei der Bitte des Logos der
Adamas beteiligt; die Bitte um einen Sohn erfolgt durch Adamas allein. Die Variante
"für sie" (plur.) in III 51, 6 könnte der Versuch sein, eine Gemeinsamkeit herauszu-
stellen. (IV 63, 1 hat "für sich".)

[2] Vgl. A. Böhlig-F. Wisse, a.a.O. 43 ff.

[3] Vgl. A. Böhlig-F. Wisse, a.a.O. 27.

[4] Vgl. A. Böhlig-F. Wisse, a.a.O. 46 ff.

[5] Vgl. A. Böhlig-F. Wisse, a.a.O. 48 f.

[6] III 49, 13-16 = IV 61, 14-18.

[7] VII 119, 15 ff.

[8] VII 121, 6.

[9] VII 120, 31 f.

[10] VII 119, 10 f.

[11] VII 119, 24 ff.

Seth weitergibt,[1] der Seth bei Gott sein läßt.[2] Er ist einer, der den Kranz empfängt und den Kranz verleiht.[3] Sein Erscheinen ist überhaupt in seinem Mittleramt begründet: "Wegen des Niedrigen ist er öffentlich aufgetreten".[4] An anderer Stelle ist von der Versöhnung bzw. Vereinigung des Alls durch die Wirksamkeit des Adamas die Rede.[5] Im Gegensatz zum Reich des Bösen, das in innerem Unfrieden lebt, ist das Merkmal des Lichtreichs die Einheit. Herstellung der Einheit ist Aufgabe des Mittlers. Durch seine Offenbarungen wird zugleich seine überall wirksame Kraft[6] sichtbar. "Deshalb kennt dich auch der wahrnehmbare Kosmos".[7] Es ist eine Frage, ob das folgende ⲉⲧⲃⲏⲏⲧⲕ̄ ⲙⲛ̄ ⲧⲉⲕⲥⲡⲟⲣⲁ[8] zum vorhergehenden Satz gehört oder die Einleitung zum folgenden bildet. Die Interpunktion spricht entweder für das erstere oder dafür, daß die Worte eine eigene elliptische Einheit sind, die die folgenden Strophen einleitet, in denen ein Mittlertum des Adamas geschildert und zugleich der Same des Seth charakterisiert wird. Dieser Abschnitt kann in vier dreizeilige Strophen gegliedert werden:[9]

1. Du bist ein Gnadenerweis!
   Einerseits bist Du einer aus einem anderen Geschlecht,
   andererseits ist es gesetzt über ein anderes Geschlecht.
2. Unter diesen Umständen bist Du einer aus einem anderen Geschlecht
   und bist gesetzt über ein anderes Geschlecht.
   Du bist einer aus einem anderen Geschlecht, weil Du nicht gleich bist.
3. Du bist aber ein Gnadenerweis, weil Du ewig bist.

---

[1] VII 120, 16 f.

[2] VII 119, 7 ff.

[3] VII 120, 35 f.

[4] VII 120, 24 ff. ⲙⲟⲟϣⲉ ⲉⲃⲟⲗ ϩⲛ̄ ⲧⲙⲏⲧⲉ soll den griechischen Ausdruck ἔρχεσθαι εἰς μέσον wiedergeben. Vgl. W. Bauer, Wörterbuch s.v. In diesem Fall gehört ⲉⲃⲟⲗ zum Verbum, während ϩⲛ̄ "in hinein" bedeutet, was durchaus möglich ist. Man könnte vergleichen Mc 2, 23 (nach Morgan) ⲙⲟⲟϣⲉ ⲉⲃⲟⲗ ϩⲛ̄ ⲛⲉⲓⲱϩⲉ = παραπορεύεσθαι διὰ σπορίμων.

[5] VII 120, 30 ff. Im Ägypterevangelium wird die Versöhnung der Welt mit der Welt als Werk des Seth geschildert: III 63, 16 f. = IV 75, 3 f.

[6] VII 119, 30 f. als Zusammenfassung der vorangehenden Offenbarungen.

[7] VII 119, 31 ff.

[8] VII 119, 33 f.

[9] VII 119, 34-120, 15.

Du bist aber über ein Geschlecht gesetzt,
weil Du diese alle hast wachsen lassen.

4. Was aber meinen Samen angeht, so kennst Du ihn, daß er sich in der Schöpfung befindet.
Solche aber aus anderen Geschlechtern sind sie, weil sie nicht gleich sind.
Sie sind aber gesetzt über andere Geschlechter, weil sie sich im Leben befinden.

Dieser Abschnitt des Hymnus zerfällt in zwei Hauptteile, die beide damit eingeleitet werden, daß Adamas als ⲛⲁ, das griechisch ἔλεος [1] entspricht, bezeichnet wird. Damit ist aber an dieser Stelle nicht ἔλεος als Affekt gemeint, sondern hat die Bedeutung von חֶסֶד das den Tatcharakter besonders betont. Adamas ist durch Gottes Willen als eine Tat seines Erbarmens entstanden. Als ewiger Lichtadamas, der der kosmischen Welt nicht gleich ist, steht er über den Geschöpfen, die er hat wachsen lassen. Er kennt aber auch die besondere Gruppe von Geschöpfen, den Samen des Seth, die den gewöhnlichen Kreaturen dieser Welt nicht gleichen, weil sie ja das Leben besitzen. Vom Samen des Seth und seiner Entstehung gibt das Ägypterevangelium ausführlich Auskunft. Auch er wird durch Mittlergottheiten hervorgebracht (Plesithea, Hormos), teils in himmlischer,[2] teils in kosmischer Form.[3] Dabei wird auch seine Plazierung ausführlich behandelt.[4] Auch diese Berichte zeigen, daß hier verschiedene Traditionen umliefen und zusammengefügt wurden. Die Besonderheit der Sethkinder und ihre Behütung vor teuflischen Angriffen wird sowohl im Ägypterevangelium[5] wie in der Adamapokalypse[6] ausführlich geschildert. Von einem Samen des Adam und des Seth nebeneinander ist nur einmal im Ägypterevangelium die Rede.[7] Was ist aber das Geschlecht, über das Adamas gesetzt ist? Wahrscheinlich hat der Verfasser des Hymnus dem Adamas ein eigenes Geschlecht zugesprochen, was Ägypterevangelium und erste Stele des Seth in Einklang stehen ließe.

---

[1] Vgl. ThW zum NT II, 474 ff.
[2] III 56, 4 ff. = IV 67, ? (lacuna) ff.
[3] III 60, 2 ff. = IV 71, 11-18.
[4] III 56, 19-22 = IV 68, 2-5. III 60, 9-18 = IV 71, 18-30.
[5] III 61, 1 ff. = IV 72, 10 ff.
[6] V 69, 19 ff. 75, 17 ff.
[7] III 59, 25 ff. = IV 71, 10 f.

Das Mittlertum hat als Ziel die Aufgabe der Erlösung. Daher ist Adamas auch der Retter.[1] Er, der selbst vollkommen ist, macht die Erlösung Suchenden vollkommen.[2] Diese Erlösung ist eine Tat der Liebe.[3] Sie wird den ihrer Würdigen zuteil.[4] Ägypterevangelium und erste Stele unterscheiden sich bei der Behandlung der Erlösung dadurch voneinander, daß in der Stele Adamas auch der Erlöser ist, während im Ägypterevangelium[5] Seth diese Funktion zufällt.

In der ersten Stele steht dem Adamas der Seth gegenüber als Vertreter seines Geschlechts, im Ägypterevangelium übernimmt Seth die Betreuung seines Geschlechts auch im Kosmos. Die beiden Schriften stellen also letzten Endes zwei verschiedene Aufgabenbereiche dar. Doch ist diese Aufgabe des Seth gerade dadurch auch in den Stelen sichtbar, daß Seth sich als Vorbeter seiner Gemeinde erweist, um durch Adamas' Hilfe zur göttlichen Höhe aufzusteigen.

IV. Der entscheidende Unterschied zwischen den Stelen des Seth und dem Ägypterevangelium liegt darin, daß die Verwendung der mythologischen Aussagen jeweils davon abhängig ist, welche Funktion sie bei der Durchführung eines Leitgedankens haben. Ist das Pluralismus von Anschauungen oder nicht vielmehr ein hohes Maß von Gestaltungsfähigkeit? Pluralismus ist die paritätische Duldung verschiedener Auffassungen. Dieses Phänomen liegt hier nicht vor. Das wäre auch bei Schriften innerhalb einundderselben Gruppe verwunderlich. Hier wird vielmehr über Mythologumena je nach dem, was zum Ausdruck gebracht werden soll, frei verfügt. Das schließt aber natürlich ein Vorkommen von echtem Pluralismus in der Bibliothek von Nag Hammadi nicht aus. Es wird vielmehr eine wichtige Aufgabe der Forschung sein, zu untersuchen, wieweit Pluralismus und freier Umgang mit Mythologemen hier nebeneinander stehen.

---

[1] VII 120, 34 f.

[2] VII 121, 2 ff.

[3] VII 121, 12.

[4] VII 121, 14. Im Ägypterevangelium wird Offenbarung ebenfalls den Würdigen zuteil : III 55, 15 f. = IV 66, 30 f. Sie sind ferner Offenbarungsträger III 65, 26 ff. = IV, 78, 1 ff.

[5] Das wird besonders im Abschnitt über das Werk des Seth ausgeführt : III 63, 4-64,9 = IV 74,17-75,24.

UNE CITATION DE L'APOCRYPHE D'ÉZÉCHIEL DANS L'EXÉGÈSE AU SUJET DE L'ÂME

Nag Hammadi II,6

PAR

ANTOINE GUILLAUMONT

Le sixième et avant-dernier traité du codex II de Nag Hammadi, qui a été édité par Martin Krause et Pahor Labib,[1] *L'exégèse au sujet de l'âme*, décrit, en langage symbolique, la condition de l'âme ici-bas — condition déchue par rapport à sa condition première auprès du Père, où elle était androgyne, sexuellement indifférenciée — ses "fornications" dans le corps et la matière, ses désillusions, son repentir, sa conversion, son retour vers le Père, sa réintégration dans l'unité androgynique avec son frère et époux; après cette partie narrative, une double exhortation à la conversion et à la pénitence sert de conclusion au traité.

Dans cet écrit, les citations scripturaires occupent une grande place, presque le tiers du texte. William C. Robinson s'est efforcé de montrer qu'elles n'appartenaient pas à l'écrit primitif, d'origine purement païenne, mais seraient des apports rédactionnels.[2] Notre intention n'est pas ici d'entrer dans la discussion de cette hypothèse. Remarquons seulement que ces citations font corps avec le texte, dans son état actuel, et elles en commandent parfois le développement, qui se fait à partir d'elles (par ex. 130, 20 s., 134, 25 s., 135, 4 s.); parfois même elles servent de fondement à un élément essentiel du sujet (ainsi, 133, 1 s., le texte de la *Genèse* fonde le mythe de l'androgyne).

Ces citations sont remarquables à divers égards. Le fait le plus

---

[1] *Gnostische und Hermetische Schriften aus Codex II und Codex VI*, (Abhandlungen des Deutschen Archäologischen Instituts Kairo, Koptische Reihe, Band 2), Glückstadt, 1971, p. 68-87. Nos références renvoient aux pages et aux lignes du codex.

[2] The Exegesis on the Soul, dans *Essays on the Coptic Library* (An offprint from *Novum Testamentum* XII,2), Leiden, 1970, p. 120-117. Opinion contraire de M. Krause, Aussagen über das Alte Testament in z.T. bisher unveröffentlichen gnostischen Texten aus Nag Hammadi, dans *Ex Orbe Religionum, Studia Geo Widengren ... oblata*, Leiden 1972, I, p. 449-456.

curieux est sans doute leur coexistence dans un même écrit avec des références à l'*Odyssée*, interprétée allégoriquement selon l'exégèse pythagoricienne et platonicienne d'Homère, le voyage d'Ulysse figurant le retour de l'âme dans sa vraie patrie (136, 27-137, 11). On notera également l'application qui est faite du langage symbolique des prophètes (Jérémie, Osée, Ezéchiel) sur la fornication d'Israël au mythe de l'âme forniquant ici-bas avec les choses charnelles (129, 5-130, 28). Du point de vue du texte, une variante vaut d'être relevée; dans une citation d'*Osée*, en 2, 5, au lieu de "je la ferai mourir de soif" (Septante et hébreu), on lit "je la rendrai sans fils par la soif" (129, 31-32), ce qui suppose une lecture ἀποτεκνώσω (cf. *Gen.* 27, 45, traduction de l'hébreu *šikkēl*) au lieu de ἀποκτενῶ, qu'on lit dans la Septante; cette leçon, assez bien adaptée au contexte, ne paraît pas attestée ailleurs en copte [1] et ne s'explique que par l'hypothèse d'un original grec.[2]

Dans cet article, nous voulons seulement attirer l'attention sur l'une de ces citations, qui, par son origine, nous paraît présenter un intérêt particulier.

Cette citation se trouve dans l'exhortation au repentir, qui forme la dernière partie du traité. "Le Père, est-il dit, est un bon ami des hommes, il écoute l'âme qui l'invoque et il lui envoie la lumière du salut" (135, 26-29). Puis le texte continue : "C'est pourquoi il a dit par l'esprit du prophète : Dis aux fils de mon peuple : Si vos péchés vont de la terre jusqu'au ciel, s'ils sont rouges comme l'écarlate et plus noirs qu'un sac, et que vous vous tourniez vers moi de toute votre âme et me disiez : 'Mon Père !', je vous écouterai comme un peuple saint" (135, 29-136, 4). Indépendamment l'un de l'autre, semble-t-il, M. Krause et W. C. Robinson [3] ont identifié cette citation dans la *Prima Clementis* 8, 3, où ce texte se retrouve littéralement : "Εἶπον τοῖς υἱοῖς τοῦ λαοῦ μου · ἐὰν ὦσιν αἱ ἁμαρτίαι ὑμῶν ἀπὸ τῆς γῆς ἕως τοῦ οὐρανοῦ καὶ ἐὰν ὦσιν πυρρότεραι κόκκου καὶ μελανώτεραι σάκκου, καὶ ἐπιστραφῆτε πρός μὲ ἐξ ὅλης τῆς καρδίας καὶ εἴπητε ·

---

[1] Elle n'est pas signalée par W. Grossouw, *The Coptic Versions of the Minor Prophets*, Rome, 1938, p. 19.

[2] On a d'autres indices d'un original grec. Par exemple, 131,13 ⳯ⳉⳉⲟⲩⲛ ⲙⲉⲛ ⲉⲫⲟⲟⲩ paraît reposer sur une mauvaise interprétation de ἕως, "jusqu'à ce que", mais aussi "aussi longtemps que"; 135,12 ⲛⲑⲉ ⲛⲉⲛⳉⲟⲟⲡ paraît être une traduction servile de ὡσεί suivi de l'imparfait de l'indicatif avec valeur d'irréel.

[3] M. Krause, dans *Le origini dello gnosticismo. Colloquio di Messina*, éd. U. Bianchi, Leiden, 1967, p. 72, n. 10. W. C. Robinson, art. cit., p. 104 (avec la mention "the as yet unidentified quotation").

πάτερ, ἐπακούσομαι ὑμῶν ὡς λαοῦ ἁγίου".[1] Cette identification a été retenue dans l'édition.[2]

Si l'on admet cette identification, l'auteur connaissait donc l'Epître de Clément, écrite dans les dernières années du Ier siècle, entre 95 et 98 selon la majorité des critiques.[3] Bien plus, il la considérait comme un écrit inspiré, à l'égal des textes du Nouveau Testament qu'il cite, entre autres les épîtres pauliniennes. La chose, en elle-même, n'a rien d'étonnant, puisque l'on sait, par Eusèbe de Césarée,[4] que cette lettre était lue à l'assemblée, comme un document canonique, vers 170, quand Denys était évêque de Corinthe. Le même Eusèbe assure par ailleurs[5] que, de son temps encore, elle était lue publiquement dans de nombreuses églises. Cette lettre jouit en particulier d'une grande estime en Égypte, comme l'atteste l'existence de deux versions coptes partiellement conservées.[6] Elle figure, à la suite des écrits du Nouveau Testament, dans le fameux codex *Alexandrinus* (Ve siècle), qui est le principal témoin de son texte. Si la référence à la *Prima Clementis* est fondée, nous aurions donc, dans le présent traité, une nouvelle preuve de l'autorité dont jouissait cette lettre, témoignage qui ne fait que confirmer ce que nous savions par ailleurs.

Mais est-ce bien la *Prima Clementis* qui est citée? En réalité, si ce texte se lit bien dans cette lettre, il y intervient à titre de citation. Clément vient de citer *Ezéchiel* 18, 23, attribuant cette parole au "Maître de l'univers". Celui-ci, continue-t-il, ajoute un propos plein de bonté: "Repentez-vous, maison d'Israël, de votre iniquité", et suit le texte donné ci-dessus. L'origine de cette citation n'est pas davantage précisée. Certaines expressions rappellent *Isaïe* 1, 18, mais il est clair qu'il s'agit d'un autre texte.

L'écrit auquel est empruntée cette citation a été identifié depuis longtemps[7] grâce à un passage du *Pédagogue*, I, 91, 2, de Clément d'Alexandrie.[8] Celui-ci cite, avec de légères variantes, la dernière

---

[1] *Sources chrétiennes*, 167, p. 112, Jaubert (Paris, 1971).

[2] Op. cit., p. 84, n. 1.

[3] Cf. Jaubert, op. cit., p. 84.

[4] *Hist. Eccl.*, IV, 23, 11.

[5] Ibid., III, 16.

[6] Editées par C. Schmidt (Leipzig, 1908) et par F. Rösch (Strasbourg, 1910).

[7] Cf. R. Knopf, *Texte und Untersuchungen*, 20, 1, Leipzig, 1899-1901; F. X. Funk, *Patres Apostolici*, I, Tübingen, 1901; H. Hemmer, *Les Pères apostoliques*, II, Paris, 1909; A. Jaubert, op. cit., p. 113, n. 4, et p. 45-46.

[8] Ed. Stählin, I, p. 143, 20; éd. Marrou-Harl, *Sources chrétiennes*, 70 (Paris, 1960), p. 270-271.

phrase de ce texte : "Si vous vous tournez de tout votre cœur et dites : Père !, je vous écouterai comme un peuple saint", en introduisant cette citation par les mots : "Il (= le Seigneur) dit par Ezéchiel (δι' 'Ιεζεκιήλ)". Ce texte, pas plus que la citation plus complète de la *Prima Clementis*, ne se trouve dans le Livre d'Ezéchiel que nous connaissons, mais il ne saurait faire de doute que Clément d'Alexandrie et Clément de Rome le lisaient dans un écrit attribué à Ezéchiel; dans Clément de Rome, comme on l'a vu, cette citation fait suite à une autre qui est prise au livre canonique de ce prophète.

On a quelques attestations, dans la littérature chrétienne ancienne, de l'existence d'un apocryphe d'Ezéchiel, distinct du livre canonique mis sous le nom de ce prophète.[1] Il est mentionné dans la Stichométrie de Nicéphore et la Synopse du pseudo-Athanase. Outre le fragment cité par Clément de Rome et, partiellement, par Clément d'Alexandrie, trois autres ont été identifiés.[2] L'un est conservé aussi par Clément d'Alexandrie, *Quis dives* 40, 2 (III, 186, 12-13 Stählin). Les deux autres le sont par Epiphane de Salamine dans son *Panarion*, 64, 70, 6-17 (II, 515, 24-517, 12 Holl) et 30, 30, 3 (I, 374, 15 Holl); ce dernier est cité aussi par Clément d'Alexandrie, *Stromates* 7, 94, 2 (III, 66, 25 Stählin) et, en latin, par Tertullien, *De carne Christi* 23 (II, 462 Oehler). En outre, trois autres fragments ont été retrouvés par Campbell Bonner dans le papyrus Chester Beatty qui nous a conservé l'*Homélie sur la Passion* de Méliton de Sardes.[3]

Sans aucun doute, l'auteur de l'*Exégèse au sujet de l'âme* cite le texte, non pas d'après la *Prima Clementis*, mais d'après l'*Apocryphe d'Ezéchiel* lui-même, dont il avait par conséquent une connaissance directe. Cela est prouvé, non seulement par le fait que, comme nous l'avons vu, la citation dans la *Prima Clementis*, comporte, au début, une phrase de plus, mais surtout par la formule qui, dans le traité gnostique, sert à introduire la citation : "C'est pourquoi il (= le Père) a dit par l'esprit du prophète"; cette formule, inadaptée s'il

---

[1] Cf. A.-M. Denis, *Introduction aux Pseudépigraphes grecs d'Ancien Testament*, Leiden, 1970, p. 187-191.

[2] Ces fragments ont été rassemblés et édités par K. Holl, Das Apokryphon Ezechiel, dans *Aus Schrift u. Gesch. Theol. Abhandlungen A. Schlatter dargebr.*, Stuttgart, 1922, p. 85-98 (reproduit dans *Gesammelte Aufsätze zur Kirchengeschichte*, II : *Der Osten*, Tübingen, 1927, p. 33-43).

[3] *The Homily on the Passion by Melito Bishop of Sardis and some Fragments of the Apocryphal Ezechiel* (Studies and Documents, XII), Londres et Philadelphie, 1940, p. 181-190.

s'agissait de la Lettre de Clément ou d'un écrit néotestamentaire,
renvoie nécessairement à un écrit d'un prophète de l'Ancien
Testament, ce prophète étant, comme on le sait par les témoignages
recueillis par ailleurs, Ezéchiel. Il faut ajouter qu'elle vaut, non
seulement pour cette citation, mais aussi pour les deux citations
d'*Isaïe* (30, 15 et 30, 19-20) qui viennent ensuite, précédées des mots :
"De nouveau, il a dit en un autre endroit" (136, 4 et 8-9). Elle est
du même genre que celles qui introduisent les autres citations des
prophètes (129, 5-7), ou même d'autres livres de l'Ancien Testament,
Genèse (133, 1), *Psaumes* (133, 15-16 ; 134, 15-16).

La citation de l'*Apocryphe d'Ezéchiel* que fait l'auteur de l'*Exégèse au
sujet de l'âme* n'accroît pas notre connaissance de cet apocryphe, puisque
le passage cité était déjà connu par ailleurs. Du moins apporte-t-elle
un nouveau témoignage sur la diffusion de cet écrit. Il est difficile
de dire si les auteurs qui le citent, et parmi eux l'auteur de l'écrit
gnostique, connaissaient cet ouvrage dans son intégralité ou seulement
sous la forme d'extraits, ce qui est vraisemblable, étant donné que ce
sont souvent les mêmes passages qui sont cités, soit quatre passages
pour une dizaine de citations ! Ces citations proviennent probablement
d'un recueil de *testimonia*. Quelles sont l'origine et la nature de cet
Apocryphe d'Ezéchiel ? Reprenant une suggestion de Campbell Bonner,
qui y voyait un *re-working* du livre canonique d'Ezéchiel, entrepris
peut-être avec l'intention de le faire servir de témoignage en faveur
du christianisme,[1] J. Daniélou a pensé que c'était un midrash
d'origine judéo-chrétienne.[2] Si cette hypothèse est fondée, il n'est pas
sans intérêt, pour le problème de l'origine de l'*Exégèse au sujet de
l'âme*, de trouver dans cet écrit une citation de cet apocryphe.Le
thème du repentir, de la *métanoia*, qu'elle a pour fonction d'illustrer
et qui est le sujet de la dernière partie de cet écrit, dans laquelle
elle se situe, est un de ceux qui sont caractéristiques de la littérature
judéo-chrétienne.[3]

---

[1] Op. cit., p. 183. K. Holl (*Gesammelte Aufsätze*, p. 39) estimait que c'était un écrit
d'origine juive, parce qu'il aurait été connu de Flavius Josèphe ; mais le témoignage
qu'il cite de cet auteur (*Antiquités* X, 5, 1 : Ezéchiel a laissé deux livres"") n'est pas
suffisamment probant.

[2] *Théologie du judéo-christianisme*, Paris, 1958, p. 119 ; *Études d'exégèse judéo-
chrétienne*, Paris, 1966, p. 119-120. Dans le texte cité dans la Lettre de Clément 8,3
(et maintenant dans l'*Exégèse au sujet de l'âme*), il faisait valoir notamment l'emploi
du mot "Père", qui "a une résonance chrétienne" (*Théologie*, p. 119).

[3] Cf. A. Jaubert, op. cit., p. 50-52.

ANACHORESE ZUM HEIL

Das Bedeutungsfeld der Anachorese bei Philo
und in einigen gnostischen Traktaten von Nag Hammadi

VON

JAN HELDERMAN

Viele Menschen im Kulturraum der sogenannten entwickelten, industrialisierten Länder werden, wie ich meine, ab und zu den Hang zur Flucht aus dem Lärm der modernen Gesellschaft verspüren, um etwas Ruhe, ja sich selbst (wieder) zu finden durch den Rückzug aus dem weltlichen Tand. Der Lärm ist schon immer als belastend empfunden worden; vgl.z.B. das "chuburum" (Lärm) im alt-babylonischen Atramchasis-Mythos.[1] Ägypten hat, so könnte man wohl sagen, von altersher die Kunst verstanden, Weisheit und Ruhe zu pflegen, war doch der Tempel der "Ruheplatz" schlechthin, wo die Gottheit : "a horreur des cris".[2]

Unser Beitrag beabsichtigt, den Begriffskomplex der Anachorese aus sprachlicher Sicht zu untersuchen und aufzuzeigen, dass der Einfluss Philos auf spätere Kreise Ägyptens, wie die der Valentinianer, stärker ist als oft angenommen wird.[3]

Hinsichtlich der Triebkräfte zur Anachorese hat Festugière vor einigen Jahre den Begriff "Anachorèsis" aus der philosophisch-geistesgeschichtlichen Sicht untersucht. Es muss darauf hingewiesen

---

[1] *BiOr* 13 (1956) S. 90ff. Zeitschriften werden in der üblichen Weise abgekürzt, vgl. dazu auch *Studia Philonica* 1 (1972) S. 93ff (Ausgabe von : The Philo Institute, Chicago).

[2] F. Daumas, La "solitude" des Thérapeutes, in *Philon d'Alexandrie-Lyon 1966 Colloque*, Paris 1967, S. 355 und ders., Amour de la vie et sens du divin, in *Magie des Extrêmes*, — Études Carmélitaines 1952, S. 126.

[3] Dieser Beitrag zu Ehren Dr. Pahor Labib, wurde im Rahmen einer grösseren Arbeit geschrieben, welche den ganzen Ruhe-Komplex behandeln wird, siehe zu gegebener Zeit meine Dissertation *Anapausis als Heilsgut I — Eine Untersuchung bezüglich der Bedeutung von anapausis in den Schriften Philos und im valentinianisch-gnostischen Schrifttum des Codex I*, Amsterdam (Freie Universität).

werden, dass es gerade in der frühen Kaiserzeit Stoïker gab, die zwar ihre Pflicht kannten, aber eben doch versuchten ἀναχωρεῖν εἰς ἑαυτόν (z.B. Cicero, Seneca) was nicht verwunderlich ist, "but a desire inevitably born of an old and weary civilization, especially a metropolitan one".[1] Man brauche dabei nicht zu verreisen, man soll die Anachorese in sich selbst (hinein) auch dann suchen, wenn man zwangsmässig inmitten einer Masse weilt (so Epikur). Vgl. aus dieser Sicht die zwei "loci classici" bei Philo : *Leg All* II,25 u.85.[2] Bemerkenswert ist, dass Festugière meint eine geistige Bedeutung des ἀναχωρεῖν bei Philo verneinen zu müssen.[3]

Für den sozial-wirtschaftlichen Charakter der Triebkräfte zur Anachorese verweise ich auf Braunerts tiefgehende Untersuchung "Die Binnenwanderung" — gemeint ist eine räumliche Verschiebung einer Bevölkerung innerhalb bestimmter Landesgrenzen — wobei zu erwähnen wäre, dass es in ptolemäischer Zeit eine Anachorese von der Stadt auf das Land und in die Gaumetropole gab; im 1.Jahrhundert jedoch zielte sie auf die unwegsamen Gebiete des Deltas oder der Wüstenränder; im 2.Jahrhundert ist die Anachorese eine Landflucht aus den Dörfern in die Stadt Alexandria und im 3.Jahrhundert flieht man auch in die Grenzgebiete und die Sumpfdickichte des Deltas, verursacht durch den wirtschaftlichen Niedergang in den Dörfern und dadurch, dass reiche Leute sich wegen der Last der "Liturgie" zurückzogen.[4] Interessant ist die Bemerkung Braunerts, dass "die ägyptische Bevölkerung schnell mit dem Mittel der Anachorese auf eintretende Notstände reagierte",[5] weil ähnliche Beobachtungen bezüglich des späteren ägyptischen Anachoreten- und Mönchtums eine Erhärtung dieser sozialen Anachorese veranschaulichen.[6] Die "sozial-wirtschaftliche" Anachorese kann in manchen Fällen tatsächlich die "geistige" beeinflusst haben; darüber braucht

---

[1] P. A. J. Festugière. *Personal religion among the Greeks* Los Angeles 1954, S. 63.

[2] Festugière, aO, S. 60.63.

[3] Festugière, aO, S. 155 Anm. 20.

[4] Vgl. H. Braunert, *Die Binnenwanderung. Studien zur Sozialgeschichte Ägyptens in der Ptolemäer- und Kaiserzeit*, Bonn 1964, S. 90f. 166 f. 174, 188, 234 f. 243 und 274. Über die enge Verbindung von ἀναχωρεῖν und ξένος aO, S. 27.

[5] Braunert, aO, S. 158; vgl. S. 159f. und 274.

[6] Vgl. J. Vergote, Egypte als bakermat van het christelijke monnikendom in *Nieuwe Theologische Studiën* 24 (1941) S. 175; M. Krause, Mönchtum in Ägypten, in *Koptische Kunst — Christentum am Nil*, Essen 1963, S. 82 und P. Nagel, *Die Motivierung der Askese in der alten Kirche*, Berlin 1966, S. 88f. und 104.

man sich nicht wundern, weil — wie in unserer Zeit — das "Geistige"
und das "Wirtschaftliche" manchmal verschlungen sind und reziprok
wirken!

Philo, das christliche Ägypten um 200 und die Valentinianer

Die Frage, wie und wann das Christentum nach Ägypten gekommen
ist, ist noch immer sehr in Dunkel gehüllt. Es kann sein, dass
ursprünglich Judenchristen palästinensischer Kreise das Evangelium
nach Alexandrien und seine unmittelbare Umgebung brachten.[1]
Jedenfalls kann in späteren Dezennien eine wechselseitige Beein-
flussung christlicher und gnostizierender Gruppen uns das schillernde
Bild des ägyptischen Christentums am Ausgang des 2.Jahrhunderts
veranschaulichen. Immerhin war Rechtglaubigkeit damals in Ägypten
noch nicht die Regel. Auf jeden Fall kommt die Frage, ób und wíe
man von einer Beziehung zwischen Philo und dem valentinianischen
Gnostizismus sprechen kann für uns jetzt am meisten in Betracht.
Zuvor muss diesbezüglich noch darauf hingewiesen werden, dass der
valentinianische Charakter vor allem des Evangelium Veritatis und
der Epistula Jacobi von H.-M. Schenke bezweifelt wird.[2] Ich bin
nicht seiner Meinung; denn seine Aussage, dass die Oden Salomos
"einem gnostischen Kreise"[3] entstammen, meine ich verneinen zu
müssen, und zwar aus der gleichen Sicht wie der van Unniks.[4] Was
die eventuelle Beziehung Valentins und seiner Schule zu Philo
anbelangt, so hoffe ich, unten verschiedene, beiden gemeinsame
Topoi nachweisen zu können; inzwischen möchte ich von der Voraussetzung ausgehen, dass zwar wohl nicht direkt (wie z.B. Quispel
einmal behauptete[5]), sondern indirekt, d.h. durch das ihnen gemein-

---

[1] Vgl. *TWNT* II, S. 256 bezüglich des auch sprachlichen Einflusses des Judentums
der ägyptischen Diaspora auf den judenchristlichen Sprachgebrauch in Ägypten;
W. C. Till, Coptic and its value, *Bulletin of the John Rylands Library* 40 (1957) S. 250
und *Epistula Jacobi Apocrypha* (Codex I) S. XXIXf.

[2] H.-M. Schenke, *Die Herkunft des sogenannten Evangelium Veritatis*, Berlin 1958,
S. 14ff. und zur Epistula Jacobi, in *OLZ* 66 (1971) S. 118.

[3] Schenke. *Herkunft* aO, S. 29.

[4] W. C. van Unnik, De ἀφθονία van God in de oudchristelijke literatuur, in *Mede-
delingen Koninkl. Akad. van Wetenschappen*; Afd. Letterkunde N.R. 36, Amsterdam
1973, S. 54 (Anm. 181). Man ziehe auch die jeweilige Einleitungen der erschienenen
Traktate des Codex I zu Rate, ferner F. Wisse, The Nag Hammadi Library, *VC* 25
(1971) S. 205-223.

[5] G. Quispel, Philo und die altchristliche Häresie, *Theol. Zeitschrift* 5 (1949) S. 429.

same Anliegen in der alexandrinischen philosophischen Sphäre —
wobei übrigens die Unsicherheit bezüglich der Orte, wo gnostische
Gruppen wohnten, nicht ausser Acht gelassen werden sollte ! — Philo
auf Valentin und seine Schule eingewirkt hat. Deswegen bin ich der
Meinung, dass Stead die Frage der Beziehung richtig beantwortete :
"the two men (d.h. Philo und Valentin) had much in common and
one can reconstruct most of the presuppositions of Valentin merely
by rearranging Philos mental furniture".[1] Schliesslich sei bemerkt,
dass im soteriologischen Rahmen der damaligen Zeit auch "Stoa"
und "Gnostizismus" letzten Endes die gleiche Intention hatten,[2] und
gerade dieser Skopus wäre für die Beziehung Philo-Valentin ein
Faktor grösster Bedeutung !

Jedoch dünkt es mir nützlich, bevor wir uns Philos Anachorese-
Komplex ansehen, erst noch einige weitere Vorbemerkungen sprachlicher Art zu machen. Zu Philos Sprachauffassung sei verwiesen auf
die Spezialuntersuchung Ottes.[3] Otte betont, dass für Philo Sprache
und Sein identisch sind oder anders gesagt : die Sprache ist nicht von
Menschen erfunden, wohl aber von Gott gesetzt ;[4] weiter könnte man
Philos hermeneutisches Grundprinzip folgendermassen formulieren :
Name und Sache müssen in der Sprache übereinstimmen, identisch
sein (vgl.Cher,56 !).[5] Weiter ist es für das Verstehen philonischer Texte
sehr wichtig, auf die Synonymie achtzugeben, die bei Philo eine grosse
Rolle spielt (Plant 150 !).[6]

Ein sehr wichtiges Sprachphänomen in allen Schriften Philos ist
m.E. seine deutliche Vorliebe für die Präposition ἀνα (ἀνω). Man
sollte dies von Philos Frömmigkeit her verstehen : die 'Flucht' aus
der Sinnenwelt zu Gott hin, die Anachorese [7] "hinauf in die Höhe"
(Fuga 101). Man findet z.B. auch das Aufgerichtet-werden, mit στῆναι,
στηριξις synonym.[8] Man darf sich in diesem Zusammenhang nicht

---

[1] G. C. Stead, The Valentinian Myth of Sophia, *JTS* 20 (1969) S. 90.

[2] U. Wilckens, *Weisheit und Torheit*, Tübingen 1959, S. 270.

[3] P. A. K. Otte, *Das Sprachverständnis bei Philo von Alexandrien*, Tübingen 1967.

[4] Otte, aO, S. 38f., 47 und 151.

[5] Otte, aO, S. 9, 71 und 151.

[6] Otte, aO, S. 37 und 67 (auch bezüglich Philos Definition des Synonyms in Plant 150). Schon W. Völker, *Fortschritt und Vollendung bei Philo von Alexandrien*, Leipzig 1938, S. 344 betonte Philos Vorliebe für Synonyme.

[7] V. Nikiprowetzky, Les suppliants chez Philon d'Alexandrie, *Revue des Études Juives/Historia Judaica*, t. II (1963), S. 262.

[8] Vgl. Völker, aO, S. 344; vor allem A. Wlosok, Laktanz und die philosophische

wundern, dass dann in gnostischen Schriften, wie z.B. der Epistula Jacobi aus Codex I, die ἄνοδος erscheint.[1]

Des weiteren möchte ich hinsichtlich der griechischen Lehnwörter in koptischen Texten noch folgendes bemerken. Zum Ausmass des Hellenisierungsprozesses in Ägypten seit der Ptolemäerzeit stellt Weiss m.E. überzeugend fest, dass die Hellenisierung Ägyptens nicht nur auf die Grossstädte, vor allem Alexandrien, beschränkt war, sondern auch in die ländlichen Gebiete gedrungen war.[2] Só weit und tief war das Griechische in alle Lebensbereiche eingedrungen, dass ein Übersetzer ins Koptische für ein ihm in seiner griechischen Vorlage begegnendes, von ihm als fremd empfundenes Wort ein sinnverwandtes griechisches Wort einsetzen konnte.[3]

Ausserdem sei bemerkt, dass die sahidisch-koptische Schreibung der griechischen Wörter sehr aufschlussreich für die griechische Sprachgeschichte ist.[4] Weiss führt einleuchtende Beispiele an für die Diphthonge, vor allem die Psilose, das Schwinden des spiritus asper,[5] die ... eben zur Zeit gar nicht so vorherrschend gewesen zu sein scheint : im 4. Traktat des Codex I begegnen vier Aspirationsarten![6] Man darf sich darum auch nicht wundern, dass z.B. im Tractatus Tripartitus, dem 4. Traktat des Codex I, der Prozentsatz griechischer Wörter 36 % ist;[7] ausserdem, dass der betreffende Übersetzer wohl besser im Griechischen bewandert war als im Koptischen.[8] Natürlich begegnet man sehr oft Purismen,[9] einer bewussten Wahl, weil der

---

Gnosis, Abh. Heidelb. Ak. d. Wissensch.-philos.-hist. Kasse 1960, 2. Abh., passim, am deutlichsten aO, S. 61 (zu Plant 16-17); 67, 71, 78, 87 (zu Plant 40 : die Weisheit als die ἀνατολή der Sonne) und 93.

[1] J. Zandee, Gnostische trekken in een apocryphe brief van Jacobus, *Nederlands Theologisch Tijdschrift* 17 (1962/63) S. 420 zu Ep. Jacobi 13:11-13.

[2] H. F. Weiss, Zum Problem der griechischen Fremd- und Lehnwörter in den Sprachen des christlichen Orients, *Helikon* 6 (1966) S. 207.

[3] Weiss, aO, S. 208 und Th. Hopfner, Über Form und Gebrauch der griechischen Lehnwörter in der koptisch-sahidischen Apophthegmenversion, Kaiserl. Ak. d. Wiss. Wien-philos.-hist. Klasse 62. Bd (1918), S. 11.

[4] So z.B. Hopfner, aO, S. 9.

[5] Vgl. Weiss, aO, S. 202f.

[6] Vgl. *Tractatus Tripartitus I — De Supernis*, ed. R. Kasser u.a., Bern 1973, S. 35 Anm. 2.

[7] Kasser, aO, S. 34.

[8] Kasser, aO, S. 35.

[9] Vgl. Hopfner, aO, S. 11.

ägyptische Hintergrund des Kopten vorherrschend wurde ? Die Frage muss bejaht werden.[1]

Der Anachorese-Komplex bei Philo

Es erweist sich als legitim, innerhalb des Ruhe-Komplexes das Bedeutungsfeld der Anachorese als eine eigene Grösse zu betrachten. Hier muss man sinngemäss jedoch erst einmal an die Frage der Methodik herangehen : aus welcher Sicht bzw. mit welchem Vorverständnis befragt ein Forscher die philonischen Texte ? Es wird einleuchtend sein, dass ich mich auf folgendes beschränke : Es gibt, so könnte man mit Recht behaupten, eine Wechselbeziehung zwischen dem Allgemeinen und dem Besonderen oder Singulären.[2] Dieser "hermeneutische Zirkel" trifft auch für das Verstehen philonischer Texte zu. So wird man einerseits mit Hilfe der Frömmigkeit Philos, wie man sich diese denkt, als Vorverständnis an die Texte Philos herangehen, andererseits wird man anfangen, die einzelnen Stellen zu studieren und zu interpretieren, um erst danach zu versuchen, den Gesamtgedanken zu erfassen.[3] Dabei sollte man auch eine gewisse Intuition nicht als 'unwissenschaftlich' brandmarken, sondern positiv bewerten.[4]

Zum Bedeutungsfeld der Anachorese möchte ich aus dieser Sicht folgende Wörter als einschlägig für das Verstehen des Bedeutungsfeldes in einigen gnostischen Traktaten der Nag Hammadi Codices betrachten. Ich fasse hier das Ergebnis von Wortuntersuchungen zusammen und führe jeweils in den Anmerkungen die untersuchten Stellen auf. Es handelt sich um : ἀναχωρεῖν-, ἀποτάσσεσθαι,[5] γυμνός (γύμνωσις,), καταφυγή, die μονο-Komposita und ξένος.[6]

---

[1] Bekanntes Beispiel (u.a. in den Apophthegmata der Väter) ist : ϩ ε ν ε ε τ ε für μοναστήριον vgl. ḥ.t nṯr, "Tempel" im Ägyptischen.

[2] Vgl. z.B. K. Frör, Biblische Hermeneutik, München 1961, S. 55.

[3] Vgl. die m.E. gute Skizze der Frömmigkeit Philos, als für ein Vorverständnis durchaus geeignet, bei Nikiprowetzky, aO, S. 277f. Vgl. auch Völker, aO, S. 271. Zum Anfangen an der einzelnen Stelle wäre auf R. Hamerton Kelly's Bemerkung in Studia Philonica 1 (1972) S. 83 hinzuweisen.

[4] So J. F. A. Sawyer, Semantics in biblical research, London 1972, S. 34.

[5] Dank Dr. Günter Mayer (Mainz), der mir die in Frage kommenden Druckfahnen seines Index Philoneus, Berlin 1974, zur Einsichtnahme zugehen liess, werden die ἀναχωρεῖν -und ἀποτάσσεσθαι-Stellen vollständig aufgeführt. Bekanntlich ist der Leisegangsche Index ganz unvollständig (ἀναχωρεῖν und ἀποτάσσεσθαι werden z.B. überhaupt nicht aufgeführt !). Ich bin Herrn Mayer für seine Gefälligkeit sehr dankbar.

[6] Die Cohnsche Philo-Edition wurde benützt. Wie bereits ausgeführt, musste der

Das Verb begegnet dreimal im sächlichen Sinne oder "neutral"; dreimal "negativ" im Sinne von "zurückkehren in die sinnliche Welt" und neunmal "positiv" in der Bedeutung "zurückweichen um eines Besseren willen, Ruhe in Gott" usw.[1] Hiermit ist Festugières Behauptung, das Verb käme bei Philo nur "neutral" vor, widerlegt.[2] Das Substantivum begegnet zehnmal sächlich (nuanciert zu übersetzen) und einmal "positiv".[3] Noch drei Composita von χωρεῖν kamen in Betracht, nämlich : ὑποχωρεῖν, μεταχωρεῖν und μετανιστάναι. Das Ergebnis lautet : einmal sächlich, einmal negativ und dreimal positiv.[4] Das Verb ἀποτάσσεσθαι : begegnet fünfmal sächlich und sechsmal positiv.[5]

Es gibt drei Formen seelischer γύμνωσις. Die gottliebende Seele streift die ganze Körperlast ab (ἐκδῦσα τὸ σῶμα Leg All II, 55). Diese gute Entblössung kannten Abraham (gehe aus deinem Lande = entblösse dich, verlasse den Körper), Isaak war schon immer "nackt" in diesem positiven Sinne und Jakob war der nach seelischer Nacktheit Strebende. Die zweite Form ist die seelische Entblössung in Torheit; es gab diese als eine Sünde des im übrigen weisen Noah. Die dritte Form ist die Entblössung des Kindes, d.h. die Seele ohne Denktätigkeit : sie nimmt eine Mittelstellung ein wie bei Adam und Eva vor dem Falle.[6] Das Abstreifen der Körperlast ist ein wichtiger Topos! [7]

Ruhe-Komplex (ἀνάπαυσις und Synonyme wie ἡσυχία und σιγή) ausser Betracht bleiben, siehe oben S. 40 Anm. 3.

[1] Hinter jeder Stelle führen wir ein Siglum auf : S = sächlich, "neutral"; P = positiv, nämlich bezüglich des Heils und N = negativ, nämlich bezüglich des Heils (es wird z.B. abgewiesen). Die Werke Philos werden hier abgekürzt, wie in Studia Philonica 1 (1972) S. 92 vorgeschlagen. Die Stellen des Verbs sind : Op 35 (S); Leg All II,85 (N); Leg All III,12-14 (3 mal P); Leg All III,213 (N); Quod Det 45 (P); Ebr 40 (N); Migr 190 (P); Abr 30 (P); Vita Mos I,105 (S); Spec Leg I,219 (P): id. 298 (P); Vita Cont 89 (P).

[2] Siehe oben S. 41 Anm. 3.

[3] Das Substantiv ἀναχώρησις : Jos 13 (S); Vita Mos II,253 (S); id., 267 (S); Spec Leg I,16 (S); id., 58 (P); Spec Leg II,83 (S); id., III,93 (S); Aet 117 (S); Flacc 93 (verderbt); id., 155 (S); Gaium 220 (S) und id., 239 (S).

[4] Für die jetzt folgenden Begriffe wurde der Leisegangsche Index herangezogen. Nur einschlägige Stellen wurden dabei behandelt. So zu ὑποχωρεῖν Op 33 (S); Abr 22 (P); zu μεταχωρεῖν Somn I,79 (N) und Abr 78 (P); zu μετανιστάναι Virt 218 (P).

[5] Die Stellen des Verbs — das Substantiv ἀπόταξις begegnet nicht bei Philo — sind : Leg All II,25 (P); id., III,41 (P); id., 142 (P); id., 145 (P); Leg All III,238 (P); Quod Deus 151 (P); Sobr 5 (S); Migr 92 (S); Vita Mos I,38 (S); Gaium 325 (S); Vgl. zum Verb noch TWNT VIII, S. 33.

[6] Aus Leg All II,53-64.

[7] Somn I,43.

Es war Vielhauer, der die Parallele καταφυγή-ἀνάπαυσις (in Bezug auf logion 50 des Thomasevangeliums) als Heilstermini (Zuflucht und Ruhe) hervorhob. Darum wäre es nicht unangebracht, einmal zu untersuchen, *ob*, und wenn ja, *wie* Philo diesen καταφυγή-Begriff anwendet. Das ist tatsächlich der Fall. Das Ergebnis lautet : Verb und Substantiv 22mal positiv. Der fromme Zug (Zuflucht zu Gott) herrscht vor, aber auch der mehr philosophische ist bezeichnend, z.B. Fuga 75; Somn I,63 : Zuflucht als kosmologisches Prinzip; weiter sechsmal negativ : Zuflucht des Menschen bei ihm selbst gesucht usw. Es drängt sich daher die Vermutung auf, dass der Zufluchtsgedanke im heilvollen Sinne Philo durchaus bekannt war.[1]

Wörter mit μονο- als Kern finden sich sehr oft bei Philo; man braucht dazu z.B. nur im Leisegangschen Index, wenn er auch unvollständig ist, nachzuschlagen. Diese μονο-loci sind m.E. für das Verstehen des Anliegens Philos wesentlich. Gerade die μόνωσις sei hier hervorgehoben : sie wird vom Weisen geliebt, z.B. Praem 19 : viele wurden zur Vernunft gebracht durch ἀποδημία. Aber der Auswandernde (μετανάστης vgl. Virt 218) soll die μόνωσις lieben ("umarmen"), sonst unterliegt er der gleichen Gefahr wie zu Hause.[2] Bezüglich des Begriffes ξένος führe ich zwei interessante Beispiele an : die Affekte des Körpers (τὰ πάθη) sind der Vernunft "fremd",[3] und die Liebe zu den Verwandten sei nicht unangemessen; denn die Schlechtigkeit von Verwandten macht sie zu Fremden für uns.[4]

Schlussfolgerung : Wer dem Übel entweicht, auf das Sinnliche verzichtet, sich vom Sinnlichen entblösst, dem Übel "fremd" ist, liebt es, allein, ein Einzelner zu sein und flieht zu Gott! Der Gedanke ist logisch : Weggang aus der Welt, Zugang zu Gott!

Das Bedeutungsfeld der Anachorese in einigen gnostischen Traktaten der Nag Hammadi Codices — so weit uns die Texte zugänglich sind

Wie bei Philo werden wir jetzt folgende griechische Lehnwörter

---

[1] Die Stellen des Verbs und des Substantivs sind : Fuga 75 (P); id., 76 (P); id., 78 (P); id., 94-105 (P); id., 97 (P); id., 102/103 (P); Somn I,44 (N); id., 63 (P); Somn I,86 (P); Abr 51 (P); id., 95 (P); Spec Leg I,42 (P); Leg All III,28 (N); id., 29 (P); id., 39 (P); id., 41 (P); id., 48 (N); id., 71 (N); Sacr 70 (P); id., 71 (P); id., 119 (P); id., 129 (P); Quod Det 163 (N); Mut 8 (P) und Conf 39 (P).

[2] Bez. der μόνωσις wurden betrachtet : Abr 22; id., 30; id., 87; Fuga 92; Heres 127; Op 35; Praem 16-20 und Virt 55.

[3] Heres 268.

[4] Spec Leg III,155.

und ihre eventuellen koptischen Äquivalente betrachten: ἀναχωρεῖν (kopt. Äquivalent ⲡⲱⲧ), ἀποτάσσεσθαι,[1] γυμνός (kopt. Äquivalent ⲕⲱⲕ ⲁϩⲏⲩ), — (der Terminus καταφυγή begegnet zwar nicht, wohl aber seinem Inhalt nach, kopt. Äquivalent auch hier ⲡⲱⲧ,[2] — den μονο-Komplex (weil wir uns jedoch wie bei Philo auf die μόνωσις beschränken, sei bemerkt, dass dieses (Lehn-)Wort nicht begegnet[3] und ξένος (kopt. Äquivalent ϣⲙⲙⲟ). Wenden wir uns nunmehr den Traktaten des Codex I, so weit sie bisher veröffentlicht sind, zu.

1. *Epistula Jacobi Apocrypha* [4]

Die betreffenden Lehnwörter begegnen nicht. Einschlägige koptische Wörter: ⲕⲱⲕ ⲁϩⲏⲩ Nacktheit, findet sich in 14:35 : das Ablegen des Hindernden als Voraussetzung für die ascensio des Pneumatikers zum Vater; ferner ⲡⲱⲧ —: der Kyrios eilt zum Vater, 9:15; in 11:28 auch "Flüchtling" im soteriologischen Sinne; an beiden Stellen könnte man m.E. den καταφυγή-Gedanken geltend machen. Im Sinne des "Verfolgen" begegnet ⲡⲱⲧ — dreimal. ϣⲙⲙⲟ : die Jünger sollen dieser Welt fremd sein, 11:18.[5]

2. *Evangelium Veritatis* [6]

Zwar begegnet ⲡⲱⲧ hier an sich nur im sächlichen Sinne. Bemerkenswert jedoch ist ⲡⲱⲧ- (mit ⲧⲥⲧⲟ und ϥⲓ ⲁⲃⲁⲗ) in 41:7.8, im Kontext der Wiederkehr in das Pleroma; übrigens steht ⲡⲱⲧ-

---

[1] Vgl. das Desideratum des Begriffs der Apotaxis : M. Krause, Die Petrusakten in Codex VI von Nag Hammadi, in *Nag Hammadi Studies III*, 1972, S. 52 Anm. 3.

[2] So auch in den koptischen Übersetzungen der Bibel, z.B. für καταφυγή (2. Mose 17:15 ⲙⲁ ⲙⲡⲱⲧ; desgleichen in den Acta Pauli (vgl. C. Schmidt, *Acta Pauli*, Leipzig 1904, S.* 17 (Übersetzung S. 49); dabei : Hennecke/Schneemelcher, *NT-Apokryphen* II, Tübingen 1964³, S. 250 (caput 37) : "Zuflucht" (für Bedrängte usw.). Für das Verb in Hebr. 6:18 im N.T., hat S. ⲡⲱⲧ ⲉϩⲟⲩⲛ ⲉ; B. ⲫⲱⲧ ϩⲁ. Vgl. noch Crum 275ᵇ.

[3] Es gibt auch in diesem Zusammenhang viele Stellen mit koptischen Äquivalenten wie ⲟⲩⲉⲉⲓ und ⲙⲛ̄ⲧⲟⲩⲉⲉⲓ (μόνος, μονάς). Wir beschränken uns aus methodischen Gründen auf die μόνωσις. Im Thomasevangelium verdient μοναχός jedoch unsere Aufmerksamkeit.

[4] *Epistula Jacobi Apocrypha*, ed. M. Malinine u.a., Stuttgart/Zürich 1968. Die jeweilige Schreibung der Lehnwörter im Koptischen wird nicht erwähnt.

[5] Vgl. den wichtigen Kommentar zu "cité terrestre" versus "cité céleste", auf S. 65.

[6] *Evangelium Veritatis*, ed. M. Malinine u.a., Zürich 1956; id., supplementum, Stuttgart/Zürich 1961.

auch wieder für "verfolgen" dreimal, für flüchten einmal und ferner noch zweimal im sächlichen Sinne des blossen sich Beeilen. Die Hyliker sind dem Sohne ϣⲘⲘⲟ, 31:1.

3. De Resurrectione [1]

Vielleicht könnte man ⲃⲱⲕ in 47:22 (vgl. 47:27) deuten als ἀναχωρεῖν im Sinne des heilvollen Weggehens Rheginos', der gerade dann das Beste nicht verlieren wird.

4. Tractatus Tripartitus I (De Supernis) [2]

Der (!) Sophia/Logos entkommt denen, die verwirrten, ja, er entblösste sich (ⲁϥⲕⲁⲕϥ ⲁϩⲏⲟⲩ) des Hochmuts (90:18), der die gefallene Sophia bedrohte; dies geschah dank dem Sohne (Retter).[3] Für die Psychiker gibt es auch eine Ökonomie des Heils : der Logos (Sophia) hat sich dazu eines Gedankes entkleidet, der die Psychiker zwar ins Materielle hineinzieht, ihnen jedoch dadurch Gelegenheit zur heilvollen Reue gibt : "felix culpa" möchte ich dies nennen.[4] Jedenfalls ist hier in 98:28 díese Anwendung des ⲕⲱⲕ ⲁϩⲏⲩ merkwürdig, weil etwas für den Psychikern Gutes abgelegt wird. Christus (Retter) strebt empor (zurück) in das Pleroma 78:2.23 und 86:6.8 (ⲡⲱⲧ ⲁϩⲣⲏⲓ bzw. ⲁⲡϫⲓⲥⲉ [5]); das ist m.E. der Gedanke des heilvollen Fliehens zum Vater (καταφυγή). Interessant sind die πόλις/πολίτ ευμα-Stellen 59:12 und vor allem 96:36: die Ekklesia (die Gesamtheit der Pneumatiker) entfaltet sich in vielen Äonen, die ihre Stadt (πολίτευμα 59:12) bilden.[6] Für eine Charakteristik des Traktates siehe Zandee.[7]

Aus Codex II bietet der 3. Traktat, das valentinianisch-gnostische

---

[1] De Resurrectione (Epistula ad Rheginum), ed. M. Malinine u.a., Stuttgart/Zürich 1963.

[2] Siehe oben S. 44 Anm. 6.

[3] Vgl. Einleitung S. 52f. und S. 363.

[4] Vgl. Einleitung S. 58.

[5] Vgl. auch den Kommentar S. 348 und 357.

[6] Siehe oben S. 48 Anm. 5; im N.T. Philip. 3:20. Hinsichtlich der kosmischen Weltstadt, der Himmelstadt Philos, sei verwiesen auf U. Früchtel, Die kosmologischen Vorstellungen bei Philo von Alexandrien, Leiden 1968, S. 7 f. und 29; H. Braun, Das himmlische Vaterland, in Verborum Veritas (Festschrift-Stählin), Wuppertal 1970, S. 320 und 325.

[7] J. Zandee, L'exemplarisme du monde transcendant ..., Revue d'Égyptologie 24 (1972) S. 224-228.

Philippusevangelium,[1] folgendes : In 102:26 entfernen Menschen sich vom Übel (ϲⲓⲍⲉ ⲉⲃⲟⲗ, gewissermassen ἀναχωρεῖν ?). Der Topos ⲕⲱⲕ ⲁⲍⲏⲩ findet sich 104:27-31 (viermal); 106:17; 114:18; 115:10; 123:24 und 130:10. Gerade die, die das Fleisch tragen, sind "nackt" (104:27-31 !). Wer sich entkleidet, ist nicht nackt und wird den König sehen (106:17), Ähnliches 114:18; 123:24 (bei der Taufe entkleidet man sich, um den vollkommenen Menschen anzuziehen). Anders 115:10 : die Wahrheit kam nicht nackt, sondern in Sinnbildern in die Welt, und 130:10 : eine entkleidete Ehe wird πορνεία (hier im Rahmen des ἱερὸς γάμος). In 132:29 flieht die ganze Göttlichkeit aus dem Tempel (ⲡⲱⲧ-; ἀναχωρεῖν ?) nach dem Zerreissen des Vorhanges : zu deuten auf den Demiurgen, der die Essenz (das Allerheiligste) nicht sehen wird.[2] In 101:3 kauft Christus Fremde (ϣⲙ̄ⲙⲟ) los und macht sie zu den Seinen.

Aus den Codices II, III und IV : das (barbelognostische) *Apokryphon des Johannes*.[3]

Die Pneumatiker fliehen vor- oder entweichen (ⲡⲱⲧ-) der Schlechtigkeit III,*34*,6.24 (und Par. in II und IV). Auch hier begegnet ⲕⲱⲕ ⲁⲍⲏⲩ in III,*35*,11 : den Körper auszuziehen. Als Substantiv bezüglich des Baumes der Erkenntnis in II,*23*,33 (Par. in IV); bezüglich Adams Nacktheit, welche die Archonten ihm nicht bewusst werden lassen wollen, damit er nicht hinauf zu seinem Pleroma sehe II,*22*,8, (Par. in III unsicher). Als Qualitativ begegnet das Verb in der Bedeutung "frei von", z.B. vom Übel II,*20*,7 (Par. in III und IV) bezüglich des ersten Menschen. Auch der καταφυγή-Gedanke findet sich : ⲡⲱⲧ ⲉⲍⲣⲁⲓ̈ : hinauflaufen des Denkens der Pronoia zu ihrer Lichtwurzel (II,*30*,30, Par. in IV). Auch gibt es die Bedeutung "verfolgen" in II,*22*,32 (Par. in IV); schliesslich ϣⲙ̄ⲙⲟ : den Menschen fremd war Noah, der sich zwar nicht in einer Arche verbarg, sondern in einer Lichtwolke mit anderen Gerechten (II,*29*,5, Par. in IV); Johannes selbst erscheint als der von Gottes Erscheinung "entfremdete" (II,*2*,11, Par. in IV) ... als "pädagogische" Frage an Johannes.

---

[1] *Das Evangelium nach Philippos*, ed. W. Till, Berlin 1963.

[2] Bez. des zerrissenen Vorhanges sei verwiesen auf O. Hofius, *Der Vorhang vor dem Thron Gottes*, Tübingen 1972. Es ist dies eine ganz schwierige, verschlungene Materie zumal auch bezüglich des rabbinischen Materials.

[3] *Die drei Versionen des Apokryphon des Johannes*, ed. M. Krause und P. Labib, Wiesbaden 1962.

Exkurs

Es mutet mich seltsam an, dass ausser einer Erwähnung in Scholers Bibliographie der Nag Hammadi Codices,[1] das m.E. bedeutsame koptisch-gnostische Fragment in Kahles Bala'izah,[2] so weit ich das kontrollieren konnte, bisher noch nicht herangezogen worden ist; denn sowohl der dort erscheinende Äon Sigè, wie der Begriff ⲕⲱⲕ ⲁϩⲏⲩ bezüglich des Körpers und die Versiegelung in der Sigè; das Paradies und die fünf Bäume, Johannes als Empfänger der Offenbarung usw., erinnern an das Apokryphon des Johannes: II,*31*,23.24 (Versiegelung im Lichte), III,*10*,15 (der Nus, Christus und Barbelo in der Sigè entstanden). Vgl. auch das Ägypterevangelium: passim σιγή usw.! Jedenfalls wäre eine Untersuchung sehr empfehlenswert! Es gibt viele, früher bekannte, aber jetzt (vielleicht) nicht erhaltene gnostische Schriften wie z.B. ⲡϪⲱⲱⲙⲉ ⲛⲛⲅⲛⲱⲥⲓⲥ ⲙⲡⲁϩⲟⲣⲁⲧⲟⲛ ⲙⲡⲛⲟ6 ⲛⲗⲟⲅⲟⲥ ⲕⲁⲧⲁ ⲙⲩⲥⲧⲏⲣⲓⲟⲛ.[3]

Aus Codex II, der 4. Traktat, *die Hypostase der Archonten*, ebenfalls barbelognostisch.[4]

Dort findet sich ἀναχωρεῖν in 142:32: Sophia kehrt zurück in das Licht. Bemerkenswert ist, dass in 142:31 ⲡⲱⲧ begegnet im sächlichen Sinne "folgen". Man könnte daraus folgern, dass das griechische Lehnwort dadurch "aufhellt" als terminus technicus des heilvollen sich zurückziehen und bewusst gewählt wurde. In 138:17.23 findet sich ⲕⲱⲕ ⲁϩⲏⲩ: Adam und seine Frau entdecken, dass sie des Pneumatischen entkleidet sind.

Als eine Sondergruppe möchte ich noch einige Traktate aus verschiedene Codices betrachten, und zwar nach der Reihenfolge der Codices:

aus Codex II, den 2. Traktat, das *Thomasevangelium*.[5]

---

[1] D. M. Scholer, *Nag Hammadi Bibliography 1948-1969*, Nag Hammadi Studies I, Leiden 1971 (Fortsetz. in *Nov. Testamentum* 13 (1971) S. 322-336; 14 (1972) S. 312-331; 15 (1973) S. 327-345) und 16 (1974) S. 316-336. Diesbezüglich Nr. 696 auf S. 45.

[2] P. E. Kahle, *Bala'izah I*, London 1954, S. 473-477.

[3] Bei: E. M. Quatremère, *Recherches critiques et historiques sur la langue et la litérature d'Égypte*, Paris 1808, S. 138.

[4] *The Hypostasis of the Archons*, ed. R. A. Bullard, Berlin 1970. Vgl. dort S. 115 zur Herkunft.

[5] *Das Thomasevangelium*, ed. A. Guillaumont u.a., Leiden 1959.

Degges Computer-Konkordanz [1] führt ἀναχωρεῖν auf bezüglich log. 13 : Jesus zieht sich mit Thomas zurück und sagt drei Worte. Der Begriff ⲕⲱⲕ ⲁϩⲏⲩ begegnet in log. 21 : die Schüller Jesu entblössen sich wie die Kinder, und log. 37 : die Schüler Jesu sollen, wie kleine Kinder, ihre Kleidung zertreten, nachdem sie sich entblösst haben. Den μόνωσις-Gedanke finde ich "konzentriert" im Begriff μοναχός in log. 16,49 und 75 : die auserwählten Einzelnen. In log. 64 ⲙⲙⲟ sächlich, im Sinne von "Gäste".

Aus Codex II, der 5. Traktat : *Über den Ursprung der Welt*.[2] Dieser Traktat ist gleich schwer zu "lokalisieren" wie z.B. das Thomasevangelium. Dort findet man ἀναχωρεῖν in 148:28; 151:31; 160:25; 163:11.29/30; 166:24 und 175:4 : die Pistis Sophia kehrt zurück zu ihrem Licht (148 und 151) und der Licht-Adam aus dem Chaos; der Oberarchon kehrt zurück, und die Archonten kehren zurück in ihre Himmel; die Archonten kehren zurück (zu ihren Mächten), und das Licht wird zurückkehren zu seiner Wurzel. Weiter findet sich ⲕⲱⲕ ⲁϩⲏⲩ in 167:14.16 : die Nacktheit des Adam und der Eva. ⲙⲙⲟ in 172:11 : die Seligen sind der Gnosis nicht fremd.

Aus Codex III, der 2. Traktat : das *Ägypterevangelium*, ebenfalls barbelognostisch.[3]

Dort begegnet das Lehnwort ἀποτάσσεσθαι in 63:17 : Absage an die Welt; das Substantiv ἀπόταξις in 66:2 : Absage an die Welt. Bemerkenswert oft findet man das Wort σιγή (16mal!).

Aus Codex VI, der 1. Traktat : *Acta Petri*.[4]

Dieser ist zwar gnostischen Charakters,[5] jedoch wieder schwer einer bestimmten Schule oder Richtung zuzuweisen. Dort begegnet das Verb ἀποτάσσεσθαι in 5:23; 7:24/25 und 10:15/16 : verzichten auf allen Besitz. In 3:10 und 5:11 begegnet ⲙⲙⲟ im sächlichen Sinne.

---

[1] E. H. Degge, *A computer-generated Concordance of the Coptic text of the Gospel acc. to Thomas*, Claremont (Calif.) 1970.

[2] *Über die Ursprung der Welt* bezw. "Die koptisch-gnostische Schrift ohne Titel aus Codex II von Nag Hammadi …" ed. A. Böhlig und P. Labib, Berlin 1962.

[3] Das Ägypterevangelium, ed. J. Doresse in *Journal Asiatique* t. 254 (1966) S. 317-435 ("Le livre sacré du grand esprit invisible ou L'évangile des Égyptiens"); vgl. die eigene Übersetzung von H.-M. Schenke in *NTS* 16 (1970) S. 196-208.

[4] Acta Petri (et duodecim apostolorum); *Facsimile Edition of the Nag Hammadi Codices, Codex VI*, Leiden 1972, S. 9, 11 und 14 (ἀποτάσσεσθαι) und S. 7 und 9 (ⲙⲙⲟ). Vgl. auch Krauses Aufsatz ad hoc; oben S. 48 Anm. 1.

[5] So Krause in seinem Aufsatz (siehe oben Anm. 4) S. 56.

In aller Vorsicht möchte ich aus obigem eine zahlenmässige Schluss-folgerung ziehen, obwohl man natürlich, eingedenk des Charakters der Auswahl der Traktate in unserer Untersuchung und der schlechten Erhaltung vieler Stellen, in folgenden Zahlen keine absoluten Zahlen sehen darf. Man könnte m.E. geltend machen, dass man obige Auswahl gnostischer Schriften in drei Grupen einteilen kann, in valentinianisch-, barbelo- und "neutral"-gnostische. Man erhält folgendes Resultat:

Wort (ev. Äquivalent)	valent.	barbelogn.	neutralgn.
ἀναχωρεῖν (ⲠⲰⲦ)	? ?	ἀναχωρεῖν 1×, ⲠⲰⲦ 4×	ἀναχωρεῖν 8×
ἀποτάσσεσθαι	—	2×	3×
ⲔⲰⲔ ⲀϨⲎⲨ (γύμνωσις)	20×	6×	4×
ⲠⲰⲦ - (καταφευγεῖν)	6×	2×	—
(μόνωσις) -μοναχός	—	—	3×
ϢⲘⲘⲞ (ξένος)	3×	4×	1×

Dabei kamen sächliche Bedeutungen nicht in Betracht; bezüglich des Apokryphon des Johannes (einschliesslich der Parallel-Stellen). Wenn man nun diese Zahlen interpretiert, ergibt sich folgendes: Das Lehnwort ἀναχωρεῖν begegnet in der "neutralen" Partie, das koptische Äquivalent[1] in der barbelognostischen. Es zeigt, dass ⲠⲰⲦ gerade von den Gnostikern, die in Ägypten ansässig waren, bei der Übersetzung als gutes Äquivalent "puristisch" verwandt wurde: hatte doch ἀναχωρεῖν zwar auch eine figürliche Bedeutung (Philo!), als Lehnwort im Koptischen jedoch wurde es vor allem im sozialwirtschaftlichen Kontexte angewendet. Das Lehnwort ἀποτάσ-σεσθαι begegnet nicht in der valentinianisch-gnostischen Gruppe; jedoch wäre es durchaus möglich, im Verb ⲔⲰ ⲈⲂⲞⲖ/-ⲚⲤⲀ das koptische Äquivalent zu sehen, obwohl natürlich hier nichts mit Sicherheit festzustellen ist, zumal auch die Bedeutung "verlassen" in weniger prägnantem Sinne vorzuziehen wäre. Jedenfalls möchte ich für die Bedeutung "verzichten auf" im Sinne des ἀποτάσσεσθαι plädieren, z.B. in: De Resurrectione 45:16 (die Welt); 46:33 (die Wahrheit): bezw. ⲔⲰⲈ ⲀϨⲢⲎⲒ/-ⲀⲂⲀⲖ.

---

[1] Im Koptischen kann man durch Präpositionen/adverbielle Ausdrücke, griechische Verben und ihre Composita sehr gut wiedergeben.

Im Philippusevangelium wäre 132:27 κω ⲛ̄cω⸗ das Haus (die stoffliche Welt) vielleicht doch im Sinne des ἀποτάσσεσθαι zu deuten. Sehr wichtig, und für unsere Untersuchung von grösster Bedeutung ist der Begriff κωκ ⲁϩⲏⲩ. Man beachte die Zahl: 20mal in der valentinianisch-gnostischen Gruppe, ebenso auch das Vorkommen in der barbelognostischen[1] und "neutral"-gnostischen. Gleich bezeichnend ist die Häufigkeit des καταφυγή-Gedankens in den valentinianisch-gnostischen Traktaten.

Der μοναχός-Begriff im Thomasevangelium ist schon mehrmals untersucht worden.[2] ⲱⲙⲙⲟ schliesslich kommt bezeichnenderweise in allen drei 'Gruppen' vor.

Zusammenfassung

Völker bezeichnete Philo einmal als den "grossen Mittler zwischen Antike und Christentum":[3] ein Gedanke, der an sich allen Deutungen Raum lässt: was ist z.B. mit 'Christentum' gemeint.

Das Christentum des 2. Jahrhunderts in Ägypten könnte man doch mit gutem Recht als "gnostizistisch frisiert" bezeichnen. So fragt man sich: gibt es einen "roten Faden", der Philo und das (behandelte) gnostische Schrifttum verbindet? Die Frage sollte m.E. bejaht werden. Natürlich taucht diesbezüglich die Frage auf, ob man gnostische Züge im Denken Philos finden kann. Im Grunde sollte man m.E. Philo nicht als "gnostizierend" bezeichnen; seine tiefjüdische Frömmigkeit verbot ihm, den Weg des gnostischen Denkens zu gehen, man beachte zum Sündenfalle "innerhalb der Gottheit" z.B. Fuga 80! Andererseits gibt es jedoch zweifelsohne "Anklänge", und das wiederum darf nicht verwundern: wir befinden uns im gleichen Denkschema,[4] wie wir oben sahen. Wenn man sich auch der Gefahr

---

[1] Zur Nacktheit im schon bekannten Ägypterevangelium, vgl. Hennecke/Schneemelcher, *NT-Apokryphen*, I, Tübingen 1959³, S. 111 und 115; dazu auch M. Hornschuh, Erwägungen zum "Evangelium der Ägypter" ... *VC* 18 (1964) S. 6-13. Zur Beziehung des bekannten Ägypterevangelium zu dem in Codex III von Nag Hammadi, vgl. A. Böhlig in W. Eltester, *Christentum und Gnosis*, Berlin 1969, S. 2f.

[2] Zu μοναχός siehe z.B. A. F. J. Klijn, The single one in the Gospel of Thomas, *JBL* 81 (1962) S. 271-278.

[3] Vgl. Völker, aO, S. 349.

[4] Vgl. M. Simon, Élements gnostiques chez Philon, in *Le Origini dello Gnosticismo*, ed. U. Bianchi, Leiden 1967, S. 373 und R. McL. Wilson, Philo of Alexandria and gnosticism, *Kairos* 14 (1972) S. 213-219; ferner: J.-É. Ménard. *L'Évangile de Vérité*, Leiden 1972 (Nag Hammadi Studies ed. M. Krause u.a., II) S. 26/27. Man sollte zur

des Fehlschlusses : "Analogie" bedeutet "Genealogie" bewusst ist,[1] so kann man doch m.E. an obigem Material illustriert sehen, dass Philo auf das Vokabular und das Denken gnostischer Kreise wie das der Valentinianern und Barbelognostiker in Ägypten eingewirkt hat, und zwar indirekt, d.h. mittels Traditionen und Schriften.[2] Die Anachorese, das dem Weltlichen, Sinnlichen Entweichen, wird bei Philo und den Gnostikern konkretisiert durch die Apotaxis als das Verzichten auf alles Weltliche, wodurch man der Welt eben ein Fremder wird und vór allem durch den zentralen Gedanken der geistigen Nacktheit d.h. das Abstreifen alles Sinnlichen (ἐκδύειν, ⲕⲱⲕ ⲁϨⲏⲅ). Man beabsichtigt letzten Endes die Zuflucht zu Gott bzw. das Zurückeilen in die pneumatische Welt. Anders ausgedrückt : hier erkennt man "den roten Faden", der Philo und die Gnostiker verbindet : *die Anachorese zum Heil*!

Beziehung Philo-valentinianisch/barbelognostisches Schrifttum bedenken, dass es sich um den gleichen geographischen Raum handelt. Das gleiche Klima des Denkens, schliesst übrigens tiefgehende Unterschiede nicht aus. So z.B. die Frage der eventuellen Relation Herbräerbrief zu Philo; dazu vgl. R. Williamson, *Philo and the epistle to the Hebrews*, Leiden 1970 (Zusammenfassung : S. 492f. und 580). Obwohl Williamson der Septuaginta und dem Philo gemeinsame Begriffe behandelt, führt er leider die καταφυγή nicht auf! Vgl. jedoch die *Septuaginta-Konkordanz* von Hatch/Redpath s.v. : 20 mal das Verb καταφευγεῖν (z.B. 1 Mose 19:20; 2. Mose 21:14; 4. Mose 35:25; 5. Mose 4:42 und Jos. 20:9 (an den letzten drei Stellen, die Freistädte!) und Jer. 27(50):5. Das Substantiv καταφυγή 23 mal (z.B. wird 2. Mose 17:15 von Philo zitiert in Vita Mos I,219!); z.B. 4. Mose 35:27; 2. Sam. 22:3; Ps. 9:9 und Jer. 16:19.

[1] Siehe O. Hofius, *Katapausis*, Tübingen 1970, S. 19 (bzw. Anm. 128).

[2] Bezüglich "Traditionen" vgl. z.B. Hennecke/Schneemelcher aO, I,115 betreffs Traditionen, die das Ägypterevangelium und das Thomasevangelium benützten. Was da gilt, sollte m.E. auch anwendbar sein für die Beziehung Philo-valentinianisch/barbelognostisches Schrifttum!

CITATIONS
DES GRANDS PROPHÈTES BIBLIQUES
DANS LES TEXTES GNOSTIQUES COPTES

PAR

RODOLPHE KASSER

C'est un honneur pour moi que d'apporter ici une modeste contribution au volume dédié à notre ami Pahor Labib, qui par son bon sens et ses qualités diplomatiques, alliées à son amour de la civilisation copte, a puissamment contribué à l'avènement de la situation dans laquelle nous nous trouvons aujourd'hui, et où, dans les conditions que l'on sait, les textes gnostiques de Nag'Hammâdi ont pu commancer à être publiés de diverses manières (par des éditions en facsimilé [1] ou des éditions en transcription); ainsi, le monde scientifique a eu accès à ces sources de première importance, et a entrepris d'en tirer profit pour le développement de divers secteurs de la recherche.

On sait que, d'une manière générale, les docteurs gnostiques ont porté sur la Bible chrétienne (et juive [2]) un jugement défavorable. Dans le Nouveau Testament, ils voient certes les traces d'un enseignement du Père suprême, mais ils constatent que la bonne doctrine s'y trouve déformée et altérée, mêlée à beaucoup d'éléments matériels qui la rendent impure, car les rédacteurs de "nos" évangiles, disciples des moins doués parmi les apôtres, ont le plus souvent mal compris et mal interprété la révélation que leur maître avait tenté de leur confier. En ce qui concerne l'Ancien Testament, habituellement, la condamnation gnostique est plus sévère encore : voilà un livre expressément écrit sous l'inspiration du dieu inférieur et usurpateur, Sabaôth,[3] dans le but d'égarer les hommes, de les prémunir contre

---

[1] La première est due à P. Labib lui-même, et elle a eu le grand mérite d'activer la diffusion de ces textes : P. Labib, *Coptic gnostic papyri in the Coptic Museum at Old Cairo*, Le Caire 1956.

[2] En ce qui concerne l'Ancien Testament.

[3] Ce dieu porte encore divers autres noms : Ialdabaôth, Samaèl, etc.

toute tentative d'émancipation et d'instruction provenant du Père supérieur; pour mieux les tenir en son esclavage, ce dieu n'a voulu transmettre aux hommes que des doctrines objectivement néfastes en ce qui concerne leur salut; certes, il est arrivé que, floué par le Père (qui mettait en lui à son insu des pensées supérieures), il ait proféré des paroles susceptibles d'éveiller l'homme de sa torpeur, donc des paroles qu'un gnostique peut utiliser en prenant quelques précautions; mais le plus souvent, les textes de l'Ancien Testament sont si mensongers qu'on ne peut espérer en tirer quelque vérité qu'en les interprétant "à l'envers", c'est à dire, en prenant comme "bon" ce que ce livre déclare "mauvais", et vice versa.

Dans ces conditions, on ne s'étonnera pas trop de voir que la Bible est, dans l'ensemble, assez peu citée par les gnostiques, et que, dans ces citations, le Nouveau Testament occupe, par rapport à l'Ancien Testament, une place largement prépondérante. Il n'est pas sans intérêt, cependant, d'examiner rapidement ici les "citations" vétéro-testamentaires, et spécialement celles des grands prophètes (Esaïe, Jérémie, Ézéchiel, Daniel), attestées par les textes gnostiques coptes publiés à ce jour[1]; on pourra y trouver, comme dans les citations patristiques, une information accessoire sur le texte biblique copte. Ce dernier est, hélas, on le sait, pour l'Ancien Testament, encore extrêmement lacuneux; ce fait même rend la présente recherche souhaitable et nécessaire, tout en empêchant, dans beaucoup de cas, de comparer la forme textuelles gnostique à celles, canonique ou patristique, soustraites à notre connaissance, parce que le hasard des découvertes de manuscrits ne nous les a pas encore restituées.

En fait, les citations expresses de l'Ancien Testament sont, dans les livres gnostiques, extrêmement rares. Dans ces ouvrages, on trouvera, rares aussi quoique un peu plus fréquentes, quelques allusions, quelques formules d'aspect vétérotestamentaires, emprunts éventuels mais trop incertains, trop vagues, trop inexacts pour être utilisables dans la critique textuelle. Ainsi Es. 5,21 (P. Morg. [et CSCO 157, p. 24, 78, 94]) ⲚⲈⲦⲞ Ⲛ̄ⲤⲀⲂⲈ ⲚⲀⲨ ⲞⲨⲀⲀⲨ,[2] cf. Ⲛ̄ⲤⲞⳫⲞⲤ Ⲛ̄ⳈⲢⲎ̈ ⳘⲘ̄ ⲠⲞⲨⳢⲎⲦ NH. I,2 (19,22). Es. 6,3 (P. Morg.) ⳠⲞⲨⲀⲀⲂ etc., cf. CSCO 99-100 (p. 7) ⲠⲈⲦⲞⲨⲀⲀⲂ etc., cf. Bruc. 2 (238,16) ⳠⲞⲨⲀⲀⲂ etc., NH. II,4 (97,20-21) ⳢⲀⲅⲒⲞⲤ etc. Es. 34,4 (P. Morg.) Ⲛ̄ⲦⲈⲦⲠⲈ ⳅⲰⲖ

---

[1] Dans cet examen, nous ne tiendrons aucun compte, cette fois, des différences purement dialectales; elles n'ont pas d'importance pour la critique textuelle.

[2] ⲘⲀⲨⲀⲀⲨ CSCO 157, cf. ⲘⲘⲀⲨⲀⲦⲞⲨ Tattam.

cf. NH. II,2 (51,6-7) ⲙ̄ⲡⲏⲅⲉ ⲛⲁϭⲱⲗ etc. Es. 34,7 (P. Morg.)
ⲡⲕⲁϩ ⲛⲁϯϩⲉ ϩⲙ̄ ⲡⲉⲩⲥⲛⲟϥ, cf. NH. II,5 (126,8-9) ⲛ̄ⲧⲉⲡⲕⲁϩ
ϯϩⲉ ⲉⲃⲟⲗ ϩⲛ̄ ⲛ̄ⲥⲛⲟϥ etc. Es. 40,3 (P. Morg.) ⲧⲉⲥⲙⲏ ⲡⲉⲧⲱ ϣ
ⲉⲃⲟⲗ ϩⲓ ⲡⲭⲁⲓ̈ⲉ ⲥ̄ⲃⲧⲉ ⲧⲉϩⲓⲏ ⲙ̄ⲡⲭⲟⲉⲓⲥ ⲥⲟⲩⲧⲛ̄ ⲛⲉϥϩⲓⲟⲟⲩⲉ
[cf. Mt. 3,3, Mc. 1,3, Luc 3,4 etc.[1] ... ⲥ̄ⲃⲧⲉ ⲧⲉϩⲓⲏ ... ⲥⲟⲟⲩⲧⲛ̄
ⲛ̄ⲛⲉϥⲙⲁ ⲙ̄ⲙⲟⲟϣⲉ], cf. Bruc. 2 (246,28-247,2) ⲛⲉⲧⲱϣ ⲉⲃⲟⲗ
ϫⲉ ⲥⲟⲟⲩⲧⲛ̄ ⲛ̄ⲧⲉϩⲓⲏ ⲙ̄ⲡⲭⲟⲉⲓⲥ (citation?). Es. 43,1 cf. NH. I,2
(21,25-27). Es. 44,15-17 cf. NH. II,3 (120,1-3). Es. 45,3 cf. NH. I,2
(21,25-27). Es. 55,6 et 65,1 (cf. CSCO 150, p. 58, et 159, p. 57), cf.
NH. I,2 (17,2-4). Es. 65,19-20 cf. NH. I,2 (32,29-30) ⲡⲟⲩⲁⲉⲓⲛ
ⲉⲧⲉⲙⲁϥϩⲱⲧⲡ̄. Es. 62,2 cf. NH. I,2 (22,12-13). Jer 2,21 (parabole
de la vigne, cf. Luc 13,6-9, etc.), cf. NH. II,2 (88,13-16) ⲟⲩⲃⲉ
ⲛ̄ⲉⲗⲟⲟⲗⲉ ⲁⲩⲧⲟϭⲥ̄ ⲙ̄ⲡⲥⲁ ⲛ̄ⲃⲟⲗ ⲙ̄ⲡⲉⲓⲱⲧ ⲁⲩⲱ ⲉⲥⲧⲁⲭⲣⲏⲩ ⲁⲛ
ⲥⲉⲛⲁⲡⲟⲣⲕⲥ̄ ϩⲁ ⲧⲉⲥⲛⲟⲩⲛⲉ ⲛ̄ⲥⲧⲁⲕⲟ. Jer. 11,20 (Maspero)
ⲡⲭⲟⲉⲓⲥ ⲛ̄ⲛ̄ϭⲟⲙ ... ⲉⲧⲇⲟⲕⲓⲙⲁⲍⲉ ⲛ̄ⲛ̄ϩⲏⲧ ⲙⲛ̄ ⲛⲉϭⲗⲟⲟⲧⲉ,
Jer. 17,10 (cité CSCO 157, p. 115) ⲡⲭⲟⲓ̈ⲥ ⲉⲧϩⲟⲧϩⲧ ⲛ̄ⲛ̄ϩⲏⲧ ⲁⲩⲱ
ⲉⲧⲇⲟⲕⲓⲙⲁⲍⲉ ⲛ̄ⲛⲉϭⲗⲟⲟⲧⲉ, cf. NH. II,6 (136,23-24) [ⲡ].ⲛ.ⲟⲩⲧⲉ
ⲅⲁⲣ ϭⲱϣⲧ ⲛ̄ⲥⲁ ⲛ̄ϭⲗⲁⲧⲉ ⲁⲩⲱ [ⲛ].ϥ.ⲙⲟⲩϣⲧ ⲙ̄ⲫⲏⲧ ⲉⲧⲙ̄ⲡⲥⲁ
ⲙ̄ⲡⲓⲧⲛ. Jer. 36,1 (Tattam) ⲛⲁⲓ ⲛⲉ ⲛⲓⲥⲁϫⲓ etc. et Baruch 1,1
(Maspero, Worrell) ⲛⲁⲓ ⲛ(ⲉ) ⲛ̄ϣⲁϫⲉ etc., cf. NH. II,2 (80,10-12)
ⲛⲁⲉⲓ ⲛⲉ ⲛ̄ϣⲁϫⲉ etc. Jer. 38,34 (?) cf. NH. I,2 (19,12). Ez. 10,14
(Tattam) ⲁ̄ ⲙ̄ⲡⲣⲟⲥⲱⲡⲟⲛ ... ϩⲟ ⲛ̄ⲭⲉⲣⲟⲩⲃⲓⲙ ... ϩⲟ ⲛ̄ⲣⲱⲙⲓ ...
ϩⲟ ⲙ̄ⲙⲟⲩⲓ ... ϩⲟ ⲛ̄ⲁⲏⲧⲟⲥ, cf. NH. II,4 (95,26 etc.) ⲭⲉⲣⲟⲩⲃⲓⲛ ...
ϥⲧⲟⲟⲩ ⲙ̄ⲡⲣⲟⲥⲱⲡⲟⲛ, N.H II,5 (105,4-8) ⲡⲭⲉⲣⲟⲩⲃⲓⲛ ⲇⲉ ⲟⲩⲛⲧⲁϥ
ⲙ̄ⲙⲁⲩ ⲛ̄ϣⲙⲟⲩⲛⲉ ⲙ̄ⲙⲟⲣⲫⲏ ⲕⲁⲧⲁ ⲡϥⲧⲟⲩ ⲕⲟⲟϩ ϩⲙ̄ⲙⲟⲣⲫⲏ
ⲙ̄ⲙⲟⲩⲉⲓ ⲁⲩⲱ ϩⲙ̄ⲙⲟⲣⲫⲏ ⲙ̄ⲙⲁⲥⲉ ⲁⲩⲱ ϩⲙ̄ⲙⲟⲣⲫⲏ ⲣ̄ⲣⲱⲙⲉ
ⲙⲛ ϩⲙ̄ⲙⲟⲣⲫⲏ ⲛ̄ⲁⲉⲧⲟⲥ. Dan. 4,10-12 et 20-21, mais surtout
Mt. 13,31-32 et parallèles, cf. NH. II,2 (84,30-33) ϩⲟⲧⲁⲛ ⲇⲉ
ⲉⲥϣⲁⲛϩⲉ ⲉϫⲙ̄ ⲡⲕⲁϩ ⲉⲧⲟⲩⲣ̄ ϩⲱⲃ ⲉⲣⲟϥ ϣⲁϥⲧⲉⲩⲟ ⲉⲃⲟⲗ
ⲛ̄ⲛⲟⲩⲛⲟϭ ⲛ̄ⲧⲁⲣ ⲛ̄ϥϣⲱⲡⲉ ⲛ̄ⲥⲕⲉⲡⲏ ⲛ̄ϩⲁⲗⲁⲧⲉ ⲛ̄ⲧⲡⲉ. Dan. 7,9
et 13 παλαιός ἡμερῶν (Ciasca) 7,9 ⲡⲁⲡⲁⲥ ϩⲛ̄ ⲛⲉϥϩⲟⲟⲩ (Tattam
ⲡⲓⲁⲡⲁⲥ ⲛ̄ⲧⲉ ⲛⲓⲉ̄ϩⲟⲟⲩ), 7,13 ⲡⲁ ⲧⲁⲣⲭⲏ ϩⲛ̄ ⲛⲉϥⲉϩⲟⲟⲩ (Tattam
ⲡⲓⲁⲡⲁⲥ ⲛ̄ⲧⲉ ⲛⲓⲉ̄ϩⲟⲟⲩ). Dan. 10,5 cf. NH. VI,1 (2,13). Tous les
passages cités ci-dessus sont assez difficiles à utiliser dans la critique
textuelle des versions coptes vétérotestamentaires.

    Il faut examiner d'autres cas maintenant, qui peuvent être considérés,
d'une certaine manière, comme des citations proprement dites, encore
qu'elles soient tendancieuses, et visent à démontrer la méchanceté ou

---

[1] CSCO 268, p. 41

la stupidité du dieu qui prononce ces paroles. Ainsi Es. 6,10 (P. Morg.)
[cf. CSCO 157, p. 31 [1] et 62] ⲁⲡϩⲏⲧ ⲅⲁⲣ ⲙ̄ⲡⲉⲓⲗⲁⲟⲥ ⲛⲟⲩⲱⲧ̄ [2]
ⲁⲩⲱ ⲁⲩⲱⲥⲕ̄ ⲉⲥⲱⲧⲙ̄ ϩⲛ̄ ⲛⲉⲩⲙⲁⲁϫⲉ ⲁⲩⲱ ⲁⲩϣⲧⲁⲙ ⲛⲉⲩⲃⲁⲗ
ⲙⲏⲡⲟⲧⲉ[3] ⲛ̄ⲥⲉⲛⲁⲩ ϩⲛ̄ ⲛⲉⲩⲃⲁⲗ ⲁⲩⲱ ⲛ̄ⲥⲉⲥⲱⲧⲙ̄ ϩⲛ̄ ⲛⲉⲩⲙⲁⲁϫⲉ
ⲛ̄ⲥⲉⲛⲟⲓ̈ ϩⲙ̄ ⲡⲉⲩϩⲏⲧ ⲛ̄ⲥⲉⲕⲟⲧⲟⲩ[4] ⲛ̄ⲧⲁⲧⲁⲗϭⲟⲟⲩ[5], cf. Mt. 13,15[6]
ⲁϥⲛ̄ϣⲟⲧ ⲅⲁⲣ ⲛ̄ϭⲓ ⲡϩⲏⲧ ⲙ̄ⲡⲉⲓⲗⲁⲟⲥ ⲁⲩⲱ ⲁⲩϩⲣⲟϣ ⲉⲥⲱⲧⲙ̄ ϩⲛ̄
ⲛⲉⲩⲙⲁⲁϫⲉ ⲁⲩⲱ ⲁⲩϣⲧⲁⲙ ⲛ̄ⲛⲉⲩⲃⲁⲗ ⲙⲏⲡⲟⲧⲉ ⲛ̄ⲥⲉⲛⲁⲩ ϩⲛ̄
ⲛⲉⲩⲃⲁⲗ ⲛ̄ⲥⲉⲥⲱⲧⲙ̄ ϩⲛ̄ ⲛⲉⲩⲙⲁⲁϫⲉ ⲛ̄ⲥⲉⲛⲟⲉⲓ ϩⲙ̄ ⲡⲉⲩϩⲏⲧ
ⲛ̄ⲥⲉⲕⲟⲧⲟⲩ ⲧⲁⲧⲁⲗϭⲟⲟⲩ; le texte grec néotestamentaire de ce
passage suit fidèlement son modèle, mais il l'insère dans un contexte nouveau, suggérant que l'endurcissement du "cœur de ce
peuple" est provoqué par les procédés d'expression eux-mêmes
(paraboles) qu'utilise Jésus en s'adressant à son auditoire; de là à
dire que Dieu *veut* l'endurcissement de ce peuple, il n'y a qu'un pas,
franchi par le gnostique; cf. Apocr. Jn. Berol. (59,3-5), disant que le
dieu inférieur a voulu empêcher l'homme de parvenir à la connaissance,
preuve en soit qu'il a dit, par son prophète: ... ⲧ̄ⲛⲁⲑⲣ̄ϣⲟ
ⲛ̄ⲛⲙ̄ⲙⲁⲁϫⲉ ⲛ̄ⲛⲉⲩϩⲏⲧ ϫⲉ ⲛ̄ⲛⲉⲩⲛⲟⲓ̈ ⲁⲩⲱ ϫⲉ ⲛ̄ⲛⲉⲩⲛⲁⲩ ⲉⲃⲟⲗ.
Es. 19,12 est utilisé pour décrire le trouble et l'incertitude dans
lesquels Sabaôth (souverain faible et d'intelligence bornée, qui lui-
même ne sait pas ce qu'il va faire) introduit ceux qui croient en
lui : (P. Morg.) ⲉⲩⲧⲱⲛ ⲛⲉⲕⲥⲟⲫⲟⲥ ⲧⲉⲛⲟⲩ ⲙⲁⲣⲟⲩⲧⲁⲙⲟⲕ
ⲛ̄ⲥⲉϫⲟⲟⲥ ⲛⲁⲕ ⲙⲁⲣⲟⲩⲉⲓⲙⲉ ϫⲉ ⲛ̄ⲧⲁⲡϫⲟⲉⲓⲥ ⲥⲁⲃⲁⲱⲑ ⲙⲉⲉⲩⲉ
ⲉⲟⲩ ⲉϫⲛ̄ ⲕⲏⲙⲉ, cf. PS (p. 26) [7] ⲉⲩⲧⲱⲛ ϭⲉ ⲕⲏⲙⲉ ⲉⲩⲧⲱⲛ
ⲛⲉⲕⲣⲉϥϣⲓⲛⲉ ⲙⲛ̄ ⲛⲉⲕⲣⲉϥⲕⲁ ⲟⲩⲛⲟⲩ ⲙⲛ̄ ⲛⲉⲧⲉϣⲁⲩⲙⲟⲩⲧⲉ
ⲉⲃⲟⲗ ϩⲙ̄ ⲡⲕⲁϩ ⲙⲛ̄ ⲛⲉⲧⲉϣⲁⲩⲙⲟⲩⲧⲉ ⲉⲃⲟⲗ ⲛ̄ϩⲏⲧⲟⲩ ⲙⲁⲣⲟⲩⲧⲁⲙⲟⲕ ϭⲉ ϫⲓⲛ ⲙ̄ⲡⲉⲓⲛⲁⲩ ⲉⲛϩⲃⲏⲩⲉ ⲉⲧϥ̄ⲛⲁⲁⲁⲩ ⲛ̄ϭⲓ
ⲡϫⲟⲉⲓⲥ ⲥⲁⲃⲁⲱⲑ, PS (p. 27) ⲛ̄ⲧⲉⲧⲛⲁⲉⲓⲙⲉ ⲁⲛ ϭⲉ ϫⲉ ⲟⲩ
ⲡⲉⲧⲉⲣⲉ ⲡϫⲟⲉⲓⲥ ⲥⲁⲃⲁⲱⲑ ⲛⲁⲁⲁϥ ... ⲛ̄ⲧⲉⲧⲛⲁⲉⲓⲙⲉ ⲁⲛ ϭⲉ
ϫⲓⲛ ⲙ̄ⲡⲉⲓⲛⲁⲩ ⲉⲛⲉⲧϥ̄ⲛⲁⲁⲁⲩ ⲛ̄ϭⲓ ⲡϫⲟⲉⲓⲥ ⲥⲁⲃⲁⲱⲑ.
On sait que les gnostiques considéraient comme une déclaration
ridiculement prétentieuse l'affirmation du monothéisme absolu qu'on

---

[1] Incomplet.
[2] CSCO 157, p. 31 et 62 ⲛ̄ϣⲟⲧ.
[3] CSCO 157, p. 31 ⲙⲏⲡⲱⲥ.
[4] CSCO 157, p. 31 ⲛ̄ⲥⲉⲕⲧⲟⲟⲩ.
[5] CSCO 157, p. 31 ⲛ̄ⲧⲉⲡⲛⲟⲩⲧⲉ ⲕⲱ ⲛⲁⲩ ⲉⲃⲟⲗ.
[6] Cf. aussi Mc. 4,12, Act. 28,27.
[7] P. 26 ⲛ̄ⲧⲁⲥⲡⲣⲟⲫⲏⲧⲉⲩⲉ ... ⲛ̄ϭⲓ ⲧϭⲟⲙ ⲉⲧϩⲛ̄ ⲏⲥⲁⲓ̈ⲁⲥ ⲡⲉⲡⲣⲟⲫⲏⲧⲏⲥ, p. 27 ⲛ̄ⲧⲁⲧϭⲟⲙ ϭⲉ ⲉⲧϩⲛ̄ ⲏⲥⲁⲓ̈ⲁⲥ ⲛ̄ⲧⲁⲥⲡⲣⲟⲫⲏⲧⲉⲩⲉ...

trouve en maint endroit dans Esaïe; aussi leurs écrits la citent-ils
volontiers (en l'accompagnant de commentaires désobligeants) :

Es. 44,6 (P. Morg.) ¹ ... ⲁⲛⲟⲕ ⲡⲉ ⲡϣⲟⲣⲡ ⲁⲛⲟⲕ ⲟⲛ ⲡⲉ ⲙⲛ̄ⲛⲥⲱⲥ
       ⲁⲩⲱ ⲙⲛ̄ ⲕⲉⲛⲟⲩⲧⲉ ⲛ̄ⲃⲗ̄ⲗⲁⲓ̈

Es. 45,5 (P. Morg.) ... ⲁⲛⲟⲕ ⲡⲉ ⲡϫⲟⲉⲓⲥ ⲡⲛⲟⲩⲧⲉ
       ⲁⲩⲱ ⲙⲛ̄ ⲕⲉⲛⲟⲩⲧⲉ ⲛ̄ⲃⲗ̄ⲗⲁⲓ̈

Es. 45,6 (P. Morg.) ...   ... ⲙⲛ̄ ϭⲉ ⲛ̄ⲃⲗ̄ⲗⲁⲓ̈

Es. 46,9 (P. Morg.) ... ⲁⲛⲟⲕ ⲡⲉ ⲡⲛⲟⲩⲧⲉ
       ⲁⲩⲱ ⲙⲛ̄ ⲕⲉⲛⲟⲩⲧⲉ ⲛ̄ⲃⲗ̄ⲗⲁⲓ̈

(Cf. Es. 47,8, P. Morg. et P. Bodmer XXIII, ⲁⲛⲟⲕ ⲡⲉ
       ⲁⲩⲱ ⲙⲛ̄ ⲕⲉⲟⲩⲉⲓ ⲛ̄ⲃⲗ̄ⲗⲁⲓ̈).

NH. II,1 (11,20-21) ... ⲁⲛⲟⲕ ⲡⲉ ⲡⲛⲟⲩⲧⲉ
       ⲁⲩⲱ ⲙⲛ̄ ⲕⲉⲛⲟⲩⲧⲉ ⲛ̄ⲥⲁⲃⲗ̄ⲗⲏⲉⲓ.

NH. II,1 (13,8-9) ... ⲁⲛⲟⲕ ⲁⲛⲕ̄ ⲟⲩⲛⲟⲩⲧⲉ ⲛ̄ⲣⲉϥⲕⲱϩ ²
       ⲁⲩⲱ ⲙⲛ̄ ⲕⲉⲛⲟⲩⲧⲉ ⲛ̄ⲥⲁⲃⲗ̄ⲗⲁⲓ̈.

NH. VII,2 (53,30-31) ... ⲁⲛⲟⲕ ⲡⲉ ⲡⲛⲟⲩⲧⲉ
       ⲁⲩⲱ ⲙ̄ⲙⲛ̄ ϭⲉ ⲛ̄ⲥⲁ ⲁⲛⲟⲕ.

NH. VII,2 (64,19-23) ... ⲁⲛⲟⲕ ⲡⲉ ⲡⲛⲟⲩⲧⲉ
       ⲁⲩⲱ ⲙ̄ⲙⲛ̄ ⲕⲉⲟⲩⲁ ⲛ̄ⲥⲁ ⲁⲛⲟⲕ ².

NH. V,4 (47,1) ... ... ⲙⲙⲛ ⲕⲉ]ⲟⲩⲁ ⲛ̄ⲥⲁ ⲁⲛⲟⲕ.

NH. II,4 (94,21-22) ... ⲁⲛⲟⲕ ⲡⲉ ⲡⲛⲟⲩⲧⲉ
       ⲁⲩⲱ ⲙⲛ̄ ϭⲉ ⲁϫⲛ̄ⲧ.

NH. II,5 (103,11-13) ... ⲁⲛⲟⲕ ⲡⲉ ⲡⲛⲟⲩⲧⲉ
       ⲁⲩⲱ ⲙⲛ̄ ⲕⲉⲟⲩⲁ ϣⲟⲟⲡ ⲁϫⲛ̄ⲧ.

NH. II,4 (86,30-31) ... ⲁⲛⲟⲕ ⲡⲉ ⲡⲛⲟⲩⲧⲉ
       ⲙⲛ̄ ⲗⲁⲁⲩ [ⲁϫⲛ̄ⲧ(?).

Apocr. Jn. Perol. (44,14-15) ... ⲁⲛⲟⲕ ⲟⲩⲛⲟⲩⲧⲉ ⲛ̄ⲣⲉϥⲕⲱϩ ²
       ⲁϫⲛ̄ⲧ ⲙⲛ̄ ⲗⲁⲁⲩ.

NH. III,2 (58,24-26) ... ⲁ]ⲛⲟⲕ ⲁⲛⲟⲕ ⲟⲩⲛⲟⲩ[ⲧⲉ ⲛⲣⲉϥⲕⲱϩ ²
       ⲁⲩⲱ ⲁϫⲛ̄ⲧ ⲙ̄ⲡⲉⲗⲁⲁⲩ [ϣⲱⲡⲉ.

NH. II,5 (112,28-29) ... ⲁⲛⲟⲕ ⲡⲉ ⲡⲛⲟⲩⲧⲉ
       ⲙⲛ̄ ⲗⲁⲁⲩ ϣⲟⲟⲡ ϩⲓ ⲧⲁⲉϩⲏ.

Dans l'Évangile selon Thomas (NH. II,2) on a (84,5-9) ⲡⲉⲧⲉ
ⲙ̄ⲡⲉⲃⲁⲗ ⲛⲁⲩ ⲉⲣⲟϥ ⲁⲩⲱ ⲡⲉⲧⲉ ⲙ̄ⲡⲉⲙⲁⲁϫⲉ ⲥⲟⲧⲙⲉϥ ⲁⲩⲱ
ⲡⲉⲧⲉ ⲙ̄ⲡⲉϭⲓϫ ϭⲙ̄ϭⲱⲙϥ̄ ⲁⲩⲱ ⲙ̄ⲡⲉϥⲉⲓ ⲉϩⲣⲁⲓ̈ ϩⲓ ⲫⲏⲧ ⲣ̄ⲣⲱⲙⲉ,³

---

¹ Dans ce passage, l'identité de l'auteur de cette déclaration est affirmée d'une
manière très significative (surtout pour un gnostique): ⲧⲁⲓ̈ ⲧⲉ ⲑⲉ ⲉⲧⲉⲣⲉⲡ-
ⲛⲟⲩⲧⲉ ϫⲱ ⲙ̄ⲙⲟⲥ... ⲡⲛⲟⲩⲧⲉ ϣⲁ ⲉⲛⲉϩ ⲥⲁⲃⲁⲱⲑ.

² Cf. Exode 34,14, et la note 3.

³ Ici, on trouve ensuite : ⲁⲛⲟⲕ ⲟⲩⲛⲟⲩⲧⲉ ⲛ̄ⲣⲉϥⲕⲱϩ (voir la note 2).

texte voisin surtout de 1.Cor. 2,9 ⲛⲉⲧⲉ ⲙⲡⲉⲃⲁⲗ ⲛⲁⲩ ⲉⲣⲟⲟⲩ
ⲛⲉⲧⲉ ⲙⲡⲉⲙⲁⲁⲭⲉ ⲥⲟⲧⲙⲟⲩ ⲛⲉⲧⲉⲙⲡⲟⲩⲁⲗⲉ ⲉ2ⲣⲁⲓ ⲉⲭⲙ
ⲡ2ⲏⲧ ⲛ̄ⲣⲱⲙⲉ ⲛⲁⲓ ⲛ̄ⲧⲁⲡⲛⲟⲩⲧⲉ ⲥⲃ̄ⲧⲱⲧⲟⲩ ⲛ̄ⲛⲉⲧⲙⲉ ⲙⲙⲟϥ,
qu'on peut comparer cependant à Es. 64,3 (P. Morg., P. Bodmer
XXIII, Schleifer) ⲭⲓⲛ ⲉⲛⲉ2 ⲙ̄ⲡⲉⲛⲥⲱⲧⲙ̄ ⲟⲩⲗⲉ ⲙ̄ⲡⲉⲛⲉⲛⲃⲁⲗ
ⲛⲁⲩ ⲉⲕⲉⲛⲟⲩⲧⲉ ⲛ̄ⲃⲁ̄ⲗⲁⲕ ⲁⲩⲱ ⲛⲉ2ⲃⲏⲩⲉ [1] ⲉⲧⲕ̄ⲛⲁⲁⲁⲩ
ⲛ̄ⲛⲉⲧ2ⲩⲡⲟⲙⲓⲛⲉ ⲉⲣⲟⲕ (cf. Es. 65,17 P. Morg., P. Bodmer XXIII,
Schleifer, ... ⲁⲩⲱ ⲛ̄ⲛⲉⲩⲁⲗⲉ ⲉ2ⲣⲁⲓ ⲉⲭⲙ̄ ⲡⲉⲩ2ⲏⲧ, et Jer. 3,16,
Schleifer, ... ⲛ̄[ⲥⲉⲛⲁ]ⲃⲱⲕ ⲁⲛ ⲉⲭⲙ̄ ⲡⲉⲩ2ⲏⲧ).

De tous les textes gnostiques de Nag'Hammâdi publiés jusqu'ici,
un seul, NH. II,6, adopte une position nettement différente des
autres, et mentionne à plusieurs reprises des textes de l'Ancien
Testament, avec beaucoup de respect, comme une Écriture inspirée
par le Père. Voici les expressions, très remarquables, qui introduisent
ces citations : 129,6 etc. ϥⲡⲣⲟⲫⲏⲧⲉⲩⲉ ⲛ̄2ⲁ2 ⲙ̄ⲙⲁ ⲛ̄ϭⲓ ⲡⲉⲡⲛ̄ⲁ
ⲉⲧⲟⲩⲁⲁⲃ ⲡⲉⲭⲁϥ ⲅⲁⲣ 2ⲛ̄ ⲓⲉⲣⲏⲙⲓⲁⲥ ⲡⲉⲡⲣⲟⲫⲏⲧⲏⲥ ⲭⲉ (etc.
Jer. 3,1-4); 129,22 etc. ⲡⲁⲗⲓⲛ ϥⲥⲏ2 2ⲛ̄ ⲱⲥⲏⲉ ⲡⲉⲡⲣⲟⲫⲏⲧⲏⲥ
ⲭⲉ (etc. Osée 2,4-9); 130,11 etc. ⲡⲁⲗⲓⲛ ⲡⲉⲭⲁϥ 2ⲛ̄ ⲉ2ⲉⲕⲓⲏⲗ ⲭⲉ
(etc. Ez. 16,23-26); 133,1 etc. ⲉⲧⲃⲉ ⲡⲁⲉⲓ ⲡⲉⲭⲁϥ ⲛ̄ϭⲓ ⲡⲉⲡⲣⲟⲫⲏⲧⲏⲥ ... ⲭⲉ (etc. Gen. 2,24); 133,9 etc. ⲕⲁⲧⲁ ⲑⲉ ⲉⲧϥ̄ⲥⲏ2 ⲭⲉ
(etc. Gen. 3,16); 133,15 etc. ⲡⲉⲭⲁϥ ⲇⲉ ⲛ̄ϭⲓ ⲡⲉⲡⲣⲟⲫⲏⲧⲏⲥ 2ⲛ̄
ⲛ̄ⲙ̄ⲯⲁⲗⲙⲟⲥ ⲭⲉ (etc. Ps. 44,11-12); 133,28 etc. ⲧⲉⲉⲓ ⲟⲛ ⲧⲉ ⲑⲉ
ⲉⲛⲧⲁⲩⲭⲟⲟⲥ ⲛ̄ⲁⲃⲣⲁ2ⲁⲙ ⲭⲉ (etc. Gen. 12,1); 134,15 etc. ⲁⲓⲁ
ⲧⲟⲩⲧⲟ ⲡⲉⲭⲉ ⲡⲉⲡⲣⲟⲫⲏⲧⲏⲥ ⲭⲉ (etc. Ps. 102,1-5); 136,4 etc.
ⲡⲁⲗⲓⲛ ⲕⲉⲙⲁ ϥⲭⲱ ⲙⲙⲟⲥ ⲛ̄ⲧⲉⲉⲓ2ⲉ ⲛ̄ϭⲓ ⲡⲭⲟⲉⲓⲥ ⲡⲉⲧⲟⲩⲁⲃ
ⲛ̄ⲧⲉ ⲡⲓⲥⲣⲁⲏⲗ ⲭⲉ (etc. Es. 30,15); 136,8 etc. ⲡⲁⲗⲓⲛ ⲡⲉⲭⲁϥ
ⲛ̄ⲕⲉⲙⲁ ⲭⲉ (etc. Es. 30,10-29). Toutefois, l'attitude très libérale du
docteur gnostique auteur de ce traité s'étend bien au-delà de la Bible,
et pour lui, semble-t-il, toute écriture est également inspirée et peut être
(allégoriquement) interprétée de manière à en extraire une signifi-
cation profitable au salut de l'homme; ainsi, après avoir puisé dans
le trésor des "prophètes", il cite maintenant le "poète" : 136,27 etc.
ⲁⲓⲁ ⲧⲟⲩⲧⲟ ϥⲥⲏ2 2ⲙ̄ ⲡⲟⲓⲏⲧⲏⲥ ⲭⲉ (etc. Odyssée 1,48 etc.,
4,555 etc., 5,82 etc., 151 etc., 5,215 etc., 1,57 etc., 13,350 etc., 4,261
etc.). Finalement, l'auteur de NH. II,6 revient à la Bible : 137,15
etc. ⲡⲁⲗⲓⲛ ϥⲥⲏ2 2ⲛ̄ ⲙ̄ⲯⲁⲗⲙⲟⲥ ⲭⲉ (etc. Ps. 6,7-10).

Les citations vétérotestamentaires faites par NH. II,6 sont en
général assez proches du texte original; mais le sont-elles suffisamment

---

[1] P. Bodmer XXIII et Schleifer ⲛⲉⲕ2ⲃⲏⲩⲉ.

pour laisser supposer que le docteur gnostique a connu et utilisé
l'Ancien Testament en version copte plutôt qu'en version grecque ?
Qu'on en juge :

Es. 30,15 et 19-20 (P. Morg.) [1]

(15) ⲧⲁⲓ ⲧⲉ ⲑⲉ ⲉⲧⲉⲣⲉⲡⲭⲟⲉⲓⲥ
ⲭⲱ ⲙⲙⲟⲥ ⲡⲉⲧⲟⲩⲁⲁⲃ ⲙⲡⲓⲏⲗ

ⲭⲉ ⲍⲟⲧⲁⲛ ⲉⲕϣⲁⲛⲕⲟⲧⲕ
ⲛⲕⲁϣ ⲁⲍⲟⲙ ⲧⲟⲧⲉ ⲕⲛⲁⲟⲩⲭⲁⲓ
ⲁⲩⲱ ⲕⲛⲁⲉⲓⲙⲉ ⲭⲉ ⲕⲧⲱⲛ
ⲛⲛⲉⲍⲟⲟⲩ ⲉⲕⲛⲁⲍⲧⲉ ⲉⲍⲉⲛ-
ⲡⲉⲧϣⲟⲩⲉⲓⲧ...
(19) ⲁⲩⲱ ⲁⲑⲓⲗⲏⲙ ⲣⲓⲙⲉ ⲍⲛ
ⲟⲩⲣⲓⲙⲉ ⲭⲉ ⲛⲁ ⲛⲁⲓ.
ϥⲛⲁⲛⲁ ⲙⲡⲉⲍⲣⲟⲟⲩ ⲙⲡⲟⲩⲁϣ-
ⲕⲁⲕ ⲛⲧⲉⲣⲉϥⲛⲁⲩ ⲇⲉ ⲁϥⲥⲱⲧⲙ
ⲉⲣⲟ.
(20) ⲁⲩⲱ ⲡⲭⲟⲉⲓⲥ ⲛⲁϯ ⲛⲏⲧⲛ
ⲛⲟⲩⲟⲉⲓⲕ ⲛⲑⲗⲓⲯⲓⲥ ⲁⲩⲱ
ⲟⲩⲙⲟⲟⲩ ⲉϥⲍⲉⲭⲍⲱⲭ ⲁⲩⲱ
ⲛⲛⲉⲩⲍⲱⲛ ⲉⲣⲟ ⲭⲓⲛ ⲧⲉⲛⲟⲩ
ⲛϭⲓ ⲛⲉⲧⲡⲗⲁⲛⲁ ⲙⲙⲟ
ⲭⲉ ⲛⲟⲩⲃⲁⲗ ⲛⲁⲛⲁⲩ ⲉⲛⲉⲧ-
ⲡⲗⲁⲛⲁ ⲙⲙⲟ.

[Jer. 3,1-4] [2]

NH. II,6 (136,4-8)

(15) ϥⲭⲱ ⲙⲙⲟⲥ ⲛⲧⲉⲉⲓϩⲉ ⲛϭⲓ
ⲡⲭⲟⲉⲓⲥ ⲡⲉⲧⲟⲩⲁⲁⲃ ⲛⲧⲉ ⲡⲓⲥ-
ⲣⲁⲏⲗ
ⲭⲉ ⲍⲟⲧⲁⲛ ⲉⲕϣⲁⲛⲕⲟⲧⲕ
ⲛⲕⲉϣ ⲉⲍⲟⲙ ⲧⲟⲧⲉ ⲕⲛⲁⲟⲩⲭⲁⲓ
ⲁⲩⲱ ⲕⲛⲁⲉⲓⲙⲉ ⲭⲉ ⲛⲉⲕⲧⲱⲛ
ⲛⲍⲟⲟⲩ ⲉⲕⲛⲁⲍⲧⲉ ⲁⲛⲓⲡⲉⲧ-
ϣⲟⲩⲉⲓⲧ...
(19) ⲑⲓⲉⲣⲟⲩⲥⲁⲗⲙ ⲍⲛ ⲟⲩⲣⲓⲙⲉ ⲁⲥⲣⲓⲙⲉ ⲭⲉ ⲛⲁ ⲛⲁⲉⲓ.
ϥⲛⲁⲛⲁ ⲛⲧⲉⲥⲙⲏ ⲙⲡⲉⲣⲓⲙⲉ
ⲁⲩⲱ ⲛⲧⲁⲣⲉϥⲛⲁⲩ ⲁϥⲥⲱⲧⲙ
ⲉⲣⲟ.
(20) ⲁⲩⲱ ⲡⲭⲟⲉⲓⲥ ⲛⲁϯ ⲛⲏⲧⲛ
ⲛⲟⲩⲟⲉⲓⲕ ⲛⲑⲗⲓⲯⲓⲥ ⲙⲛⲛ ⲟⲩ-
ⲙⲟⲟⲩ ⲛⲗⲱⲭⲍ ⲥⲉⲛⲁⲥⲱⲧⲉ ⲁⲛ
ⲭⲓⲛ ⲧⲉⲛⲟⲩ ⲉⲧⲣⲟⲩⲧⲍⲛⲟ
ⲉⲍⲟⲩⲛ ⲉⲣⲟ ⲛϭⲓ ⲛⲉⲧⲣ ⲡⲗⲁⲛⲁ
ⲛⲉⲃⲁⲗ ⲛⲁⲛⲁⲩ ⲁⲛⲉⲧⲣ ⲡⲗⲁⲛⲁ
ⲙⲙⲟ.

NH. II,6 (129,8-22)

(1) ϩⲟⲧⲁⲛ ⲉⲣϣⲁⲡϩⲁⲉⲓ ⲧⲟⲩ-
ⲉⲓⲉ ⲧⲉϥϩⲓⲙⲉ ⲁⲩⲱ ⲛⲥⲃⲱⲕ
ⲛⲥⲭⲓ ⲕⲉⲟⲩⲁ ⲙⲏ ⲥⲛⲁⲕⲟⲧⲥ
ⲉⲣⲟϥ ⲭⲓⲛ ⲧⲉⲛⲟⲩ ⲙⲏ ϩⲛ ⲟⲩ-
ⲭⲱϩⲙ ⲙⲡⲉⲥⲭⲱϩⲙ ⲛϭⲓ ⲧⲉ-
ⲥϩⲓⲙⲉ ⲉⲧⲙⲙⲁⲩ ⲁⲩⲱ ⲛⲧⲟ
ⲁⲣⲉⲡⲟⲣⲛⲉⲩⲉ ⲙⲛ ϩⲁϩ ⲛϣⲱⲥ
ⲁⲩⲱ ⲁⲣⲉⲕⲟⲧⲉ ϣⲁⲣⲟⲉⲓ ⲡⲉ-
ⲭⲁϥ ⲛϭⲓ ⲡⲭⲟⲉⲓⲥ.

---

[1] Cf. CSCO 159, p. 57.

[2] Ce texte n'est attesté, malheureusement, par aucun manuscrit vétérotestamentaire
copte; on le trouve cependant (dès 3,2) cité dans CSCO 157, p. 116.

(2) ϥι ⲛ̄ⲛ.ⲟ.[ⲩⲃⲁⲗ] ⲉϩⲣⲁⲓ̈ ⲉⲡ-
ⲥⲟⲟⲩⲧⲛ̄ ⲛ̄ⲧ[ⲉ].ⲛ.ⲁⲩ ϫⲉ
ⲉⲧⲉⲙⲡⲉϫⲱϩⲙ̄ ϩⲛ̄ ⲁϣ ⲙⲙⲁ
ⲁⲣϩⲙⲟⲟⲥ ⲛⲁⲩ ϩⲛ̄ ⲛⲟⲩϩⲓⲟⲟⲩⲉ
ⲛ̄ⲑⲉ ⲛ̄ⲟⲩⲁⲃⲟⲕⲉ ⲉⲥϭⲉⲉⲧ
ⲙⲁⲩⲁⲁⲥ ⲁⲩⲱ ⲁⲣⲭⲱϩⲙ̄
ⲙ̄ⲡⲕⲁϩ ϩⲛ̄ ⲛⲟⲩⲡⲟⲣⲛⲓⲁ ⲙⲛ̄
ⲛⲟⲩⲕⲁⲕⲓⲁ.

(3) ⲁⲣⲭⲓ ⲛⲉ ⲛ̄ⲟⲩⲙⲏⲏϣⲉ
ⲛ̄ⲥⲱϣ¹ ⲉⲩⲭⲣⲟⲡ ⲛⲉ ⲟⲩϩⲟ
ⲙ̄ⲡⲟⲣⲛⲏ ⲁϥϣⲱⲡⲉ ⲛⲉ ⲁⲣⲭⲓ
ϣⲓⲡⲉ ⲛ̄ⲛⲁϩⲣⲛ̄ ⲟⲩⲟⲛ ⲛⲓⲙ

(4) ⲙ̄ⲡⲉⲙⲟⲩⲧⲉ ⲉⲣⲟⲓ̈ ϩⲱⲥ
ⲣⲙ̄[ⲛ].ⲏ.ⲓ̈ ⲁⲩⲱ ϩⲱⲥ [...

---

(2) ϥι ⲛ̄ⲛⲉⲃⲁⲗ ⲉϩⲣⲁⲓ̈ ⲉⲡⲥⲟ-
ⲟⲩⲧⲛ̄ ⲁⲩⲱ ⲛ̄ⲧⲉⲛⲁⲩ ϫⲉ
ⲛ̄ⲧⲁϩⲉⲡⲟⲣⲛⲉⲩⲉ ⲧⲱⲛ ⲙⲏ
ⲛⲉⲣⲉϩⲙⲟⲟⲥ ⲁⲛ ϩⲛ̄ ⲛⲉϩⲓⲏ

ⲉⲣⲉⲭⲱϩⲙ̄ ⲙ̄ⲡⲕⲁϩ ϩⲛ̄ ⲛⲉⲡⲟⲣ-
ⲛⲓⲁ ⲙⲛ̄ ⲛⲉⲕⲁⲕⲓⲁ.

(3) ⲁⲩⲱ ⲁⲣⲉⲭⲓ ϩⲁϩ ⲛ̄ϣⲱⲥ
ⲉⲩⲭⲣⲟⲡ ⲛⲉ
ⲁⲣⲉϣⲱⲡⲉ ⲛ̄ⲁⲧϣⲓⲡⲉ ⲙⲛ̄
ⲟⲩⲟⲛ ⲛⲓⲙ

(4) ⲙ̄ⲡⲉⲙⲟⲩⲧⲉ ⲉϩⲣⲁⲓ̈ ⲉⲣⲟⲉⲓ
ϩⲱⲥ ⲣⲙ̄ⲛⲏⲉⲓ ⲏ ϩⲱⲥ ⲉⲓⲱⲧ ⲏ
ⲁⲣⲭⲏⲅⲟⲥ ⲛ̄ⲧⲉⲙⲛ̄ⲧⲡⲁⲣⲑⲉ-
ⲛⲟⲥ.

Ez. 16,23-26 (Maspero)

... ⲡⲉϫⲉ ⲡϫⲟⲉⲓⲥ.
(24) ⲁⲕⲱⲧ ⲛⲉ ⲛ̄ⲟⲩⲙⲁ
ⲙ̄ⲡⲟⲣⲛⲏ ⲁⲩⲱ ⲁⲧⲁⲙⲓⲟ ⲛⲉ
ⲛ....ⲙ ⲉϥⲛⲉϩ ϩⲙ̄ ⲡⲗⲁⲧⲓⲁ ⲛⲓⲙ.

(25) ⲁⲩⲱ ⲁⲕⲱⲧ ⲛⲉ ⲛ̄ⲟⲩⲡⲟⲣ-
ⲛⲓⲟⲛ ϩⲛ̄ ⲧⲁⲣⲭⲏ ⲛ̄ϩⲓⲏ ⲛⲓⲙ
ⲁⲭⲱϩⲙ̄ ⲙ̄ⲡⲟⲩⲥⲁ
ⲁⲩⲱ ⲁⲣⲉⲡⲉⲣϣ ⲣⲁⲧⲉ ⲉⲃⲟⲗ
ϩⲁϩⲧⲏ ⲛ̄ⲟⲩⲟⲛ ⲛⲓⲙ ⲉⲧⲡⲁⲣⲁⲅⲉ
ⲁⲩⲱ ⲁⲧⲁϣⲟ ⲛ̄ⲧⲟⲩⲡⲟⲣⲛⲓⲁ.
(26) ⲁⲡⲟⲣⲛⲉⲩⲉ ⲙⲛ̄ ⲛ̄ϣⲏⲣⲉ
ⲛ̄ⲕⲏⲙⲉ
ⲛⲉⲧⲟ ⲛ̄ⲧⲉϣⲉ ⲉⲣⲟ ⲛⲁ ⲛⲉⲓⲛⲟϭ
ⲛ̄ⲥⲁⲣⲝ.

NH. II,6 (130,11-20)

ⲡⲉϫⲁϥ ⲛ̄ϭⲓ ⲡϫⲟⲉⲓⲥ
(24) ϫⲉ ⲁⲣⲉⲕⲱⲧ ⲛⲉ ⲛ̄ⲟⲩⲡⲟⲣ-
ⲛⲓⲟⲛ ⲁⲩⲱ ⲁⲣⲉⲧⲁⲙⲉⲓⲟ ⲛⲉ
ⲛ̄ⲟⲩⲧⲟⲡⲟⲥ ⲛ̄ⲥⲁⲉⲓⲉ ϩⲛ̄ ⲛ̄ⲡⲗⲁ-
ⲧⲉⲓⲁ.

(25) ⲁⲩⲱ ⲁⲣⲉⲕⲱⲧ ⲛⲉ ⲛ̄ϩⲛ̄-
ⲡⲟⲣⲛⲓⲟⲛ ϩⲓ ϩⲓⲏ ⲛⲓⲙ
ⲁⲩⲱ ⲁⲣⲉⲧⲉⲕⲟ ⲛ̄ⲧⲉⲙⲛ̄ⲧⲥⲁⲉⲓⲉ
ⲁⲩⲱ ⲁⲣⲉⲥⲱⲧ ⲛ̄ⲛⲉⲩⲉⲣⲏⲧⲉ
ⲉⲃⲟⲗ ⲉϫⲛ̄ ϩⲓⲏ ⲛⲓⲙ
ⲁⲩⲱ ⲁⲣⲉⲧⲁϣⲟ ⲛ̄ⲧⲉⲡⲟⲣⲛⲓⲁ.
(26) ⲁⲣⲉⲡⲟⲣⲛⲉⲩⲉ ⲙⲛ̄ ⲛ̄ϣⲏⲣⲉ
ⲛ̄ⲕⲏⲙⲉ
ⲛⲁⲉⲓ ⲉⲧⲟ ⲛ̄ⲧⲉϣⲉ ⲛⲁ ⲛⲁ
ⲛⲓⲛⲟϭ ⲛ̄ⲥⲁⲣⲝ.

A mon avis, les ressemblances et les divergences qu'on peut
constater font penser que les deux textes coptes dérivent en tous
cas d'un original grec commun, sans variantes textuelles importantes.
Le texte NH. II,6 pourrait même provenir d'un ancêtre copte de la

---

¹ Lire probablement ⲛ̄ϣⲱⲥ (bien que ⲛ̄ⲥⲱϣ donne aussi un sens satisfaisant !).

version saïdique classique des grands prophètes; cette forme textuelle
préclassique aurait évolué différemment selon les milieux dans lesquels elle était utilisée. Dans l'Église chrétienne, bridé par une
tradition scrupuleuse, ce texte a été transmis sans grandes modifi-
cations, amélioré cependant, peut-être, ici ou là, sur de petits détails,
pour des questions de style, tout en restant sous le contrôle sévère de
traducteurs attentifs à maintenir le texte copte dans une dépendance
étroite par rapport aux texte grec. Dans les conventicules gnostiques,
au contraire, le texte a évolué plus librement, en sorte qu'il est devenu
peu à peu "sauvage", se modifiant, se corrompant parfois au gré de
ceux qui le manipulaient, hors de tout contrôle rigoureux. Quoi qu'il
en soit, de même que les témoins bibliques coptes "sauvages", d'origine
préclassique, les citations de l'Ancien Testament contenues dans NH.
II,6 sont des documents très précieux, archaïques à certains égards,
du texte biblique copte : ils nous révèlent certains aspects, fort curieux,
de l'histoire de sa transmission.

ZUR BEDEUTUNG DES GNOSTISCH-HERMETISCHEN HANDSCHRIFTENFUNDES VON NAG HAMMADI[1]

VON

MARTIN KRAUSE

Am 10. Januar 1959 erteilte mir der Direktor des Koptischen Museums zu Kairo, Herr Dr. Pahor Labib, die Genehmigung zur Abschrift aller 13 Codices von Nag Hammadi. Nachdem ich die damals verglasten Codices III und II Seite 1-110 abgeschrieben hatte, erklärte er sich einverstanden, auch den übrigen, noch unverglasten Teil des Handschriftenfundes zwischen Plexiglasscheiben zu konservieren. Diese gemeinsame Arbeit, an der sich auch Victor Girgis als Fachmann für Papyruskonservierung beteiligte und die bis 1961 andauerte, die gemeinsamen Publikationen und die Zusammenarbeit im Nag Hammadi Komitee (1961 im Vorkomitee mit M. Malinine, seit 1970 im Komitee und Subkomitee) haben uns einander nahegebracht und zu einer brüderlichen Verbundenheit geführt, gleichzeitig ist mir das Koptische Museum in Kairo, die Wirkungsstätte von Pahor Labib, zur zweiten Heimat geworden. Daher möchte ich Dir, lieber Pahor, diese Zeilen in Dankbarkeit und zur Erinnerung an die lange gemeinsame Arbeit an den Nag Hammadi Texten widmen. Diese Handschriften, deren Bedeutung ich skizzieren möchte, sind durch Deine Initiative während Deines Direktorates in das Koptische Museum gelangt, sind einer seiner größten Schätze und haben das Museum zum gegenwärtigen Mittelpunkt der koptologischen Forschung gemacht.

Immer wieder hören wir von Funden bedeutender Handschriften, die der trockene und konservierende Boden Ägyptens über die Jahrtausende bewahrt hat. Allein aus den beiden Jahrzehnten von 1930

---

[1] Über dieses Thema habe ich an drei Universitäten gesprochen (am 16.6.1971 in Basel, am 17.6.1971 in Zürich, am 28.3.1974 in Groningen). Den Kollegen E. Hornung, W. Burkert und A. F. J. Klijn möchte ich auch an dieser Stelle für die ehrenvolle Einladung danken.

bis 1950 sind neben kleineren vier große Handschriftenfunde zu
nennen, die von großer Wichtigkeit für das christliche Ägypten sind.
Es handelt sich um

1) die mehrere tausend Seiten umfassende Bibliothek manichäischer
   Originalschriften in koptischer Sprache, die 1930 bei Medinet Madi
   im Fajjum gefunden wurde,[1]
2) die — allerdings in griechischer Sprache — 1941 bei Tura ent-
   deckten 8 Codices mit rund 1 800 Seiten von bisher meist unbekannten Werken des Origenes und Didymos des Blinden,[2]
3) eine Bibliothek griechischer und koptischer Bücher, die wohl nach
   1945 in Oberägypten zutage kam. Allein die koptischen Werke
   umfassen mehr als 1 000 Seiten Bibelhandschriften und apokryphe
   Texte [3] und
4) die gnostisch-hermetische Bibliothek, die Ende 1945 oder Anfang
   1946 am Fuße des Gebel et-Tarif, in der Nähe von Nag Hammadi,

---

[1] Der genaue Umfang dieses Handschriftenfundes läßt sich nicht mehr ermitteln,
da infolge der Wirren des letzten Weltkrieges ein Teil der Handschriften BP 15 997,
15 998 und 15 999 verlorengegangen ist, vgl. A. Böhlig, Die Arbeit an den koptischen
Manichaica, in *Mysterion und Wahrheit. Gesammelte Beiträge zur spätantiken Religionsgeschichte* (= Arbeiten zur Geschichte des späteren Judentums und des Urchristentums
Bd. 6), Leiden 1968, 177-187. Die vor dem Kriege publizierten 574 Seiten sind 1967 um
47 Seiten vermehrt worden (A. Böhlig, *Kephalaia* 2. Hälfte, Lief. 11/12, Stuttgart 1967).
Dieser Fund wird durch einen 192 Seiten umfassenden griechischen Papyruscodex
ergänzt, der wahrscheinlich aus Lykopolis stammt (L. Koenen, *ZPE* 11, 1973, 240 f.)
und sich in der Kölner Papyrus-Sammlung befindet (A. Henrichs u. L. Koenen, Ein
griechischer Mani-Codex (P. Colon. inv. nr. 4780), in *ZPE* 5, 1970, 97-214). Die Ausgabe
befindet sich in Vorbereitung.

[2] L. Doutreleau und L. Koenen, Nouvel inventaire des papyrus de Toura, in *Recherches de Science Religieuse* 55, 1967, 547-564. Seit 1967, als 618 Seiten des Fundes publiziert waren (vgl. Doutreleau und Koenen, aO, 564) ist ein beträchtlicher Teil, der
größere in der neugeschaffenen Reihe Papyrologische Texte und Abhandlungen, publiziert worden.

[3] Vgl. M. Krause, Schätze aus dem zweiten großen Fund koptischer Handschriften,
in *OLZ* 62, 1967, 437-446, 436 A. 5 (mit Lit.). Große Verdienste um die Publikation
dieses Fundes hat sich R. Kasser erworben, vgl. M. Krause, Die Koptologie im Gefüge
der Wissenschaften, in *ZÄS* 100, 1974, 122 A. 108. Die noch nicht publizierten Texte
werden neben den bereits veröffentlichten von R. Kasser, *Compléments au dictionnaire
copte de Crum* (= Bibliothèque d'Études Coptes, Vol. 7), Kairo 1964, XV genannt.
Es wäre sehr zu begrüßen, wenn R. Kasser die unterbrochene Edition dieses Handschriftenfundes bald fortsetzen würde.

in einem Tongefäß gefunden wurde.[1] Sie umfaßt 13 [2] Codices, von denen sich 11 noch in ihrem Ledereinband befanden. Von ehemals etwa 1 400 Seiten sind rund 1 150 Seiten und Fragmente [3] erhalten, auf denen bisher 53 Traktate festgestellt wurden.

Im Vergleich zu den drei anderen genannten Handschriftenfunden ist die Publikation dieses Fundes wesentlich weiter vorangeschritten : 31 [4] Traktate und der größere Teil des 32.[5] liegen bisher schon in Textausgaben mit Übersetzung vor. Sie umfassen 630 Seiten.[6] Auch die restlichen 21 Schriften und der kleinere Teil der 22. sind schon größtenteils zugänglich : von 9 Schriften mit 142 Seiten [7] liegen bisher

---

[1] M. Krause in *Die Gnosis*. 2. Band. Koptische und mandäische Quellen. Eingeleitet, übersetzt und erläutert von M. Krause und K. Rudolph, mit Registern zu Band I und II versehen und herausgegeben von W. Foerster, Zürich und Stuttgart 1971, 7 ff. (mit Lit.).

[2] Ich halte an der Zahl *13* Codices fest, weil die von J. M. Robinson vorgeschlagene Formulierung "twelve codices plus one tractate" (Inside the Front Cover of Codex VI in *Essays on the Nag Hammadi Texts in Honour of Alexander Böhlig* ed. by M. Krause (= NHS 3), Leiden 1972, 87 und in den Einleitungen aller Bände der Facsimile Edition of the Nag Hammadi Codices) den Tatbestand nicht trifft : Codex XIII enthält ja nicht nur *einen* Traktat, die Protennoia, sondern auch den Anfang eines *zweiten* Traktates, der vollständig als 5. Traktat in Codex II erhalten ist.

[3] Die genaue Zahl läßt sich erst nach der abschließenden Bearbeitung von Codex X ermitteln.

[4] Es sind nach ihrer Reihenfolge in den Codices, nicht chronologisch nach ihrem Erscheinungsjahr, geordnet : I,1.2.3 ; II,1-7 ; III,1.2 ; IV,1.2 ; V,2-5 ; VI,1-8 ; VII,1-3.5 ; XIII,2.

[5] I,4.

[6] I,1-4 (1. Teil) 104 Seiten
  II,1-7   145
  III,1-2   59
  IV,1-2   81
  V,2-5   68
  VI,1-8   78
  VII,1-3 u. 5   94
  XIII,2   1
            ————
         630 Seiten

[7] VII,4   34 Seiten   in *The Facsimile Edition* ... Codex VII
  XI,1-4   74
  XII,1-3   18   in *The Facsimile Edition* ... Codices XI, XII and XIII
  XIII,1   16
        ————
   142 Seiten

Lichtdrucktafeln vor, von weiteren 2 Traktaten mit 46 Seiten [1] moderne Übersetzungen. Ihre Textausgabe mit Übersetzung befindet sich ebenso in Vorbereitung bzw. bereits im Druck wie die Textausgabe mit Übersetzung von zwei Schriften und dem kleineren Teil einer dritten.[2] Ende dieses Jahres werden voraussichtlich 45 Traktate mit 872 Seiten [3] vorliegen. Auf die Veröffentlichung der letzten 8 Traktate [4] werden wir noch etwas warten müssen. Aber auch sie werden bis spätestens 1976 zumindest in Lichtdrucktafeln [5] allgemein zugänglich sein. Daher besteht die Hoffnung, daß der gesamte Fund in Textausgaben mit Übersetzungen [6] bis zum Jahre 1980 vorliegen wird.

Jedoch bereits heute ist unbestritten, daß dieser Handschriftenfund von größter Bedeutung für viele wissenschaftliche Disziplinen ist. Es sind vor allem die Disziplinen der Koptologie [7] und Ägyptologie, der Religionsgeschichte, der Theologie — besonders der alt- und neutestamentlichen Wissenschaft und der Kirchen- und Dogmengeschichte — und der klassischen Philologie. Der Idealfall wäre eine leider bisher noch nicht zustandegekommene Zusammenarbeit von Vertretern der genannten Disziplinen bei der Edition und Bearbeitung dieser Texte. Ihm nähert sich am weitesten das Team, das den Codex I (= Codex Jung) ediert und bearbeitet.

---

[1] III,3-4 in M. Krause, *Die Gnosis* aO, 37-45 (Eugnostosbrief), 153-160 (Sophia Jesu Christi).

[2] Die Textausgabe der Synopse des Eugnostosbriefes und der Sophia Jesu Christi in III,3-4 (= 46 Seiten) und V,1 (= 17 Seiten) wird mit den Parallelen in BP 8502 in *Christentum am Roten Meer*, Band 3, erscheinen. Im Druck befinden sich der 2. Teil von I,4 und I,5 (= 37 Seiten).

[3] Die Zahl setzt sich zusammen aus den oben und S. 67 A. 6 f. u. S. 68 A. 2 f. genannten Zahlen : 630 + 142 + 63 + 37.

[4] III,5; VIII,1-2; IX,1-3 und X,1-2. Die Ausgabe von VIII,2 wird in Zusammenarbeit mit Th. Baumeister und G. Luttikhuizen von mir vorbereitet.

[5] Von den geplanten 11 Lichtdrucktafelbänden sind erschienen : 1972 Codex VI, 1973 die Codices VII und XI-XIII, 1974 Codex II. Codex V befindet sich im Druck. Für 1975/76 sind geplant die Codices IV, VIII, IX/X, III, I und der Band mit den aus den Bucheinbänden gelösten griechischen und koptischen Papyri. Der Abschluß dieser Edition wird sich wohl bis 1977 verzögern.

[6] Das Erscheinen der vom Institute of Antiquity and Christianity in Claremont/ California geplanten Gesamtausgabe (vgl. J. M. Robinson in *NTS* 16, 1969/70, 185-190) verzögert sich leider. Die von mir begonnene Gesamtübersetzung wird nicht den koptischen Text enthalten.

[7] Die Bedeutung dieses Fundes für die koptische Paläographie und Dialektkunde ist von mir skizziert worden in : Zur Bedeutung des Handschriftenfundes von Nag Hammadi für die Koptologie in *Orientalia Lovaniensia Periodica* 6, 1975, (= Festschrift J. Vergote).

Es erscheint mir nicht ratsam, die Bedeutung der Handschriften für die einzelnen genannten Disziplinen getrennt darzulegen, denn es liegen sehr viele Überschneidungen vor, und manches müßte daher mehrfach genannt werden. So sind beispielsweise die in den Werken belegten griechischen Lehnwörter sowohl für die Koptologie als auch für die klassische Philologie von großer Wichtigkeit. Daher werden wir eine andere Reihenfolge wählen und mit dem äußeren Erscheinungsbild, den Bucheinbänden und der Schrift, beginnen und zum Inhalt der Texte voranschreiten.

Die 11 *Bucheinbände*,[1] in die die Papyrushandschriften eingebunden waren, gehören zu den ältesten uns erhalten gebliebenen Bucheinbänden. Sie sind aus Schafs- oder Ziegenleder gearbeitet, zum Teil durch Einpressungen und Bemalungen verziert, und weisen zwei verschiedene Formen auf : es sind Einbände ohne bzw. mit einer Klappe, wobei die letztere Gruppe noch weiter unterteilt werden kann.

Der zuerst genannte Typ ist durch zwei Beispiele, die Codices IV und VIII,[2] vertreten. Er besteht aus nur einem Stück Leder, das in der Mitte zusammengeklappt ist und dem modernen Bucheinband am nächsten steht. Der Einband kann durch kleine Schlaufen an den Schmalseiten oben und unten zusammengebunden werden, ebenso durch einen langen Lederriemen an der Längsseite. Dieser ist bei Codex IV so lang, daß er mehrfach um den Einband gewickelt werden kann. Die Oberfläche des Einbandes ist durch Einpressungen verziert.

Beim 2. Typ wird der Buchblock zusätzlich noch durch eine Klappe geschützt. Diese hat bei den Codices VI, IX und X [3] die Form eines

---

[1] Alle 11 Bucheinbände sind kurz beschrieben und abgebildet bei J. Doresse, Les reliures des manuscrits gnostiques coptes découverts à Khenoboskion in *Revue d'Égyptologie* 13, 1961, 27-49 u. Taf. 3-6. Er nimmt auch Stellung zu den ersten und umfangreicheren Beschreibungen von B. van Regemorter. Die Einbände von Codex III und IV sind beschrieben in : M. Krause und P. Labib, Die drei Versionen des Apokryphon des Johannes im Koptischen Museum zu Alt-Kairo, (= Abhandl. des Deutschen Archäologischen Instituts Kairo, Kopt. Reihe Bd. 1), Wiesbaden 1962, 30-36. Alle Einbände werden ausführlich beschrieben und abgebildet in *The Facsimile Edition of the Nag Hammadi Codices*; vgl. auch den Beitrag von J. M. Robinson in diesem Band.

[2] Codex IV ist abgebildet in M. Krause u. P. Labib, Die drei Versionen aO. Taf. XIV u. XV, Codex VIII in M. Krause u. P. Labib, *Gnostische und hermetische Schriften in Codex II und VI* (= Abh. d. Deutsch. Arch. Inst. Kairo, Kopt. Reihe Bd. 2), Glückstadt 1971, Taf. 3 u. 8.

[3] Codex VI ist abgebildet in M. Krause u. P. Labib, Die drei Versionen, aO, Taf. XXV-XXVIII, Codex IX in M. Krause u. P. Labib, *Gnostische und hermetische Schriften*, aO, Taf. 4, Codex X, aO, Taf. 5.

schmalen Rechtecks, das Ende der Klappe verläuft parallel zur Längsseite. Nicht sicher ist, ob zu dieser Untergruppe auch noch der Einband von Codex I [1] zu rechnen ist, weil auf dem publizierten Photo nicht zu erkennen ist, ob und wieviel von der Klappe abgebrochen ist. Sollte ein größerer Teil verlorengegangen sein, müßte Codex I in die 2. Untergruppe eingereiht werden, die durch fünf Einbände, die der Codices II, III, V, VII und XI,[2] repräsentiert wird. Für sie ist charakteristisch, daß die Buchklappe größer und etwa dreieckig ist. Diese dreieckige Klappe ist bei den einzelnen Einbänden verschieden groß : am kleinsten bei Codex VII, größer bei Codex III und V, am größten bei Codex II und XI. Bei den zuletzt genannten Codices ist sie fast halbrund und endet in einer Spitze. Der Einband von Codex II weist an seiner oberen Schmalseite außerdem noch eine kleinere Klappe auf. Er ist außerdem durch Malereien, von denen zwei Anchzeichen genannt werden sollen, verziert und damit der prachtvollste aller Einbände dieses Fundes.

Eine Mittelstellung zwischen den beiden Untergruppen nehmen die Codices III und V ein. Beim Einband von Codex V ist das Dreieck nämlich an eine viereckige Klappe, wie wir sie beim 1. Typ kennengelernt haben, angenäht worden. Die Klappe von Codex III ist zwar — anders als bei Codex V — aus einem Stück Leder geschnitten worden, sie sieht aber aus wie ein schmales Rechteck, an das sich ein Dreieck anschließt. Würde man dieses Dreieck abschneiden, erhielte man eine viereckige Klappe des 1. Typs.

Es stellt sich nun die Frage, wann diese 11 Einbände hergestellt worden sind und ob sich die beiden Gruppen auch zeitlich voneinander unterscheiden. Zur Beantwortung dieser Frage können wir die Ergebnisse der paläographischen Untersuchung [3] heranziehen. Die Untersuchung der verschiedenen Schriften, in denen die 13 Codices geschrieben worden sind, hat ergeben, daß die festgestellten 8 Schreiber

---

[1] Codex I ist abgebildet bei J. Doresse, aO, Taf. 6 u. Abb. 9-11, beschrieben aO, 47 f. Dieser Bucheinband, der einige Jahre verschollen war (vgl. M. Krause in *MDIK* 19, 1963, 107) ist jetzt vom Institute of Antiquity and Christianity in Claremont erworben worden.

[2] Codex II ist abgebildet in M. Krause u. P. Labib, *Die drei Versionen*, aO, Taf. VI-IX, Codex III, aO, Taf. I, Codex V in M. Krause u. P. Labib, *Gnostische und hermetische Schriften*, aO, Taf. 1, Codex VII, aO, Taf. 2, Codex XI, aO, Taf. 6.

[3] Zum folgenden vgl. M. Krause, Zur Bedeutung des Handschriftenfundes aO. Die Ergebnisse werden hier, soweit sie für die Datierung der Codices relevant sind, herangezogen.

etwa zur gleichen Zeit tätig waren. Eindeutig Zeitgenossen waren die
Schreiber von Codex I, X und XI. Daher sind auch die Bucheinbände
beider Untergruppen des 2. Typs als etwa zur gleichen Zeit angefertigt
erwiesen. Es hat sich ferner gezeigt, daß ein Schreiber nicht nur die
Codices IV und VIII, deren Einbände den 1. Typ repräsentieren,
beschrieben hat, sondern auch noch die Codices V, VI und IX, deren
Einbände dem 2. Typ angehören : die Codices VI und IX zur Gruppe
der Einbände mit dreieckiger Klappe, Codex V nimmt eine Mittelstellung zwischen beiden Gruppen ein, wie wir sahen. Somit ergibt sich
auch für die Ledereinbände, was wir schon bei der Untersuchung der
Schreiber festgestellt haben : daß sie in die gleiche Zeit gehören. Die
Schreiber konnten durch die in die Bucheinbände zur Verstärkung
der Buchdeckel der Codices I, IV, V, VII und VIII, vor allem von
Codex VII, geklebten Papyri in die Zeit nach der Mitte, vielleicht
besser in das 3. Viertel des 4. Jahrhunderts datiert werden. Die
Bucheinbände müssen etwas älter sein, da anzunehmen ist, daß die
Schreiber für ihre Arbeit bereits gebundene Bücher benutzten.[1] Wie
lange die Bücher schon gebunden waren, als sie beschrieben wurden,
wissen wir nicht, weil uns unbekannt ist, ob die Codices auf Vorrat
oder erst auf Bestellung hergestellt wurden. Dieses Datum und die
Maße der Codices : 13-18 cm in der Breite und 25-30 cm in der Höhe,
also etwa doppelte Höhe gegenüber der Breite, stimmen auch mit
den Maßen der zeitgenössischen griechischen Codices überein.[2] Damit
sind die 11 Bucheinbände als die ältesten bisher gefundenen koptischen
Bucheinbände erwiesen und bilden einen wichtigen Ausgangspunkt
für die Untersuchung anderer alter koptischer Bucheinbände, die
wohl jünger sind und von denen stellvertretend für alle die Einbände
der Sammlungen Bodmer/Genf [3] und Chester Beatty/Dublin [4] genannt
werden sollen.

Auch für die koptische Paläographie sind die 13 Handschriften von
großer Bedeutung, weil sie von allen frühen koptischen Handschriften

---

[1] Das zeigt vor allem Codex II. Da der Schreiber offenbar befürchtete, die ihm am
Ende des Codex zur Verfügung stehenden Seiten reichten nicht für die Niederschrift
des "Thomasbuches" aus, schrieb er diesen Traktat in kleinerer Schrift als die voran-
stehenden und konnte daher mehr Zeilen pro Seite schreiben, vgl. M. Krause u.
P. Labib, *Gnostische und hermetische Schriften*, aO, 24.

[2] Vgl. die Belege bei M. Krause, *MDIK* 19, 1963, 109 u. A. 18.

[3] Ledereinbände sind von P. Bodmer 16, 21, 23 erhalten.

[4] Vgl. B. van Regemorter, Some Early Bindings from Egypt in the Chester Beatty
Library (= Chester Beatty Monographs 7), Dublin 1958.

am genauesten datiert werden können und zeigen, daß am selben Ort
und zur selben Zeit verschiedene Schreibweisen festgestellt werden
können. Nunmehr kann durch den Vergleich dieser datierten Hände
mit anderen frühen undatierten koptischen Handschriften auch die
Niederschrift dieser Codices noch zeitlich genau bestimmt werden.
Aus dem Ledereinband von Codex VII wurden bekanntlich auch
Teile eines noch älteren Codex, der wohl den zweiten Teil der Genesis
enthielt, gewonnen.[1] Es ist anzunehmen, daß dieser Codex nach
längerer Benutzung so schadhaft geworden war, daß er nicht mehr
benutzt werden konnte und als "Altpapier" in die Hände des Buchbinders gelangte, der einige Fragmente zur Verstärkung des Buch-
deckels von Codex VII verwandte. Wenn man mit einer Verwendungs-
zeit dieses Codex von rund 50 Jahren rechnet, müßte dieser Codex
am Anfang des 4. Jahrhunderts niedergeschrieben worden sein.[2] Er
ist damit einer der ältesten einigermaßen sicher datierten Codices,
und seine Schrift[3] ist von größter Wichtigkeit für die koptische
Paläographie und bildet zusammen mit denen der 13 Codices eine
sichere Basis für die bisher kaum begonnene Untersuchung früher
koptischer Handschriften.

Auf die Bedeutung der übrigen in den Einbänden gefundenen
Papyri für das Milieu, in dem die Codices hergestellt wurden, sei
hier nur verwiesen. Folgerungen lassen sich erst nach der Publikation
der aus den Einbänden gelösten Papyri ziehen.[4]

Auch unsere Kenntnis der Codicologie früher Handschriften wird
erweitert. Es hat sich gezeigt, daß alle Handschriften mit Ausnahme
von Codex I, der aus drei verschieden starken Lagen bestehen soll,[5]
aus einer einzigen Lage bestehen. Wie die Lagen aus Papyrusrollen
hergestellt wurden, kann nun festgestellt werden.[6]

---

[1] Vgl. R. Kasser, Fragments du livre biblique de la Genèse cachés dans la reliure
d'un codex gnostique in *Le Muséon* 85, 1972, 65-89.

[2] Auch R. Kasser (aO, 70) rechnet mit einer Zeit von etwa 50 Jahren und datiert
den Codex in den Anfang des 4. Jh.s oder schon in das Ende des 3. Jh.s, was mir aber
als zu früh erscheint.

[3] Eine Schriftprobe ist abgebildet bei R. Kasser (aO, 77).

[4] Zu den Folgerungen, die J. W. B. Barns aus dem Material in diesem Band zieht,
werde ich nach der Publikation des Materials noch Stellung nehmen, weil mir seine
Folgerungen schon jetzt als zu hypothetisch und zu weitreichend erscheinen.

[5] R. Kasser, in *Tractatus tripartitus pars I. ...*, Bern 1973, 13.

[6] Vgl. dazu die Einleitungen zu den Codices in der *Facsimile Edition of the Nag
Hammadi Codices* und für Codex III den Beitrag von F. Wisse in dieser Festschrift.

Von sehr großer Bedeutung ist auch die Sprache, in der die Traktate dieser 13 Handschriften geschrieben wurden, ebenso wie die der aus den Einbänden gewonnenen Texte, für die Geschichte der koptischen Sprache im allgemeinen und die koptische Dialektkunde im besonderen. Vor allem der Umstand, daß sowohl der Fundort als auch der Zeitpunkt der Niederschrift der Texte gesichert ist, ist deshalb so wichtig, weil beides die Voraussetzung für fundiertes Arbeiten auf dem Gebiete der koptischen Dialektforschung bildet, diese Voraussetzung bei frühen koptischen Handschriften aber nur in den seltensten Fällen gegeben ist.[1] Sie fehlt weitgehend für den schon genannten Handschriftenfund, den R. Kasser zum größten Teil herausgegeben hat : als Fundort ist nur ganz allgemein Oberägypten [2] bekannt, die Datierung der koptischen Handschriften ist sehr grob : so sollen z.B. P. Bodmer 18 und 21 "wahrscheinlich aus dem 4. Jahrhundert",[3] P. Bodmer 19 und 22 aus dem "4.-5. Jahrhundert" [4] stammen. Bevor diese Texte für die koptische Sprach- und Dialektgeschichte ausgewertet und mit dem sprachlichen Befund der Bibliothek von Nag Hammadi verglichen werden können, müssen zunächst einmal diese Handschriften genauer datiert und muß versucht werden, den Ort ihrer Herkunft zu bestimmen.

Die Sprache der bei Nag Hammadi gefundenen Traktate zerfällt bekanntlich [5] in zwei Gruppen. Die größere umfaßt die Codices II-IX, den 2. Teil von Codex XI und die Codices XII-XIII. Es handelt sich um ein frühes Sahidisch mit wechselnd starkem Einschlag der Nachbardialekte des Sahidischen, vor allem des Subachmimischen und Achmimischen. Bei der sprachlichen Untersuchung empfiehlt es sich,

---

[1] Vgl. z.B. W. H. Worrell, Coptic Sounds, Ann Arbor 1943, 63 f. und H. J. Polotsky, Coptic in *Current trends in linguistics*, Vol. VI, La Haye-Paris 1970, 559.

[2] Vgl. M. Krause, *OLZ* 62, 1967, 437 A. 6 (mit Lit.). G. D. Kilpatrick spricht die Vermutung aus, der Fundplatz könne zwischen Achmim und Theben gelegen haben. Beide Orte sind immerhin rund 200 km voneinander entfernt. Nachdem R. Kasser früher (z.B. noch 1964 in *P. Bodmer* XXII, 7) immer ausgesagt hatte, die Herkunft der Bodmer Papyri sei unbekannt, vermutete er 1965 (*P. Bodmer* XXIII, 7 A. 1) den Fundort "un peu au nord de Thebes" und 1972 vertrat er die These, der Fundort sei in der Nähe von Nag Hammadi zu suchen, außerdem sollen nicht alle Bodmer Papyri aus demselben Fund stammen (*Le Muséon* 85, 1972, 80 u. A. 22). Gründe für seinen Meinungswechsel hat R. Kasser bisher noch nicht genannt.

[3] R. Kasser, *P. Bodmer* XVIII, 5 u. 12; — ders., *P. Bodmer* XXI, 5 u. 12.

[4] R. Kasser, *P. Bodmer* XIX, 5; — ders., *P. Bodmer* XXII, 13.

[5] Vgl. M. Krause, *MDIK* 19, 1963, 113. Zum folgenden vgl. auch die Ausführungen in der Festschrift für J. Vergote (vgl. S. 68 A. 7).

zunächst die Sprache jeder einzelnen Schrift zu untersuchen und
dann erst zusammenfassend die aller in einem Codex niedergeschrie-
benen Texte. Das ergibt sich schon aus dem sprachlichen Befund von
Codex XI, dessen Traktate 1 und 2 in einem subachmimischen Dialekt,
Traktate 3 und 4 aber in dem beschriebenen Sahidisch verfaßt sind,
ebenso auch aus der Untersuchung der Sprache von Codex VI, bei
der sich gezeigt hat,[1] daß bei aller Überstimmung in den Grundzügen
zwischen den einzelnen Traktaten sprachliche Unterschiede in Einzelheiten bestehen. Es lassen sich zwei Gruppen bilden : die eine umfaßt
Abweichungen vom Sahidischen, die *neben* den sahidischen Formen
begegnen, die andere Abweichungen vom Sahidischen *ohne* sahidische
Parallelen. Bei der Klassifizierung der Abweichungen vom Sahidischen
ergeben sich Schwierigkeiten, die vom gegenwärtigen Stand der
koptischen Dialektforschung bedingt sind. Nachdem W. E. Crum in
seinem Wörterbuch und auch W. Till in seiner Dialektgrammatik
nur 5 Hauptdialekte unterschieden haben, ist in den letzten Jahren
die Zahl der Dialekte stetig gestiegen und soll jetzt nach R. Kasser [2]
nicht weniger als 15 Hauptdialekte mit zahlreichen Unterdialekten
betragen. Eine Nachprüfung ist zur Zeit noch nicht möglich, weil die
meisten Handschriften, die neue Dialekte zeigen sollen, bisher noch
nicht publiziert worden sind. Das trifft vor allem auf das schon von
P. E. Kahle [3] identifizierte Mittelägyptische zu. Die Mehrzahl der
mittelägyptischen Handschriften ist noch nicht veröffentlicht worden,
trotzdem ist die Existenz dieses Dialektes als 6. koptischer Haupt-
dialekt [4] einhellig akzeptiert worden. Dagegen ist die von P. Nagel [5]
vorgeschlagene Interpretation des Dialektes P von J. Vergote [6] in
Frage gestellt worden. Bei dieser Sachlage besteht m.E. zur Zeit nur
die Möglichkeit, bei der sprachlichen Untersuchung der Nag Hammadi
Texte von den bekannten 5 Hauptdialekten auszugehen und das vom
Sahidischen abweichende Material später, wenn die Handschriften

---

[1] M. Krause und P. Labib, *Gnostische und hermetische Schriften*, aO, 63-67.

[2] R. Kasser, Les dialectes coptes in *BIFAO* 73, 1973, 78 ff.

[3] P. E. Kahle, *Bala'izah I*, London 1954, 220 ff.

[4] Nur H.-M. Schenke wendet sich in *OLZ* 61, 1966, 25 gegen eine Unterscheidung
des Mittelägyptischen.

[5] P. Nagel, Der frühkoptische Dialekt von Theben in *Koptologische Studien in der
DDR*, Halle-Wittenberg 1965, 30-49.

[6] J. Vergote, Le dialecte copte P in *Revue d'Égyptologie* 25 (im Druck), vgl.
J. Vergote, *Grammaire copte Ia*, Louvain 1973, 57.

mit neuen Dialekten publiziert und sprachlich untersucht sein werden, noch einmal zu untersuchen.

Die zweite sprachliche Gruppe umfaßt die Codices I, X und den ersten Teil von Codex XI und zeigt einen Unterdialekt des Subachmimischen, der nach dem jetzigen Stand unserer Kenntnis wieder in zwei Untergruppen zerfällt. Zur größeren gehören alle Traktate in den genannten Codices mit Ausnahme des 4. Traktates in Codex I, weil dort die von E. Edel festgestellten Merkmale dieses Unterdialektes *neben* den im Subachmimischen geläufigen Formen begegnen.[1] Für die koptische Dialektgeschichte ist das Vorkommen der beiden Hauptgruppen, des Sahidischen und Subachmimischen in *einem* Codex, in Codex XI, von großer Wichtigkeit. Diese Tatsache zeigt, daß zumindest der Auftraggeber und Leser dieses Codex beide Dialekte verstand. Bezeichnend ist, daß aber die beiden Sprachgruppen in Codex XI von verschiedenen Schreibern niedergeschrieben wurden. Nag Hammadi liegt nach noch gültiger Ansicht im achmimischen Sprachgebiet![2] Für eine dringend nötige Überprüfung der noch gültigen Thesen zur Lokalisierung der koptischen Dialekte und dem Zeitpunkt ihrer Standardisierung[3] bilden die Handschriften aus Nag Hammadi wegen ihres frühen Datums und ihrer gesicherten Herkunft einen wichtigen Ausgangspunkt.

Die Schriften des Handschriftenfundes vermehren außerdem den Wortschatz koptischer und griechischer Wörter, unsere Kenntnis griechischer Äquivalente und zeigen viele, bisher noch nicht belegte Schreibungen koptischer und griechischer Wörter. So begegnen uns in einzelnen Traktaten neue Wörter, die bisher im Koptischen noch nicht belegt waren und daher in Crums Wörterbuch fehlen. Für Codex I, 1-4 hat W. Till 1964[4] das Material zusammengestellt, ebenso bereits 1963 für das Philippusevangelium.[5] Auch in VI, 1 und 4[6] sind neue koptische Wörter enthalten, deren Bedeutung durch Erkennen der Etymologien erschlossen werden konnten. Auch die

---

[1] Vgl. die Belege bei M. Krause in der Festschrift für J. Vergote.

[2] W. Till, *Koptische Grammatik*, Leipzig ²1961, 36.

[3] Sowohl die Ergebnisse von W. H. Worrell (*Coptic Sounds* aO, 81 f.) als auch von P. E. Kahle (*Bala'izah*, aO, I, 242 ff.) müssen neu überprüft werden. Der Vorschlag Kahles, Alexandria als Heimat des Sahidischen anzusehen (aO, 256) ist einhellig abgelehnt worden.

[4] W. Till, Beiträge zu W. E. Crums Coptic Dictionary, in *BSAC* 17, 1964, 204-222.

[5] W. Till, *Das Evangelium nach Philippos*, Berlin 1963, 6.

[6] M. Krause u. P. Labib, *Gnostische und hermetische Schriften*, aO, 39 u. 50.

Bedeutung von schon im Koptischen belegten Wörtern, deren
Bedeutung aber bisher unbekannt oder nicht sicher war, kann jetzt
durch ihr Vorkommen in den Nag Hammadi Texten erschlossen
werden. Vor allem die Schriften, die mehrfach [1] in den Codices
enthalten sind und in denen synonyme Wörter begegnen, helfen
zusätzlich bei der Erschließung der Bedeutung koptischer Wörter.
Als ein Beispiel verweise ich auf ϭⲁⲡⲓ,[2] das Crum mit "partridge"
übersetzt hatte. Es begegnet in III 18,5. Ihm entspricht in II 11,33
ⲏⲛⲉ "Affe" und geht zurück auf altägyptisches gif in der Bedeutung
"kleiner Affe, Meerkatze".

Crum hat in seinem Wörterbuch auch die ihm bekannten griechischen Äquivalente koptischer Wörter verzeichnet. Sie sind auch für
das Erkennen der griechischen Vorlagen, die ins Koptische übersetzt
wurden, wichtig. Neue Äquivalente konnten oder können noch aus
den Texten, die uns in mehreren Versionen [3] erhalten sind, erschlossen
werden, denn an manchen Stellen bewahrt die eine Version ein bei
der Übersetzung stehengelassenes griechisches Wort, während es in
der anderen Version ins Koptische übertragen worden ist.[4] Neue
Äquivalente gewinnen wir auch aus den Texten, von denen uns die
griechischen Originale [5] erhalten sind, falls keine Abweichungen von
den griechischen Vorlagen vorliegen.

---

[1] Vier Traktate sind vollständig oder in Teilen zweimal in den *Nag Hammadi Texten*
enthalten : das Evangelium Veritatis in I,2 und XII,2, das Ägypterevangelium in III,2
und IV,2, die "titellose Schrift" in II,5 und XIII,2 und der Eugnostosbrief in III,3 und
V,1 ; das Apokryphon des Johannes ist sogar dreimal in dem Handschriftenfund erhalten : in II,1, III,1 und IV,1. Wenn wir noch den Berliner gnostischen Papyrus
hinzuzählen, erhöht sich die Zahl der erhaltenen Versionen des Apokryphon des Johannes
auf vier. Außerdem ist die Sophia Jesu Christi auch in zwei Versionen erhalten, in
III,4 und BP 8502. Nachdem Chr. Oeyen (vgl. seinen Beitrag in dieser Festschrift)
im British Museum London Reste eines Traktates entdeckt hat, die der "titellosen
Schrift" entsprechen, ist dieser Text jetzt teilweise in drei Versionen bekannt.

[2] Vgl. M. Krause, in *ZÄS* 100, 1974, 113 A. 31 mit Belegen.

[3] Vgl. A. 1.

[4] Eine Auswahl des Materials für das Apokryphon des Johannes und die Sophia
Jesu Christi in BP 8502 und in Nag Hammadi Codex III,3 u. 4 ist verzeichnet von
W. Till, *Die gnostischen Schriften des koptischen Papyrus 8502*, Berlin 1955, 12 ff. Die
2. Aufl. von 1972 druckt den Text der 1. Aufl. unverändert ab. Eine Zusammenstellung
des Materials aller 4 Versionen des Apokryphon des Johannes ist vorgelegt worden
von R. Kasser (Le "livre secret de Jean" dans ses différentes formes textuelles coptes
in *Le Muséon* 77, 1964, 9 ff.) und eingehender von mir (Literarkritische Untersuchung
des Apokryphon des Johannes, Habil. Schrift Münster 1965 [Schreibmaschine] 25 ff. ;
nach Vorlage der Synopse der vier Versionen wird die Arbeit in Druck gehen).

[5] Vgl. M. Krause, *ZÄS* 100, 1974, 117 A. 62. Zu den dort genannten Schriften

Sehr zahlreich sind auch in Crums Wörterbuch noch nicht belegte Schreibungen koptischer Wörter. Sie werden in fast jeder Text-publikation aufgeführt, einige sind auch zusammenfassend gesammelt worden.[1] Es muß aber noch untersucht werden, inwieweit sie dialek-tisch [2] bedingt sind, also zurückzuführen sind auf den Einfluß von Nachbardialekten des Sahidischen, oder ob sie altertümliche Schrei-bungen des Sahidischen sind, die bei der späteren Standardisierung des Sahidischen aufgegeben wurden.

Wir stellen nicht nur neue griechische Lehnwörter [3] in den Traktaten von Nag Hammadi fest, sondern auch neue Schreibungen griechischer Lehnwörter. Sie sind wichtig für das noch zu erarbeitende Lexikon griechischer Lehnwörter im Koptischen und auch für die griechische Sprachgeschichte, weil sie dem Gräzisten zeigen, wie diese Wörter in dieser Zeit in Ägypten geschrieben wurden.[4]

Die Nag Hammadi Texte vermehren auch das Quellenmaterial der Übersetzungsliteratur. Die Mehrheit der koptischen Literatur ist bekanntlich Übersetzungsliteratur, sie geht auf Übertragungen aus anderen Sprachen, vor allem aus dem Griechischen, zurück.[5] Es ist unbestritten, daß die meisten Nag Hammadi Traktate nicht in koptischer Sprache verfaßt worden sind, sondern aus anderen Sprachen ins Koptische übersetzt wurden. Umstritten ist aber, aus welchen Sprachen die Übersetzung erfolgte. Man kann aber annehmen, daß die Übersetzung aus dem Griechischen erfolgte. Auf eine griechische Vorlage weisen bereits die in griechischer Sprache stehengebliebenen Titel einzelner Traktate, z.B. von IV,1; VII,2 und 3; VIII,1 (in

---

kommen hinzu : VI,5 = Platons Staat 558 B-589 B (H.-M. Schenke in *OLZ* 69, 1974, 236); XII,1 = Sentenzen des Sextus (vgl. H. Chadwick, *The Sentences of Sextus*, Cambridge 1959).

[1] R. Kasser, *Compléments au dictionnaire copte* aO, verzeichnet aus den Nag Hammadi Schriften eine Auswahl aus I,2.3; II,1-3 u. 5; III,1 u. IV,1.

[2] Vgl. M. Krause und P. Labib, *Gnostische und hermetische Schriften*, aO, 29 u. A. 9 u.ö.

[3] Der Terminus "Lehnwort" ist jetzt von P. Nagel (Die Einwirkung des Griechischen auf die Entstehung der koptischen Literatursprache, in F. Altheim und R. Stiehl, *Christentum am Roten Meer*. Bd, 1, Berlin 1971, 326-355, 337) in Nachfolge von P. E. Kahle, der dafür den Terminus "Fremdwörter" gebrauchte, wieder in Frage gestellt worden.

[4] A. Böhlig, Griechische Elemente im Koptischen als Zeugnis für die Geschichte der griechischen Sprache in *Akten des XI. Internationalen Byzantinisten-Kongresses* 1958, München 1960, 61-67.

[5] S. Morenz, Die koptische Literatur in *Handbuch der Orientalistik* 1. Bd. 2. Abschnitt, Leiden ²1970, 240 f.

Kryptogramm). Von anderen Schriften sind griechische Originale in vollem Umfang oder nur in Bruchstücken erhalten, dazu gehören II,2; III,4; VI,5.7. und 8 und XII,1.[1] Umstritten ist vor allem die Ursprache zweier Traktate, nämlich von I,2 und II,2: während G. Fecht ein koptisches Original des Evangelium Veritatis annimmt, spricht sich A. Böhlig für ein griechisches und P. Nagel für ein syrisches Original aus. Auch die Vorlage des Thomasevangeliums, von dem wir sogar Fragmente einer griechischer Version besitzen, soll nach A. Guillaumont syrisch, nach F. Altheim aramäisch in nicht-edessenischen Syrisch, nach E. Haenchen griechisch gewesen sein. G. Garitte nimmt an, daß der Text in koptischer Sprache konzipiert worden sei.[2] Selbst wenn man für einzelne Schriften oder Teile von Traktaten ein Original annimmt, das nicht griechisch war, wird man wohl mit einer griechischen Zwischenübersetzung rechnen müssen, aus der der Text ins Koptische übertragen worden ist. Man überschätzt wohl die Sprachkenntnisse der Kopten, wenn man annimmt, daß Gebildete neben dem Griechischen auch semitische Sprachen so gut beherrschten, daß sie Schriften aus semitischen Sprachen ins Koptische übersetzen konnten. Auch das Alte Testament ist ja nicht direkt aus dem Hebräischen, sondern aus dem Griechischen, der Septuaginta, ins Koptische übersetzt worden. Leider fehlen bisher noch allgemein gültige Regeln für die Übersetzung griechischer Werke ins Koptische. Sie müßten wohl ihren Ausgang von Schriften des Alten und Neuen Testamentes nehmen, da anzunehmen ist, daß diese Texte zuerst ins Koptische übertragen worden sind und dabei die Regeln für die Übersetzung ins Koptische entwickelt worden sind.[3] Vorläufig gibt es nur einzelne Beobachtungen von Fakten, die für ein griechisches Original sprechen, und zwar Verstöße gegen die koptische Grammatik, die aber der griechischen Grammatik entsprechen. Dazu gehören griechische Vokativformen und Kasusendungen griechischer Lehn-wörter, die von den im Koptischen geläufigen abweichen, und die auf bei der Übersetzung stehengebliebene griechische Casus zurückgehen. Auch die Verwendung bestimmter koptischer Präpositionen bei griechischen Verben, die den griechischen Präpositionen bei diesen Verben entsprechen, dürften auf ein griechisches Original hinweisen.[4]

---

[1] Vgl. S. 76 A. 5.

[2] Vgl. M. Krause, *ZÄS* 100, 1974 117 A. 62.

[3] Vgl. *S. Morenz*, aO, 242.

[4] Vgl. M. Krause u. P. Labib, *Gnostische u. hermet. Schriften*, aO, 31, 36, 41, 57, 62

Auf diesem Gebiet ist noch viel zu tun, und die Nag Hammadi Texte bilden für solche Untersuchungen neues und wichtiges Quellenmaterial.

Wenn eine griechische Vorlage eines koptischen Textes sicher nachgewiesen worden ist, stellt sich die Aufgabe einer Rückübersetzung ins Griechische. Hierfür empfiehlt sich die Zusammenarbeit eines Koptologen mit einem Gräzisten. Von den beiden bisher vorliegenden Rückübersetzungen ins Griechische,[1] die ohne Mitarbeit eines Gräzisten angefertigt wurden, wäre wenigstens eine [2] durch das Mitwirken eines Gräzisten besser geworden.

Die größte Bedeutung besitzt aber der *Inhalt* der in dieser Bibliothek erhaltenden Werke. Die Traktate lassen sich in *vier* Gruppen einteilen :

1) nichtchristlich-gnostische Werke,
2) christlich-gnostische Werke,
3) hermetische Texte und
4) Weisheitslehren und philosophische Schriften.

Für die ersten drei Gruppen gilt, daß diese Traktate als gnostische bzw. hermetische *Originalschriften* von größter Wichtigkeit für unsere Kenntnis dieser Religionen sind. Bisher besaßen wir ja nur wenige gnostische Originalschriften, die die Verfolgung durch die Großkirche überdauert hatten, meist in koptischer Sprache. Hinzu kommt, daß diese Schriften, die Codices Askewianus und Brucianus, die Gnosis in einem späten Stadium darstellen. Nur der 1955 veröffentlichte Berliner gnostische Codex [3] gehört ebenso wie die bei Nag Hammadi gefundenen Schriften zu den frühen gnostischen Quellenschriften. Sie helfen, das falsche Bild, das wir durch die späten koptischen Originalschriften erhalten hatten, zu korrigieren und zeigen gleichzeitig, daß diese Schriften wertvoller als die Berichte der Kirchenväter über die Gnosis sind, die bisher die Hauptquellen für unsere Kenntnis der

u. P. Nagel, *Das Wesen der Archonten aus Codex II der gnostischen Bibliothek von Nag Hammadi*, Koptischer Text, deutsche Übersetzung, griechische Rückübersetzung, Konkordanz und Indizes, Halle (Saale) 1970, 15 ff.

[1] J. E. Ménard, *L'Évangile de Vérité*. Retroversion grecque et commentaire, Paris 1962 u. P. Nagel, *Das Wesen der Archonten* (vgl. S. 78 A. 4).

[2] Vgl. die Kritik der Arbeit von J. E. Ménard durch H.-M. Schenke, in *ThLZ* 94, 1969, 339-343, bes. 341.

[3] Vgl. M. Krause, Das literarische Verhältnis des Eugnostosbriefes zur Sophia Jesu Christi, in *Mullus. Festschrift Theodor Klauser*, Münster 1964, 215 A. 2.

Gnosis darstellten. Ihre Darstellungen sind ja nur sekundäre Quellen. Da die Kirchenväter die Gnosis bekämpften, dürfen wir von ihnen keine unparteiischen Aussagen erwarten. Der Vergleich ihrer Berichte mit den Originalschriften der Gnostiker zeigt, daß sie nur mehr oder weniger genau den Inhalt einzelner Schriften oder Teile von ihnen referieren.[1] Die von ihnen mitgeteilten Zitate sind oft aus dem Zusammenhang gerissen und verkürzt.[2] Es ist außerdem fraglich, ob ihnen die gnostischen Schriften überhaupt zugänglich waren, denn ein großer Teil dieser Texte waren Geheimschriften,[3] die nur den Eingeweihten, nicht aber ihren Gegnern, zugänglich waren. Diejenigen, die diese Texte auch Nichteingeweihten zugänglich machten, wurden verflucht, wie z.B. das Apokryphon des Johannes zeigt.[4]

Es ist daher wahrscheinlicher, daß die Berichte der Kirchenväter sich mehr auf mündliche Berichte als auf die Kenntnis der Originalschriften stützen. Auf diesem Gebiete, dem Vergleich der gnostischen Originalschriften mit den Berichten der Kirchenväter, ist noch viel Arbeit erforderlich.[5] Dabei zeigt sich dann auch, daß wir Schwierigkeiten haben, die gnostischen Schriften auf die gnostischen Schulen zu verteilen, deren Einteilung auf die Kirchenväterberichte zurückgeht. Als ein Beispiel nenne ich das Evangelium der Wahrheit, dessen Zuweisung zu Valentin oder seiner Schule umstritten ist.[6] Aber auch

---

[1] Vgl. den Vergleich des Apokryphon des Johannes mit dem Bericht des Irenäus, in *Die Gnosis* 1. Band. Zeugnisse der Kirchenväter, Zürich und Stuttgart 1969, 133-139.

[2] Außerdem finden sich Zitate, die Kirchenväter aus gnostischen Schriften mitteilen, nicht in den gleichnamigen Schriften von Nag Hammadi. Das gilt z.B. für das Philippus-Evangelium : das von Epiphanius mitgeteilte Zitat (H.-Ch. Puech, in E. Hennecke, *Neutestamentliche Apokryphen in deutscher Übersetzung*, 3. Aufl. von W. Schneemelcher, Bd. I, Tübingen 1959, 195) fehlt im Philippus-Evangelium in Codex II von Nag Hammadi. Offensichtlich gab es mehrere Schriften, die denselben Titel trugen.

[3] Sowohl am Anfang des Thomasevangeliums (II 32, 10-12) als auch des Thomasbuches (II 138,1-3) werden diese Texte als Geheimschriften bezeichnet, im Apokryphon des Johannes am Ende (BG 75,16 ff. u. Par.).

[4] BG 76,10 ff. u. Par.

[5] Vgl. M. Krause, Die Paraphrase des Sêem und der Bericht Hippolyts in *International Colloquium on Gnosticism*, Stockholm 1973 (im Druck, mit Lit.).

[6] J. Leipoldt (*ThLZ* 82, 1957, 831) betrachtete das Evangelium Veritatis als eine "erbauliche Betrachtung" über das "Evangelium der Wahrheit", das Irenäus bei den Valentinianern erwähnt. Er rechnete es dennoch zur Schule Valentins. Auch H.-M. Schenke (*Die Herkunft des sogenannten Evangelium Veritatis*, Berlin 1959, 14) bestreitet die Identität dieses Textes mit dem Evangelium Veritatis der Valentinianer. Er hält die Schrift für eine Homilie, die nicht aus der Schule Valentins stammen könne

beim Apokryphon des Johannes kann man schwanken, ob diese Schrift der Barbelognosis oder den Sethianern zugeschrieben werden soll, denn sowohl Barbelo als auch Seth spielen eine wichtige Rolle in diesem Traktat.[1] Es ist daher zu fragen, ob wir diese alte Einteilung der gnostischen Schulen noch aufrecht erhalten können.

Vor allem für die Frage nach dem Alter und Ursprung der Gnosis sind die Texte der 1. Gruppe, die *nichtchristlich-gnostischen* Schriften, von größter Bedeutung. Es handelt sich hier um Traktate, in denen kein christliches Gedankengut nachweisbar ist, wohl aber alttestamentliches und jüdisches oder philosophisch-gnostische Gedanken vorherrschen oder Verbindung zur zoroastrischen Literatur, oder zu den manichäischen und mandäischen Schriften besteht. Die Mehrzahl dieser Schriften ist bisher noch unveröffentlicht, so die "Abhandlung über die Wahrheit des Zostrianus" in Codex VIII, oder vorläufig nur in Abbildungen zugänglich wie der "Allogenes" in Codex XI.[2] Beide Texte waren nach Aussage des Porphyrios[3] dem Plotin bekannt und ermöglichen einen Vergleich mit den Schriften Plotins gegen die Gnostiker.

Verwandtschaft mit zoroastrischen Gedanken weist die inzwischen publizierte "Paraphrase des Sêem"[4] in Codex VII auf. In ihr schildert Sêem eine Offenbarung, die ihm durch Derdekeas nach dem Willen der Größe zuteil wurde. Es werden u.a. drei Wurzeln : Licht, Finsternis und Geist zwischen beiden als Anfangsgründe genannt, aus denen dann weitere Äonen hervorgingen. Die Schrift hat m.E. nicht Hippolyt vorgelegen.[5]

Die Adamsapokalypse in Codex V[6] ist voll von alttestamentlichen und spätjüdischen Traditionen, enthält iranische Ideen, etwa die Dreiteilung des Weltablaufes, das Auftreten des Erlösers im dritten

---

(aO, 20 ff.). Die Herausgeber des Textes dagegen (*Evangelium Veritatis* ed. M. Malinine u.a., Zürich 1956, XII ff.) weisen sie den Valentinianern zu.

[1] Vgl. die Indices der Textausgaben s.v. Barbelo und Seth. Zum literarischen Charakter der Schrift vgl. vorläufig *Die Gnosis*, 1. Bd., aO, 133 f.

[2] *The Facsimile Edition of the Nag Hammadi Codices*. Codices XI, XII and XIII, Leiden 1973, 45-71.

[3] Vie de Plotin 16 (p. 17 Brehier), vgl. H.-Ch. Puech, Les nouveaux écrits gnostiques découverts en Haute-Égypte in *Coptic Studies in Honor of Walter Ewing Crum*, Boston 1950, 129 u. A. 1 u. 133.

[4] M. Krause, Die Paraphrase des Sêem, in F. Altheim und R. Stiehl, *Christentum am Roten Meer*, 2. Bd., Berlin 1973, 2-105.

[5] Vgl. S. 80 A. 5.

[6] Vgl. K. Rudolph, in *ThR* 34, 1969, 160 ff. (mit Lit.).

Weltabschnitt, die Entstehung des Erleuchters aus einem Felsen analog zur Geburt des Mithras. Daneben finden sich noch mandäische Gedanken, vor allem aus dem 11. Buch des rechten Ginzā.

Auch der in zwei Versionen überlieferte und jetzt in einer Übersetzung zugängliche Eugnostosbrief [1] zählt zu dieser Gruppe, da er m.E. kein christliches Gedankengut [2] enthält. Es handelt sich um eine Abhandlung über den Gott der Wahrheit in Briefform, die apologetische Zwecke verfolgt. So werden die von Philosophen aufgestellten Thesen über die Weltentstehung verworfen und dafür wird vom Verfasser eine Kosmogonie geschildert.

Alle diese bis ins 1. oder 2. nachchristliche Jahrhundert zurückgehenden Texte sind wegen ihres hohen Alters und des Fehlens christlichen Gedankengutes von großer Wichtigkeit als Zeugen für eine nichtchristliche Gnosis, die darum allerdings noch nicht vorchristlich sein muß. Diese Texte werden einmal unter dem Gesichtspunkt der Entstehung der Gnosis, der Beziehung dieser Texte zur Gnosis Vorderasiens und des Iran untersucht werden müssen und sind wichtige Quellen für eine noch zu schreibende Geschichte der Gnosis.

Die 2. Gruppe sind die christlich-gnostischen Texte, die ebenfalls unterteilt werden können in
a) ursprünglich nichtchristlich-gnostische, aber später christlich überarbeitete Schriften und
b) bereits als christlich-gnostische Schriften konzipierte Traktate.

Beide Untergruppen sind ebenfalls wichtige Quellen für die Geschichte der Gnosis, denn die Tendenz der Verchristlichung ursprünglich nichtchristlicher gnostischer Texte zeigt wohl den Versuch der Gnostiker, auch die Christen für eine mit christlichen Zusätzen versehene Gnosis zu gewinnen. Die schon als christlich-gnostische Werke konzipierten Abhandlungen sind Zeugnisse für den Versuch, Christentum und Gnosis miteinander zu verbinden.

a) Zur Bestimmung der Zugehörigkeit christlich-gnostischer Schriften zu einer der beiden Untergruppen müssen literarkritische Untersuchungen vorgenommen werden. Bereits durchgeführte Unter-

---

[1] *Die Gnosis*, 2. Bd., aO, 32-45.

[2] R. McL. Wilson, *Gnosis und Neues Testament*, Stuttgart 1971, 108 f. findet dagegen einzelne christliche Anklänge.

suchungen haben gezeigt, daß durch Hinzufügung christlichen Gedankengutes eine Reihe christlich-gnostischer Schriften aus ursprünglich
nichtchristlich-gnostischen Abhandlungen entstanden sind. Zu ihnen
gehören z.B. das "Apopkryhon des Johannes" [1] die "Hypostase der
Archonten",[2] das "Thomasbuch",[3] die "Akten des Petrus und der
12 Apostel".[4] An der "Sophia Jesu Christi" läßt sich noch der Vorgang
der Verchristlichung ablesen, da ihre Vorlage, der "Eugnostosbrief",
uns erhalten blieb.[5] Dieser wurde in Abschnitte zerlegt, zwischen die
neu formulierte Fragen und Bitten der Jünger und Marias und
Formulierungen wie "der Soter sprach" eingeschoben wurden. So
wurde aus dem Brief ein Gespräch. Eine um das Gespräch gelegte
Rahmenhandlung nennt Zeit, Ort und Teilnehmer des Dialoges : er
findet in Galiläa statt. Gesprächspartner sind der auferstandene Jesus
und seine Jünger und Jüngerinnen. In diese Rahmenhandlung wurden
weitere Anklänge an das Neue Testament und direkte Zitate einge-
baut. Mehrfach sagt Jesus : "Wer Ohren hat zu hören, höre !". Diese
Textüberarbeitung und -erweiterung ist nur teilweise gelungen, wie
noch zwischen manchen Fragen und Antworten und der Rahmenhandlung und dem Corpus der Schrift bestehende Widersprüche zeigen.

Sehr häufig sind solche Abhandlungen auch aus zwei ursprünglich
selbständigen Werken zusammengesetzt worden, wie z.B. die "Hypostase der Archonten" [6] zeigt. Das uns in einer kurzen und einer langen
Version überlieferte "Apokryphon des Johannes" [7] wurde, wie sich
zeigen läßt, sogar aus mehreren Texten zusammengearbeitet. Es
besteht aus einer Rahmenhandlung, einem Visionsbericht, einer
Beschreibung der höchsten Gottheit, einer Kosmogonie, die den Fall
der Sophia beschreibt, und einem Dialog zwischen Jesus und Johannes.
Das Gespräch besteht inhaltlich aus zwei Teilen : einer Paraphrase
von Genesis 1-7, die auch in mehreren Werken wiederholt wird, und
es behandelt die Seele und ihr Schicksal nach dem Tode des Menschen.
Als die Einheiten zum Apokryphon des Johannes zusammengearbeitet

---

[1] *Die Gnosis*, 1. Bd., aO, 133 ff.

[2] *Die Gnosis*, 2. Bd., aO, 46 ff.

[3] *Die Gnosis*, 2. Bd., aO, 137 f.

[4] M. Krause, Die Petrusakten in Codex VI von Nag Hammadi, in *Essays on the Nag Hammadi Texts in Honour of A. Böhlig*, Leiden 1972, 46 ff.

[5] M. Krause, *Das literarische Verhältnis des Eugnostosbriefes*, aO, 215-223.

[6] *Die Gnosis*, 2. Bd., aO, 46 ff.

[7] *Die Gnosis*, 1. Bd., aO, 133 ff.; M. Krause, Literarkritische Untersuchung des Apokryphon des Johannes aO.

wurden, hat man darauf verzichtet, die zwischen den genannten
Teilen bestehenden Widersprüche zu tilgen. Es wurde vielmehr
versucht, durch Zusätze die Spannungen zu überbrücken. So wurden
beispielsweise die in den einzelnen Teilen verschieden benannten
Äonen und Personen miteinander gleichgesetzt, z.B. die Mutter mit
der Sophia, die Ennoia mit der Pronoia, das Licht mit Christus, der
Heilige Geist mit der Zoe und der Mutter. Die zuletzt genannte Stelle
lautet: "Der Heilige Geist, den man Zoe, die Mutter aller, nennt"
(BG 38,10 ff.). In der Ineinssetzung verschiedener Äonen wirkt übrigens eine schon in altägyptischer Zeit bekannte theologische Arbeits-
weise weiter.[1]

b) Aus den christlich-gnostischen Schriften könnte man — was
wohl auch von den Gnostikern beabsichtigt war — ein ganzes
gnostisches Neues Testament zusammenstellen. Es gibt z.B. das
Thomas-, Philippus- und Ägypterevangelium, eine Apostelgeschichte :
Die Taten des Petrus und der 12 Apostel, Briefe : der Brief des Petrus
an Philippus und Apokalypsen : des Paulus, Petrus und Jakobus. Die
meisten dieser Werke waren uns bisher unbekannt, von einzelnen
waren bisher nur kleine Fragmente erhalten, wie z.B. vom Thomasevangelium.[2] Von anderen kannten wir bisher nur die bei den Kirchen-
vätern überlieferten Titel oder Zitate. Nach dem Bekanntwerden des
vollen Wortlautes der Schriften zeigt sich, daß zuweilen die bei den
Kirchenschriftstellern mitgeteilten Zitate in diesen Originaltexten
fehlen. Das ist z.B. im Philippus-[3] und Ägypterevangelium [4] der Fall.
Neben der Möglichkeit eines Irrtums der Kirchenväter müssen wir
vor allem mit der Existenz mehrerer Schriften, die denselben Titel
trugen, rechnen. Es ist aber auch nicht auszuschließen, daß nur in
den uns erhaltenen Handschriften der Wortlaut dieser Zitate fehlt.
Die uns in mehreren Versionen überlieferten Werke zeigen ja, daß
ein großer Unterschied zwischen der handschriftlichen Überlieferung
der Bibel und den heiligen Schriften der Gnostiker besteht. Während
die Bibelhandschriften nur verhältnismäßig selten andere Lesarten
überliefern, weicht der Text der in mehreren Versionen überlieferten

---

[1] H. Bonnet, Zum Verständnis des Synkretismus, in *ZÄS* 75, 1939, 40-52.

[2] Die Papyri Ox. 1, 654 u. 655, vgl. z.B. H.-Ch. Puech, in E. Hennecke, *Neutestamentliche Apokryphen*, aO, 212 f.

[3] Vgl. S. 80 A. 2.

[4] W. Schneemelcher, in E. Hennecke, *Neutestamentliche Apokryphen*, aO, 109 ff.

gnostischen Werke so stark voneinander ab, daß es nicht praktikabel ist, nur den Text einer Handschrift in vollem Wortlaut zu veröffentlichen und die Abweichungen im Apparat zu verzeichnen, vielmehr legt sich die Publikation in einer Synopse [1] nahe. Vom "Apokryphon des Johannes" sind bekanntlich sogar zwei verschieden lange Fassungen, eine Kurz- und eine Langfassung, beide in je zwei Versionen überliefert, wobei die beiden Versionen der Kurzfassung beträchtlich voneinander abweichen.[2] Wenn wir die im Titel als Evangelien, Apostelgeschichte, Briefe und Apokalypsen bezeichneten gnostischen Schriften mit den *literarischen Formen* des Neuen Testamentes vergleichen, stellen wir neben einigen formalen Übereinstimmungen vor allem Unterschiede fest: in den gnostischen Evangelien — wir berücksichtigen nur das Thomas- und Philippusevangelium, das Evangelium Veritatis soll als Homilie, das Ägypterevangelium als vorwiegend kosmogonisches Werk unberücksichtigt bleiben — fehlen weithin Erzählungen.[3] Von den beiden Evangelien weist das Thomasevangelium in seinen literarischen Genera, den Gleichnissen, Bildreden, Seligpreisungen und Weherufen noch die meisten Übereinstimmungen mit dem kanonischen Neuen Testament auf.[4] Auch im Brief des Petrus an Philippus wird ganz deutlich das paulinische Briefformular nachgeahmt.[5] Dagegen unterscheidet sich die Apostelgeschichte des Petrus sehr von der kanonischen, sie ist dafür auf das engste mit den apokryphen Apostelgeschichten verwandt.[6]

Die größten Unterschiede sind im *Inhalt* der neugefundenen Schriften zu verzeichnen. Zwar begegnen dieselben uns aus dem Neuen Testament bekannten Personen, doch spielen die im Neuen Testament im Hintergrund stehenden Jünger wie Judas Thomas, Matthäus und vor allem die Frauen, unter ihnen Maria, in den gnostischen Werken eine hervorragende Rolle. Maria erscheint im Evangelium der Maria als Wortführerin der Jünger und erregt den Neid des Petrus. Wir lesen auch viele Bibelstellen aus dem Alten und Neuen Testament, ver-

---

[1] In Band 3 von *Christentum am Roten Meer* wird von mir sowohl die Synopse des Apokryphon des Johannes als auch des Eugnostosbriefes und der Sophia Jesu Christi publiziert.

[2] Vgl. M. Krause, *Literarkritische Untersuchung des Apokryphon des Johannes,* aO.

[3] Vgl. z.B. E. Haenchen, *Die Botschaft des Thomas-Evangeliums,* Berlin 1961, 11.

[4] Vgl. z.B. W. Schrage, *Das Verhältnis des Thomas-Evangeliums zur synoptischen Tradition und zu den koptischen Evangelienübersetzungen,* Berlin 1964 (= BZNW 29).

[5] M. Krause, *Die Petrusakten,* aO, 42.

[6] M. Krause, *Die Petrusakten,* aO, 51 ff.

schiedentlich etwas abweichend vom bekannten Wortlaut,[1] stellen
aber gnostische Umdeutungen fest. Vor allem wird Jesus zum Bringer
der gnostischen Heilslehre, sein Kreuzestod wird — wenn davon
überhaupt, wie z.b. in der Petrusapokalypse, [2] gesprochen wird —
als eine Täuschung bezeichnet. In diesen Texten liegt eine Fülle von
Material für die historischen Disziplinen der Theologie vor, das auf
eine seiner Bedeutung entsprechende Auswertung wartet. Selbst in
den letzten Artikeln des Theologischen Wörterbuches zum Neuen
Testament sind die bisher veröffentlichten gnostischen Schriften nur
sehr mangelhaft [3] berücksichtigt worden. Es müßte ein ganzer
Ergänzungsband zu diesem Wörterbuch geschrieben werden.

Wichtig sind auch die Aussagen in einigen der neugefundenen Werke
über Sakramente bei den Gnostikern. Obwohl der Gnostiker zu seiner
Rettung keiner Sakramente bedarf, sind im gnostischen Schrifttum
des 2. Jahrhunderts Sakramente bezeugt : Taufe, Salbung, Eucharistie,
Apolytrosis und das Sakrament des Brautgemaches.[4] Über den Zeitpunkt und Vollzug dieser Sakramente schweigen sich die bisher
veröffentlichten Quellen aus, so daß verschiedene Hypothesen auf-
gestellt wurden. Das Sakrament des Brautgemaches wurde beispielsweise von Gaffron [5] als Sterbesakrament gedeutet, das den Sterbenden
nach seinem Tode für die feindlichen Mächte des Zwischenreiches
unangreifbar machen und ihn seiner endgültigen Rettung versichern
sollte. Die "Exegese über die Seele" ermöglicht, zumindest für diese
Schrift, eine hypothesenfreie Aussage über Sinn und Zeitpunkt des
Vollzuges dieses Sakramentes[6] : es wird vollzogen, wenn ein Mensch
ein Pneumatiker wird. Es stellt in der Wiedervereinigung der beiden
getrennten Teile der Seele den alten, ursprünglichen Zustand vor dem
Fall der Seele wieder her. Während nämlich — wie wir dort lesen —
der weibliche Teil der Seele in den Körper fiel, blieb der männliche
bei Gott. Als der weibliche Teil Gott um Errettung bat, sandte Gott

---

[1] Für das Thomasevangelium vgl. z.B. die S. 85 A. 4 genannte Untersuchung von
W. Schrage.

[2] VII 81, 10 ff.

[3] Eine Ausnahme bildet der Beitrag von K.-W. Tröger s.v. ψυχή in *ThWBNT*,
Bd. 9, Stuttgart 1973, 659-661.

[4] Vgl. H.-G. Gaffron, *Studien zum koptischen Philippusevangelium unter besonderer
Berücksichtigung der Sakramente*, Theol. Diss., Bonn 1969.

[5] H.-G. Gaffron, aO, 218.

[6] M. Krause, Die Sakramente in der "Exegese über die Seele" in Codex II von
Nag Hammadi in *Proceedings of the XIIth Congress of I.A.H.R.* 179-188.

den männlichen. Im Brautgemach vollzieht sich dann die Wiedervereinigung der getrennten Teile. Dieses Geschehen wird als "Wiedergeburt", als "Auferstehung von den Toten" und als "Erlösung"
beschrieben.

Die Übernahme von Sakramenten und ihr Vollzug in gnostischen
Schulen ist wohl mehr als eine Anpassung an den christlichen Kult
als auf Einflüsse durch Mysterienreligionen zu bewerten.

Ein Sakrament und Feiern werden — und damit kommen wir zu
3) den hermetischen Schriften [1] — auch in zwei der drei am Ende von
Codex VI erhaltenen hermetischen Schriften bezeugt. Am Ende der
7. Schrift in Codex VI, die "das ist das Gebet, das sie sprachen"
betitelt ist und deren griechische Version im Papyrus Mimaut erhalten
ist, lesen wir : "als sie das betend gesagt hatten, küßten sie einander
und gingen, um ihre heilige Nahrung zu essen, in der kein Blut ist".
Dieser, in der griechischen Fassung fehlende Text hat eine Parallele
in der lateinischen Version : "haec optantes convertimus nos ad
puram et sine animalibus cenam".[2]

Feiern werden in der 6. Schrift desselben Codex [3] genannt. In
diesem 14 Seiten langen Dialog zwischen Hermes und seinem Sohn
— wohl Thot wie in anderen hermetischen Texten — über die Acht-
und Neunheit weist Hermes seinen Sohn darauf hin, er möge sich
"erinnern an den Fortschritt im Verständnis der Bücher",[4] der ihm
zuteil wurde. Zur Belehrung tritt das Gebet mit einer Anzahl von
Mitgläubigen. Dieses Gebet findet statt "wenn sie sich zu den Büchern
versammelt haben" und ihm folgt ein Kuß.

Diese Aussagen berechtigen m.E. dazu, erneut die Frage zu stellen,
ob alle Hermetiker oder zumindest einzelne von ihnen Gemeinden
gebildet haben. Diese, von Reitzenstein vertretene und von Festugière
und Nilsson [5] verworfene These muß erneut überprüft werden, wie
Nilsson jetzt selbst zugestehen muß. Inzwischen sind in Ägypten
Mysteriengemeinden nachgewiesen, die den höchsten Gott, den

---

[1] Zum Folgenden vgl. M. Krause, Der Stand der Veröffentlichung der Nag Hammadi-
Texte, in *Le origini dello gnosticismo. Colloquio di Messina 13-18 aprile 1966* (= Studies
in the History of Religions XII), Leiden 1967, 77 ff. Die Texte sind inzwischen veröffentlicht von M. Krause u. P. Labib, Gnostische und hermetische Schriften, aO, 170 ff.

[2] M. Krause, aO, 80 u. A. 1-2.

[3] M. Krause, aO, 77 ff.

[4] M. Krause, aO, 87 mit Belegen.

[5] M. P. Nilsson, *Geschichte der griechischen Religion*, Band 2, München [2]1961, 609
mit Lit.

Schöpfer und Herren der Welt, verehrten und vielleicht den Nährboden
der Hermetika bildeten. Vorsichtig formuliert gehörten zumindest
der oder die Auftraggeber von Codex VI einer kultischen Gemeinde
an, in der sowohl gnostische als auch hermetische Schriften gelesen
wurden. Der Codex, an dessen Ende die drei hermetischen Abhandlungen stehen, enthalten ja neben Schriften, über deren Zugehörigkeit
zum gnostischen oder hermetischen Schrifttum keine eindeutige
Aussage gemacht werden kann, die eindeutig christlich-gnostischen
Petrusakten. Im nicht sicher zu klassifizierenden "Authentikos
Logos" [1] lesen wir,[2] die Seele habe, nachdem sie Belehrung über Gott
empfangen habe, sich im Brautgemach niedergelassen und vom Mahle
gegessen, nach dem sie hungerte, und habe von der unsterblichen
Speise empfangen. Damit ist wieder ein Kultmahl bezeugt. Eine
Notiz [3] vor der letzten Abhandlung,[4] die § 21 Mitte bis § 29 des
Asclepius entspricht, besagt, der Schreiber besitze noch viele Abhandlungen des Hermes, die er aber außer dieser einen nicht abgeschrieben
habe, weil er der Ansicht sei, die anderen seien dem Leser bereits
bekannt. Es wird also eine größere Kenntnis des hermetischen Schrift-
tums vorausgesetzt. Der Schreiber hat — wie eine Handschrift aus-
weist — neben diesem Buch noch vier weitere Codices [5] mit gnostischen
Schriften abgeschrieben.

Die koptische Fassung des genannten Teiles des Asclepius und des
Gebets am Ende des Asclepius sind wichtig sowohl für die Überliefe-
rungs- als auch die Textgeschichte des Asclepius.[6] Die bereits erwähnte
Notiz zeigt, daß der Schreiber die von ihm abgeschriebene Abhandlung
als eine selbständige Schrift sah. Auch das in der lateinischenVersion
am Ende des Asclepius stehende Gebet bildet im Koptischen eine
selbständige Schrift, während die genannten koptischen Traktate in
der lateinischen Überlieferung eine einzige Schrift bilden. Aus dem
koptischen Traktat am Ende von Codex VI kann sogar noch die
sogenannte "Apokalypse des Asclepius" als eine selbständige Anhand-

---

[1] M. Krause, aO, 83 ff.

[2] VI 35, 2-22.

[3] VI 65, 8-14.

[4] M. Krause, aO, 80 f.

[5] Er schrieb außer Codex VI noch die Codices IV, V, VIII und IX, vgl. M. Krause,
in *MDIK* 19, 1963, 110 A. 19.

[6] M. Krause, *Der Stand der Veröffentlichung*, aO, 80 f.

lung herausgelöst werden. In ihr lebt viel ägyptisches Gedankengut weiter.[1]

Die koptische Version erweist auch die von Scott [2] vorgenommenen Textumstellungen als unberechtigt. Sie erlaubt, die Textlücken im Papyrus Mimaut mit Sicherheit zu ergänzen und ist wegen des hohen Alters ihrer handschriftlichen Überlieferung im Vergleich zu den anderen Versionen ein wichtiges Kriterium für die Wiederherstellung des griechischen Urtextes, zumal sie an vielen Stellen vom jungen lateinischen Text abweicht.

Die 4. Gruppe bilden neben Schriften, bei denen vorläufig eine Zuweisung zu den gnostischen oder hermetischen Texten zur Zeit noch nicht abgeschlossen ist,[3] vor allem Weisheitslehren und philosophische Schriften. Zu ihnen gehören u.a. die Sentenzen des Sextus in Codex XII, deren griechische Version vollständig erhalten ist, und der kleine Auszug aus Platons Staat.[4] Neben der Untersuchung der vielen Abweichungen vom griechischen Original stellt sich die Frage, warum diese Texte in die gnostisch-hermetische Bibliothek Aufnahme fanden.

Es wäre noch vieles zu nennen, weshalb diese Bibliothek für viele Disziplinen so wertvoll ist. Ich hoffe aber, daß bereits diese kurzen Ausführungen gezeigt haben, wie lohnend die Kenntnis der koptischen Sprache und die Mitarbeit an der Auswertung dieses Handschriftenfundes ist, dessen Bearbeitung eine ganze Generation von vielen Wissenschaftlern aus den genannten Disziplinen erfordert.

---

[1] M. Krause, Ägyptisches Gedankengut in der Apokalypse des Asclepius, in *ZDMG*, Supplementa I, Wiesbaden 1969, 48-57.

[2] W. Scott, *Hermetica I*, 1924, 334 ff.

[3] Dies betrifft vor allem Schriften aus Codex VI, vgl. M. Krause, *Der Stand der Veröffentlichung*, aO, 81 ff.

[4] Vgl. S. 76 A. 5.

CRITICAL PROLEGOMENA
TO AN EDITION OF THE COPTIC
"HYPOSTASIS OF THE ARCHONS"
(CG II,4)

BY

BENTLEY LAYTON

Because of his labors as editor and enthusiast, Dr. Pahor's name
is now inseparably linked with one of the most sensational manuscript
discoveries of our century. It was through his publication of a photographic facsimile edition in 1956 [1] that manuscripts from the Gnostic
Library first became known in their ancient form to the scientific
world. The works represented in this edition were well chosen as to
importance, variety of content, legibility of script, and immediate
appeal. And although printed by offset, the plates are remarkable
for the palaeographic detail that they convey, when examined in
direct sunlight with a strong magnifier.

My own palaeographic research on the manuscript studied here,
began with careful examination of Dr. Pahor's facsimile edition.
Half of the more than hundred corrections that I published [2] in my
collation of the text against Bullard's edition first became evident
from study of the facsimile alone. Almost every correction based on
the facsimile was subsequently confirmed when, through the generous
hospitality of Dr. Pahor's successor, Dr. Victor Girgis, I was permitted
to examine the papyrus itself.

Scholarship on the "Hypostasis of the Archons" falls neatly into
three short periods. The First (1956-68), one of gradual dissemination
of the contents : Pahor Labib's facsimile edition; Doresse's account
and study in *Les livres secrets* (1958); Schenke's German translation

---

[1] Pahor Labib, *Coptic Gnostic Papyri in the Coptic Museum at Old Cairo*, vol. I.
Antiquities Dept., Government Press, Cairo, 1956.

[2] B. Layton, The Text and Orthography of the Coptic Hypostasis of the Archons,
in *Zeitschrift für Papyrologie und Epigraphik* 11 (1973) 173-200 and Tafel 4c.

(1958, cited below), based upon critical editing of the Coptic text.[1] The Second (1969-70), the beginning of grammatical study of the text (Nagel 1969, Kasser 1970, see below) and the publication of two Coptic editions (Bullard 1970, Nagel 1970, below). Neither of these editions was accurately transcribed. Third (1971-73), in response to the new Coptic editions, autoptic examination of the Cairo manuscript for the first time : Kasser (1972), Krause (1972), Layton (1973) [all three based upon examination carried out in 1971].

The present notes supplement my published collation of the papyrus codex [2] against R. A. Bullard's edition.[3] They are preliminary to a new critical edition of the Coptic text that will soon appear in the *Harvard Theological Review* (October 1974).

Through the hospitality of Dr. Victor Girgis, Director of the Coptic Museum, and Madame Samiha Abd el-Shaheed (Curator of Manuscripts at the Coptic Museum), I have been able to make two further collations of the papyrus at leisure and under the best possible conditions, examining the papyrus outside its plexiglass cover and in sunlight. By these means it has been possible to introduce additional improvements in the readings; at times I have had to correct or doubt my own former opinion, at times those of others. The measurements of lacunas are in every case more exact than before. For expressing these measurements I have adopted an arbitrary standard unit equal to *Nu* plus one average interliteral space.[4] But in every case the actual restorations in question have also been tested by tracing over a photograph of the papyrus and with full account being taken of differences in letter size, probable line length, ligature, etc.

While recollating the text in October 1973, I was able to test all the proposals put forth in the following publications, none of which were available to me at my first examination of the papyrus :

---

[1] Schenke's critical edition was never published, but its readings can be deduced from the German translation.

[2] B. Layton, cited p. 90, note 2.

[3] R. A. Bullard, *The Hypostasis of the Archons. The Coptic Text with Translation and Commentary.* With a Contribution by Martin Krause. (Patr. Texte Stud. 10) De Gruyter, Berlin, 1970.

[4] In this handwriting several letters are considerably wider than *Nu*, while others are normally less wide. There is ligature as well. The reader may refer to the facsimile edition and to the enlarged samples published at the end of my forthcoming edition (*Harvard Theological Review* 67 [1974]).

R. Kasser, L'Hypostase des Archontes. Propositions pour quelques lectures et reconstitutions nouvelles, in *Essays on the Nag Hammadi Texts in Honour of Alexander Böhlig*, ed. M. Krause (Nag Hammadi Studies 3). Leiden, 1972, pp. 22-35.

idem, review in *Bibliotheca Orientalis* 29 (1972), 188-190.

idem, Brèves remarques sur les caractéristiques dialectales du Codex Gnostique Copte II de Nag Hammadi, in *Kêmi* 20 (1970), 49-55.

M. Krause, Zur Hypostase der Archonten in Codex II von Nag Hammadi, in *Enchoria* 2 (1972), 1-20.

P. Nagel, *Das Wesen der Archonten ... Koptischer Text, Übersetzung und griechische Rückübersetzung, Konkordanz und Indices*. (Wiss. Beitr. Martin-Luther-Univ., 1970/6 [K3]). Halle, 1970.

idem, Grammatische Untersuchungen zu Nag Hammadi Codex II, in F. Altheim and R. Stiehl, *Die Araber in der alten Welt*, V, ii (*Das Christliche Aksūm*). Berlin, 1969, pp. 393-469.

H.-M. Schenke, review to appear 1974 or 1975 in *Orient. Lit. Zeit.* Advance copy supplied by Prof. Schenke.

I have also referred to :

idem, Das Wesen der Archonten, in *Theol. Lit. Zeit.* 83 (1958), 661-760.

Progress in the critical reconstitution of the original Coptic version has been enormous since the publication of Dr. Pahor's facsimile. Primarily through the research of the scholars named above, we now have a good idea of the Coptic hyparchetype. In this paper I will have to limit my remarks almost exclusively to restorations or readings that call for further grammatical, stylistic, or palaeographic comment before evaluation is possible. The results are largely negative. But needless to say, such cases are counterbalanced by many astute and correct conjectures that can be enthusiastically adopted in the forthcoming edition or its critical apparatus.

86 (134) 28 [⁴]ⲧⲉ[.]ϭⲟⲙ *cod.* : [ⲉⲧⲃⲉ] *etc.* Schenke, Bullard, Nagel : [ⲕⲁⲧⲁ]ⲧ[ϥ]ϭⲟⲙ *dubitans coni.* Kasser : [ϩⲣⲁⲓ ϩ]ⲛ *etc.* Krause *(*[ⲉⲧⲃⲉ] *"wegen der erhaltenen Buchstabenreste nicht möglich")*

Following the first lacuna, the letter traces show that Tau is certain. Most of the vertical stroke of Tau survives; likewise, most of the horizontal stroke, viz. part of the left branch, the central junction, and all the right branch ligatured into the left part of an Epsilon (?). This second letter must be read either Epsilon or Theta. There is nothing which can be read Nu; ⲧ[ϥ] is excluded (it is foreign to the spelling of this manuscript anyway). For the size of the sequence ⲉ[ϥ] compare ⲧⲉϥⲙⲛⲧⲁⲧⲥⲟⲟⲩⲛ in the same line.

86 (134) 30 [5½] cod. : [ϭⲟⲙ ⲭⲉ] conieci : [ⲃϣⲉ ⲭⲉ] uel [ⲟⲃϣⲥ ⲭⲉ] uel [ⲙⲛⲧⲃⲗⲗⲉ ⟨ⲭⲉ⟩] coni. Kasser : [ⲧⲁⲡⲣⲟ ⲭⲉ] Nagel : [ⲥⲙⲏ ⲭⲉ] Krause : [ⲍⲩⲗⲏ ⲭⲉ] Schenke (qui olim [ⲁⲥⲡⲉ ⲭⲉ])

The lacuna is not at all long enough for [ⲟⲃϣⲥ ⲭⲉ], [ⲙⲛⲧⲃⲗⲗⲉ], [ⲧⲁⲡⲣⲟ ⲭⲉ] or [ⲁⲥⲡⲉ ⲭⲉ]. The conjecture [ⲍⲩⲗⲏ ⲭⲉ] (which has been defended from 142:19-22) requires slight crowding of the letters but is possible. On the other hand, if [ϭⲟⲙ ⲭⲉ] is slightly short an apostrophe can be restored after ϭⲟⲙ`; it occurs after this word in four other passages. In conjecturing ϭⲟⲙ, I had in mind 135:4-5 "His thoughts became blind and he expelled his ϭⲟⲙ, which is the blasphemy that he had spoken". Since ϭⲟⲙ is somehow equatable with the utterance "It is I who am God" etc., might we not expect this blasphemous utterance to be introduced by "he said ⲍⲛ ⲧⲉϥ[ϭⲟⲙ ⲭⲉ]?" The čom is apparently a spiritual element implanted in the subvelar universe at the moment of Yaldabaoth's abortive birth : but the text is not clear on this point.

87 (135) 1-2 ⲁⲥⲉⲓ{ᵛ}ⲉ|ⲃⲟⲗ cod. : ⲡ|ⲃⲟⲗ leg. Kasser

A clear ink trace from the bottom left of a round letter (excluding Pi). Before this, a Vacat which is slightly less wide than the letter Nu. There is no surface imperfection to explain this irregular spacing.

87 (135) 2-3 ⲭ[.].[margin]|ⲕⲣ̄ ⲡⲗⲁⲛⲁⲥⲑⲉ cod. : ⲭⲉ|ⲕⲣ etc. legi : ⲭ[ⲉ] |ⲕⲣ Schenke, Bullard, Nagel : ⲭ[ⲉ] ⲁ|ⲕⲣ Krause

The letter trace (first noticed by Prof. Krause) is tiny and ambiguous and is surely compatible with either ⲉ or ⲁ. The preceding lacuna is almost as big as the letter Nu. The following lacuna was presumably blank margin.

The reading ⲭⲉ implies a Vacat between ⲭ and ⲉ : ⲭ[ᵛ]ⲉ|ⲕⲣ̄, but this irregularity can be defended from ⲁⲥⲉⲓ{ᵛ}ⲉ|ⲃⲟⲗ at the end of line 1 (elsewhere the scribe does not leave blank spaces between letters). On the other hand Prof. Krause's division of the conjugation base ⲁ⸗ from its pronoun (-ⲕ) can be defended from 144:17 f. ⲁ|ⲉⲓⲭⲟⲟⲥ.

From ⲕ︤ⲣ︥ ⲡⲗⲁⲛⲁⲥⲑⲉ at 142:25 we should have expected ϫⲉ ⲕ︤ⲣ︥ here as well. Yet it is far from certain that the present passage must exactly follow the retelling of the theogony found in the second half of the tractate, several critics having postulated independent sources for the two accounts. Herein lies the interest of this reading, for by differing from the parallel, Prof. Krause's interpretation would constitute evidence for the compositional hypothesis of two written sources. Unfortunately there appears to be no palaeographic evidence for the choice between these two possibilities.

But style weighs strongly in favor of a present tense, "You are mistaken", for Greek idiom requires a present tense (πλανᾷ) when someone's present or just-stated opinion is to be denounced. Good examples from our period are cited in W. Bauer's *Wörterbuch* (I use the English version by Arndt and Gingrich) s.v. 2.c.a. The perfect tense is reserved for a backwards glance at opinions which were formed distinctly in the past, as *Epist. Barn.* 15.6 πᾶσιν πεπλανήμεθα.

87 (135) 17-18 ⲙⲯⲩⲭⲓⲕⲟⲥ ⲛⲁϣ ⲧⲉϩⲉ | ⲙ ⟨ⲡ⟩ⲡⲛⲉⲩⲙⲁⲧⲓⲕⲟⲥ ⲁⲛ scr. *Schenke, Kasser*

An ungrammatical and unnecessary emendation by which ⲙ becomes the mark of the direct object. In fact the form ⲧⲉϩⲉ- is the status nominalis of ⲧⲉϩⲟ (ⲧⲁϩⲟ) and so demands a directly suffixed object, as above in line 15. Furthermore since the subject of this generalization is in the plural, we would expect a plural object. ⲙ is the plural article and the transmitted text is sound.

87 (135) 25 ⲛ̄ⲛ ⲟⲩⲭⲟⲩⲥ *cod.*

Despite my remark in *ZPE* 11 (1973), 182, this is in fact the ⲛ̄ of equivalence (spelled ⲛ̄ⲛ) introducing a 'second accusative' and not equal to ϩⲛ as I once said. LXX Gen. 2:7 is quoted : ἔπλασεν ὁ θεὸς τὸν ἄνθρωπον χοῦν, which in ordinary Greek meant "God made man so that he was soil". Coptic has slavishly copied this double accusative.

87 (135) 26 ⲡⲟ ... [1-3] *cod. :* ⲡⲟⲩⲧⲁ[ⲙⲓⲟ] *Kasser :* ⲡⲟ .. ⲁ [---] *olim legi*

The letter traces are described in *ZPE* 11 (1973), 176; but my reading there of a sure Alpha just before the lacuna was overconfident.

The trace in question is a club at the top line, such as both Alpha and Lambda can leave in this handwriting. ΠΟΥΠλ[ΑϹΜΑ] would be possible if it did not extend so far into the margin, as Prof. Kasser has noted.

87 (135) 27-29 ΝΙΑΡΧⲰΝ Δ[ε....]|ΜΑ ΠΕΤΕΥN̄ΤΑϥϥ N̄ ϹϨΙΜΕ ΟΥϨ[....]|ΠΕ *etc. cod. : u. 28* ΟΥϨ[ΟΟΥΤ] *coni. Nagel, Kasser (cf. Rev. Théol. Philos.* 22 (1972), p. 189): ΟΥϨ[ΟΟΥΤ] N̄ϹϨΙΜΕ *transp. Fischer (Theol. Lit. Zeit.* 97, 1972, p. 126), "[*mann-*]*weiblich" Schenke*

There are too many lacunas as well as too many inherent possibilities of word division to allow any sure interpretation of this passage. One critic's comment, however, calls for elaboration : "Le sens premier du mot *hoout* est : mâle; mais ce mot peut signifier aussi : sauvage (une bête sauvage, une plante sauvage). On pourrait donc traduire ce passage ainsi : ... le co]rps de femme qu'ils ont (est) ⟨d'aspect⟩ sauvage".

I know of no Coptic evidence to support the assumption that ϨΟΟΥΤ in the second sense can be used as the adjectival predicate of a Nominal Sentence (ΟΥϨΟΟΥΤ ΠΕ); nor does the word ever seem to mean *sauvage* in the sense "ferocious". Ν-ΤΟΟΥ "wild", "belonging to the desert wasteland" and Ν-ϹⲰϢΕ "rural" should be compared. All Crum's examples for ϨΟΟΥΤ and ΤΟΟΥ to mean "wild" occur either in attributive construction or as the second element of a construct chain (*izafet*), as ΕΙΑ-ϨΟΟΥΤ "wild boar", "non-domesticated boar". The exact meaning of (Ν)ϨΟΟΥΤ is difficult to grasp without recourse to its etymology, but clearly it is "wild" (Fr. *sauvage*) = *not domesticated*, rather than "ferocious". For the latter, there is another Coptic word, ΕΤΝΑϢΤ (infinitive ΝϢΟΤ), as Deut. 28:27 Sah., Bu. The Coptic word ΑΓΡΙΟϹ (-ΙΟΝ) can also be used, cf. Shenute ed. Leip.-Crum III, p. 148, or Jude 13 Boh., Ho. (Sah. ΕΤΝΑϢΤ). Thus ἄγριος, "non-domesticated" → ΝϨΟΟΥΤ, while ἄγριος, "ferocious, rough" → ΕΤΝΑϢΤ or Ν-ΑΓΡΙΟϹ (-ΙΟΝ).

In short, if we restore ΟΥϨ[ΟΟΥΤ] ΠΕ, this will necessarily mean "it (he) is male".

The word ϨΟΟΥΤ, for which Crum has but a single entry, can really be separated into two different words if we take account of its history. Two etymologies are involved : (1) *'ḥȝwty* "male" (so from the 18th Dyn., but originally meaning "warrior"); (2) *'ḥwty* "cultivator of land" (ʿḥt "farm land"). By the Demotic period both words have become ḥwt (though with different graphic representations : Erichsen, *Demotisches Glossar*, pp. 297, 298). In Coptic they have completely fallen together in the form ϩΟΟΥΤ, but remain distinct in the limitation of construction described above : ϩΟΟΥΤ (2) "not domesticated, rural, wild" (etymologically, "pertaining to rural cultivators") is limited to *izafet* -ϩΟΟΥΤ or to the seemingly enclitic attributive construction -ΝϩΟΟΥΤ. ϩΟΟΥΤ (1) "male" appears in any Coptic noun construction (*izafet* not excluded).

87 (135) 30-31 ΜΠ[⁴⁻⁶]|ΜЄ *cod. :* Π[ΟΥΡⲰ]|ΜЄ *coni. Schenke, Bullard, Nagel (cf.* ΠΟΥⲀⲀⲀΜ *137:18,139:4) :* Π[ЄΙΡⲰ]|ΜЄ *Kasser :* Π[ΡⲰ]|ΜЄ *Krause*

The shortest preserved line on this page is *11*. Unless *30* is to be even shorter still we must restore letters equal to the space occupied by four average Nu's, even to bring this line out to the minimum margin established by *11*. Thus contrary statements notwithstanding, the lacuna is at least 4 letters long, excluding Π[ΡⲰ]|ΜЄ. I find it untrue that the letters before the lacuna are written noticeably larger, as one critic has suggested.

The restored possessive article is well paralleled in ΠΟΥⲀⲀⲀΜ at 137:18, 139:4 and ΝΟΥΡⲰΜЄ at 139:9. The archons were possessive.

87 (135) 32 ΝΤⲀϩΟΥⲰΝϩ Є[ΒΟⲖ ΝⲀΥ] *legi :* ΝΤⲀϩΟΥⲰΝϩ Ν[ⲀΥ ЄΒΟⲖ] *Krause*

Elsewhere in cod. we get only ЄΒΟⲖ ΝⲀΥ, cf. 135:16, 136:8-9, 142:28. Since the letter trace is ambiguous (despite my former description of it as "lunate") admitting both Є and Ν, the decision must rest upon consideration of usage and Ν[ⲀΥ ЄΒΟⲖ] be rejected. Profs. Bullard and Nagel had already conjectured [ЄΒΟⲖ ΝⲀΥ].

88 (136) 3 ṬΟΥ- *cod. :* [Τ]ΟΥ- *edd.*

Tiny trace from the right of the horizontal stroke of Tau.

88 (136) 25 [Ⲁ]ΥΚⲀⲀϥ *cod. :* [Ⲁ]ΥΚⲀⲀϥ *Krause*

Upsilon is quite certain.

88 (136) 31 [ᵀ]ροϥ *cod.* : [ⲙⲡⲣ̄ⲭⲱ̄ ⲉⲣ]ⲟϥ *Bullard* : [ⲙⲛ ⲭⲱ̄ ⲉ]ⲣⲟϥ *Nagel*

Although the Achmimic negative imperative in ⲙⲛ- is only found in one other passage of this text, Prof. Nagel may well be right in restoring it here. For, to write [ⲙⲡⲣ̄ⲭⲱ̄ ⲉ] as in the parallel at 138:4 requires a slight crowding of the letters. Yet it can be objected that [ⲙⲛ ⲭⲱ̄ ⲉ] is slightly short.

88 (136) 32-33 ⲥⲉ‖[⁶]ⲡⲁⲓ̈ *cod.* : [ⲭⲱ ⲛⲁϥ ⲙ] *coni. Schenke fort. recte (cf. 137:1) :* [ⲥ̄ⲱⲛ ⲙ] *olim conieci :* [ⲥⲱⲣⲙ ⲥ̄ⲙ] *uel* [ⲭⲓ ⲃⲟⲗ ⲉ] *Kasser :* [ⲭⲱ ⲛⲁϥ ⲉ] *Krause*

Any restoration here must be made *exempli gratia*. My own suggestion (*ZPE* 11, 1973, 185) was in fact one letter-size too small, but insertion of a generous apostrophe (ⲥ̄ⲱⲛ') would alleviate this difficulty; for the position of apostrophe see my remarks *ibid.*, pp. 190-200.

[ⲭⲱ ⲛⲁϥ ⲉ] must be dropped however, for it is untranslatable. — ⲭⲱ 'talk about, utter', when followed by an expression of verbal content, takes the latter as a direct object marked by suffixation or by ⲛ- (ⲙⲙⲟ⸗), as in ⲭⲱ ⲙ ⲡⲁⲓ̈, "say this". Either ⲛ- (ⲛⲁ⸗) or ⲉ- (ⲉⲣⲟ⸗) "to" can be used additionally for the dative (person spoken to). The topic of conversation may be introduced by ⲉⲧⲃⲉ- "with reference to". In certain rare sentences ⲭⲱ is followed only by ⲉ- (ⲉⲣⲟ⸗); but here ⲭⲱ has the absolute meaning "make a proclamation, speak" and ⲉ- is always like a dative : Sah. Jo. 16:14 ϥⲛⲁⲭⲓ ⲉⲃⲟⲗ ⲥ̄ⲙ ⲡⲉⲧⲉ ⲡⲱⲓ̈ ⲡⲉ ⲛϥⲭⲱ ⲉⲣⲱⲧⲛ (similarly Subachmimic, ed. Thompson), ἀναγγελεῖ ὑμῖν, *et annunciabit uobis.*—Hence this restoration has two expressions of the dative and implies that ⲡⲁⲓ̈ is the person spoken to.

On the other hand, Prof. Schenke's restoration ("sie [sagen ihm] dies") is quite suitable, as well as being grammatically correct. It is probably to be preferred to my own former conjecture.

88 (136) 33 ⟨ⲉⲛ⟩ⲥⲉⲥⲟⲟⲩⲛ ⲁⲛ ⲭⲉ *etc. scr. Schenke*

While removing parataxis, this Circumstantial construction introduces a classicism that is at odds with the usage of our text, whose syntax is Subachmimic and therefore never uses negative ⲛ- with ⲁⲛ. Cf. 138:33 ⲉⲩⲥⲟⲟⲩⲛ ⲁⲛ "not knowing". I see no reason not to keep the transmitted text.

89 (137) 26-27 .[.]ein.|ⲘⲘⲟⲤ *cod.:* [ⲉⲤⲉ]ⲓⲛ[ⲉ] *etc. Nagel:* ⲉ[ⲧ]-
ⲉⲓⲛ[ⲉ] *Schenke:* [ⲟⲩⲉⲓ]ⲛ[ⲉ] *Bullard et olim Schenke ("ein Abbild
von ihr")*

ⲟⲩⲉⲓⲛⲉ ⲘⲘⲟⲤ, to which I consented in *ZPE* 11 (1973), 177, is
in fact grammatical nonsense : to my knowledge, the preposition
ⲘⲘⲟⲎ appears with ⲉⲓⲛⲉ only if the latter is conjugated or is a
complementary infinitive. With the infinitive as noun, the term of
comparison should be expressed by a possessive article or a genitive.
Prof. Nagel's ⲉⲤ-, the Circumstantial, is needed. It expresses the
equivalent of a second accusative after ⲧⲉⲤ-ⲒⲀⲒⲃⲉⲤ, as e.g. Sah.
Lc. 10:30 Ⲁⲩⲃⲱⲕ, ⲀⲩⲕⲀⲀϥ ⲉϥⲟ Ⲙ ⲡⲉϣ-ⲙⲟⲩ, ἀπῆλθον ἀφέντες
(*scil.* αὐτὸν) ἡμιθανῆ, "leaving him half dead". Similarly Jo. 14:18 etc.
    Edit : ⲉ[ⲥ]ⲉⲓⲛⲉ. Epsilon [1] fits perfectly the trace which I once
read Omicron, cf. Fig. (C) in the plate published with my edition
(*Harvard Theological Review* 67 [1974] October).
    The other alternative ⲉ[ⲧ] would give us a 'timeless' relative :
"she left her shadow, which resembles her (*scil.* even now), before
them". We need instead a tense that can be relatively coordinated
with the I Perfect (Greek aorist) of the narrative and the Circumstantial I Present is it.

89 (137) 28-29 Ⲁⲩⲱ ⲀⲩⲭⲱⲒⲘ Ⲛ ⲧⲥϥⲣⲀⲅⲓ[.] Ⲛ| ⲧⲉⲤⲤⲙⲏ *cod.*
*(ultima littera Nu deperdita est; testis solus imago phototypice expressa
penes Museum Copt. = Labib tab. 137) :* ⲥϥⲣⲀⲅ[ⲓⲥ] *edd.:*
ⲙ|ⲡⲉⲤⲤⲙⲟⲧ *scripsi, "man erwartet 'ihrer Gestalt' " Schenke*

    For an enlarged photograph of the missing papyrus, see Fig. (C) in
the plate published with my edition (*Harvard Theological Review* 67
[1974] October).
    The transmitted text, so far as I can see, makes no sense here at
all : "and they defiled the seal of her voice" as Prof. Bullard has
correctly rendered it. "Das Siegel ihrer Stimme", Nagel; "den
Abdruck ihrer Stimme", Schenke. Prof. Schenke is the only critic to
have questioned the soundness of the text, although I can find no
record of his having formally proposed an emendation.
    It is only the physical "shadow" (ⲒⲀⲒⲃⲉⲤ = σκιά), i.e. shadowy
counterpart of the "image of Imperishability", which the archons
manage to rape. The divine Image, in other words the spiritual Eve,
has already left the stage "and placed her shadowy counterpart

resembling her before them". So what we expect in the present passage is a metaphor for the physical Eve who remains—a metaphor that will express this relation of Copy-to-Model, of "resemblance", which obtained between her and the Image that had previously given her a bodily form.

I have taken ϲⲫⲣⲁⲅⲓⲥ here to mean σφράγισμα, χαρακτήρ; it is the impression stamped upon the material body of Eve, hence the derived physical form. ⲡⲉⲥⲥⲙⲟⲧ is "her (the spiritual Eve's) pattern", viz. "her τύπος", the archetype that gives rise to the σφραγίς.

The ultimate Platonic source of this metaphor (like "shadow" just before, cf. Resp. lib. VII) is not hard to find. I quote from Bury's translation of Tim. 50 C, on the ὑποδοχή. "It must be called always by the same name; for from its own proper quality it never departs at all ... For it is laid down by nature as a moulding-stuff (ἐκμαγεῖον) for everything, being moved and marked by the entering figures (κινούμενόν τε καὶ διασχηματιζόμενον ὑπὸ τῶν εἰσιόντων), and because of them it appears different at different times. And the figures that enter and depart are copies of those that are always existent, being stamped from them (τυπωθέντα ἀπ' αὐτῶν) in a fashion marvellous and hard to describe ..."

By the time of Philo de opif. § 134, such imagery—under the influence of the Timaeus but now specifically referring to σφραγίζειν—had entered Hellenistic Jewish exegesis of the anthropogonies in Genesis I and II : the εἰκών of God is represented in the Intelligible World by an ἄνθρωπος which is ἰδέα τις ἢ γένος ἢ σφραγίς (for the exegesis see J. Jervell, Imago Dei, 1960, pp. 64-66). The image is repeated e.g. by the Clementine Homilies 17.7, and a second-century gnostic writer Justinus Gnosticus is said to have described Eve as the εἰκών, σύμβολον and σφραγίς ("stamped impression") of a higher reality (Hippolytus ref. 5.26.9). Later, Church fathers can call Christ σφραγὶς τοῦ θεοῦ, ὅλην αὐτοῦ ὁμοίωσιν ἔχων (see Lampe Patr. Greek Lex. s.v.).

Our text, once corrected, would literally mean "they defiled the stamped impression of her pattern", or more elegantly : "they defiled the form that she (the spiritual Eve) had stamped in her likeness". It is a drastic correction, however. Elsewhere the text has the word ⲧⲩⲡⲟⲥ. Furthermore there is some possible support for ⲥⲙⲏ in Böhlig's Schrift ohne Titel (CG II,5) 165:7 Lab., which has ⳿ϩⲣⲟⲟⲩ ⲛϣⲟⲣⲡ.

89 (137) 31-2 [ϩм]|ϥⲁϥ *Bullard :* [ϩн]- *Nagel*

ϩн- always appears in the form ϩм- before the phoneme "*p*" in this text (e.g. 90 [138]: 4 ϩм ϥⲟⲟⲩ).

90 (138) 27-28 ⲡⲉ|.[..]ⲗⲁм *cod. :* ⲡⲉ|ⲭ[ⲉ ⲗⲗ]ⲁм *corr. Kasser :*
ⲡⲉ|[ⲭⲉ ⲁ]ⲗⲁм *alii*

The area of papyrus with the start of line 28 had broken away and been lost by the time any of the recent editors collated the text. The sole record is Plate 138 in Dr. Pahor Labib's fascimile edition and the photographic negative kept at the Coptic Museum from which it was made. An enlarged print of this negative appears as Figure (B) in the plate published with my edition (*HTR* 67 [1974] October). The trace in line 28 is a vertical stroke aligned with the left margin. (But what seems to be a long stroke descending from left to right is not ink, rather the beginning of a dark red fiber, which may still be seen running through the letters ⲗⲁмⲭ after the lacuna.) The trace is only compatible with Iota (which cannot correctly begin a line in Coptic manuscripts), and with Kappa and Eta. The correct reading of the archetype was undoubtedly intended to be Djandja; I cannot explain the ink seen on the papyrus except as a curious *lapsus calami*. Is there another explanation ?

90 (138) 32 [ᶜ].ⲁ *cod. :* [ⲁⲩⲕⲟⲧⲟⲩ] ⲁ *Nagel,* [ⲁⲩⲕⲟⲧⲟ]ⲩ ⲁ *Kasser :*
[ⲁⲅⲉⲓ ⲱ]ⲁ *Krause*

The letter trace just before Alpha was first noticed by Prof. Kasser. It is a tiny speck of ink below the line, as possibly from the vertical stroke of an Upsilon. But it is too slight to be distinctive.

The lacuna is much too long to permit [ⲁⲅⲉⲓ] ⲱⲁ, even with the spelling ⲉⲉⲓ (which does not occur in this text, anyway). An enlarged photograph of the passage with its lacuna appears as Fig. (B) in the plate published with my edition (*HTR* 67 [1974] October). The tiny trace of ink is not visible however, for technical reasons.

On the other hand, [ⲁⲩⲕⲟⲧⲟ]ⲩ ⲁ fits perfectly and can be justified by the parallels at 139:3, 140:21.27.32. Such a use of στρέφεσθαι (especially "turned and said ...") is well attested in the gospels of the New Testament; passages are listed in W. Bauer's *Wörterbuch*, s.v. 2.a.

90 (138) 33 [⁶⁻⁷]ʏ *cod.* : [ϩⲱⲥⲧⲉ ⲟ]ʏ *Schenke (olim), Krause :* [ⲧⲁ̈ⲓ ⲉⲧⲉ ⲟ]ʏ *coni. Nagel :* [ⲕⲁⲓⲧⲟⲓ ⲟ]ʏ *Schenke (nunc) :* [ⲉ ⲡⲁ(ⲉ)ⲓ ⲟ]ʏ *Kasser*

Here ϩⲱⲥⲧⲉ would mean "*so dass* sie kraftlos ist", since ϩⲱⲥⲧⲉ before a Coptic Nominal Sentence is, if I am not mistaken, *itaque, ergo*, rather than *ita ut*. This would give "[They turned] to the snake and cursed its shadow—[and thus] it (the snake) is powerless—not knowing [that it was their] πλάσμα".

ⲧⲁ̈ⲓ ⲉⲧⲉ is perhaps more difficult. First, [ⲧⲁⲉⲓ ⲉⲧⲉ ⲟ] is probably better for reasons of space (the writing will be compact because Tau ligatures). Then, since the serpent's shadow is spoken of in this restoration, we might expect ⲟⲩⲁⲧϭⲟⲙ ⲧⲉ ("shadow" being feminine), at least in Sahidic. Nevertheless, we do get ⲛⲧⲟⲥ ⲡⲉ(!) ⲧⲁⲙⲁⲁⲩ at 89 (137) 16 and ⲛⲉⲩⲥⲟⲟⲩⲛ ⲇⲉ ⲁⲛ ⲛ ⲧⲉϥϭⲟⲙ ⲝⲉ ⲛⲓⲙ ⲡⲉ(!) at 88 (136) 10 : so the optional use of undeclined ⲡⲉ may be a feature of the translator's syntax. Yet I should prefer [ⲡⲁ̈ⲓ ⲉⲧⲉ ⲟ]ʏ-, referring not to the shadow, but to the snake as such and its inability, manifest to this very day, to walk upright.

Restoration of the Circumstantial (ⲉ ⲡⲁⲉⲓ) makes of the Nominal Sentence a participial second object, as above at 89 (137) 26-27. The author of this conjecture gives no examples of such a construction with ⲥⲁϩⲟⲩ, nor can I offer one myself. But I note that Greek λοιδορεῖν (= ⲥⲁϩⲟⲩ) can take a double accusative in the sense of "reproach someone as being something" : Plutarch, *De Fortuna* 98 A ὑπὸ τῇ τύχῃ πάντ᾽ ἐστίν, ἣν τυφλὴν λοιδοροῦμεν "whom we *reproach as being* blind". This meaning, however, will hardly suit our passage.

90 (138) 34 [⁵]ʏⲡⲗⲁⲥⲙⲁ *cod.* : [ⲝⲉ ⲡⲟ]ʏⲡⲗⲁⲥⲙⲁ *Kasser,* [ⲝⲉ ⲡⲟⲩ]- *Krause :* [ⲝⲉ ⲁⲅ ⲡⲟⲩ]ⲡⲗⲁⲥⲙⲁ *Nagel*

After the lacuna, Upsilon is certain. The first four letters of Prof. Krause's restoration fit perfectly and give the necessary sense. [ⲝⲉ ⲁⲅ ⲡⲟⲩ] is much too long for the lacuna and ⲁⲅ does not mean "what" (German *was*) as has been maintained, but rather "which one" (*welcher*).

91 (139) 8 ⲙⲕⲁϩ *cod.* : ⲙ̄[ⲡ̄²]ⲁϩ *ante correctionem stare censet Kasser*

I have examined the papyrus carefully in daylight and find no trace of any correction here. There is, however, a hole the shape of a vertical stroke which, if the papyrus were examined against a dark background, might appear to be an ink trace from the letter Pi.

91 (139) 26 ⲁⲕⲣ̄ ⲛ[.]ⲃⲉ ⲛ *cod. :* ⲁⲕⲣ ⲛ[ⲟ]ⲃⲉ [ⲛ] *conieci :* ⲁⲕⲣ ⲛ[ⲟⲃⲉ] *Nagel :* ⲁⲕⲣ ⲛ... *Bullard*

My conjecture of ⲛ at the end of line 26 (*ZPE* 11, 1973, 178) is now confirmed by an old photograph of the missing piece of papyrus, subsequently identified by Mr. Charles Hedrick. The fragment itself cannot presently be found, so the photograph is the sole witness to the text. The photograph is reproduced as Fig. (D) in the plate published with my edition (*HTR* 67 [1974] October).

91 (139) 27 ⲣⲱⲕ ϥⲛⲁ- *cod., Bullard :* ⲣⲱⲕ ⲉϥⲛⲁ- *Nagel*

ⲉϥⲛⲁ is a misreading of the codex or perhaps even a slip of the editor's pen. However two recent critics have repeated it and one even criticizes Prof. Bullard for "carelessly omitting an Epsilon"; this is scarcely justified. The transmitted reading is unimpeachable.

91 (139) 30-31 ⲁⲇⲁⲙ ⲇⲉ [²½⁻⁵½]| ⲛ̄ ⲧⲉϥϣⲃⲣ̄ⲉⲓⲛⲉ ⲉⲩϩⲁ *cod. :* ⟨ⲁ⟩ⲁⲇⲁⲙ ⲇⲉ [ⲥⲟⲟⲩ̄] *scripsi :* ⟨ⲁ⟩ⲁⲇⲁⲙ ⲇⲉ [ⲥⲟⲟⲩⲛ] *olim Nagel* *("Gramm. Unters.", p. 418), sed nunc* ⲁⲇⲁⲙ ⲇⲉ [ⲁϥⲥⲟⲟⲩ̄]; [ⲁϥⲥⲟⲟⲩⲛ] *Bullard*

Genesis 4:25 ἔγνω δὲ Αδαμ Ευαν τὴν γυναῖκα αὐτοῦ. The First Perfect of the verb ⲥⲟⲟⲩⲛ (γινώσκειν) clearly must be restored. With a notional minimum right margin, like the one constructed above for 87:30, we must restore letters to at least 2½ spaces (each the size of Nu) in the lacuna. The shortest line on this page is *23*; all other extant line ends exceed this minimum by 1-3 spaces, none by more than three. Hence room for 2½ to 5½ Nu's.

ⲁϥⲥⲟⲟⲩⲛ is much too long. Prof. Nagel in his edition of the text was sensitive to this difficulty and wisely restored the compendium ⲥⲟⲟⲩ̄; compare the spelling ⲟⲩ̄ for ⲟⲩⲛ at 93 (141) 22. Yet even [ⲁϥⲥⲟⲟⲩ̄] is a remarkably long restoration. Now, at 89 (137) 10 the scribe omitted the conjugation base ⲁ- before the word ⲁⲇⲁⲙ by haplography (and he subsequently corrected this error, ʼⲁʼⲁⲇⲁⲙ ϣⲱⲡⲉ). Only by postulating the same error in the present passage can we account for the relatively short space available in the lacuna. I had already conjectured ⟨ⲁ⟩ independently when I noticed that

Prof. Nagel himself had once made this same suggestion. His earlier solution (but restoring the compendium cooȳ) is much to be preferred.

91 (139) 31 ⲁⲥⲭⲡ.[²⁻⁵] *cod.* : ⲁⲥⲭⲡ[ⲟ ⲛ ⲥ̄ⲏⲑ] *Krause :* ⲁⲥⲭⲡ[ⲟ ⲛ ⲟⲩϣⲏⲣⲉ] *Bullard :* ⲁⲥⲭⲡ[ⲉ ϣⲏⲣⲉ] *Nagel*

The letter trace is compatible with either ⲉ or ⲟ. The lacuna is almost aligned with the one in line 30 and so has nearly the same possible dimensions, once we deduct the space occupied by ⲉ or ⲟ. See the discussion above on *30*.

[ⲟ ⲛ ⲟⲩϣⲏⲣⲉ] occupies about seven Nu-spaces and far exceeds what is likely even if we restore the bound form ⲭⲡⲉ-, as I had already remarked (*ZPE* 11, 1973, 178). The alternative restoration [ⲉ ϣⲏⲣⲉ] occupies only about 4½ spaces, but is grammatically inappropriate because the article is omitted : ⲭⲡⲉ-ϣⲏⲣⲉ means τεκνογονεῖν, "*filios procreare*" as in Sahid. I Tim. 5:14, rather than "gebar *einen* Sohn". The need for a singular is clear from the following sentence : "I have borne [another] man, through God, in place of [Abel]".

The Biblical parallel LXX Gen. 4:25 virtually forces upon us Prof. Krause's excellent restoration. It is much to his credit to have insisted upon this point (the idea had also been entertained by Prof. Bullard in his commentary, p. 93). Either ⲭⲡⲟ [ⲛ ⲥ̄ⲏⲑ] or ⲭⲡⲉ̣ [ⲥ̄ⲏⲑ] may be read; for the syntax of the latter see Sahid. Ac. 7.8 (ⲭⲡⲉ ⲓ̄ⲥⲁⲁⲕ), 7:20 Tho. etc.

While the figure of Seth plays absolutely no role in the events narrated in the text (Nagel, pp. 48-49), we now cannot use the one-time conspicuous absence of his name to exclude this work from possible connection with "Sethian" gnostic circles.

91 (139) 32 ⲁⲓ̈ⲭⲡⲟ̣ ⲛ̄ *(uel* ⲙ̄*) cod.*

Prof. Kasser rightly notes a trace of the letter Pi; but it is tiny and ambiguous. Last letter can be read either ⲛ or (less likely) ⲙ.

91 (139) 34 ⲁⲥⲭⲡ [⁵½⁻⁸½] *cod.* : ⲁⲥⲭ[ⲡⲟ ⲛ ⲛⲱⲣⲉⲁ] *Krause ut uid.* : ⲁⲥⲭ[ⲡⲟ ⲛ ⲟⲩϣⲉⲉⲣⲉ] *Bullard :* ⲁⲥⲭ[ⲡⲉ ϣⲉⲉⲣⲉ] *Nagel*

Like 91 (139) 31 above.

Here ⲟⲩϣⲉⲉⲣⲉ is not too long to be restored after ⲭⲡⲉ-, but

from the correct solution to 91 (139) 31 we know to expect the proper
name of the daughter. Again Prof. Krause has shown us the way.

There is no Biblical parallel, this being an apocryphal continuation
of Genesis ch. IV; but the name is amply guaranteed by what follows
(ωρελ 92:14, νωρελ 92:21 seq.). So there are four possibilities.
Either ϫπ[ο ν or ϫπ[ε- can be read. Likewise either νωρελ or
the alternate form ωρελ (Prof. Pearson's paper "The Figure of
Norea" to appear in the *Proceedings* of the International Colloquium
on Gnosticism, Stockholm 1973, has taught us to regard the form
without initial ν as legitimate.) Whether or not we accept the
hypothesis of two prior sources united to form our present text, this
reference to Norea—or Orea—is a crucial pivot between the two
parts into which the work now naturally divides.

92 (140) 1 ΒΟΗΘΕΙϪ ⸚̣ ⳟΓΕΝΕϪ *cod.* : ϩ[ⲛ̄] ⳟΓΕΝΕϪ *legi :* ⲛ̄ ⳟΓΕΝΕϪ
Krause : ϩ[ⲛ̄] ⲛ̣ⲓ- *uel* ⲛ̄ ⲛ̣ⲓ- *uel* ϩⲛ̄ ⲛ̄- *Kasser :* ΒΟΗΘΟ[Ϲ ⲀⲨⲰ ⲛ]
Nagel

In reexamining the papyrus, this time outside its plexiglass cover,
I am now unable to decide between my former reading and the other
suggested interpretations. The traces are confused by water stains
and blotting from another page. I am no longer sure that any trace
of the original ink can be seen before the word ΓΕΝΕϪ. Furthermore
the number of traces (or width of the lacuna) after ΒΟΗΘΕΙϪ is open
to several interpretations. Fortunately the meaning of the text is not
affected by this difficulty. ΒΟΗΘΟ[Ϲ etc. is excluded by a definite
reading ΒΟΗΘΕ in the codex.

92 (140) 25-26 ΤΗ|ⲚΕ *cod.* : ΤΗ|[ⲚΕ] *coni. Kasser :* ΤΗ|[ⲨΤⲚ] *alii*

Prof. Kasser saw what all should have seen before. A line must
not begin in Upsilon (excepting Ý as ΜⲰÝϹΗϹ), hence the only
correct restoration is a Subachmimic form ΤΗⲚΕ (= Sahid. ΤΗⲨΤⲚ).

The missing piece of papyrus has now been identified by Mr. Charles
Hedrick in an old photograph of some loose fragments, confirming
Prof. Kasser's correct conjecture. The photograph is reproduced as
Fig. (E) in the plate published with my edition (*HTR* 67 [1974] October).

92 (140) 31-32 ⲀⲨϯ ⲚⲀΕΙ ΓⲀⲢ ⲙ̄|[?] *cod.* : ⲀⲨϯ ⲚⲀΕΙ ΓⲀⲢ
ⲙ̄|[ⲡⲀ(ε)ⲓ ⲟⲛ ⲁ] *uel* [ⲡⲓⲀⲓⲰⲛ ⲁ] *coni. Kasser :* ⲀⲨϯ *(*ⲀϹ- *Nagel)*
ⲚⲀΕΙ ΓⲀⲢ ⲙ| [ⲡΕⲟⲟⲨ ⲁ] *Schenke, Nagel*

Restoration of the conjugation base ⲁ- at the end of the lacuna can be regarded as certain from the context.

The conjecture [ⲡⲁ(ⲉ)ⲓ ⲟⲛ ⲁ] touches upon a very important matter : the position of connective particles in Coptic. The postponement of ⲟⲛ as a sentence connective until the fourth open position of this phrase (ⲁⲩⲧ ⲛⲁⲉⲓ ⲅⲁⲣ ⲙⲡⲁⲉⲓ —) is unthinkable. ⲟⲛ would occur just after ⲅⲁⲣ (ⲇⲉ, ⲙⲉⲛ, ⳓⲉ), as e.g. Sahidic Romans 11:23 ⲟⲩⲛ-ⳓⲟⲙ ⲅⲁⲣ ⲟⲛ ⲙ-ⲡⲛⲟⲩⲧⲉ; Shenute ed. Leip.-Crum v. III, p. 85, 14; etc.

But if ⲛⲁⲉⲓ is truly the dative preposition, as all critics have assumed, then ⲅⲁⲣ as well occurs abnormally late in the phrase. For, in the natural order of things ⲅⲁⲣ (like ⲇⲉ and ⲙⲉⲛ) takes precedence over the dative ⲛⲁ⸗. With the verb ⲧ, I find six examples of ⲅⲁⲣ ⲛⲁ⸗ in the Sahid. New Testament (ⲁⲓ̈ⲧ ⲅⲁⲣ ⲛⲏⲧⲛ ⲛϣⲟⲣⲡ ⲙⲡⲉⲛⲧⲁⲓ̈ⲭⲓⲧ̄ⲡ̄ I Cor. 15:3; Mt. 10:19, 16:19, II Cor. 8:10, Jac. 2:16, Apoc. 2:21; similarly Deut. 2:5 Bu.) and none at all to support the order ⲛⲁ⸗ ⲅⲁⲣ. So all the previous conjectures appear to be impossible.

The inevitable conclusion seems to be that ⲛⲁⲉⲓ is the plural of ⲡⲁⲉⲓ. It means "these" (τούτος, ταύτας, ταῦτα) and is suffixed to a bound form, ⲧ-. Only thus can we explain the position of ⲅⲁⲣ, a word which seeks the first open position in its phrase (ⲁⲩⲧⲛⲁⲉⲓ ⲅⲁⲣ). Literally "For they gave these ⲙ- ("to" or "as") ..." I cannot divine the correct restitution of the lacuna.

92 (140) 32 [⁶] . ⲱⲣⲉⲁ *cod. :* [⁶]` . *uel* [⁶]` [.]ⲱⲣⲉⲁ *non recte legi (ZPE 11, 1973, 179)*

After a closer look at the papyrus in daylight, I see that there is only a single trace of ink, located immediately before the letters ⲱⲣⲉⲁ : it is absolutely vertical and cannot be from apostrophe as I formerly thought. Nor can it be from Alpha.

Since the I Perfect is needed, we must restore the conjugation base ⲁ in the lacuna and read ⲁ]ⲛⲱⲣⲉⲁ. The form Orea is excluded. Prof. Nagel had already conjectured ⲁⲛ]ⲱⲣⲉⲁ.

92 (140) 34 [⁶½] . ⲡⲉⲧⲟⲩⲁⲁⲃ *cod. :* [ⲉϩⲣⲁⲓ̈ ⲉ]ⲡⲡⲉⲧ- *conieci (cf. 141:4-5) :* [ⲛⲥⲭⲟⲟⲥ ⲙ]ⲡⲉⲧ- *Bullard :* [ⲉⲥⲙⲟⲩⲧⲉ ⲉⲡ]ⲡⲉⲧ *Nagel :* [ⲡⲉⲭⲁⲥ ⲙ ⲡ]ⲡⲉⲧ- *Kasser, Schenke secutus :* [ⲡⲉⲭⲁⲥ ϣⲁ ⲡ]ⲡⲉⲧ- *Krause*

The letter trace is the end of a horizontal stroke at top line, just slightly higher than the horizontal of the letter Pi. If this were from a supralinear stroke we should find it substantially higher and probably overlapping the letter Pi (see my remarks in *ZPE* 11, 1973, 189-190 and *ibid.* Tafel IV (c), lines 10 and 14). Mu is thus excluded. The trace is necessarily the top horizontal stroke from Tau or Pi. It is slightly higher than the horizontal of the fully preserved Pi which follows, because of a general slope of the line of writing from left to right on the page.

The most obvious interpretation is ⲡ, *the* Holy One. This leaves space equal to 6½ Nu's in the lacuna. [ⲛⲥⲭⲟⲟⲥ ⲙ]ⲡⲡⲉⲧ- (adapting Prof. Bullard's conjecture) would be too long, as would [ⲉⲥⲙⲟⲩⲧⲉ ⲉ] or [ⲡⲉⲭⲁⲥ ϣⲁ]. The latter construction, furthermore, seems to be unattested. There is definitely room for Prof. Kasser's correct restoration (following Schenke's "und sagte zu").

But because "the Holy One" is not located in Norea's immediate presence I hesitate to restore ⲡⲉⲭⲁⲥ ⲙ, as though the Almighty were simply another character already in the drama. I should prefer to supply ⲉ2ⲣⲁï ⲉ- "up to" as being stylistically more appropriate. This brings the following phrase under the governance of [ⲁⲥⲁ]ϣⲕⲁⲕ ⲉⲃⲟⲗ 2ⲛ ⲟⲩⲛⲟ6 ⲛ ⲥⲙⲏ "she cried out in a loud voice". This is supported by the angel's rebuke which immediately follows : ⲉⲧⲃⲉ ⲟⲩ ⲧⲉⲱϣ ⲉ2ⲣⲁï ⲉ ⲡⲛⲟⲩⲧⲉ, "Why are you crying up to God ?" Compare also 91 (139) 26 = Gen. 4.10 ϥ⟨ⲁ⟩ϣⲕⲁⲕ (*em.* Kasser) ⲉ2ⲣⲁï ⲉⲣⲟⲉⲓ, "It is crying up to me", Greek βοᾷ πρός με. Coptic adds ⲉ2ⲣⲁï because the goal of action is situated on high, relative to the actor, even if the Greek does not make this specific.

For ⲁϣⲕⲁⲕ ⲉⲃⲟⲗ ⲭⲉ see Sahid. John 11:43, 12:13, 19:15 (Subachmimic ed. Tho. ⲁϣ 6ⲏⲗ ⲁⲃⲁⲗ ⲭⲉ).

93 (141) 33 ⲁⲧ . [⁶½-⁸½] cod. : ⲁⲧ[6ⲟⲙ ⲛ ⲛⲉ] coni. Schenke, Bullard : ⲁⲧ[ⲁⲣⲭⲏ ⲛ ⲛⲉ] *Nagel*

The trace is a tiny vertically rising stroke preserved only at midline, as from a vertical stroke or the left curve of a lunate letter. Prof. Bullard's conjecture is by no means excluded, since the trace is compatible with 6[ⲟⲙ]; this word suits the available space in the lacuna if we insert apostrophe after it (6ⲟⲙ`), a writing found four times in the text. But ⲁⲧⲁⲣⲭⲏ (viz. ⲁⲧⲁ[ⲣⲭⲏ]) is not compatible with the letter trace.

93 (141) 34 ϣⲱⲡⲉ *cod., Bullard, Nagel*

I was wrong to state (*ZPE* 11, 1973, 180) that Epsilon is certain; Theta is also compatible with the trace.

95 (143) 34-35 ⲡⲓⲁⲅⲅⲉⲗⲟ[⁵¹⁄²].|ⲅⲏ *cod. :* ⲡⲓⲁⲅⲅⲉⲗⲟ[ⲥ ⲛⲧⲉ ⲧⲟ]ⲣ̣|ⲅⲏ *coni. Kasser :* ⲡⲓⲁⲅⲅⲉⲗⲟ[ⲥ ⲙ ⲡⲕⲱϩⲧ]| ⲉⲧⲓ, *Schenke, Nagel*

There is no doubt about ⲅⲏ in line 34, excluding from consideration the last of the above conjectures.

ὀργή is one of the few Greek words in -γη which, in a Coptic genitive construction, will suit the size of the lacuna. The letter trace can only be read as Rho or as Beta. It coincides with the minimum right margin of this page (running through line 2) : since the other line ends are fairly well aligned with this margin, we are free to suppose that there were no further letters after ⲣ. The reader may study the evidence in Fig. (A) of the plate published with my edition (*HTR* 67 [1974] October).

To the left and above the trace, smudges can be seen, but they appear not to be a part of the text.

The restoration fits perfectly.

95 (143) 36 ⲙⲟⲩⲧⲉ ⲁ . [ᵐⁱⁿⁱᵐᵘᵐ ⁶] *cod. :* ⲙⲟⲩⲧⲉ [ⲁ ⲧⲉϥⲟⲩⲛⲁⲙ] *Schenke, Nagel :* ⲙⲟⲩⲧⲉ ⲁ̣ [ⲧⲟⲩⲛⲁⲙ] *Krause :* ⲁ̣ [ⲟⲩⲛⲁⲙ ⲙⲙⲟϥ] *Bullard*

The Alpha is certain; the following trace is an ambiguous, high speck of ink compatible with Tau and other letters.

Coptic unlike German is a language which normally construes expressions for parts of the body, such as "right hand", with a possessive if the literary context makes it clear whose particular body is meant. Therefore ⲧ [ⲉϥⲟⲩⲛⲁⲙ] (which I had also conjectured independently, *ZPE* 11, 1973, 180) is the preferable restoration.

[ⲟⲩⲛⲁⲙ ⲙⲙⲟϥ] ("his right hand" was intended) is grammatical nonsense and can be dropped. ⲟⲩⲛⲁⲙ and ϩⲃⲟⲩⲣ(ϭⲃⲟⲩⲣ) appear without article only in Attributive Construction and in adverbial idioms of relative position or direction. Thus ϩⲓ ⲟⲩⲛⲁⲙ "on the right" (II Co. 6:7), ⲉ ⲟⲩⲛⲁⲙ "towards the right" (Prov. 4:27, Gen. 13:9). The point of reference (which may go unexpressed) can be indicated by ⲛ- (ⲙⲙⲟ⸗), cf. Stern *Kop. Gr.* § 298, Till² § 208 : ϩⲓ ⲟⲩⲛⲁⲙ ⲙⲙⲟⲓ "on my right" (Mt. 20:23), ⲛⲥⲁ ⲟⲩⲛⲁⲙ ⲙ ⲡⲛⲟⲩⲧⲉ

"to the right of God" (Mc. 16:19). The odd construction ⲚⲀ-ⲞⲨⲈⲒⲚⲀⲘ
(sic) or -⳦ⲂⲞⲨⲢ "those on the right (left)" also can be found, *PS*
pp. 128, 188 etc. In Böhlig's *Schrift ohne Titel* (CG II,5) 154:12 f.
Lab., ⲀⳤⲘⲞⲨⲦⲈ ⲈⲢⲞϤ Ⲉ ⲞⲨⲚⲀⲘ ⲘⲘⲞⳤ means "summoned him to
the right of her"; but 155:14-16 Lab. is corrupt, *lege* ⲀⲨⲘⲞⲨⲦⲈ Ⲉ
⟨ⲦⲈϤ⟩ⲞⲨⲚⲀⲘ ⲬⲈ ⟨Ⲧ⟩ⲆⲒⲔⲀⲒⲞⳤⲨⲚⲎ. ⟨ⲦⲈϤ⟩ϬⲂⲞⲨⲢ ⲆⲈ ⲀⲨⲘⲞⲨⲦⲈ
ⲈⲢⲞⳤ ⲬⲈ ⲦⲀⲆⲒⲔⲒⲀ, "called ⟨his⟩ right hand 'Justice'. But
⟨his⟩ left hand they called 'Injustice' ".

97 (145) 1 ⲚⲞⲞⲨϤ.[...] ⲠⲈⲦ[.]ⲘⲀⲨ *cod.* : ⲚⲞⲞⲨϤ Ⲧ[ⲞⲦⲈ] ⲠⲈⲦ[Ⲙ]-
ⲘⲀⲨ *scribendum;* Ⲧ[Ⲟ]ⲦⲈ *non recte legi (ZPE 11, 1973, 181)* : ⲚⲞⲞⲨϤ
Ⲛ̣[ⲀⲨ] ⲠⲈ[ⲦⲘ]ⲘⲀⲨ *coni. Nagel*

Room for four letters between ⲚⲞⲞⲨϤ and ⲡ (which is sure). A
trace of the first letter can be seen on the papyrus; it is the bottom
half of the vertical stroke, compatible with Tau. Ⲛ̣[ⲀⲨ] is one letter
too short for the lacuna and disrupts the literary structure of the
closing eschatological strophes : Ⲧ[ⲞⲦⲈ] ⲠⲈⲦ[Ⲙ]ⲘⲀⲨ ... ⲦⲞⲦⲈ
ⳤⲈⲚⲀⲚⲞⲨⲬⲈ ... ⲦⲞⲦⲈ ⲚⲈ⳨ⲞⲨⳤⲒⲀ ... ⲦⲞⲦⲈ Ⲛϣ̅ⲎⲢⲈ ⲦⲎⲢⲞⲨ ...
I once reported Ⲧ[Ⲟ]ⲦⲈ, basing this reading upon what I saw on
Plate 145 in my copy of Pahor Labib's facsimile edition; I supposed
it to contain a record of some papyrus that had subsequently broken
off and been lost. Then in October 1973, Mr. Boulos Farag the
photographer of the Coptic Museum (now emeritus) kindly put at
my disposal the original negative (8.5 × 21.5 cm.) of this plate. I
must formally retract my earlier reading, for there is absolutely
nothing to be seen of the hypothetical last two traces.

My primary debt of thanks is to Prof. James M. Robinson, through
whose good offices and generous support all my work on the text has
been made possible both in Egypt and elsewhere. During the entire
length of my research the Institute for Antiquity and Christianity
(Claremont, Calif.) has generously put photographs from its archives
at my disposal and so to them as well I should like to offer thanks.

I must also express sincerely felt gratitude to the following people :
Dr. Victor Girgis, Director of the Coptic Museum in Cairo; Mr. Charles
Hedrick, who communicated to me his identification of photographs
of 91:26-29 and 92:26-28, printed elsewhere; Professors Kasser, Krause,
Nagel, and Schenke, who most kindly gave me copies of their publi-
cations concerning this text so as to facilitate my new collation;

Messrs. James Brashler, Michael Burgoyne, Boulos Farag, and Basile Psiroukis; Père J.-M. de Tarragon, o.p.; Profs. B. Pearson and D. Scholer.

Index of Words Discussed

ⲁⲱ "which one" 90.34 — ⲁⲱⲕⲁⲕ ⲉⲃⲟⲗ ⲉⲑⲣⲁⲓ̈ ⲉ- ⲭⲉ 92.34 — ⲉⲓⲛⲉ "resemble" (constructions) 89.26-27 — ⲕⲟⲧ⸗ reflex. (usage) 90.32 — ⲟⲛ (position of) 92.31-32 — ⲡⲉ (undeclined) 90.33 — ⲥⲙⲟⲧ (metaphor) 89.28-29 — ⲟⲩⲛⲁⲙ (constructions) 95.36 — ⲑⲃⲟⲩⲣ, ϭⲃⲟⲩⲣ (constructions) 95.36 — ⲑⲟⲟⲩⲧ "male" (etymology) 87.27-29 — ⲑⲟⲟⲩⲧ "wild" (meaning, etymology, constructions) 87.27-29 — ⲭⲱ (constructions) 88.32-33 — ⲭⲡⲉ-ⲱⲏⲣⲉ (meaning) 91.31 — ϭⲟⲙ (gnostic) 86.28 —— ⲅⲁⲣ (position of) 92.31-32 — ⲟⲣⲅⲏ (angel of) 95.34-35 — ⲡⲗⲁⲛⲁⲥⲑⲉ (constructions) 87.2-3 — ⲥⲫⲣⲁⲅⲓⲥ (metaphor) 89.28-29 — ⲧⲩⲡⲟⲥ, see ⲥⲙⲟⲧ — ⲑⲱⲥⲧⲉ (constructions) 90.33.

LA NOTION DE "RÉSURRECTION"
DANS L'*ÉPÎTRE À RHÈGINOS*

PAR

JACQUES-É. MÉNARD

De tous les travaux publiés sur l'*Épître à Rhèginos* (le *De resur-rectione*) du Codex I (Codex Jung) de Nag Hammadi,[1] ce sont ceux des éditeurs de l'*editio princeps* et de M.-L. Peel qui doivent retenir l'attention. En effet, si les premiers font du traité un écrit typiquement valentinien et gnostique au sens le plus strict du terme, le second est plus nuancé et laisse mieux voir que l'opuscule est une illustration de la gêne que ressentaient les théologiens de la primitive Église devant la notion paulinienne de σῶμα πνευματικόν. L'Apôtre lui-

---

[1] K.-Y. Chun, Yunggŭ Sabon'gwa Toma Pogŭmsŏ [The Jung Codex and the Gospel of Thomas], dans *Sinkak Yŏn'gu* [Theological Studies] 6 (1960), p. 109-119; J. Zandee, De opstanding in de brief aan Rheginos en het evangelie van Philippus, dans *Nederlands Theologisch Tijdschrift* 16 (1962), p. 361-377; M. Malinine, H.-Ch. Puech, G. Quispel, W. Till (R. McL. Wilson, J. Zandee), *De resurrectione (Epistula ad Rheginum)*, Codex Jung F. XXIIr-F. XXVv (p. 43-50), Zurich-Stuttgart, 1963; S. Arai, De Resurrectione (Codex Jung, p. 43-50) ni tsuite, dans *Kirisutokyō-shigaku* [The Journal of the History of Christianity] 14 (1964), p. 47-48; W.-C. van Unnik, The Newly Discovered Gnostic "Epistle to Rheginos" on the Resurrection, dans *The Journal of Ecclesiastical History* 15 (1964), p. 153-167; B. Frid, *De resurrectione (Epistula ad Rheginum)*. Inledning och oversättning från koptiskan (*Symbolae Biblicae Upsalienses*, Supplementhäften till *Svens Exegetisk Årsbok*, 19), Lund, 1967; G. Quispel, Note sur "De resurrectione", dans *Vigiliae Christianae* 22 (1968), p. 14-15; R. Haardt, "Die Abhandlung über die Auferstehung" des Codex Jung aus der Bibliothek gnostischer koptischer Schriften von Nag Hammadi. Bemerkungen zu ausgewählten Motiven, dans *Kairos* 11 (1969), p. 1-5; 12 (1970), p. 241-269; M.-L. Peel, The Epistle to Rheginos. *A Valentinian Letter on the Resurrection*. Introduction, Translation, Analysis and Exposition (*The New Testament Library*), Londres-Philadelphie, 1969; H.-G. Gaffron, Eine gnostische Apologie des Auferstehungsglaubens. Bemerkungen zur "Epistula ad Rheginum", dans *Die Zeit Jesu* (Festschrift für H. Schlier), Fribourg-en-Brisgau, 1970, p. 218-227; M.-L. Peel, Gnostic Eschatology and the New Testament, dans *Novum Testamentum* 12 (1970), p. 141-165; B. Layton, *The Treatise on Resurrection*. Edition, Translation and Commentary, Ph.D. Dissertation, Harvard University, 1971; L.-H. Martin jr, *The Epistle to Rheginos*. Translation, Commentary and Analysis, Ph.D. Dissertation, Claremont Graduate School and University Center, 1971.

même admet en 1*Cor.* 15, 39ss. la pluralité des chairs. La sentence 23 de l'*Évangile selon Philippe* blâme aussi bien ceux qui nient la résurrection de la chair que ceux qui la proclament :[1]

> Il y en a qui
> craignent de (μήπως) ressusciter nus.
> C'est pourquoi ils veulent ressusciter
> dans la chair (σάρξ) et ils ne savent pas que ceux qui
> portent (φορεῖν) la [chair (σάρξ), ceux-là] sont nus.
> Pour ceux qui se [dépouilleront] au point de se
> mettre nus [ceux-là] ne sont pas nus. Il n'y a ni chair (σάρξ)
> [ni sang qui peut] hériter (κληρονομεῖν)
> [du Royaume de] Dieu. Quelle est celle qui n'hérite-
> ra (κληρονομεῖν) pas ? Celle que nous avons revêtue. Mais (δέ) quelle
> est celle qui héritera (κληρονομεῖν) ? Celle du Christ
> et son sang. C'est pourquoi (διά τοῦτο) il a dit :
> "Celui qui ne mangera pas ma chair (σάρξ) et ne boira pas
> mon sang n'a pas la vie en lui". Qu'est-ce
> que sa chair (σάρξ) ? Sa chair (σάρξ) est le Logos (λόγος), et son sang,
> l'Esprit (πνεῦμα)-Saint. Celui qui a reçu ceux-là a
> une nourriture (τροφή) et une boisson et un vêtement.
> Moi, je blâme les autres, ceux qui disent
> qu'elle ne ressuscitera pas. Or (εἶτα), ils sont tous les deux
> dans la déchéance. Tu dis que
> la chair (σάρξ) ne ressuscitera pas. Mais (ἀλλά) dis-moi
> qui ressuscitera, pour que (ἵνα) nous te
> vénérions ? *Tu dis que l'esprit (πνεῦμα) est dans la chair (σάρξ),*
> *et il y a aussi cette lumière dans la chair (σάρξ).* Car ce que tu
> diras, tu ne dis rien en dehors de la chair (σάρξ).
> Il faut ressusciter dans cette chair (σάρξ), parce que tout
> est en elle.

Et l'auteur de notre traité enseigne (p. 47, 2-12) :[2]

> ... ne doute (διστάζειν) pas de la
> résurrection (ἀνάστασις), mon fils Rhèginos.
> Car (γάρ) si tu n'existais pas
> dans la chair (σάρξ), tu as reçu la chair (σάρξ) quand
> tu es entré en ce monde (κόσμος). Pourquoi (alors)
> ne recevras-tu pas la chair (σάρξ), si
> tu montes dans l'Eon (αἰών) ?

---

[1] Cf. J.-É. Ménard, *L'Évangile selon Philippe*, Introduction, texte, traduction et commentaire, Paris, 1967 [commentaire, p. 142-143]. C'est nous qui soulignons.

[2] Notre traduction des extraits de l'*Épître à Rhèginos* est sensiblement la même que celle des éditeurs de l'*editio princeps*.

Ce qui est supérieur à la chair (σάρξ) est
pour elle cause (αἴτιος) de la Vie.
Ce qui existe à cause de toi, n'est-il pas (μή) ce
qui est tien ?

Les deux textes supposent à l'intérieur de l'homme un esprit, une
chair qui est supraterrestre, ou mieux une lumière, un peu comme
cette lumière, dans l'iranisme, qui permet à l'élément terrestre (gêtîk)
de se fondre ou de se transfigurer immédiatement après la mort en
l'élément céleste (mênok).[1]

Aussi, tout au long de l'*Épître à Rhèginos* apprenons-nous que le
pneumatique reçoit une chair spirituelle immédiatement après sa
mort (p. 45, 24-46, 2) :

Alors (τότε) donc, comme l'Apôtre (ἀπόστολος)
l'a dit, nous avons souffert
avec lui, et nous sommes ressuscités
avec lui, et nous sommes montés au ciel
avec lui. Mais (δέ), si nous
sommes manifestés dans
ce monde (κόσμος), le revêtant (φορεῖν),
nous sommes ses rayons (ἀκτίς)
et nous sommes
entourés par
lui jusqu'à notre couchant, ce qui
est notre mort en cette
vie (βίος) ; nous sommes attirés au ciel
par lui comme les rayons (ἀκτίς)
par le soleil sans que rien ne nous fasse
obstacle. Telle est
la résurrection (ἀνάστασις) spirituelle (πνευματική),
qui engloutit la psychique (ψυχική)
tout aussi bien (ὁμοίως) que la charnelle (σαρκική).

Et les p. 47, 26-48, 12 enseignent :

---

[1] Cf. H. Corbin, Le temps cyclique dans le mazdéisme, dans *Eranos Jahrbuch* 20
(1951), p. 149-183 ; J. Duchesne-Guillemin, Espace et temps dans l'Iran ancien, dans
Revue de Synthèse 55-56 [XC] (1969), p. 259-280. Comme dans l'iranisme, le temps
terrestre est dans la *Lettre d'Eugnoste* une copie du temps céleste : les 360 jours de
l'année sont une réplique des 360 Puissances, cf. p. 84, 4ss. et M. Krause, *Eugnostosbrief*,
dans W. Foerster, M. Krause, K. Rudolph, *Die Gnosis*, II : *Koptische und mandäische
Quellen* (*Die Bibliothek der Alten Welt*), Zurich-Stuttgart, 1971, p. 43.

... le tout que nous

sommes, nous (sommes) des êtres sauvés. Nous avons reçu le salut de bout

en bout. Pensons ainsi,

comprenons ainsi. Mais (ἀλλά)

il y en a qui désirent apprendre,

à la recherche

de ce qu'ils recherchent :

celui qui est sauvé, quand il abandonne

son corps (σῶμα), sera-t-il

aussitôt sauvé ? Que

personne ne soit dans l'embarras (διστάζειν) sur ce point !

... (?) donc les membres (μέλος)

visibles, une fois morts,

ne seront pas sauvés, alors que les membres (? μέ[λος])

vivants qui sont en

eux seraient appelés à ressusciter. Qu'est-ce donc

que la résurrection (ἀνάστασις) ? C'est la

révélation, à tout moment, de

ceux qui ont ressuscité. Car (γάρ), si tu

as réfléchi, lisant dans l'Évangile (εὐαγγέλιον)

qu'Élie est

apparu, et Moïse avec

lui, ne va pas penser de

la résurrection (ἀνάστασις) qu'elle est une

illusion (φαντασία).

Si notre auteur interprète ainsi la scène de la Transfiguration (*Mc 9*, 14ss.) pour prouver la vérité de la résurrection, c'est qu'il conçoit que la chair terrestre peut être transfigurée en une chair céleste avec toutes les transformations que cette transfiguration peut comporter.

S'il y a discontinuité entre les deux états, il y a toutefois continuité, grâce à l'homme intérieur et à la chair spirituelle qui conserve des caractéristiques personnelles identifiables. Semblable interprétation se rapproche certes de la doctrine paulinienne — bien que la résurrection survienne ici immédiatement après la mort — et aussi de l'idée iranienne de la transformation du juste en sa *daēna* au moment de sa traversée du pont Činvat. C'est d'ailleurs ce parallèle, probablement très vieux dans sa tradition orale, qui explique aussi bien la théologie de l'Apôtre que celle de notre auteur. Se revêtant de la chair nouvelle, le spirituel retournera à ses origines, ainsi que l'enseigne le maître à son disciple Rhèginos (p. 49, 25-36) :

Si tu possèdes

la résurrection, mais (ἀλλά) demeures comme si (ὡς)

tu devais mourir (mais quoi [καίτοι   γε]! Celui-là [1] sait
qu'il est mort), pourquoi donc
négligerai-je ton
inexpérience (γυμνάζεσθαι) ? Il convient à
chacun de s'exercer (ἀσκεῖν)
de multiples façons, et il
sera délivré de cet élément (στοιχεῖον),
afin qu'il ne soit pas dans l'erreur (πλανᾶν), mais (ἀλλά)
se saisisse lui-même de
nouveau tel qu'il était d'abord.

I. *1 Cor 15, 39ss et son milieu historique*

Il serait vain de revenir sur la doctrine paulinienne elle-même :
d'excellents articles ont repris récemment le problème à leur propre
compte [2], mais il nous a toujours paru que deux aspects de la question
méritaient d'être relevés : l'influence de l'adamologie juive sur Paul
et la mentalité de l'auditoire auquel l'Apôtre s'adressait.

La Bible grecque désigne du terme de πνεῦμα la personne entière,
qu'il s'agisse de l'homme ou de Dieu. Les LXX ne font alors que
traduire la *rûaḥ* qui connote une idée de "puissance" et de "force",
alors que l'idée de *nêphêsh* est celle de "vie". Mais les deux notions
se complètent et même s'équivalent, particulièrement à la hauteur
de prophètes comme Jérémie et Ézéchiel : le don d'un nouveau cœur
de chair est à identifier à l'effusion de l'Esprit (*Jér.* 31, 31-34 ; 32,
37-41 ; *Éz.* 11, 17-20 ; 36, 24-29a). Non seulement Dieu donne à
l'homme un "cœur nouveau", mais il "arrache" *de sa chair* l'ancien
cœur. En revanche, le cœur nouveau est toujours un "cœur de chair"
(*bâsâr*). La vision des ossements desséchés en Ézéchiel manifeste que
le don divin accordé aux morts est celui de leurs nerfs, de leur chair,
de leur peau et de l'esprit (*Éz.* 37, 6.8). Jérémie ne disait pas non plus
que Yahvé déposerait une *rûaḥ* nouvelle en l'homme ni surtout que
cet esprit serait celui-là même de Dieu. Nous nous tenons bien près

---

[1] L'auteur fait ici la distinction, bien connue de l'auteur de l'*Évangile selon Philippe*,
sent. 3, entre ceux qui ne sont pas vraiment morts, les "Vivants", ceux dont l'être
essentiel les situe au-delà de l'ordre de la γένεσις, et les "morts" qui demeurent soumis
aux lois de naissance et de mort. Cf. sent. 21.

[2] Cf. R. Morisette, L'antithèse entre le "psychique" et le "pneumatique" en
I Corinthiens, XV, 44-46, dans *Revue des Sciences Religieuses* 46 (1972), p. 131-132 ;
La condition de ressuscité : 1 Cor 15, 35-49. Structure littéraire de la péricope, dans
Biblica 53 (1972), p. 208-228 ; L'expression σῶμα en 1Co 15 et dans la littérature pauli-
nienne, dans *Revue des Sciences Philosophiques et Théologiques* 56 (1972), p. 223-239.

ici de *Gen.* 2, 7 : Yahvé façonne l'homme de la poussière de l'*adâmâh* et lui insuffle un souffle de vie, — et l'homme devient un être vivant —, et aussi des emplois de l'adjectif καινός chez Paul. Les réflexions des prophètes vont rejoindre la pensée de l'Apôtre par delà la tradition rabbinique.

Certains passages rabbiniques mettent expressément en rapport l'esprit et la résurrection des morts "aux jours du Messie". Mais de tous ces textes rabbiniques celui qui éclaire de manière décisive le milieu littéraire de l'idée adamologique renfermée dans l'expression πνευμα ζωοποιοῦν est le *Genesis Rabba* 14 (10c) :[1]

> *Et il insuffla dans ses narines (Gen.* 2, 7b). Ceci enseigne qu'il l'(Adam) a façonné comme une masse sans vie s'étendant de la terre jusqu'au ciel pour lui insuffler ensuite une âme. Car en cet éon la vie lui est accordée par le moyen de la respiration, tandis que dans l'éon à venir il la recevra comme un don ainsi qu'il est décrit : *Et je mettrai mon esprit en vous (Ez.* 37, 14).

Cet enseignement rabbinique exploite la différence entre *nâphaḥ* (*Gen.* 2, 7b) et *nâthan* (*Éz.* 37, 14a). Comme Paul, l'auteur oppose, en la dépréciant, la condition humaine première, telle que définie en *Gen.* 2, 7, à celle des temps messianiques obtenue à la résurrection et due à une nouvelle effusion de l'Esprit divin. Semblable interprétation d'*Éz.* 37, 1-14 comme prophétie de la résurrection est courante chez les rabbins;[2] l'oracle fait même l'objet de la lecture liturgique au temps de la Pâque.[3]

---

[1] Cf. J. Theodor, *Bereshit Rabba mit kritischem Apparat und Kommentar*, Berlin, 1912, p. 132. Les dimensions immenses d'Adam sont celles de l'Adam-macrocosme de la littérature rabbinique, cf. *Tanch B* חֻרִיעַ 19a : "Dieu créa l'homme à son image" (*Gen.* 1, 27). Et il le créa dans des dimensions qui s'étendaient d'un bout à l'autre du monde"; aussi *Gen. R.* 8 (6a).19 (13a); *Pesiqta R.* 46 (187b); *Sanh.* 38b, 18; H.-M. Schenke, *Der Gott "Mensch" in der Gnosis. Ein religionsgeschichtlicher Beitrag zur Diskussion über die paulinische Anschauung von der Kirche als Leib Christi*, Göttingen, 1962, p. 127-130. Cette ressemblance de l'homme à l'image de Dieu a été influencée par la représentation répandue en Orient d'un Roi paradisiaque doué de propriétés divines, mais aussi par l'idée encore plus répandue d'un géant primordial dont les dimensions rejoignaient celles du *cosmos* dans lequel il s'étendait, tel le Purusha hindou, cf. *Ṛg Veda* X, 90; K. Rudolph, art. *Urmensch*, dans RGG[3], 1962, VI, col. 1195-1197.

[2] Cf. *Pesiqta* 76a; *Pesiqta R.*, Supplément 1 (192b); *Gen. R.* 77 (49c); *Lev. R.* 27 (125c); *Midr. Qoh.* III, 15 (20b).

[3] Cf. *TB Megilla* 31a.

Le théologoumène rabbinique se prolonge dans un nombre considérable de sentences qui tirent d'*Éz.* 11, 19 et 36, 26 l'idée qu'"aux jours du Messie" Dieu arrachera du cœur de l'homme le "penchant mauvais" et lui donnera son esprit.[1] Si l'emploi du vocable "esprit" accuse une nuance de force supérieure qui reforme l'attitude religieuse de l'homme, l'interprétation rabbinique elle-même laisse soupçonner une critique de la création première. Les rabbins estimaient en effet que l'homme avait été créé en général avec deux impulsions (*yēṣer*), la bonne et la mauvaise, et que Dieu s'était ensuite repenti d'avoir créé cette dernière.[2] L'idée est d'ailleurs celle du *Sir.* 15, 11-14, où il est dit que Dieu au commencement créa l'homme et l'abandonna à son *yēṣer*.[3] La mentalité de la tradition rabbinique est caractéristique d'un climat dans lequel baignera l'idée paulinienne de résurrection.

Les Pseudépigraphes sont plus discrets et n'associent les thèmes du renouvellement final du monde et l'effusion de l'esprit qu'en de très rares fragments. Le *Livre des Jubilés* 1, 21-23 exploite en ce sens le *Psaume* 51, 12 ; le passage décrit la fin d'après le schéma apocalyptique habituel. De son côté, 4 *Esdras* 6, 26 annonce : "Le cœur des habitants de la terre sera changé et transformé en un nouvel *esprit*". Selon le *Testament de Lévi* (18, 7), le Messie-prêtre sera revêtu de la gloire du Très-Haut "et le πνεῦμα συνέσεως reposera sur lui" (cf. *Is.* 11, 2). Dieu "ouvrira les portes du Paradis, éloignera l'épée qui menaçait Adam et de l'arbre de vie il donnera à manger aux saints ; *alors* le πνεῦμα ἁγιοσύνης reposera sur eux" (v. 10s.). Cet Adam est à rapprocher du Messie du *Testament de Juda* 24, 2s. :

> Sur lui les cieux répandront le πνεῦμα, sainte
> bénédiction. Lui-même (le Père) répandra sur vous
> le πνεῦμα χάριτος ; en vérité, vous deviendrez ses
> fils et observerez ses commandements.

Il existe des différences fondamentales entre Paul et Qumrân touchant la doctrine de l'esprit, ainsi que l'a montré W.-D. Davies.[4]

---

[1] Cf. Strack-Billerbeck, IV, p. 468, 482s.

[2] Cf. *TP Ta'an.* III, 66c, 58 ; *TB Qid.* 30b (*baraitha*) ; *Sukka* 52b ; *BB* 16a, 26 ; *Midr. Ps.* XXXII, 4 (122b) ; CIII, 14 (119a) ; *Gen. R.* 27 (17c), 34 (21a) ; *Sifr. Deut.* XI, 8, § 45 (82b et 83a).

[3] Cf. J.-É. Ménard, Die Handschriften von Nag-Hammadi. Einfluss des Iranismus und des Judentums auf den Gnostizismus, dans *Akten des XXIV Internationalen Orientalistenkongresses*, Munich, 1959, p. 481-485.

[4] Cf. Paul and the Dead Sea Scrolls : The Flesh and the Spirit, dans *The Scrolls and the New Testament*, Edited by K. Stendhal, New York, 1958, p. 157-182.

Néanmoins, le dualisme qumrânien présente des affinités avec celui de Paul. 1*QS* IV, 20-23 établit un lien essentiel entre l'homme eschatologique, — la secte, la communauté et non le Messie —, et l'esprit de sainteté. Il y est dit qu'au "moment de sa visite" ou "du jugement" Dieu nettoiera les œuvres de chacun et qu'il épurera le cœur de l'homme

> en arrachant tout l'esprit de perversité de ses membres charnels et le *purifiant* par l'esprit de sainteté de tous les actes d'impiété; et il l'aspergera de l'esprit de fidélité comme d'une eau lustrale.
>
> (Ainsi seront enlevées) toutes les abominations mensongères (où) il s'était vautré par l'esprit de souillure.
>
> Il fera comprendre aux justes la connaissance du Très-Haut et enseignera la sagesse des Fils du ciel (les anges) aux parfaits de conduite.
>
> Car eux, Dieu les a choisis en vue de l'Alliance éternelle et toute la gloire d'Adam leur (appartiendra).[1]

Cet extrait de la *Règle de la Communauté* ne dissimule pas ses origines sacerdotales et baptistes. Les auteurs néotestamentaires et Jean-Baptiste mettent l'accent sur l'importance du baptême eschatologique dans l'Esprit-Saint conféré par un Messie puissant. L'auteur de la *Règle* reproduit une tradition baptiste s'inspirant notamment d'*Éz.* 36 et peut-être même de *Jér.* 32, 40 sur l'alliance éternelle, et il la transforme à l'aide des thèmes chers à la secte, ceux des deux esprits, des "Fils du ciel" et de la connaissance des Mystères. Le thème de l'élection en 1*QS* IV, 22 révèle une interprétation typiquement sacerdotale ou lévitique de la spéculation adamologique dont on retrouve des traces dans un texte comme celui du *Sir.* 49, 16ss. L'auteur se rapproche de 1*Cor.* 15, lorsqu'il mentionne la transformation radicale de l'homme dans les termes d'une purification, au moyen de l'effusion de l'esprit, de ce qui est "charnel". Il n'y avait qu'un pas à faire pour parler de corps pneumatique, et Paul l'a franchi.

Mais est-ce que toutes ces spéculations prophétiques, pseudépigraphiques, rabbiniques et qumrâniennes sur la vie, l'esprit et le nouvel Adam ne rejoignaient pas structurellement des courants de pensée qui circulaient dans les couches populaires de cette population de Corinthe auxquelles l'Apôtre s'adressait. Car il ne faut pas oublier qu'il avait avant tout devant lui un auditoire de simples : il n'y avait

---

[1] Cf. J. Carmignac, *Les textes de Qumrân, traduits et annotés* (*Autour de la Bible*), Paris, 1961, I, p. 36-38; A. Dupont-Sommer, *Les écrits esséniens découverts près de la Mer Morte* (*Bibliothèque historique*), Paris, 1959, p. 97.

pas parmi eux beaucoup de σοφοὶ κατὰ σάρκα, de δυνατοί ou d'εὐγενεῖς
(1Cor. 1, 26). Or, dans ces milieux les distinctions trop nettes que l'on
voudrait établir entre l'hellénisme de l'immortalité de l'âme et le
judaïsme de la résurrection des corps ne valent pas. Depuis son
échec d'Athènes, Paul n'a jamais repris le langage qu'il y avait tenu
devant les sophistes. Aussi son but à Corinthe sera-t-il moins de
caractériser l'espérance chrétienne par rapport à l'Académie, au
Lycée ou au Portique, même syncrétisés ou vulgarisés dans la
Diatribe, que de la dresser face aux superstitions populaires tenaces,
comme celles du vieil Hadès où les âmes, les mânes traînent sans
espoir leur ombre misérable. L'écho de ces croyances est souvent
perceptible dans le Nouveau Testament, sans que l'on puisse toujours
bien savoir si elles sont tenues pour sans fondement ou si elles sont
seulement dépassées par la foi nouvelle. On peut en dire autant
d'autres échos qui se rapportent aussi à la constitution future de
l'homme, dans l'Au-delà ou dans l'éon nouveau. Il y a les analogies,
probables ou certaines, de l'angélologie et de la démonologie courantes,
avec leurs syncrétismes où juifs et païens se rencontrent; peut-être,
incidemment, la notion, qui semble être d'origine iranienne, d'une
âme céleste, sorte de double pur et plus beau de l'homme terrestre,
qui vient à la rencontre du juste quand il meurt ou qui le revêt comme
un vêtement, cf. 2Cor. 5, 4.[1]

II. *L'idée de vêtement*

Le traité du *De resurrectione* comme la sentence 23 de l'*Évangile
selon Philippe* enseignent qu'il faut, si l'on ne veut pas être trouvé
nu à la résurrection, recevoir une chair, une chair nouvelle (p. 47, 4-8).

La notion de "revêtir" quelque chose de céleste est bien connue
dans la littérature primitive depuis saint Paul et les *Odes de Salomon*.[2]
Nombre de textes gnostiques enjoignent au parfait de revêtir une
"autre nature", un "vêtement céleste" ou encore d'endosser la robe
nuptiale au moment de la remontée de son pneuma dans l'Éon. Le
rituel est symbolique de la rencontre du spirituel avec son "autre",
son "moi" ontologique et transcendantal. Dans l'*Hymne des Naas-*

---

[1] Cf. H. Clavier, Brèves remarques sur le ΣΩΜΑ ΠΝΕΥΜΑΤΙΚΟΝ, dans *The
Background of the New Testament and its Eschatology* (Studies in Honour of C.-H. Dodd),
Cambridge, 1956, p. 342-362.

[2] Cf. J. Rendel Harris, A. Mingana, *The Odes and Psalms of Salomon*, Manchester,
1920, I, p. 136.

sènes [1] les morts sont transformés en êtres spirituels et c'est ainsi qu'ils ressuscitent. L'*Évangile de Vérité* (p. 20, 30-34) [2] parle du Sauveur qui doit revêtir l'incorruptibilité. Le *Fragment* 40 d'Héracléon [3] mentionne la nécessité pour l'âme périssable de se revêtir d'une nature impérissable. L'*Epistula Jacobi apocrypha* (Codex I, p. 14, 34-36) fait dire à Jésus lors de son ascension qu'il doit se dévêtir pour pouvoir endosser sa nature incorruptible. Dans le *Dialogue du Sauveur* (Codex III, p. 126, 17-23) celui-ci ordonne que l'on remette leur vêtement à deux âmes nues remontant au ciel. L'*Enseignement d'autorité* (Codex VI, p. 32, 2-8.30-34) préconise un corps spirituel invisible. Ceux qui sont parvenus à l'état immortel portent dans la *Paraphrase de Sem* (Codex VII, p. 12, 25-33; 13,35-14,3) des vêtements spéciaux. Le Christ de l'*Apocalypse de Pierre* (Codex VII, p. 83, 1-10) explique qu'à sa propre crucifixion il n'était que spectateur et qu'il riait dans son corps spirituel. [4]

Mais c'est surtout le texte du *Chant de la Perle* des *Actes* syriaques *de Thomas* qui doit retenir à ce sujet notre attention. Considéré comme l'un des plus anciens témoins gnostiques que nous possédions, l'Hymne décrit la descente du jeune prince en Égypte à la recherche de la perle, — vraisemblablement l'âme individuelle, le Prince étant le Symbole de l'Âme universelle —, et sa remontée au pays des Parthes, la terre de ses origines. Lors de sa remontée, il voit venir vers lui son vêtement

---

[1] Cf. Hippolyte, *Elenchos* VIII, 6-IX, 6.

[2] Cf. J.-É. Ménard, *L'Évangile de Vérité* (*Nag Hammadi Studies*, II), Leyde, 1972, p. 47 et 100-101.

[3] Cf. W. Foerster, E. Haenchen, M. Krause, *Die Gnosis*, I : *Zeugnisse der Kirchenväter* (*Die Bibliothek der Alten Welt*), Zurich-Stuttgart, 1969, p. 232-234.

[4] Le "parfait" de la littérature apocryphe et pseudépigraphique néotestamentaire se moque ou se rit des autres (cf. *Odes de Salomon* XVIII, 14; *Évangile selon Philippe*, sent. 97) à l'exemple du Christ spirituel. Le Christ des Basilidiens se rit des Puissances auxquelles il est devenu invisible, cf. Irénée, *Adv. Haer.* I, 24, 4 et R.-M. Grant, *Two Gnostic Gospels*, dans *Journal of Biblical Literature* 79 (1960), p. 6, note 7. Dans les Apocryphes il est fait mention du παίδιον qui apparaît sous la forme d'un ἀνὴρ εὔμορφος καλὸς ἱλαροπρόσωπος (cf. *Actes de Jean*, 88 : II, 1, p. 194 Bonnet), et, dans les *Actes de Paul*, le παῖς dénoue les liens de l'Apôtre avec un sourire et repart, cf. Papyrus de Hambourg Πράξεις Παύλου et E. Peterson, Einige Bemerkungen zum Hamburger Papyrus-Fragment der Acta Pauli, dans *Vigiliae Christinae* 3 (1949), p. 149. Dans le manichéisme, le Sauveur sourit aux parfaits (cf. M 4 et F.-W.-K. Müller, *Handschriften-Reste in Estrangelo-Schrift aus Turfan, Chinesisch-Turkestan*, II [*Abhandlungen der Preussischen Akademie der Wissenschaften*, phil.-hist. Kl.], Berlin, 1904, p. 53); le Christ se rit du monde dans le *Psautier manichéen* copte, pour qui le ciel est la ville de la moquerie, cf. p. 191, 10-11; 193, 28ss.; 226, 1ss. Allberry.

princier auquel il va s'unir pour ne plus faire qu'Un avec lui, parce
que celui-ci est en somme son "être essentiel" qui a grandi avec lui
(v. 88-98) :

88 Et je vis en plus que tout en lui
    était secoué par les mouvements de [ma connaissance]
89 et comme à parler
    je vis aussi qu'il s'apprêtait.
90 J'entendais le son de ses mélodies
    que [dans sa descente] il murmurait :
91 "C'est moi le plus dévoué des serviteurs
    que l'on a dressé au service de mon Père,
92 [j'ai senti] aussi en moi
    que ma stature, comme mes œuvres, a grandi".
93 Et dans ses élans royaux
    il tend de tout son être vers moi
94 et dans la main de ses donateurs [1]
    se précipite pour que je le prenne
95 et mon amour me presse
    de courir à sa rencontre et de le recevoir.
96 Je tendis (mon corps) et le reçus,
    je me parai de la beauté de ses couleurs,
97 et ma toge miroitante de couleurs
    je [me] vêtis [tout entier] d'elle tout entière.
98 Je l'endossai et je remontai
    à la porte du salut et de l'adoration.[2]

---

[1] Comme dans le *Ginzā* de gauche, p. 487, 5-17 Lidzbarski les trésoriers, qui
apportent le manteau au prince, revêtent l'âme du vêtement céleste, lors de sa remontée.

[2] Cf. J.-É. Ménard, Le "Chant de la Perle", dans *Revue des Sciences Religieuses*
42 (1968), p. 289-325. Au v. 96, le "vêtement" ou l'"ange" est secoué par la connaissance
ou la re-connaissance de son image, le Prince. La rencontre se terminera dans un
embrassement (v. 94ss.) et une identification. Le thème est central dans l'*Évangile
selon Philippe*, cette fois sous la forme du ἱερὸς γάμος. Les mouvements de connaissance
qui secouent le manteau pourraient être comparés à ceux de l'esprit de l'homme en
Sg. 2, 2.
    Le manteau vivant des v. 89ss. est comme le Hibil mandéen qui chante des hymnes
magiques merveilleux, cf. *Liturgies mandéennes*, p. 248, 10 Lidzbarski. Ses chants qui
sont des chants de louanges, ressemblent aussi aux hymnes d'action de grâces des Éons,
c'est-à-dire des parfaits, dans le valentinisme, cf. Irénée, *Adv. Haer.* I, 2,6.
    Au v. 96 la lumière céleste confère la beauté, cf. Écrit anonyme du Codex II de Nag
Hammadi, p. 150, 14 Böhlig-Pahor Labib; 156, 6; 158, 3.7.15.21; 159, 15; 167, 8. Dans
le manichéisme, la beauté provient de la sphère de la lumière, celle du νοῦς, cf. *Psautier
manichéen* copte, p. 151, 30 Allberry; 161, 5; 164, 5.11; 166, 8; 174, 6ss.; M 32 et
F.-W.-K. Müller, *op. cit.*, p. 64; M 75, p. 70; M 33 II et F.-C. Andreas, W.-B. Henning,
Mitteliranische Manichaica aus Chinesisch-Turkestan, III (*Sitzungsberichte der Preussischen Akademie der Wissenschaften*, phil.-hist. Kl.), Berlin, 1934, p. 87.
    Le deuxième stique du v. 97 doit être traduit très littéralement, afin de rendre toute

Les meilleurs parallèles que nous puissions trouver à ce dernier écrit gnostique sont en particulier des textes eschatologiques iraniens (*Hadōxt Nask*, str. 7-14; *Bundahishn*, c. XXX, 5-6; *Dātastān ī Dēnīk*, c. XXIV, 5; *Sad Dar Bundehesh*, c. XXIX; le fragment manichéen de Tourfân en sogdien publié par W.-B. Henning, dans *BSOAS*, XI/3 [1943-1946], p. 476-477 et surtout le *Yesht* 22, 7-12).[1]

On sait que dans l'iranisme l'homme se compose : 1) d'une âme (*urvān*) qui est le principe spirituel de l'homme, grâce auquel il continue de vivre après sa mort comme être personnel; 2) de la *daēna*, le "moi", l'"en-soi", l'"être intérieur", la "personnalité", l'"esprit protecteur"; 3) du *baodah*, une expression de l'Avesta récent qui désigne un sens de la perception — il n'est pas nécessairement lié au corps, puisqu'il subsiste après la mort; 4) du *kĕhrp* (lat. *corpus*) : il signifie d'une part, le corps, et, d'autre part, il est une forme, une figure; il n'est pas lié, lui non plus, au corps matériel. Les *fravashis* (les anges gardiens des défunts) sont appelés de ce nom.

Or, dans le *Yesht* mentionné, on assiste, à la fin de la troisième nuit, — le temps que le corps doit rester au tombeau —, à la rencontre sur le pont Činvat de l'âme du juste et de sa *daēna*, représentée sous les traits d'une jolie jeune fille se tenant dans un beau jardin. A l'admiration du juste devant une telle apparition la *daēna* répond

---

sa force à la mystique d'identification qui y est exprimée. Cette attirance mutuelle du Prince et de son vêtement est le meilleur commentaire de certains passages de l'*Évangile de Vérité*, comme celui-ci, par exemple (p. 21, 11-22) :

> Alors (τότε), celui qui
> sait prend ce qui
> lui est propre et il le ramène
> à soi. Car (γάρ) celui qui est
> ignorant est déficient, et
> il manque de beaucoup, puisque (ἐπειδή)
> il manque de Celui qui
> le perfectionnera. Puisque (ἐπειδή) la perfection du
> Tout est dans le Père
> et (δέ) qu'il est nécessaire (ἀνάγκη) que le Tout retourne
> vers Lui (et) que chacun
> prenne ce qui lui est propre.

Cf. J.-É. Ménard, *L'Évangile de Vérité*, p. 48 et 103-104.

[1] Cf. H.-Ch. Puech, Doctrines ésotériques et thèmes gnostiques dans l'"Évangile selon Thomas", dans *Annuaire du Collège de France* 63 (1963), p. 199-213; H. Jonas, *The Gnostic Religion²*. The Message of the Alien God and the Beginning of Christianity, Boston, 1963, p. 122.

qu'elle est la nature de son propre corps et que, si elle est belle, c'est
parce que le juste l'a rendue ainsi grâce à ses bonnes œuvres et ses
bonnes pensées :[1]

> 7. Lorsque la troisième nuit est écoulée et que la lumière commence à poindre,
> l'âme de l'homme juste arrive au milieu des plantes. Il lui arrive un parfum apporté
> des plantes.
> 8. Un souffle, qui le lui apporte, vient à elle de la région méridionale des régions
> méridionales, (un souffle) parfumé, plus parfumé que tous les autres vents. L'âme
> de l'homme juste aspire ce souffle par le nez. D'où souffle ce vent le plus parfumé
> que j'aie jamais aspiré de mes narines ?
> 9. De ce parfum vient s'avançant vers lui sa propre nature sous la forme d'une
> jeune fille, belle, brillante, aux bras vermeils, forte, majestueuse, à la taille belle,
> élancée et droite, au corps admirable, noble, de race illustre, de l'âge de quinze
> ans, plus brillante de corps que les plus brillantes créatures.
> 10. Or, l'âme du juste, lui adressant la parole, lui demande : qui es-tu, toi, la
> plus belle des jeunes filles que j'aie jamais vue ?
> 11. Alors *sa propre nature* lui répond. Je suis, ô jeune homme, *tes bonnes pensées,
> tes bonnes paroles et tes bonnes actions, la nature même de ton propre corps*. Qui t'a
> faite de cette grandeur, de cette excellence, de cette beauté, avec une odeur si
> parfumée, ainsi triomphante, dominant tes ennemis, telle que tu te présentes à moi ?
> 12. C'est toi, ô jeune homme, qui m'a faite ainsi (formée de) ton bon penser,
> (de) ton bon parler, (de) ton bon agir, *la nature de ton propre corps* avec cette grandeur,
> cette excellence, cette odeur parfumée, cette force victorieuse triomphant des
> ennemis.

La tradition iranienne qui s'est cristallisée dans ce texte et qui a
pu servir de substrat à l'eschatologie qumrânienne et paulinienne
expliquerait aussi très bien l'idée que se fait l'auteur du *De resurrectione* de la résurrection. On n'enlève rien au mystère de cette chair
spirituelle que l'homme doit revêtir, mais on essaie de montrer qu'elle
sera le meilleur de lui-même, ce "moi" ontologique et transcendantal,
qu'il aura fait grandir grâce à ses bonnes œuvres. A la base de cette
notion iranienne de transformation du monde et du corps matériels
en un monde et un corps spirituels il y a l'idée fondamentale qu'aussi
bien l'être matériel et terrestre (*gêtîk*) que l'être spirituel et céleste
(*mênôk*) sont remplis de lumière qui leur sert de lien. Cette dimension
lumineuse constitue le fond de chaque être, de chaque entité physique
ou morale de ce monde terrestre ; elle est la contre-partie d'une réalité
céleste avec qui elle forme couple. Le *mênôk* est l'entité spirituelle,

---

[1] Nous empruntons la traduction de C. de Harlez, *Avesta*. Livre sacré de Zoroastre
traduit du texte zend (*Bibliothèque Orientale*, V), Paris, 1881, p. 570-571. C'est nous
qui soulignons.

l'archétype, l'ange du *gêtîk*. Et c'est grâce à cette lumière qu'il porte
en lui-même que le pneumatique de l'*Évangile selon Philippe* et de
l'*Épître à Rhèginos* peut se reconnaître, se ressaisir et remonter à ses
origines.

Même si l'auteur du *De resurrectione* soutient que la résurrection est
déjà arrivée (p. 49, 9-16) :

> ... ne va pas
> comprendre (νοεῖν) partiellement (μερικῶς), ô (ὤ) Rhègi-
> nos, ni (οὔτε) te conduire (πολιτεύεσθαι)
> selon (κατά) cette chair (σάρξ) — à cause de
> l'Unité —, mais (ἀλλά) dégage-toi
> des divisions (μερισμός) et des
> liens, et déjà (ἤδη) tu possèdes
> la résurrection (ἀνάστασις).

ou que la résurrection pneumatique absorbera la résurrection psychique
et charnelle (p. 45,40-46,2),[1] même s'il n'y a pas chez lui de résurrection
finale de la communauté comme chez Paul, où les "nous" abondent,

---

[1] Cf. l'affirmation des hérétiques combattus par 2 *Tim.* 2, 18 : λέγοντες ἀνάστασιν ἤδη
γεγονέναι, diffusée ensuite par Nicolas (cf. Hippolyte, Fragment 1 du *De resurrectione*
conservé en syriaque, p. 251, 10-17 Achelis : "Ce Nicolas ..., poussé par un Esprit
étranger (diabolique), a été le premier à affirmer que la résurrection est déjà arrivée,
entendant par "résurrection" le fait de croire au Christ et de recevoir le baptême, mais
il repousse la résurrection de la chair. Et plusieurs, à son instigation, ont fondé des
sectes. Parmi eux, il y avait avant tout les soi-disant gnostiques, auxquels appartenaient
Hyménée et Philète [que combat l'Apôtre])." Pour les gnostiques le spirituel engloutit
le psychique et le matériel (cf. *Évangile de Vérité*, p. 24,32-25,25) : cette dissolution
est solidaire de la fusion dans l'Unité, qui peut se produire dès maintenant pour le
spirituel qui est fait dieu immédiatement (*C.H.* IV, 7; X, 6; XIII; *Asclépius* 41
[Papyrus Mimaut]) ou immédiatement à sa mort, lors de sa remontée (*C.H.* I, 26; XII,
12; Irénée, *Adv. Haer.* I, 21, 5). Seul l'esprit peut être sauvé dans la gnose, parce que
le corps est l'entrave de l'âme qui y est captive (cf. *Apocryphon de Jean* [Codex II],
p. 21, 10). Dans l'*Enseignement d'autorité* (Codex VI, p. 27, 25-28) l'âme soupire, parce
qu'elle vit dans une maison de pauvreté (voir d'autres textes dans M.-L. Peel, Gnostic
Eschatology and the New Testament, p. 152-155). Cette notion de résurrection spirituelle
diffère évidemment de celle de la croyance judéo-chrétienne (*Dan.* 12, 2-4; *Is.* 26, 19;
1*Cor.* 15; 1*Thess.* 4).

La distinction des trois résurrections : spirituelle, psychique, charnelle n'a qu'un
parallèle chez Héracléon, *In Joh.* 10, 37 (21, § 249-250) : τὴν τρίτην φησὶ [s. Ἡρακλέων]
τὴν πνευματικὴν ἡμέραν, ἐν ᾗ οἴονται δηλοῦσθαι τὴν τῆς ἐκκλησίας ἀνάστασιν. Τούτῳ δὲ
ἀκόλουθόν ἐστιν πρώτην εἶναι τὴν χοϊκὴν ἡμέραν καὶ τὴν δευτέραν τὴν ψυχικήν, οὐ γεγενη-
μένης τῆς ἐκκλησίας τῆς ἀναστάσεως ἐν αὐταῖς.

et même si sa notion de résurrection est plus individuelle, il rejoint
l'Apôtre en admettant la résurrection d'une chair mystérieuse, comme
l'auteur de la sentence 23 de l'*Évangile selon Philippe*. Cette chair n'est
autre pour l'homme que cette meilleure partie de lui-même, cette
lumière qu'il portait en lui et qui apparaît maintenant au grand jour
de la Transfiguration, lors de son entrée dans la sphère céleste.

FRAGMENTE
EINER SUBACHMIMISCHEN VERSION
DER GNOSTISCHEN "SCHRIFT OHNE TITEL"

VON

CHRISTIAN OEYEN

Während ich im Wintersemester 1972/73 an einem Artikel über die gnostischen Archontenlisten arbeitete, wurde ich durch eine kurze Nachricht von Jean Doresse [1] auf bestimmte koptische Papyrusbruchstücke aufmerksam, von denen W. Crum schon 1905 einige Auszüge bekanntgegeben hatte.[2] Es waren nur einige Satzfetzen, in denen Crum die Überreste eines Gnostisch-Ophitischen Werkes oder eines Berichtes über gnostische Lehren vermutete. Es schien sich zu lohnen, diesen Text weiter zu untersuchen, und so konnte ich nach einiger Mühe feststellen, daß es sich um Fragmente einer anderen Version der koptisch-gnostischen "Schrift ohne Titel" aus dem Codex II von Nag Hammadi [3] handelte. Danach gab es außerhalb des Nag-Hammadi-Fundes eine weitere Handschrift dieses Traktates, und

---

[1] J. Doresse, *Les livres secrets des gnostiques d'Égypte*, Paris, 1958, 95: "Pour que cet inventaire des reliques gnostiques que l'on possédait soit complet, il faut citer encore quelques fragments coptes, d'ailleurs peu instructifs. Il y a d'abord quelques débris d'un manuscrit sur papyrus, datant du IVe siècle, qui avaient été employés dans la reliure d'un livre plus récent. Ils sont écrits en copte thébain légèrement mêlé de dialecte de Moyenne-Égypte. On reconnaît qu'ils proviennent d'un ouvrage où se lisaient les noms de Ialdabaôth et de Sophia et où les Sept puissances des cieux inférieurs étaient mentionnées". Die entsprechende Anmerkung verweist auf Crum, siehe Anm. 2.

[2] W. E. Crum, *Catalogue of the coptic manuscripts in the British Museum*, London 1905, S. 251 f., Nr. 522. Die richtige Nummer der Handschrift ist Or. 4926 (1), wie es auch Crum unter "Addenda et Corrigenda" vermerkt; Doresse hat a.a.O. aus einem unverbesserten Exemplar die falsche Nummer 4920 (1) übernommen. In seinem *Coptic Dictionary* verwendet Crum für die Handschrift die Abkürzung BM (Britisch Museum) 522, wobei sich die Zahl auf die Katalog-Nummer, nicht auf die Handschrift-Nummer bezieht.

[3] Herausgegeben von A. Böhlig und P. Labib, *Die koptisch-gnostische Schrift ohne Titel aus Codex II von Nag Hammadi*, Berlin 1962. Vgl. auch H. M. Schenke, Vom Ursprung der Welt, *ThLZ* 84 (1959), 243-256; H. Quecke, *Le Muséon* 72 (1959), 349-353.

zwar im subachmimischen Dialekt; die sich aus diesen Feststellungen ergebenden Folgerungen sind sowohl für die Schrift selbst, als auch im bezug auf den gesamten Nag-Hammadi-Fund, von dem bis jetzt nur wenige Paralelltexte vorhanden sind [1] von Wichtigkeit. Eine Untersuchung des Originals im British Museum [2] ermöglichte, die von Crum veröffentlichten Stellen wesentlich zu erweitern und in einigen Fällen zu verbessern. Ez wurde klar, daß in zwei Fällen jeweils zwei Stücke zum gleichen Blatt gehörten. So entstand der erste Versuch einer Rekonstruktion von 6 Fragmenten, über den ich vor einem begrenzten Kreis und in der lokalen Presse berichtete.[3] Weitere Arbeiten erlaubten nach und nach, manche fehlerhafte Hypothesen zu verbessern und neue Bruchteile zu identifizieren. Ende 1973 konnte ich eine zweite Fassung anfertigen, die sich auf 10 Fragmente erstreckte. Aber auch dieser Text erwies sich als nicht endgültig. Mit Hilfe von Infrarot-Aufnahmen und bei weiterer Arbeit am Original wurden zwei weitere Fragmente erkannt, einige kleinere Bruchteile den bestehenden Fragmenten hinzugefügt und mehrere schwierige Stellen entschlüsselt. In der Folge gebe ich nun die dritte Fassung, die das Ergebnis der bisherigen Forschung darstellt, mit einigen einleitenden Bemerkungen bekannt.

1. *Die Handschrift* besteht aus 35 kleinen Bruchstücken, von mir von 1 bis 34 + 29a nummeriert.[4] Sie sind in einer nicht ganz einwandfreien Form verglast worden.[5] Über den Ursprung ist nichts weiter

---

[1] Vgl. außer den im Berliner Codex 8502 enthaltenen Versionen des Apokryphon des Johannes und der Sophia Jesu Christi die griechischen Bruchstücke der Pap. Oxrhynchos 1081 (Sophia Jesu Christi), 1, 654 und 655 (Thomasevangelium). Von den nicht gnostischen (hermetischen) Texte sind andere Versionen bekannt. M. W. ist es hier das erste Mal seit der Entdeckung der Sammlung, daß die Reste einer weiteren, vorher noch nicht bekannten Handschrift identifiziert werden.

[2] Die Handschrift befindet sich im "Department of Oriental Manuscripts and Printed Books". Im Zuge einer Neuorganisierung wurde inzwischen diese Abteilung vom British Museum abgetrennt und der neu gegründeten "British Library" eingegliedert.

[3] Eine vervielfältigte Zusammenfassung des Berichtes wurde verteilt. Vgl. den Pressebericht im "General Anzeiger", Bonn, 23.3.1973, S. 5. Ende Juli 1974 machte ich eine Mitteilung über die Fragmente beim Int. Papyrologischen Kongress in Oxford.

[4] Dazu kommen noch mindestens 5 Stücke, die auf anderen Bruchteilen kleben: 4a, 4b, 7b, 14a und 29b. Die Gesamtzahl erhöht sich somit auf 40.

[5] Einige kleinere Stellen sind durch Klebestoff oder undruchsichtiges Klebeband unlesbar geworden. Schmale Stücke sind gelegentlich verknickt oder verbogen.

bekannt, als daß sie aus dem Einband eines späteren Buches stammen, dessen Identität beim Erwerb der Papyren offensichtlich nicht festgestellt wurde.[1] Im Bruchteil Nr. 4, verso befinden sich einige Zeichen in koptischer Kursivschrift, die noch nicht zuverlässig entziffert werden konnten. Es könnte sich eventuell um einen Vermerk des Buchbinders handeln; jedenfalls wäre es wichtig, diese Zeichen näher zu untersuchen und wenn möglich festzustellen, ob diese Seite der Handschrift im Einband nach außen lag oder nicht.[2]

Das größte Bruchstück (Nr. 4) ist etwa 9,8 × 6,4 cm groß, die kleinsten (Nr. 24 und 25) 5 × 12 mm. Die Farbe des Papyrus ist ockergelb dunkel bis braun; an Bruchstellen jüngeren Datums, an denen die Schrift zerstört ist, erscheint der ursprüngliche, hellere Sandton. Die Tinte ist intensiv schwarz an den wenigen gut erhaltenen Stellen. Meist ist die Schrift jedoch stark beschädigt. An einigen Stellen scheinen Reste aus anderen Schichten auf ihr zu kleben; eine sorgfältige Restaurierung könnte hier vielleicht noch einige Schriftzeichen freilegen.

2. Die *rekonstruierten Fragmente* setzen sich aus 23 dieser Bruchstücke zusammen: die Fragmente 1/2 aus den Bruchteilen Nr. 16, 21, 31, 26; die Fragmente 3/4 aus den Teilen Nr. 14, 19, 28, 33, 32; die Fragmente 5/6 aus den Teilen Nr. 5, 8, 30, 6, 20, 27; die Fragmente 7/8 aus dem Teil Nr. 15; die Fragmente 9/10 aus den Teilen Nr. 17 und 18; die Fragmente Nr. 11/12 aus den Teilen Nr. 29, 29a, 10, 11, und die linke Seite vom Teil Nr. 4, verso, die wohl ein eigenes, auf diesem größeren Bruchteil überklebtes Stück ist (Nr. 4a).

Auf Grund der Rekonstruktion ist es möglich, zu sagen, daß die Handschrift an den entsprechenden Stellen zwischen 23 und 30 Buchstaben je Zeile hatte. Die Länge einer Seite muß zwischen 23 und 25 cm betragen haben, die Breite zwischen 13 und 15 cm. Diese Daten stehen mit den Durchschnittswerten der Nag-Hammadi-Codices im Einklang.[3]

---

[1] Vgl. Crum, a.a.O., S. 251. Nach dem handschriftlichen Register der Abteilung für Orientalische Handschriften ("Descriptive List") kam die Handschrift zusammen mit einer Anzahl koptischer und arabischer Papyren in den Besitz des British Museum. Sie wurden im Jahr 1895 inventarisiert. Crum erwähnt Grenfell als Käufer.

[2] Erkennbar ist die Silbe ϨM̄, das übrige ist stark beschädigt. Vielleicht könnte man [ⲀⲚⲞ]Ⲕ ϨM̄ ⲡ...lesen. Jedenfalls stammen die Zeichen aus einer anderen Hand als die der Schreibers der Handschrift. Herrn Dr. G. Ahmed, z.Zt. Oxford, danke ich für die freundliche Hilfe bei der Feststellung der Schriftart.

[3] Vgl. M. Krause-P. Labib, *Die drei Versionen des Apokryphon des Johannes*, Wies-

Auch das Schriftbild weist im großen ganzen starke Ähnlichkeiten mit den Nag-Hammadi-Handschriften auf, am stärksten wohl mit dem Codex III. Wie dort wird, das т oft niedriger geschrieben, in der Kombination тє der waagerechte Strich vom т im Mittelstrich vom є fortgesetzt. Charakteristisch sind der langezogene Mittelstrich vom є und die obere Schleife vom ϩ, die oft fast ganz geschlossen erscheint.

3. Über die *ursprüngliche Form der Handschrift*, aus der die Fragmente stammen, läßt sich vorläufig schon einiges sagen. Die jetzt entzifferten Stellen entsprechen in der Ausgabe von A. Böhlig und P. Labib den Abschnitten 150, 33-151, 8; 151, 25-35; 160, 3-11; 160, 27-34; 164, 26-30; 165, 20-24; 167, 7-16; 168, 23-31; 172, 27-32; 173, 17-23. Das sind Stellen aus dem Anfang, der Mitte und dem Ende der Schrift, die nach der genannten Nummerierung auf der Seite 145 beginnt und auf der Seite 175 endet. Von den zwei von A. Böhlig vermuteten Quellen[1] ist die Quelle E am meisten vertreten, doch gehören zu den Fragmenten auch die der Quelle A zugerechnete Stelle 168, 23-34. Das Fragment 2 enthält sogar Stellen aus beiden Quellen, und zwar so, daß die Nahtstelle in 151, 32 unverändert erscheint. Ferner gehört zum Fragment 3 die Stelle 160, 3-10, die nach Böhlig "als eine verhältnismäßig unorganische Interpolation wirkt" und von der angenommen wird, sie sei dem Kompilator zuzuschreiben.[2] Ein wichtiges Element der "Schrift ohne Titel", das in den Fragmenten nicht bezeugt ist, sind die "bibliographische Ver-

---

baden 1962, 7-27. Bei den 6 ersten Codices schwankt die Seitenlänge zwischen 23,3 und 30 cm, die Breite zwischen 13 und 14,8 cm. (Einzelne Blätter des Codex V sind allerdings schmaler). Die Zeilenzahl pro Seite geht von 23-26 (Codex III) bis 37-40 (Codex I), die Buchstaben je Zeile von durchschnittlich 18 (Codex VI) bis 29 (Codex III). Vgl. die Angaben für die übrigen Bücher bei M. Krause, *Zum koptischen Handschriftenfund bei Nag Hammadi*, Mitteilungen des Deutschen Archäologischen Instituts, Abteilung Kairo, 19 (1963), 109; Zusammenfassung bei W. Foerster (Hrsg.), Die Gnosis, Zürich 1971, 9 (von M. Krause).

[1] Vgl. Böhlig-Labib, a.a.O., 27-30.

[2] Ebda., 69, 30. Böhlig betrachtet andererseits den ganzen Abschnitt über den Eros und die Entstehung von Pflanzen- und Tierwelt (156, 25-159, 28) als Einschub. Nicht beachtet wird allerdings dabei, daß 160, 1-10 und 159, 21-28 organisch zusammengehören, da beide sich auf Gen. 1, 11-23 beziehen (was im Stellenregister nicht vermerkt wird). Als Genesis-Spekulation gehören wohl diese Stücke zur ältesten gnostischen Überlieferung, im Gegensatz zum Eros-Abschnitt, der als spätere Entwicklung erscheint, aber mit 159, 20 endet.

weise", die gerade als ein Charakteristikum des Werkes gewertet werden.[1] Dieses hängt damit zusammen, daß keine der entsprechenden Stellen in die durch die Fragmente bezeugten Abschnitte fällt. Doch gehört eine dieser Stellen (160, 22-24) mindestens in den Zwischenraum zwischen den Fragmenten 3 und 4; da hier, wie sofort erklärt wird, der Abstand zwischen Vorder- und Rückseite, in Zeilen des Nag-Hammadi-Textes gemessen, am geringsten ist, liegt die Vermutung nahe, daß auch diese Stelle zu unserer Handschrift gehörte (da sonst zwischen allen übrigen zusammengehörenden Fragmenten eine Auslassung von 3 und mehr Zeilen zu postulieren wäre). Auch der Eros-Abschnitt (156,25-159,20) ist in den Fragmenten nicht bezeugt; er bildet m.E. die einzige Stelle, von dem man sich fragen könnte, ob sie in unserer Handschrift enthalten war oder nicht.[2]

Vergleicht man die jeweils als verso und retro einer Seite zusammengehörenden Fragmente mit den entsprechenden Stellen im Nag-Hammadi-Text, so stellt man fest, daß zwischen Fragment 1 (= 151,4) und Fragment 2 (= 151,29) 25 Zeilen des Nag-Hammadi-Textes fallen, zwischen Fragment 3 (= 160,4) und Fragment 4 (= 160,28) 24 Zeilen, zwischen Fragment 5 (= 164,30) und Fragment 6 (= 165,24) 29 Zeilen und zwischen Fragment 11 (= 172,27) und Fragment 12 (= 173,18) 26 Zeilen.[3] Diese Tatsachen lassen sich am besten erklären, wenn man annimmt, daß zwischen den Fragmenten 5 und 6 etwa 2-3 Zeilen des Nag-Hammadi-Textes fehlten, und daß ansonsten beide Handschriften an den entsprechenden Stellen im großen ganzen übereinstimmten. Danach hätten die Seiten unserer Handschrift zwischen 24 und 26 Zeilen des Nag-Hammadi-Textes enthalten.

Diese Annahme wird noch bekräftigt, wenn man beide Texte vergleicht: Die Abweichungen, Auslassungen und Zusätze bewegen sich ohne Ausnahme in engen Grenzen. Die 72 rekonstruierten Zeilen unseres Textes entsprechen $73\frac{1}{2}$ Zeilen des Nag-Hammadi-Codex. Der Umfang des Textes ist also im wesentlichen der gleiche, wobei unser Text etwa 2 % kürzer als der von Nag-Hammadi gewesen zu sein scheint.

Diese gesamten Feststellungen erlauben den Schluß, daß die

---

[1] Vgl. ebda., 31-33; Doresse, a.a.O., 192-195.

[2] Über den Eros-Abschnitt vgl. oben S. 128 Anm. 2.

[3] Zwischen Fragment 7 (= 167, 10) und Fragment 9 (= 168, 25) liegen $49^{1}/2$ Nag Hammadi-Zeilen, also 2 Seiten mit durchschnittlich 24-25 Zeilen des Nag-Hammadi-Textes.

ursprüngliche Handschrift weder nur einige Auszüge aus der "Schrift ohne Titel", noch eine ihrer vermuteten Quellen enthielt, sondern einen Text, der im großen ganzen dem von Nag-Hammadi entsprach. Es handelt sich also um die Reste einer Handschrift, die ursprünglich die ganze "Schrift ohne Titel" enthielt.

Wenn diese Folgerung richtig ist, muß allerdings die Handschrift auf Grund der geringeren Zeilenzahl je Seite einige Seiten mehr umfaßt haben, etwa 38 bis 42 Seiten.

Die Faserung des Papyrus verläuft bei den Fragmenten 1 und 3 senkrecht, bei den Fragmenten 2 und 4 waagerecht, bei den Fragmenten 5, 7, 9 und 11 wiederum waagerecht und bei den Fragmenten 6, 8, 10 und 12 senkrecht. Wenn die Handschrift in der gleichen Form wie die Codices von Nag-Hammadi angefertigt war, was man angesichts der übrigen Ähnlichkeiten vermuten kann, würden damit die Fragmente 1 bis 4 in die erste Hälfte einer Lage fallen und die Fragmente 5 bis 12 in die zweite Hälfte. Das heißt, daß die Mitte der Lage nach 160, 30 und vor 164, 27, vermutlich bei 162, 21, verlaufen sein müßte.

Daß die Handschrift auch noch andere Werke enthielt, scheint unwahrscheinlich zu sein. Die 17 noch nicht identifizierten Bruchteile, von denen mehrere keine und die übrigen nur wenige Schriftzeichen enthalten, bieten keinen Anhaltspunkt für eine bejahende Antwort. Daß die vermutete Mitte der Handschrift nicht weit von der tatsächlichen Mitte der Schrift (etwa bei 160, 20) verlief, läßt sich auch am besten erklären, wenn die Handschrift nur ein einziges Werk enthielt. Doch ist eine endgültige Antwort auf diese Frage noch nicht möglich.

4. Die Beschaffenheit der Fragmente scheint eine gewisse Auskunft über ihre *Stellung innerhalb der Handschrift* zu geben.

Es ist danach wahrscheinlich, daß die Fragmente 3/4 und 5/6, aber auch 1/2 und 11/12 jeweils über die Buchmitte zu ein und demselben Doppelblatt gehörten. Die gesamten Bruchteile würden nach dieser Hypothese aus vier solchen Doppelblättern stammen, wobei für die Fragmente 7/8 und 9/10 noch keine entsprechende Stelle aus der ersten Buchhälfte gefunden werden konnte.[1]

---

[1] Der Bruchteil 29b enthält einige Schriftreste, die als NHC II, 107 (= 155), 36-108 (= 156), 2 entsprechend gelesen werden können (die Faserung verläuft hier waagerecht):

Die rekonstruierten Fragmente sind ferner alle auf zwei Grundformen zurückzuführen, die jeweils aus einem oder mehreren Bruchteilen bestehen:

Die Form A, zu der die Fragmente 1/2, 3/4, 5/6, 11/12 und der beschädigte Bruchteil 4 gehören, stellt ein Rechteck von etwa 6,5 cm Länge und 13,5 cm Breite dar, von dem jeweils eine Ecke fehlt. Das fehlende Stück ist in einem typischen runden Bogen herausgeschnitten worden.

Die Form B, zu der die Fragmente 7/8 und 9/10 gehören, besteht aus einem schmalen vertikalen Streifen von 7 cm Länge und maximal 3,8 cm Breite, der stets am äußeren oder inneren Rand einer Seite steht und so einige Buchstaben aus dem Beginn oder dem Ende der entsprechenden Zeilen bringt.

Im Bucheinband wurden offensichtlich mehrere Papyrusblätter aufeinander geklebt, was zur Wiederholung dieser Grundformen geführt haben muß. Die Fragmente 7/8 und 9/10 stammen aus zwei sich unmittelbar folgenden Seiten; aber so, daß die Fragmente 7/8 aus dem äußeren Rand des Blattes stammen, während die Fragmente 9/10 aus dem inneren Rand kommen. In der Einbanddecke lagen diese Seiten also umgedreht aufeinander.

5. Der *rekonstruierte Text* ist in den einzelnen Fragmenten von unterschiedlicher Qualität. Während die Fragmente 1, 2, 3, 11, 12 einen beinahe in allen Einzelheiten sicheren Text liefern, war bei den Fragmenten 4, 5, 6, 7 und 9 nur eine annähernde Rekonstruktion des Wortlauts möglich. Bei diesen Fragmenten ist allerdings die Identifizierung der Stellen völlig sicher. Zum Schluß bei den Fragmenten 8 und 10, sowie an einzelnen Zeilen der Fragmente 9 und 12 sind Reste von 20 Zeilen vorhanden, die auf Grund der geringen Buchstabenzahl nicht rekonstruiert werden konnten. Ungefähr ein Drittel der jetzt entzifferten Schriftzeichen waren 1905 von W. E. Crum veröffentlicht worden.[1] Da Crum der Vergleich mit dem Nag-Hammadi-Text nicht möglich war, konnte er die Zusammengehörigkeit der

---

1 [ⲁ] ⲥ̣ⲧⲟ̣ [ⲗⲙⲁ]
2 [ϩⲓⲧⲁ] ⲉϩⲏ ⲡ̣
ⲁⲡⲟ̣ⲩⲁ̣[ⲉⲓⲛ]

Da die Rückseite des Bruchteils am Bruchteil 29 klebt, wäre es vielleicht bei einer Restaurierung möglich, noch weitere Hinweise zu gewinnen. Vorläufig scheinen die wenigen gesicherten Buchstaben nicht für einen Schluß zu reichen.

[1] Vgl. S. 125 Anm. 2.

Bruchteile nicht entdecken. In seiner Ausgabe sind 44 Einzelwörter erkennbar, in sechs Fällen schlug er einen ergänzenden Buchstaben vor. Ich habe in der Regel davon abgesehen, im Apparat die abweichenden Lesearten von Crum zu verzeichnen, und die nur dort angeführt, wo sie dem jetzigen Stand der Forschung nützlich sein konnten. Der Vollständigkeithalber sei hier angegeben, daß seine Angaben in 16 Fällen von mir verbessert wurden, und zwar Fr. 1 Z. 2, 3, 7; Fr. 2 Z. 4, 7, 8; Fr. 3 Z. 5; Fr. 11, Z. 2, 4; Fr. 12, Z. 2 (zweimal), 4, 6 (viermal). Es bleibt der große Verdienst von Crum, die erwähnten Bruchstücke des Textes bekanntgegeben und sie als gnostisches Werk erkannt zu haben.

Da sich die Handschrift in einem schlechten Zustand befindet, schien es wichtig, zunächst einmal den vorhandenen Text so genau wie möglich zu rekonstruieren. Ich habe deshalb keine Schreibfehler im Text selbst verbessert, sondern gegebenenfalls die von mir vorgeschlagene Verbesserung im Apparat vermerkt.

6. *Textkritisch* erlauben die Fragmente eine Reihe wichtiger Folgerungen.

Zunächst wird durch sie ein Beweis für die Wichtigkeit und die Verbreitung der "Schrift ohne Titel" geliefert. Bekanntlich sind in Nag-Hammadi die vollständige Fassung und noch dazu (im Codex XIII) ein Fragment mit 10 Zeilen aus dem Anfang der Schrift gefunden worden. Es ist aber streng genommen nicht bewiesen, daß dieses Fragment der Anfang einer vollständigen Handschrift und nicht nur ein Auszug war. Außerdem ist der Text dieser Zeilen dem vom Codex II völlig gleich, abgesehen von 4 geringfügigen orthographischen Abweichungen, so daß es sich hier ohne Zweifel um eine Abschrift der gleichen Version handelt. Der Londoner Text stellt dagegen eine selbständige zweite Version dar, in einem anderen Dialekt und mit wichtigen textlichen Abweichungen.

Es ist m.E. fast sicher, daß die beiden Versionen zwei selbständigen Übersetzungen aus dem griechischen Original entsprechen, und nicht durch Übertragung von einem koptischen Dialekt in den anderen entstanden sind; dafür ist der Satzbau an mehreren Stellen zu verschieden, die Wiedergabe einzelner Ausdrücke zu abweichend voneinander. Aber es handelt sich nicht nur um zwei verschiedene Übersetzungen, sondern es sind an zahlreichen Stellen andere Abweichungen zu verzeichnen, die von einer verschiedenen Entwicklung des Textes zeugen.

Was dabei zunächst auffällt, ist, daß die Zahl der Fälle, in denen
der Londoner Text zusätzliche Elemente bringt, die im Nag-Hammadi-
Text nicht enthalten sind, sehr gering ist. Die wichtigste Stelle ist
Fr. 11, Z. 1 (= 172, 28), wo zusätzlich ⲁϥⲟⲩⲱⲛϩ (er hat offenbart)
erscheint. Der Zusatz macht den ganzen Satz und vor allem das
nachfolgende ⲁⲃⲁⲗ verständlicher; es ist darum anzunehmen, daß
das Wort aus Versehen im Nag-Hammadi-Text ausgelassen wurde.
Fr. 1, Z. 5 bringt ein ⲧⲟⲧⲉ, vermutlich vom griechischen Original
her, das im Nag-Hammadi-Text (151, 4) ausgelassen wurde. In drei
weiteren Fällen stellt die Londoner Version echte Erweiterungen des
Textes dar: Fr. 6, Z. 25 (die Heimarmene) "ihrer" (Welt); Fr. 9,
Z. 2: (ihren) "ganzen" (Geschöpfen); Fr. 12, Z. 6 (sie haben sie) "und
diesen Äon" (verurteilt). In diesen drei Fällen ist es nicht klar, ob es
sich um Zusätze unseres Textes oder um Auslassungen der Nag-
Hammadi-Version handelt.

Die Fälle, in denen bestimmte Teile des Nag-Hammadi-Textes im
Londoner Text fehlen, sind dagegen viel zahlreicher. Es handelt sich
vor allem um knappe Abweichungen, die meist in einem fehlenden
Nebenwort bestehen und auf eine Eigenart der beiden Handschriften
hinzuweisen scheinen. So fehlen im Londoner Text: 150,34 (vermutlich): "hinab"; 151,1: "seine" (Erde); 151,2: "die unterhalb von
ihnen allen war"; 151,6: (vom) "ganzen" (Heer); 151,27: (und er)
"wird vergehen und" (wird werden); 151,30: (das Bild) "ihrer Größe";
151,31: "so" (ⲛⲧⲉⲉⲓϩⲉ); 151,33-34: (die) "Stimme der" (Pistis);
160,5: "die" (Erde); 160,9: "so" (ⲛⲧⲉⲉⲓϩⲉ) und "der ganze Ort";
164,27: "dort"; 167,12 (vermutlich): "denn als sie gegessen hatten";
173,21: (die 7 Mächte) "des Chaos". Grundsätzlich könnte es sich
sowohl um Zusätze der einen Version als auch um Streichungen der
anderen handeln. Doch eine genauere Untersuchung läßt wahrscheinlicher werden, daß es sich in den meisten Fällen um interpretierende
Zusätze der Nag-Hammadi-Version handelt. In 151,33-34 wird nich
die Pistis gehört, sondern nur "ihre Stimme", in 151,30 erscheint
nicht ihr Bild, sondern das "ihrer Größe": die Transzendenz der
Pistis, und damit die Kluft zwischen der oberen und der unteren
Welt werden dadurch größer. Die sieben Mächte sind 173,21 die
Mächte "des Chaos", was ihren negativen Charakter betont; 151,2
wird ebenfalls betont, daß die Sophia des Jaldabaoth der unteren
Welt angehört. In 151,1 wird durch das Possesiv eine Verbindung
zwischen der Erde und dem unteren Himmel hergestellt, der demnach

auch Bestandteil der unteren Welt ist.[1] Die Zusätze bezeugen somit eine Verschärfung des gnostischen Dualismus, von der wir aus anderen Quellen wissen, daß sie die Entwicklung des späteren Gnostizismus kennzeichnete. In einem Fall zeigt sogar ein grammatikalischer Fehler, daß es sich um einen Zusatz handelt: 151,30 wurde ⲚⲦⲈⲤⲘⲚⲦⲚⲟϬ (ihrer Größe) hinzugefügt, ohne das Possesiv des Hauptwortes zu streichen; das Ergebnis ("ihr Bild ihrer Größe") ist nicht korrekt.[2]

Der Hauptunterschied zwischen beiden Handschriften besteht also in diesen interpretierenden Zusätzen, die gewiß auch noch an anderen Stellen aufgetreten sein müssen; es ist sogar möglich, den gesamten Nag-Hammadi-Text unter diesem Gesichtspunkt zu untersuchen.[3] Die Londoner Handschrift stellt ein früheres Stadium der Textentwicklung dar. Vermutlich wurden die Zusätze nach der Übersetzung ins Koptische gemacht, so daß beide Versionen von einer einzigen griechischen Fassung stammen könnten.

In einigen Fällen erlauben die Fragmente eine Verbesserung der Ausgabe von Böhlig-Labib. So soll es bei der Lücke von 150,35 entsprechend Fr. 1, Z. 2 [ⲬⲓⲘ ⲫⲟⲟⲨ] ⲈⲦⲘⲘⲀⲨ (seit jenem Tage) heißen.[4] Bei der Übersetzung von 160,5 soll ergänzt werden: "und (damit) sie vollenden".

Zum Schluß sei auf einige Unterschiede hingewiesen, für die keine einheitliche Erklärung möglich ist. Fr. 2, Z. 3: "und du wirst sie (pl.) finden" heißt in 151,27: "und er ... wird werden". Das Logion von 173,17-19 ist in Fr. 12, Z. 1-2 in einer anderen Fassung: in der ersten Hälfte ("Es gibt nichts Verborgenes, das nicht offenbar wird") steht wie im Neuen Testament Futurum, während der Nag-Hammadi-Text Präsens hat ("das nicht offenbar ist"); die zweite Hälfte ist kürzer:

---

[1] Fr. 6, Z. 25 bringt allerdings den umgekehrten Fall eines Possesivs-Zusatzes in der Londoner Handschrift, der im Nag-Hammadi-Text nicht enthalten ist.

[2] Böhlig, a.a.O., 48 setzt das Possesiv als zu tilgendes in Klammern ⲘⲠ{ⲈⲤ}ⲈⲓⲚⲈ. Nach diesen Erkenntnissen sollte man besser den Zusatz als zu tilgenden betrachten: ⲘⲠⲈⲤⲈⲓⲚⲈ {ⲚⲦⲈⲤⲘⲚⲦⲚⲟϬ}, was freilich dann auch an den anderen Stellen der Handschrift durchzuführen wäre.

[3] Z.B. könnte "des Chaos" auch 147,25; 150,2.30; 152,8.15.26; 154,10.19.22.27; 157,8.15; 160,17; 173,13; 174,15.21 als Zusatz angesehen werden, ebenfalls die Angaben über "unten" 147,34-148,1; 150,28.31; 155,16-17; 159,32; 160,1.20 und "oben" 152,24; 156,4; usw.; über "die Stimme der Pistis" vgl. 155,20-21.

[4] Wie mir H.-G. Bethge inzwischen mitteilte, hat H.-M. Schenke im Herbst 1973 die Handschrift in Kairo untersucht und am Ende der Lücke den Rest eines Ⲩ erkannt. Damit ist die Verbesserung von zwei Seiten unabhängig voneinander bestätigt.

"und es gibt nichts, was nicht gewußt werden wird", wobei etwas zu
fehlen scheint; die Nag-Hammadi-Version hat hier : "und was nicht
gewußt wurde, wird gewußt werden". Im Fr. 3, Z. 7-8 ist die Satz-
einteilung eine andere als 160,8-10 : unser Text setzt schon nach
"Nächte" das ⲁⲩⲱ ein, womit "alles übrige" und davor ein nicht
identifiziertes Wort (n.pl. mit dem unbestimmten Artikel), das an die
Stelle der "Augenblicke" tritt, zum Subjekt des folgenden Verbes
κοσμεῖν wird; dementsprechend fehlt "der ganze Ort". Schließlich hat
Fr. 2, Z. 5 "sie führte den Archon zu ihrem Bild hin" statt 151,29
"sie offenbarte ihr Bild", ohne Erwähnung des Archons.

7. Der *Dialekt* ist Subachmimisch, im Unterschied zum Text der
"Schrift ohne Titel" in NHC II und des Fragments von NHC XIII,
der im sahidischen Dialekt mit einem gewissen subachmimischen
Einschlag abgefaßt ist.[1] Bekanntlich sind einige der Nag-Hammadi-
Codices auch im subachmimischen Dialekt abgefaßt.[2] Crum hatte
zuerst irrtümlich für unsere Handschrift eine Mischung von achmimischen und sahidischen Formen angegeben.

Die Schreibung ist z.T. recht eigenwillig, vgl. ⲥⲁⲱⲃⲉ für ⲥⲁⲱϥⲉ,
ⲉϨⲃⲉ für ⲉϨⲡⲉ;[3] bei griechischen Lehnwörtern ⲥⲏⲙⲓⲟⲛ statt
ⲥⲏⲙⲉⲓⲟⲛ. Konsonantenadditionen werden bei ⲉϨⲃⲉ verdeutlicht,
bei ϕⲟⲟⲩ einfach geschrieben.[4] Wie oft in den Nag-Hammadi-Codices,
gilt für εἱμαρμένη die Form ϢⲓⲙⲀⲢⲘⲉⲚⲎ, im Zusammenhang mit
dem Artikel hier ⲬⲓⲘⲀⲢⲘⲉⲚⲎ. ⲏⲓ wird in ⲀϨⲢⲎⲓ einmal verlängert
und einmal nicht verlängert (vgl. auch die Konjektur ⲡⲏⲉⲓ). Jaldabaoth wird einmal ⲓⲀⲗⲗⲀⲃⲀⲱϯ und einmal ⲓⲀⲗⲗⲀⲃⲀⲱⲑ geschrieben. Daneben gibt es ausgesprochene Schreibfehler in mehreren Fällen.

Zu bemerken sind die nur hier bezeugten Pluralformen Ⲙⲟⲩⲉⲓ-
Ⲁⲅⲉⲓⲉ, ⲟⲩⲀⲉⲓⲚⲀⲅⲉⲓⲉ, ⲟⲩϢⲀⲅⲉⲓⲉ (statt ⲟⲩⲀϢⲟⲩⲅⲉ, bisher für
A² bekannt), sowie der status nominalis ⲟⲩⲚϨ für ⲟⲩⲀⲚⲉϨ. Bei den
griechischen Lehnwörtern ist der Ersatz von μήπως durch μήποτε in

---

[1] Vgl. Böhlig-Labib, a.a.O., 15-17.

[2] Neben dem bekannten Codex I (Evangelium Veritatis, Apokryphon des Jakobus,
usw.) auch Codex X und der erste Teil von Codex XI. Vgl. Krause-Labib, *Gnostische
und hermetische Schriften aus Codex II und VI*, S. 9 ff.

[3] Die Form ⲉϨⲃⲉ ist bei Crum, W. E., *A Coptic Dictionary*, London 1939, S. 457
mit Hinweis auf unsere Handschrift verzeichnet. Nach den jetzigen Erkenntnissen,
muß die Vermutung eines Zusammenhangs mit ⲑⲃⲃⲓⲟ, Demut, als unrichtig angesehen
werden. Es handelt sich sehr wahrscheinlich um den stat. nom. von ⲦϨⲡⲟ, hinführen.

[4] Über diese Erscheinung vgl. Böhlig-Labib, a.a.O., 15.

Fr. 9, Z. 6-7 zu vermerken. Fr. 1, Z. 4-5 erscheint das griechische
δύναμις, während 151,3 das koptische ϬΟΜ bringt.

Das Futurum II wird Fr. 12, Z. 2 mit ΝΑ gebildet, Fr. 2, Z. 3 nur
mit Α, was ausschließlich im Subachmimischen vorkommt.[1]

Es bleibt zu hoffen, daß diese Bruchteile, die in so einzigartiger
Weise die Jahrhunderte überdauerten und gewiß noch nicht alle ihre
Rätsel preisgegeben haben, bald in gebührender Form restauriert
werden.[2]

Der Leitung des British Museum, insbesondere dem Leiter der
Ägyptologischen Abteilung Herrn A. F. Shore möchte ich hier meinen
Dank für die freundliche Unterstützung bei der Arbeit an der Handschrift aussprechen. Ebenfalls danke ich Herrn Prof. Dr. H.-M. Schenke,
der mir eine wichtige Mitteilung über die Nag-Hammadi-Handschrift
zukommen ließ, sowie seinem Assistenten Herrn H.-G. Bethge, der
mir ein anregender Briefpartner war und mit seinen Vorschlägen
half, mehrere Stellen des Textes zu verbessern. Besonders gilt mein
Dank Herrn Prof. Dr. Dr. M. Krause, der sich von Anfang an für
die Veröffentlichung der Fragmente in der Festschrift für Pahor
Labib einsetzte und zum Schluß mir noch eine Reihe von Verbesse-
rungen sandte.

---

[1] Vgl. W. Till, *Koptische Dialektgrammatik*, München[2] 1961, § 252.

[2] Für eine optimale Restaurierung sind folgende Einzelmaßnahmen erforderlich:

a) verknickte Stellen sollen glatt gelegt werden, z.B. beim Bruchteil Nr. 6;

b) überklebte Stellen sollen gelöst, bzw. freigelegt werden, z.B. bei den Bruchteilen
4, 7, 9, 14, 29; Reste von Klebestoff oder Klebeband sollen beseitigt werden. Dabei
könnten noch enige Teile des Textes zum Vorschein kommen, (schätzungsweise handelt
es sich um ein Maximum von 100 Buchstaben; die bisher rekonstruierten Fragmente
enthalten 975 Buchstaben und Buchstabenreste — ohne die Lückenergänzungen; die
noch nicht identifizierten Bruchteile etwa 115.

c) Die bisher identifizierten Bruchteile sollen in der richtigen Anordnung nebeneinander plaziert werden, um so die sechs Droppelfragmente wiederentstehen zu lassen.

d) In mindestens fünf Fällen sollen einschichtige Bruchteile an ihre ursprüngliche
Stelle wiedergeklebt werden.

e) Es wäre darüberhinaus noch möglich, einige Hypothesen über den Standort der
noch nicht identifizierten Bruchteile am Original zu verifizieren.

Da bei einzelnen besonders fragilen Bruchteilen die Gefahr einer Beschädigung
besteht, ist es nicht sicher, ob alle diese Maßnahmen technisch durchführbar sind.
Doch betrifft diese Gefahr nur einige wenige Bruchteile. Wie mir Mr. E. Silver, Assistent
Keeper in charge of the Coptic Collection am 12.11.74 mitteilte, ist die British Library
bereit, mindestens einen Teil dieser Maßnahmen zu verwirklichen. Herr Prof.
J. M. Robinson hat seinerseits freundlicherweise vorgeschlagen, Fotografien der so
restaurierten Fragmente in die Facsimile-Edition von Nag-Hammadi aufzunehmen.

Fragment 1

Aus der Mitte einer Seite. Die Faserung verläuft senkrecht. Das Fragment besteht aus den Bruchteilen Nr. 16 r. (= Crum 4 a, von diesem nicht entziffert), 26 v., 21 r. und 31 r. (= Crum 2 b). Es entspricht NHC II, 102 (= Tafel 150), 33 bis 103 (= 151), 8.

```
1 ⲁⲥⲥⲱⲛⲉϩ ⲙ̄ⲙⲁϥ ⲁⲥⲛ̄[ⲟⲩϫⲉ ⲙⲙⲁϥ ⲁⲡⲧⲁⲣⲧⲁ]
2 ⲣⲟⲛ ⲭ̄ⲙ ⲫⲟⲟⲩ ⲉⲧⲙ̄ⲙⲉⲩ ⲁⲧⲥⲟⲫⲓ[ⲁ ⲛⲓⲁⲗⲗⲁ]
3 ⲃⲁⲱ†̄ ⲁⲥⲥⲙ̄ⲛⲧ ⲧⲡ[ⲉ] ⲙⲛ [ⲡ]ⲕⲁϩ ⲛ̄ⲧⲁ[ⲣⲟⲩ]
4 ⲥ[ⲙⲙ]ⲛ̄ⲧⲟⲩ ⲛ̄ⲇⲉ ⲛ̄[ϭⲓ] ⲙ̄ⲡⲏⲩⲉ ⲙ̄ⲛ ⲛⲟ[ⲩⲁⲩ]
5 ⲛ[ⲁ]ⲙ[ⲓ]ⲥ ⲙ̄ⲛ ⲧⲟⲩ[ⲁ]ⲓⲟⲓⲕⲏⲥⲓⲥ ⲧⲏⲣ̄ⲥ ⲧⲟ[ⲧⲉ]
6 ⲁⲡⲁ[ⲣ]ⲭⲓⲅ[ⲉⲛ]ⲉⲧⲱⲣ ⲁϥϫⲓⲥⲉ ⲙ̄[ⲙ]ⲁϥ ⲁⲩ
7 ⲱ ⲁϥϣⲟⲩ[ϣⲟⲩ] ⲙ̄ⲙⲁϥ ϩⲛ̄ⲛⲧⲥⲧⲣⲁⲧⲉⲓⲁ ⲛ̄
8 ⲛ̄ⲛⲁ[ⲅⲅⲉⲗⲟⲥ ⲁⲩ]ⲱ ⲛ̄ⲛⲟⲩⲧⲉ ⲧⲏⲣⲟⲩ ⲙ̄ⲛ ⲛⲟⲩ
9 [ⲁⲅⲅⲉⲗⲟⲥ ⲁⲩⲥⲙⲁⲙⲉ ⲙⲛ ⲁⲩ† ⲉⲁ]ⲩ ⲛⲉϥ [.]
```

1 Sie band ihn (und) sie w[arf ihn in den Tarta-]
2 ros. Seit jenem Tage festigte die Sophia [Jalda-]
3 baoths den Himmel und die Erde. Als
4 aber (δέ) sich die Himmel mit ihren
5 Kräften (δύναμις) und ihrer ganzen Einrichtung (διοίκησις) gefestigt hatten, da (τότε)
6 erhob sich der Archigenetor und
7 er wurde gerü[hmt] durch das Heer (στρατεία)
  (andere Übersetzung : er rühmte sich in dem Heer)
8 der En[gel] (ἄγγελος). [Un]d alle Götter und ihre
9 [Engel segneten und priese]n ihn.

7-8 Vgl. Ps. 148, 2; zum Satzbau Ex. 14, 4. 17 (LXX).
8 ⲛⲟⲩⲧⲉ bestätigt die Korrektur von Böhlig-Labib 151, 6-7 (NHC II hat ⲛⲟⲩⲛⲉ = Wurzel).
2 Vgl. oben S. 134 mit Anm. 4.

Fragment 2

Die Rückseite vom Fragment 1. Die Faserung verläuft waagerecht. Das Fragment besteht aus den Bruchteilen Nr. 31 v. (= Crum 2 a), 21 v., 26 r. und 16 v. (= Crum 4 b). Es entspricht NHC II, 103 (= Tafel 151), 25-35.

```
1 [       ⲛ̄ⲛⲉⲧⲛ̄ϩⲃⲏ]ⲟⲩⲉ [ⲥⲉⲛⲁⲣⲕⲁⲧⲁⲗⲩ]
```

()   ["Denn am En-]
1 [de eurer Wer]ke [wird aufgelöst werden]

---

1 ϩⲃⲟⲩⲉ ist nicht sicher

2 [ε м]пϢτλ τηρϥ πεει ν̄τλϩογω̄νϩ λβλ[λ]

3 [ϩν]τмне λγω κλбν̄τϲ̣ε̣ εϲχε м̄πεϥ

4 [ϣ]ωπε νεει νε ν̄τλϲ [χ]ọọγ ν̄б[ι] τπιϲτιϲ

5 [λ]γω λϲεϩβε πλρχων λπε̣[ϲ]ινε ϩννм

6 мογειλγειε λγω λϲρ̄λν[λ]χωρει λϩρнει

7 λπεϲογλειν ν̄τλρε ϲ̣λβλ[ωθ] ν̄λε πϢн

8 ρε ν̄ιλλλλβλωθ — ν̄τλρε[ϥϲω]τ̣м λτπιϲτιϲ

9 λϥρ̄ϩγмνει λ̣[ρ]λϲ̣ λ̣[ϥρκλτλγε]ị[ν]ọϲ̣κ̣[ε]

2 der ganze Mangel, der [aus] der Wahrheit offenbar geworden ist.

3 Und du wirst sie (pl.) finden wie das, was nicht

4 [ge]worden ist". Dies sagte die Pistis,

5 und sie führte (?) den Archon zu ihrem Bild in den

6 Wassern hin. Und sie kehrte zurück (ἀναχωρεῖν), empor

7 zu ihrem Licht. Als aber (δέ) Saba[oth], der Sohn

8 Jaldabaoths, die Pistis [hör]te,

9 pries (ὑμνεῖν) er sie [und verurt]eil[te] (καταγινώσκειν)...

---

9 ρκλτλγεινοϲκε ist nicht sicher.

Fragment 3

Aus der Mitte einer Seite. Das Fragment besteht aus den Bruchstücken Nr. 14 r.
(= Crum 3 a), 19 r., 28 r., 33 r. und 32 r. Die Faserung verläuft senkrecht. Vereinzelte
Buchstaben sind nur mit Hilfe der Infrarot-Fotografie erkennbar. Das Fragment
entspricht NHC II, 112 (= Tafel 160), 3-11.

1   [ν] τ̣π̣ị[ϲτ]ịϲ̣ [λ]

2 ϲτλ[мιο ν̄ϩ]ν̣ν̣λб ν̄ογ[λει]νλγ[ει]ε̣ м̄ν ν̄

3 ϲιογ τ[н]ρ̣ογ λϲκϢε мм[λ]γ ϩν̄ τπε ν̄ϲερ̄

4 ọ[γ]λειν λx̄м κ[λ]ϩ ν̄ϲε̣ε̣ιρε ν̄[ϩ]ν̄χмιον

1   [... von] der Pi[st]is

2 sie bil[dete] große Li[ch]ter und

3 alle Sterne, setzte sie in den Himmel, damit sie

4 auf die Erde leuchteten (und) damit sie vollendeten Zeit-

1-6 Vgl. Gen. 1, 14-17.

3 Das Konjunktiv ist hier anscheinend als Subjunktiv aufzufassen (vgl. Till,
   Dialektgrammatik, § 267), da die Parallele in NHC II den kausativen Infinitiv hat
   und beide Gen. 1, 15.17: ὥστε φαίνειν ἐπὶ τῆς γῆς (LXX), לְהָאִיר עַל־הָאָרֶץ
   (TM), übersetzen.

5 N̄ⲬⲢⲞⲚⲞⲤ [Ⲙ]Ⲛ̄ Ⲋ[Ⲛ]ⲔⲀⲒⲢ[ⲞⲤ] ⲘⲚ ⲊⲚ[ⲢⲘ]ⲡⲀⲨ
6 ⲈⲒⲈ ⲘⲚ Ⲋ[ⲚⲚ]Ⲉ[Ⲃ]Ⲁ† Ⲙ[Ⲛ Ⲋⲛ] Ⲋ̄ⲞⲞⲨ ⲘⲚ Ⲋ̄ⲚⲞⲨ.
7 ⲰⲀⲅⲈⲒⲈ ⲀⲅⲰ Ⲋ[Ⲛ   Ⲁ]ⲅⲈⲒⲈ ⲘⲚ ⲡⲔⲎⲤ[ⲈⲈ]
8 ⲡⲈ ⲦⲎⲢϤ [ⲢⲔ]Ọ[ⲤⲘⲈⲒ Ⲋ̄ⲒⲬⲚ] ⲦⲡⲈ Ⲛ̄ⲦⲀϤⲰ ⲬⲒ
9 [ⲀⲊ̄ⲞⲨⲚ ⲀⲡⲈϤⲞⲨⲀⲈⲒⲚ Ⲛ̄ϬⲒ ⲀⲆⲀⲘ ⲚⲞ]ⲨⲀⲈⲒ[Ⲛ]

5 Zeichen (σημεῖον, χρόνος) und Zeiten (καιρός) und Jah-
6 re und [Mo]nate und Tage und Näch-
7 te. Und [n.pl.] und alles übri-
8 ge [wurden geor]d[net] (κοσμεῖν) [a]m Himmel. Als
9 [der] Lich[t-Adam] sich erstrecken konnte [auf sein Licht hin] ...

Fragment 4

Die Rückseite vom Fragment 3, bestehend aus den Bruchteilen Nr. 32 v., 33 v.,
28 v., 19 v. und 14 v. (= Crum 3 b, von diesem nicht entziffert). Die Faserung verläuft
waagerecht. Die Seite ist in einem schlechten Zustand; viele Stellen sind mit einer
dünnen Schicht überklebt und nur in der Infrarot-Fotografie erkennbar. Das Fragment
entspricht NHC II, 112 (= Tafel 160), 27-34.

()   [ⲡⲀⲢⲬⲒⲄⲈⲚⲈ]
1 ⲦⲰⲢ Ⲭ[Ⲉ ⲀϤⲬⲈ Ϭ]Ⲁⲗ ⲈϤⲬ[Ⲱ ⲘⲘⲀⲤ ⲬⲈ Ⲁ]
2 ⲚⲀⲔ ⲡⲈ [ⲡⲚⲞⲨⲦⲈ] ⲘⲚ Ϭⲉ ⲰỌ[Ⲟⲡ Ⲋ]ⲒⲦϨⲈ[Ⲋ̄Ⲏ]
3 ⲦⲞⲦⲈ Ⲋ̄Ⲁ[   ]ⲩⲚ ⲰⲀⲢ̣Ⲁϥ ⲡⲀⲬⲈⲨ [ⲬⲈ]
4 ⲘⲎ ⲡ̣[ⲈⲈⲒ ⲡⲈ ⲡⲚ]ⲞⲨⲦ[Ⲉ] Ⲛ̄Ⲧ[ⲀϨ]Ⲧⲉ.[.. Ⲁ]
5 Ⲋ̄[Ⲁϥ]Ọ̣Ⲩ[ⲰⲰⲃ ⲬⲈ ⲈϨ]Ⲉ̣ [ⲈⲤⲬⲈ Ⲧ]ⲈⲦⲚ[ⲞⲨⲰ]
6 ⲰⲈ Ⲭ̄Ⲛ[ⲚⲈϤⲰ ϬⲚϬ]ⲀⲘ Ⲛ̄[   ]
7 ⲀⲘⲎⲦ̣Ⲛ̣ [ⲘⲀⲢⲚⲦⲀⲘⲒⲞ Ⲁⲃ]Ạ̣[ⲗ] Ϩ̄Ⲙ ⲡⲔⲀ[Ϩ]

() [Sie spotteten über den Archigene-]
1 tor, weil [er ge]logen hatte, als er sag[te :]
2 "Ich bin [Gott]. Kein anderer exis[tiert außer] mir".
3 Dann (τότε) ka[men sie] zu ihm und sprachen :
4 "Ist etwa (μή) die[ser der Go]tt, der [.........]
5 [Er] ant[wortete : "Ja ! Wenn] ihr
6 wollt, daß [er] nicht [ka]nn [.........],
7 (so) kommt, [laßt uns au]s der Erde ...

1-2 Vgl. Jes. 46, 9 und NHC II, 103 (= 151), 12-13.
6   Zwischen Ⲱ und Ⲉ ist ein kleiner senkrechter Strich zu sehen, der entweder als
    Tintenfleck oder als angedeutetes Ⲓ verstanden werden könnte.
7   Vgl. Gen. 1, 26.

Fragment 5

Das Fragment stellt den unteren Teil einer Seite dar. Der untere Rand ist in einer Breite von 20 mm. unbeschrieben. Die Faserung verläuft waagerecht. Das Fragment besteht aus den Bruchteilen Nr. 5 v., 30 r., 6 v., 20 r. und 27 v. und entspricht NHC II, 116, (= Tafel 164), 26-30.

22 [ ]ⲉ̣[ⲁⲥⲥⲱ]ⲃ̣ⲉ̣ ⲛ̣̅[ⲥⲁ]
23 ⲧⲟⲩⲅ̣ⲛⲱ̣ⲙ̣ⲏ̣ [ⲁⲥϯ ⲑϩⲗⲁⲥⲧⲛ ⲁⲛⲟⲩⲃⲁⲗ..]
24 ⲁⲥⲕ̣ⲱⲉ ⲙ̅ⲡⲉⲥ[ⲓⲛⲉ ⲁⲧⲟⲩ]ⲛ̣ ⲁ̣ⲇ̣ⲁⲙ̣ [..ⲛϫ]ⲓ̣ⲟⲩ̣[ⲉ]
25 ⲁⲩⲱ ⲁⲥⲃⲱ̣[ⲕ ⲁϩⲟⲩⲛ ⲉⲡϣ]ⲏ̣ⲛ̣ ⲛ̅ⲧ[ⲅⲛⲱⲥⲓ]ⲥ̣ ⲁ̣[ⲥϭⲱ]
26 ⲛ̅ϩⲏⲧ̣ϥ ⲛ[ⲧⲁⲩ ⲛⲇⲉ ⲁⲩⲟ]ⲩ̣ⲁϩⲟⲩ ⲛ̅[ⲥⲱⲥ ⲁ]ⲥ̣ⲟⲩ[ⲱⲛϩ]

22 … [sie verlach]te
23 ihren Beschluß (*γνώμη*). [Sie blendete ihre Augen …]
24 Sie ließ ihr [Abbild bei] Adam, [heim]lich,
25 und sie gin[g in den Ba]um der [Erkenntni]s (*γνῶσις*) [ein (und) blieb]
26 in ihm. S[ie aber] folgten i[hr] (und) sie offen[barte] …

---

24 [ⲁⲧⲟⲩ]ⲛ ist nicht sicher; man könnte die Schriftreste auch als ⲙ oder vielleicht ϥ deuten.

Fragment 6

Die Rückseite vom Fragment 5, bestehend aus den 4 letzten Zeilen einer Seite. Der untere Rand ist in einer Breite von 22 bis 26 mm. unbeschrieben. Die Faserung verläuft senkrecht. Das Fragment besteht aus den Bruchteilen Nr. 27 r., 20 v., 6 r., 5 r. und 8 v. Es entspricht NHC II, 117 (= Tafel 165), 20-24.

(22) [ϫⲉⲕⲁ]
23 [ⲥⲉ ⲧϣⲁⲣⲡ] ⲙ̅ⲙ̣[ⲉⲩ ⲉⲥⲁϫⲡⲟ ...ϩ]ⲣ̣ⲏ̣ⲓ̣ ⲛ̅ϩⲏ
24 [ⲧ]ⲥ ⲛ̅ⲥⲡⲉⲣⲙⲁ̣ [ⲛⲓⲙ ⲉϥⲧⲏϩ ⲉϥⲥⲃ]ⲧ̣ⲁⲧϥ ⲁϫⲓ
25 [ⲙ]ⲁⲣⲙⲉⲛⲏ̣ ⲙ̅ⲡⲟ̣̅[ⲩⲕⲟⲥⲙⲟⲥ ⲙⲛ ⲛⲉⲥ]ⲥ̣ⲭⲏⲙⲁ
26 [ⲁ]ⲩ̣ⲱ ⲙ̅ⲛ̅ ⲛ̅ⲇ[ⲓ]ⲕⲁⲓⲟⲥ[ⲩⲛⲏ ⲁⲩⲟⲓⲕⲟⲛⲟ]ⲙⲓⲁ ⲧⲉ

(22) [damit]
23 [die erste] Mut[ter o]ben in sich
24 [allen] Samen (*σπέρμα*) [erzeuge], der [vermischt ist,] [der einge]fügt ist in der
25 Heimarmene ihrer (pl.) [Welt mit ihren (sing.)] Erscheinungen (*σχῆμα*)
26 und der Gerechtig[keit] (*δικαιοσύνη*). [Ein Pl]an (*οἰκουμία*) …

Fragment 7

Das Fragment besteht aus dem Bruchteil Nr. 15 v., der die obere rechte Ecke einer Seite bildet. Die Faserung verläuft waagerecht. Der obere Rand ist in einer Breite von 10 mm. sichtbar. Das Fragment entspricht NHC II, 119 (= Tafel 167), 7-16.

```
1                           [ⲁⲥϭⲱϣⲧ ⲁ]ⲍⲟⲩⲛ
2  [ⲍⲙⲡϣⲏⲛ ⲁⲥⲛⲉⲩ ⲁⲣⲁϥ ϫⲉ          ]ⲁⲧ ⲉⲓ
3  [          ⲁⲥⲙⲉⲣⲓⲧϥ ⲁⲥϫⲓ ⲁⲃⲁⲗ ⲍ]ⲙ ⲡⲉϥ
4  [ⲕⲁⲣⲡⲟⲥ ⲁⲥⲟⲩⲱⲙ ⲁⲥϯ ⲙⲡⲉⲥⲕⲉⲍⲉⲉⲓ ⲁϥⲟ]ⲩⲱⲙ
5  [ⲍⲱⲱϥ ⲧⲟⲧⲉ ⲁⲡⲟⲩⲛⲟⲩⲥ ⲟⲩⲱⲛ      ]ⲁⲡⲟⲩ
6  [ⲁⲉⲓⲛ ⲛⲧⲅⲛⲱⲥⲓⲥ ⲣⲟⲩⲁⲉⲓⲛ ⲛⲁⲩ      ]ϫⲟ ⲁ
7  [          ⲙⲡϣⲓⲛⲉ ⲁⲩⲙⲙⲉ ϫⲉ ⲛⲉⲩⲕⲁ]ⲕ ⲁⲍⲏⲩ
8  [ⲁⲧⲅⲛⲱⲥⲓⲥ ⲛⲧⲁⲣⲟⲩⲣⲛⲏ ϥⲉ ⲁⲩⲛⲁⲩ ⲁ]ⲣⲁⲩ
9  [ϫⲉ ⲥⲉⲕⲁⲕ ⲁⲍⲏⲩ ⲁⲩⲙⲣⲣⲉ ⲛⲟⲩⲉⲣⲏⲩ ⲛⲧ]ⲁ
(10) [ⲣⲟⲩⲛⲉⲩ]
```

1   [Sie schaute den Baum] an;
2 [sie sah, daß er   ]?
3 [war; sie gewann ihn lieb; sie nahm vo]n seiner
4 [Frucht, aß, gab auch ihrem Gatten und auch er] aß.
5 [Da wurde ihr Verstand geöffnet. Das Li]cht
6 [der Erkenntnis erleuchtete sie.   ]?
7 [Sie erkannten, daß sie na]ckt waren
8 [von der Erkenntnis. Als sie nüchtern geworden waren,]
           [sahen sie, daß] sie
9 [nackt waren, und liebten einander.] Als ...

1-9 Vgl. Gen. 3, 6-7.

5 Es wäre auch möglich, ⲙ̄ⲡⲟⲩ zu lesen.

6-7 Man könnte ⲁ[ⲩϯ ⲍⲓⲱⲟⲩ ⲙⲡϣⲓⲛⲉ] ergänzen; das ϫⲟ wäre dann die letzte Silbe eines in NHC II nicht vorkommenden Verbes. Oder handelt es sich um eine Korruption des Verbes ϫⲟⲗⲍ (anziehen, bedecken), das in B bezeugt ist, in A² allerdings die Form ϭⲱⲗⲉ hat?

Fragment 8

Die Rückseite vom Fragment 7, bestehend aus der oberen linken Ecke einer Seite. Die Faserung verläuft senkrecht. Das Fragment besteht aus dem Bruchteil Nr. 15 r. Da nur einzelne Buchstaben aus dem jeweiligen Zeilenanfang erhalten sind, ist eine Rekonstruktion des Textes nicht möglich. Zeile 3 könnte NHC II, 119 (= Tafel 167), 34 entsprechen; das ganze müßte ungefähr den Text von NHC II, 119 (= 167), 32-120 (= 168), 7 wiedergeben.

1 ⲧ
2
3 ⲧⲟ[ⲧⲉ ⲛⲇⲉ ⲡⲉϫⲁⲩ ϫⲉ]
4 ⳍ
5 ⲛ
6 ⲁ
7 ⳍ
8 ⲗ ⲉ
9 ⲙ
10 ⲥ

---

3 Vgl. auch NHC II, 119 (= 167), 33 : [ⲛ]ⲧⲟ[ⲥ ⲡⲉⲛⲧⲁⲥ†].

Fragment 9

Vermutlich aus der oberen linken Ecke einer Seite. Es handelt sich um das den
Fragmenten 7/8 nächstfolgende Blatt. Das Fragment besteht aus den Bruchteilen
17 v. (= Crum 5 b) und 18 v. Die Faserung verläuft waagerecht. Der Text entspricht
NHC II, 120 (= Tafel 168), 23-31.

1 .ⲉ[ⲁϥ† ⲣⲉⲛ ⲁⲛⲟⲩ ⲕⲧⲓⲥⲙⲁ]
2 ⲧⲏⲣϥ[ⲁⳍⲟⲩϣⲧⲁⲣⲧⲣ   ϫⲉ ⲁϥⲣⲛⲏϥⲉ ⲛϭⲓ]
3 ⲁⲇⲁⲙ [ⲁⲃⲁⲗ ⳍⲛ ⲁⲅⲱⲛⲓⲁ ⲛⲓⲙ ⲁⳍⲟⲩⲥⲱⲟⲩⳍ]
4 ⲁⳍⲟⲩϫ[ⲓ ⲥⲩⲙⲃⲟⲩⲗⲓⲟⲛ ⲡⲁϫⲉⲩ ϫⲉ ⲉⲓⲥ ⲁⲇⲁⲙ]
5 ⲁϥϣⲱ[ⲡⲉ ⲛⲑⲉ ⲟⲩⲉ ⲁⲃⲁⲗ ⲙⲙⲁⲛ ⲁⲧⲣⲉⲓ ⲙⲙⲉ ⲛ]
6 ⲧⲁ[ⲓⲁⲫⲟⲣⲁ ⲙⲡⲟⲩⲁⲉⲓⲛ ⲙⲛ ⲡⲕⲉⲕⲉ †ⲛⲟⲩ ⲙⲏ]
7 ⲡⲟⲧ[ⲉ ⲛⲥⲉⲣⳍⲉⲗ ⲙⲙⲁϥ ...   ⲛⲑⲉ]
8 ⲙ̄ⲡ[ϣⲏⲛ ⲛⲧⲅⲛⲱⲥⲓⲥ ⲛϥⲉⲓ ⲁⲛ ⲁⳍⲟⲩⲛ ⲉⲡϣⲏⲛ]
9 ⲙ[ⲡⲱⲛⳍ]

1   [Als er sie gesehen hatte, gab er Namen ihren]
2 ganzen [Geschöpfen. Sie wurden bestürtzt, daß]
3 Adam [erwacht war aus aller Agonie. Sie versammelten sich,]
4 hielten [einen Rat und sprachen : "Siehe, Adam]
5 ist gewor[den wie einer von uns, so daß er]
6 den Un[terschied] (διαφορά) [des Lichtes und der Finsternis] [kennt.]
7 Daß er jetzt nur [nicht] (μήποτε) [verleitet wird ... wie]
8 beim B[aum der Erkanntnis und auch noch hingeht zum Baum]
9 des [Lebens] ...

---

1 Statt ⲉ wäre es auch möglich ⲥ, ⲟ, ⲱ, ϭ, usw. zu lesen. Davor ist ein kurzer
waagerechter Strich als Rest eines Buchstaben zu erkennen.

Fragment 10

Die Rückseite vom Fragment 9, bestehend aus den Bruchteilen Nr. 17 r. (= Crum 5 a, von diesem nicht veröffentlicht) und 18 r. Die Faserung verläuft senkrecht. Da jeweils nur ein oder zwei Buchstaben aus dem Ende einer jeden Zeile erhalten sind, ist eine Rekonstruktion des Textes nicht möglich. Das Fragment müßte ungefähr NHC II, 121 (= Tafel 169), 13-22 entsprechen.

1	Є
2	Ꙅ
3	Ϻ
4	Ν
5	Υ
6	Є
7	ЄΜ
8	ΚΟ
9	Ι

7 Vgl. NHC II, 121 (= 169), 20.

Fragment 11

Der Anfang einer Seite. Der obere Rand ist in einer Breite von 19 mm. unbeschrieben. Die Faserung verläuft waagerecht. Das Fragment besteht aus den Bruchteilen Nr. 29 v. (= Crum 1 b), 29 a v., 10 v., 11 v. und 4 a v. Die untere rechte Ecke des Bruchteils 29 v. ist mit einem anderen, 25 mm. hohen und 17 mm. breiten Teil (Nr. 29 b) überklebt, dessen Schriftreste umgekehrt zu denen vom Bruchteil 29 stehen. Das Fragment entspricht NHC II, 124 (= Tafel 172), 27-32.

1 [ⲡⲟⲩⲉⲉⲓ ⲡ]ⲟⲩⲉⲉⲓ ⲛ̄ⲅ̄ⲏⲧⲟⲩ ⲁϥⲟⲩⲱ[ⲛ]ⲅ̄ ⲁⲃⲁⲗ
2 [ⲅ̄ⲙⲡⲟⲩⲕⲁ]ⲅ̄ ⲁϥϭⲱ[ⲗ]ⲡ ⲁⲃⲁⲗ ⲛⲧⲉϥⲅ̄ⲛⲱⲥ[ⲓ]ⲥ
3 [ⲛⲧⲉⲕⲕ]ⲗⲏⲥⲓⲁ ⲛ̄[ⲧ]ⲁ̣ⲅ̄[ⲟ]ⲩⲅⲱⲛ[ⲅ̄ ⲁⲃⲁⲗ] ⲅ̄ⲛⲛ̄ⲙ̄
4 [ⲡ]ⲗⲁ̣[ⲥ]ⲙ[ⲁ ⲙ]ⲡⲧⲉⲕⲟ [ⲁⲩⲅⲉ ⲁⲣⲁⲥ ⲉ]ⲩⲛ̄ⲧⲉⲥ
5 ⲛ̄[ⲥⲡ]ⲉⲣ[ⲙ]ⲁ̣ ⲛⲓⲙ ⲉ[ⲧⲃⲉ ⲡⲥⲡⲉⲣⲙⲁ ⲛⲛ]ⲉⲝ̄ⲟⲩ
6 ⲥⲓⲁ̣ [.   ⲛ]ⲧⲁ̣ⲅ̄ⲧ[ⲱⲅ̄]

1 [Jeder] einzelne von ihnen hat [in seinem Lan]de offenbart.
2 Er hat seine Gnosis der [Kir]che (ἐκκλησία) offenbart,
3 die [er]schienen ist unter den
4 [Ge]bil[den] (πλάσμα) des Verderbens. [Man hat gefunden,] [daß] sie
5 allen [Sa]men (σπέρμα) hat, we[gen des Samens der] Mäch-
6 [te] (ἐξουσία), der ver[mischt ist] …

Fragment 12

Die Rückseite vom Fragment 11; wie dort Anfang einer Seite. Der obere Rand ist in einer Breite von 19 mm. unbeschrieben. Die Faserung verläuft senkrecht. Das Fragment besteht aus den Bruchteilen 29 r. und 29 a r. (zusammen = Crum 1 a). Die Rückseite des Bruchteils 4 a gehört außerdem noch hierher; sie ist aber am Bruchteil 4 angeklebt und von diesem überdeckt. Diese Rückseite müßte 2-3 Buchstaben vom Anfang einer jeden Zeile enthalten. Das Fragment entspricht NHC II, 125 (= Tafel 173), 17-23.

(11,26)   [ⲘⲚ ⲠⲈ]
1   [ⲐⲎⲠ ⲈⲦⲚ]ⲀⲞⲨⲰⲚϨ ⲀⲂⲀ[Ⲗ] ⲈⲚ ⲀⲨ[Ⲱ ⲘⲚ]
2   [ⲠⲈ]ⲦⲈ ⲈⲦⲚⲀⲤⲞⲨⲚⲰϥ [Ⲉ]Ⲛ ⲚⲈⲈⲒ [ⲚⲀⲈ]
3   [ⲀⲨⲦ̄Ⲛ]ⲚⲀⲨⲤⲈ ⲀⲨⲚ̄Ϩ ⲠⲈⲐⲎⲠ ⲀⲂⲀ[Ⲗ ⲀⲨ]
4   [Ⲛ̄Ϩ Ⲙ]ⲚⲦⲤⲀϢⲂⲈ Ⲛ̄ⲈϪⲞⲨⲤⲒⲀ ⲀⲂⲀⲖ Ⲙ̄Ⲛ[Ⲧ]
5   [ⲞⲨⲘ]Ⲛ̄ⲦⲀⲤⲈⲂⲎⲤ ⲀⲨⲰ ⲦⲈⲈⲒ ⲦⲈ ⲐⲈ [ⲀⲨ]
6   [ⲢⲔⲀ]ⲦⲀⲔⲢ[Ⲓ]ⲚⲈ Ⲙ̄[ⲘⲀⲨ ⲘⲚ ⲠⲎ̄]ⲎⲈⲒⲀⲒⲰ[Ⲛ...]
7   [   ]Ⲙ .Ⲁ[   ]

(11,26)   ["Nicht gibt es etwas]
1   [Verborgenes, das] nicht offenbar wird. Und [nicht gibt]
2   [es et]was, das nicht gewußt werden wird". Diese [aber]
3   [wurden] gesandt, um zu offenbaren das Verborgene (und) [um
         zu offen-]
4   [baren] die sieben Mächte (ἐξουσία) und
5   [ihre] Gottlosigkeit (-ἀσεβής), und so haben sie
6   s[ie ver]urteilt (κατακρίνειν) [mit die]sem Äo[n] ...

1-2 Vgl. Mt. 10, 26; Mk. 4, 22; Lk. 8, 17.
2   Crum : ⲈⲨⲚⲀⲤⲞⲨⲚ. Ⲟϥ; zu lesen ist wohl ⲈⲦⲚⲀⲤⲞⲨⲰⲚϥ
3   ⲀⲨⲚ̄Ϩ für ⲀⲨⲀⲚϨ-, st. nom. (= Ⲁ ⲞⲨⲀⲚⲈϨ-)
6   [ⲔⲀ]ⲦⲀⲔⲢ[Ⲓ]ⲚⲈ Ⲙ nur in der Infrarot-Aufnahme zu erkennen. Crum liest
     ⲀϬ ⲚⲚⲈ.
     Die Konjektur [ⲘⲚⲠ]ⲎⲈⲒⲀⲒⲰ[Ⲛ] ist nicht voll gesichert, da ein Parallel-
     ausdruck bei NHC II fehlt. Vgl. NHC II, 158, 28; 168, 34; 173, 13; 161, 5.
     Schwierigkeiten bereitet die Demonstrativform ⲠⲎⲈⲒ : für A₂ sind die Formen
     ⲠⲈⲈⲒ ⲠⲈⲒ und ⲠⲎ bekannt. Vielleicht liegt hier eine Verlängerung ähnlicher
     Art wie bei ⲀϨⲢⲎⲈⲒ (für ⲀϨⲢⲎⲒ; Fragm. 2, Zeile 6) vor.
     (Vgl. allerdings ⲠⲈⲈⲒ in Fr. 2, Z. 2.)
     Oder ist das Ⲏ ein falsch abgeschriebenes Ⲡ ?
     Crum liest hier ⲎⲈⲒ ⲀⲔⲘ.

ANTI-HERETICAL WARNINGS IN CODEX IX FROM NAG HAMMADI

BY

BIRGER A. PEARSON

"Heresiology" is one of the most characteristic expressions of catholic Christianity : the identification and refutation of "unorthodox" beliefs and practices. The origins of Christian heresiology are found in the New Testament itself, and it is well-developed by the time of the great heresiologist bishop, Irenaeus of Lyons.[1] Before the discovery of the Nag Hammadi Library, it might have been thought that "heresiology" was solely the province of the "Great Church". To be sure, we do know from the Fathers themselves that certain gnostic sects spoke contemptuously of catholic Christians as "animal" ($\psi\upsilon\chi\iota\kappa o\iota$) men not in possession of gnosis.[2] And we have in *Pistis Sophia* and the *Second Book of Jesu* some polemics directed against immoral ritual practices apparently carried out by certain gnostic groups, perhaps the same groups as are attacked by Epiphanius in his *Panarion* (ch. 26).[3] But now the Nag Hammadi corpus has expanded considerably our knowledge of gnostic theological polemics, in that

---

[1] See F. Wisse, The Epistle of Jude in the History of Heresiology, in M. Krause ed., *Essays on the Nag Hammadi Texts in Honour of Alexander Böhlig* (NHS 3; Leiden, 1972), 133-143.

[2] The Valentinians had a highly developed system of thought in which the "spiritual men" ($\pi\nu\epsilon\upsilon\mu\alpha\tau\iota\kappa o\iota$), i.e. themselves, were distinguished from "psychic" (catholic) Christians, even to the differentiation of a "spiritual" and "psychic" level of salvation. On this see e.g. E. Pagels, A Valentinian Interpretation of Baptism and Eucharist— And Its Critique of "Orthodox" Sacramental Theology and Practice, *VigChr* 65 (1972), 153-169; and especially F.-M. Sagnard, *La gnose valentinienne et le temoignage de saint Irénée* (Paris, 1947), 387ff. For the $\pi\nu\epsilon\upsilon\mu\alpha\tau\iota\kappa o\varsigma$ - $\psi\upsilon\chi\iota\kappa o\varsigma$ terminology in the New Testament and in Gnosticism see B. Pearson, *The Pneumatikos-Psychikos Terminology in 1 Corinthians. A Study in the Theology of the Corinthian Opponents of Paul and Its Relation to Gnosticism* (SBL Dissertation Series 12; Missoula, Mont., 1973).

[3] See C. Schmidt and W. Till ed., *Koptisch-Gnostische Schriften*, vol. 1 (GCS 45; Berlin, 1959³), pp. 251 and 304. Cf. R. Haardt, *Gnosis. Character and Testimony*, tr. J. Hendry (Leiden, 1971). 69ff,

several of the gnostic tractates contain polemics directed not only against catholic Christianity but also against other gnostic groups. E.g. *The Concept of Our Great Power* (CG VI,4) may contain a polemic against the "Anomoeans" (40,7-9) [1] as well as against more "orthodox" Christians (45,15ff.). But even more interesting is the possibility that the "Antichrist" figure referred to in that document (44,13ff.) is to be identified as Simon Magus! [2] *The Second Treatise of the Great Seth* (VII,2) contains obvious polemics against catholic Christians who worship the crucified Christ and who "persecute" the gnostics (59,22-61,24). *The Apocalypse of Peter* (VII,3) presents as a revelation of the Savior a sketch of the history of early Christian doctrine which includes polemics against the catholic hierarchy (esp. 79,22ff.) and catholic doctrine (e.g. 74,5ff.), but also apparently against other gnostic groups (74,15ff.).

Two such documents from Codex IX are especially interesting (IX,1 and 3, as yet unpublished),[3] and in what follows a brief account of the theological polemics found in these treatises will be presented.

The first tractate in Codex IX is entitled *Melchizedek*,[4] and comprises p. 1-p. 27, line 10 of the codex. Unfortunately it is in very fragmentary condition, and the greater portion of it is lost.[5] However, the passage of greatest interest for the purposes of this article is found on one of the best preserved pages (p. 5), and is part of a prophetic revelation given presumably to Melchizedek. The previous context (pp. 1-4, very fragmentary and difficult to reconstruct) apparently concerns the ministry of "Jesus Christ, the Son of God", and his encounter

---

[1] So F. Wisse, The Nag Hammadi Library and the Heresiologists, *VigChr* 25 (1971), p. 208, n. 16. He suggests that this reference to a late fourth-century heresy helps us to date the document, and the Nag Hammadi library as a whole. But Krause interprets the word NIⲀⲚϨⲞⲘⲞⲒⲞⲚ as a neuter, which the (Greek) ending certainly suggests. See M. Krause and P. Labib, *Gnostische und Hermetische Schriften aus Codex II und Codex VI* (ADAIK Kopt. Reihe 2; Glückstadt, 1971), 155.

[2] H.-M. Schenke et al. (Berliner Arbeitskreis für koptisch-gnostische Schriften), Die Bedeutung der Texte von Nag Hammadi für die moderne Gnosisforschung, in K.-W. Tröger ed., *Gnosis und Neues Testament* (Berlin, 1973), 52.

[3] Codices IX and X, Coptic text and English translation, will be published in a forthcoming volume, ed. B. Pearson, of *The Coptic Gnostic Library*, general editor James M. Robinson, in the series (Nag Hammadi Studies Leiden, Brill).

[4] The title, with decorations, is partially preserved on a fragment from the top of page 1 : ⲘⲈⲖⲬⲒⲤ[ⲈⲆⲈⲔ].

[5] About 39 % of the total content is either extant or capable of restoration.

with hostile powers who will initiate false charges against him,[1] his death and resurrection, his post-resurrection instructions to his disciples, and the coming of false teachers. Our passage follows :

> [They] will come in his name and they will say of him that he is unbegotten though he has been begotten, (that) he does not eat even though he eats, (that) he does not drink even though he drinks, (that) he is uncircumcised though he has been circumcised, (that) he is unfleshly though he has come in the flesh, (that) he did not come to suffering, ⟨though⟩ he came to suffering, (that) he did not rise from the dead ⟨though⟩ he arose from [the] dead. CG IX,5,1-11.

This text is admittedly not without its ambiguities at first glance, especially when one recalls a common tendency in gnostic literature towards deliberate paradox, as the following passages illustrate :

> You hear that I suffered, yet I suffered not; and that I suffered not, yet I did suffer; and that I was pierced, yet I was not wounded; that I was hanged, yet I was not hanged; that blood flowed from me, yet it did not flow; and, in a word, that what they say of me, I did not endure, but what they do not say, those things I did suffer. *Acts of John* 101.[2]
>
> Amen, I was seized; Amen again, I was not seized.
> Amen, I was judged; Amen again, I was not judged.
> Amen, I was crucified; Amen again, I was not crucified.
> Amen, I was pierced; Amen again, I was not pierced.
> Amen, I suffered; Amen again, I did not suffer.
> Amen, I am in my Father; Amen again, my Father is in me.
>
> *Psalms of Heracleides*, p. 191.[3]

Of course, the style of these passages differs markedly from the one from Codex IX; the Manichaean text is religious poetry, and the one from the *Acts of John* is quasi-poetic "revelation language". In both the Savior is the speaker, addressing his disciples.

---

[1] "[And they will] call him 'the impious man, lawless [and impure]' ", IX,3,6-9. Such a statement is reminiscent of anti-heretical attacks against alleged followers of "Cain" and "Balaam" such as are found in the Epistle of Jude and elsewhere. Cf. F. Wisse, The Epistle of Jude (op. cit.), who however goes too far in denying the existence of libertine groups in early Christianity. It has recently been suggested, presumably in all seriousness, that Jesus himself is the source for the licentious doctrines and practices of the groups attacked in the Epistle of Jude (Carpocratians?)! See M. Smith, *Clement of Alexandria and a Secret Gospel of Mark* (Cambridge, Mass., 1973), esp. 201ff.

[2] Hennecke-Schneemelcher, *New Testament Apocrypha* II, tr. R. Wilson (Philadelphia, 1965), 234.

[3] C. Allberry ed. and tr., *A Manichaean Psalm-Book*, Part II (Stuttgart, 1938), 191.

Perhaps more to the point as a possible parallel to our text would be a "creedal" statement, such as the following from Ignatius of Antioch :

> There is one Physician, both fleshly and spiritual (σαρκικός τε καὶ πνευματικός), begotten and unbegotten (γεννητὸς καὶ ἀγέννητος), God come in the flesh (ἐν σαρκὶ γενόμενος θεός), in death true life (ἐν θανάτῳ ζωὴ ἀληθινή), both from Mary and from God (καὶ ἐκ μαρίας καὶ ἐκ θεοῦ), first passible and then impassible (πρῶτον παθητὸς καὶ τότε ἀπαθής), Jesus Christ our Lord. *Ephesians* 7.2.[1]

In this passage the Antiochene bishop sets forth his Christological creed over against the teachings and practices of heretics who "bear the Name" (i.e. of Christ) but behave (i.e. believe) like "rabid dogs" (*Eph.* 7.1). His creed is deliberately paradoxical and rather sophisticated, holding *both* to the spiritual and divine nature of Christ, along with his docetic opponents, *and* to the fleshly and human nature, which his opponents denied.

But upon closer examination we find that our text from Codex IX is unyieldingly non-paradoxical. The assertions of the opponents are, one by one, countered by the affirmation of the author's version of the truth (in the Coptic text rendered in circumstantial constructions, here translated with the word "though"). The opponents are arguing, among other things,[2] that Christ is "unbegotten" (Gr. ἀγέννητος),[3] "unfleshly" (Gr. ἀσάρκος), and impassible (cf. Gr. ἀπαθής), and since he did not suffer he did not rise from the dead either. To all of these affirmations our gnostic (!) author counters rigidly with the opposite, arguing almost naively against his docetic opponents with the result that he comes out with a more "primitive" Christology than that of the great anti-docetic bishop of catholic Christianity, Ignatius.

Most striking of all, however, in view of the over-all gnostic character of our document, is that the passage is formally similar to the eschatological warnings against "false prophets" and heretics that are found in the New Testament and other early Christian

---

[1] Text : Funk-Bihlmeyer, *Die Apostolischen Väter* (Tübingen, 1956), p. 84; my translation.

[2] That Jesus was not circumcised I find to be an interesting aspect of the docetic argument, and know of no explicit parallels to this. Marcion, of course, would have stressed this point. Cf. Tertullian *Adv. Marc.* 3.8 (on Marcion's docetism), 1.19 and 4.6f. (on Marcion's deletion from his edition of Luke of the infancy narratives).

[3] Coptic ⲁⲧⲭⲡⲟϥ. It is assumed that this treatise was composed originally in Greek.

literature (e.g. *Didache* 16; Justin *Dial.* 35; *Epistula Apostolorum* 29; etc.). These false prophets and heretics will come "in his (i.e. Jesus') name" (cf. Matt. 7.22), i.e. from within the Christian community itself (cf. Acts 20.30; Jude 4; 2 Pet 2.1; 1 Tim. 4.1; 1 John 2.19; Rev. 2.2,9,14f.,20). Moreover the kind of doctrine attributed to the false teachers in our document is strikingly similar to that attacked in 1-2 John, and the mode of attack is equally similar, i.e. that false teachers will arise who will deny that Jesus has "come in the flesh" (1 John 4.2; 2 John 7). Such a stance is most unusual in a gnostic document, indeed unparalleled. It is usually assumed that Gnosticism tends naturally toward a "docetic" Christology;[1] and if in gnostic sources one finds references to the physical suffering and death of Jesus such references are not without their ambiguity.[2]

Is our document "gnostic" at all? This can be seen in its references to well-known figures from the gnostic hierarchy of the heavenly world such as Barbelo, Doxomedon, the four luminaries, Pigeradamas, etc., from the reference to the elect as "the congregation of the children of Seth" (5,19f.), from the reference to the hostile spiritual powers as "archons", "angels", "word-rulers", "principalities", "authorities", "female gods and male gods" (2,8-10; 7,1), and from an apparent reference to the salutary effects of eating from the "tree [of knowledge]", enabling Adam and Eve to "trample upon [the Cherubim] and Seraphim" (8,3f.). The occurrence of Melchizedek as the central figure of our document,[3] however, may provide a hint that will enable us to explain the anti-docetic stance of this otherwise thoroughly gnostic tractate.

Epiphanius in his *Panarion* (ch. 55) sets forth a somewhat confused

---

[1] "Die Gnosis kann von ihren Voraussetzungen aus weder eine wirkliche Inkarnation noch den leiblichen Tod Jesu denken". K. M. Fischer, Der johanneische Christus und der gnostische Erlöser, *Gnosis und Neues Testament* (op. cit.), 262. But cf. also L. Schottroff, *Der Glaubende und die feindliche Welt* (WMANT 37; Neukirchen, 1970), 280ff. Cf. my review of Schottroff in *JBL* 91 (1972), 567-569.

[2] Cf. e.g. the *Gospel of Truth* (CG I, 2) 18,24; 20,10ff.; *Second Treatise of the Great Seth* (CG VII, 2) 58, 17ff.; but in the latter document the "docetic" position is dominant. Cf. J. A. Gibbons, The Second Logos of the Great Seth. Considerations and Questions, *SBL 1973 Seminar Papers* (Cambridge, Mass., 1973), 242-261. And cf. the paradoxical assertions of the passages quoted above from the *Acts of John* and the Manichaean psalm.

[3] Cf. B. Pearson, The Figure of Melchizedek in the First Tractate of the Unpublished Coptic Gnostic Codex IX from Nag Hammadi, to be published in the forthcoming proceedings of the Twelfth Congress of the IAHR (Stockholm, 1970).

account of a group whom he calls "Melchizedekians".[1] This group,
according to Epiphanius, subordinates Christ to Melchizedek. Moreover,
they are said to affirm that Christ originated from Mary, i.e. was born
as a man.[2] Of course, Epiphanius is notorious for his inaccuracies, but
we find ready corroboration for a "low" Christology amongst the
"Melchizedekians" in Hippolytus and Pseudo-Tertullian. Both of
these (though "Ps.-Tertullian," of course, may be Hippolytus himself)
agree that the followers of Theodotus (whom Epiphanius calls
"Melchizedekians")[3] affirmed the true humanity of Christ, stating
that he was a "mere man", in contrast to the heavenly power
Melchizedek, whose image Christ is.[4]

Thus if our document is a product of,[5] or related in some way to,
the "Melchizedekians", we have a ready-made explanation for its
anti-docetic stance.

Two other passages in *Melchizedek* are worthy of note, for the
purposes of this article. Theological opponents may be referred to
again at 9,1ff. : "... unbelief [of theirs] and ignorance [and ...]
wickedness which they [..." Unfortunately this text is so fragmentary
that nothing can be made of it. Finally, at 25,5ff., the crucifixion
and resurrection are mentioned, but again the fragmentary nature of
the text leaves us without adequate context.

Whereas the first tractate from Codex IX contains a theological

---

[1] Actually Epiphanius says that the "Melchizedekians" refer to themselves with
this designation, and notes that they are also known as "Theodotianists". *Pan* 55.1.1.

[2] Epiphanius argues vehemently : ἰδοὺ γὰρ καὶ οὗτοι (the Melchizedekians) ἠρνήσαντο
τὸν αὐτῶν δεσπότην (i.e. Christ) τὸν "ἀγοράσαντα αὐτούς, τῷ ἰδίῳ αὐτοῦ αἵματι", τὸν οὐκ ἀπὸ
Μαρίας ἐναρξάμενον, ὡς αὐτοὶ νομίζουτιν, ἀλλ' ἀεὶ ὄντα πρὸς τὸν πατέρα θεὸν Λόγον κτλ.
Pan. 55.9.1f. (Holl ed.).

[3] This Theodotus is referred to as a "banker" (τραπεζίτης) by trade and mentioned
just after Theodotus of Byzantium (Hipp. *Ref*. 7.35; Ps. Tert. *Haer*. 23). The Valentinian
Theodotus whose works Clement of Alexandria excerpted is yet another individual.

[4] Hippolytus *Ref*. 7.36; Ps.-Tertullian 24. The latter text states that the followers
of Theodotus taught the virgin birth.

[5] Epiphanius says that the Melchizedekians fabricated their own books. *Pan*. 55.1.5.
Against a simple attribution of our document to the sect described by Epiphanius,
however, is the occurrence in it of mythological personalia known from other varieties
of Gnosticism ("Barbelo-Gnostic" or "Sethian"), a factor for which Epiphanius' account
of the Melchizedekians does not prepare us. Moreover the exact relationship between
Jesus Christ and Melchizedek in our document is extremely difficult to pin down, but
if anything "Melchizedek" seems not to function as a "heavenly power" to whom
Christ is subordinate. But this problem cannot be taken up here.

polemic directed against docetic opponents (other gnostics ? Marcionites ?)—striking enough as that is—the third tractate presents a much more complicated picture, for it contains polemics directed at several fronts of opponents, including most prominently "orthodox" Christians. This tractate comprises p. 29, line 6—end (p. 76 ?),[1] and as no title is extant it has been assigned the title, *The Testimony of Truth*. Unfortunately it, too, is very fragmentary in crucial places, but the first several pages (29-48) are fairly well preserved.

Formally this document can be referred to as a "homiletic tract". It is addressed to "those who know to hear not with the ears of the body but with the ears of the mind" (29,6-9), in contrast to those who are not able to find the truth because of their adherence to "the Law" (29,9-15). The theological and ethical thrust of this document is radically encratic. The "Law" is tied to "lust" (ἐπιθυμία), "defilement", and "passion", and summarized, in our author's thinking, in the command "to take a husband or a wife, to beget, to multiply like the sand of the sea" (30,2-5). Those who fulfill the Law "assist the world" and "[turn] away from the light" (30,12-14). Renunciation of the world is the mark of the gnostic :

> No one knows the God of Truth except solely the man who will forsake all things of the world, having renounced (ἀποτάσσειν) the whole place, and having grasped the fringe of his garment.
>
> 41,4-10.

Salvation consists of one's leaving the world and returning to Imperishability whence he came (44,24-27) :

> This, therefore, is the true testimony (μαρτυρία) : When man knows himself and God who is over the truth, he will be saved, and he will be crowned with the crown unfading.
>
> 44, 30-45, 6.[2]

---

[1] For other literature on this tractate see S. Giversen, Solomon und die Dämonen, in M. Krause ed., *Essays ... Böhlig* (op. cit.), 16-21; and B. Pearson, Jewish Haggadic Traditions in *The Testimony of Truth* from Nag Hammadi (CG IX,3), in J. Bergman et al. ed., *Ex Orbe Religionum. Studia Geo Widengren* (*Numen* Suppl. 21; Leiden, 1972), 457-470.

[2] This passage looks like an ending, and the passage immediately following (a contrast between John the Baptist and Christ) is a very abrupt break in the train of argument. Indeed the tract from that point on seems to be made up of a number of sources, though the over-all thrust is the same as that of the first section.

From this encratic point of view our author attacks the position of other Christians whose doctrines and practices do not measure up to his standards. Catholic Christians are certainly in view in the following passages :

> The foolish think [in] their heart [that] if they confess, "We are Christians", in word only (but) not with power, while giving themselves over to ignorance, to a human death, not knowing where they are going nor who Christ is, they think that they will live, when they are (really) in error. They hasten towards the principalities and the authorities, and they fall into their clutches because of the ignorance that is in them. 31,22 - 32,8.
>
> [These] are martyrs [in vain] since they hear witness only [to] themselves. And yet they have become sick, and they are not able to raise themselves. But when they are finished with a passion, this is the thought that they have within them : "If we deliver ourselves over to death for the sake of the Name we will be saved." These matters are not settled in this way. 33,24 - 34,7.
>
> Some say, "On the last day [we will] arise well enough [in the] resurrection." But they do not [know what] they are saying. 34,26 - 35,2.[1]

In the first two passages it seems evident that our author is attacking the readiness with which some Christians (probably catholic Christians) accept martyrdom, and the interpretation they place upon it. He does not, however, explicitly state that Gnostics need not face martyrdom.[2] The last passage quoted attacks the resurrection doctrine of the catholic church, and the position of our document on that doctrine is made clear in another passage in which the "carnal resurrection" (σαρκικὴ ἀνάστασις)[3] is defined as "corruption" (36,30-37,1).

In another section (38,27-39,12, unfortunately very fragmentary), there is an attack on those who are ruled by pleasure (ἡδονή), but it is not possible to determine what kinds of persons are referred to, whether catholic Christians (in which case the reference to ἡδονή is imprecise), or libertine gnostics.[4]

---

[1] The following material is very fragmentary.

[2] According to the Church Fathers the Gnostics tended to avoid a confession of Christ that might lead to martyrdom. See e.g. Irenaeus *Adv. Haer.* 1.24.6 and Clement *Strom.* 4.81ff. (Basilides); Tertullian *Adv. Val.* 30 (the Valentinians); Irenaeus *Adv. Haer.* 4.33.9 and Clement *Strom.* 4.16f. (heretics in general). But a powerful exhortation to martyrdom is found in the *Apocryphon of James* (CG I, *1*) 4,37-6, 17.

[3] The term σαρκικὴ ἀνάστασις also occurs in the Valentinian *Treatise on the Resurrection* (CG I, *3*) 45, 40-46, 2.

[4] Cf. Clement of Alexandria's arguments against libertine gnostics in *Strom.* 3.42-44.

The catholic practice and interpretation of baptism is attacked in the following passage (unfortunately riddled with lacunae) :

> Some enter the faith [by receiving a] baptism, on the ground that they have [it] as a hope of salvation, which they call the ["seal"]. They do not [know] that the [fathers of] the world are manifest to that [place, but] he himself [knows that] he is sealed. For [the Son] of [Man] did not baptize any of his disciples. But [if those who] are baptized were headed for life, the world would become empty. And the fathers of baptism were defiled. But the baptism of truth is something else; it is by renunciation (ἀποταγή) of [the] world (κόσμος) that it is found. 69,7-24.

From this passage it is clear that our author rejects water baptism altogether, as some gnostic groups are known to have done.[1] The reference to Jesus and the disciples is interesting,[2] and seems to indicate that Jesus and his disciples came to the Jordan to bear witness to the end of water-baptism. Something like that is stated in another passage early in the tractate :

> The Son of Man [came] forth from Imperishability [which is] alien to defilement. He came [to the] world (κόσμος) by the Jordan river, and immediately the Jordan [turned] back.[3] And John bore witness to the [descent] of Jesus. For he is the one who saw the [power] which came down upon the Jordan river;[4] for he knew that the dominion of carnal procreation had come to an end. 30, 18-30.

---

[1] Cf. *The Apocalypse of Adam* (CG V, 5), especially 85, 22ff., where a "spiritualization" of baptism may imply also a rejection of water baptism. In the *Paraphrase of Shem* (CG VII, 1) water is a symbol of chaotic darkness (cf. Gen. 1.2), and water baptism is ascribed to a "demon" (30, 23, called "Soldas" at 30, 32f.) and referred to as an "incomplete baptism" (ΒΑΠΤΙϹΜΑ N̅ΑΤΧШΚ, 30, 25) and "baptism of uncleanness" (ΠΒΑΠΤΙϹΜΟϹ N̅ΤΑΚΑΘΑΡϹΙΑ, 37, 22); cf. also 31, 17ff.; 38, 5ff. The Manichaeans, also, are known to have rejected water baptism. See e.g. *Kephalaia* ch. 6 (Böhlig ed., p. 33), and now also the new Cologne Mani Codex, which shows that Mani grew up in an Elchasite sect but repudiated some of this sect's teachings and practices, including water baptism; see A. Henrichs and L. Koenen, Ein griechischer Mani-Codex, *ZPE* 5 (1970), 97-216. On the possibility of a Manichaean "baptism" with oil, see G. Widengren, *Mani and Manichaeism*, tr. C. Kessler (New York, 1965), 99ff.

[2] Cf. John 3.22; 4.1-2.

[3] This detail reflects influence from the O.T. narrative of the stopping of the Jordan river in Joshua 3.13ff., and especially Psalm 114 (113 LXX).3 : ὁ Ἰορδάνης ἐστράφη εἰς τὰ ὀπίσω. Ps. 114.3 is quoted in the Mandaean *Ginza* R. 174 (Lidzbarski, p. 178); and later, in the story of the baptism of Manda d Hayye by Yohana in *Ginza* R. 191 (Lidzbarski, p. 192), it is said that the waters of the Jordan turned backwards at the glory of Manda d Hayye! Cf. also the Paris Magical Papyrus (Preisendanz ed., *PGM* IV) 3053ff. : ὁρκίζω σε μέγαν θεὸν Σαβαωθ, δι᾽ ὃν ὁ Ἰορδάνης ποταμὸς ἀνεχώρησεν εἰς τὰ ὀπίσω.

[4] In what follows the "Jordan" is allegorically interpreted as bodily senses and pleasures, and "John" as "the archon of the womb" (31, 4f.).

While the thrust of our document's polemics is directed obviously against catholic Christianity, there is a very interesting section which looks very much like a catalogue of heresies and mentions well-known gnostic figures. Unfortunately this section (beginning with p. 55, line 1) [1] is extremely fragmentary. "Valentinus" (56,2) and the "disciples of Valentinus" (56,5) are mentioned, as well as "Isidore" (57,6) and probably "Basilides" (57,8),[2] and possibly the "Simonians" (58,2f.).[3] Other names surely mentioned in this section are now lost. Interestingly enough such terms as "heretics" (αἱρετικός) and "schisms" (σχίσμα) are used in this section!

In a later passage, also fragmentary, the following statement occurs :

> They say, ["Even if] an [angel] comes from heaven, and preaches to you beyond that which we preached to you, may he be anathema !" 73,18-22.[4]

And further down (the context is destroyed by lacunae) :

> They are not able to [keep] this law (νόμος) which works (ἐνεργεῖν) by means of these heresies (αἵρεσις)—though it is not they, but the powers of Sabaoth. 73,26-30.

Thus these two tractates from Codex IX give us a very interesting and important glimpse, from the side of the gnostic themselves, of gnostic theological polemics. While it is probably true that much gnostic literature was intended to function more like "mystical poetry" than statements of logical precision or coherent theological systems,[5] it is clear also that *some* gnostics were very serious in their attempts to define and safeguard the truth. Though their versions of the truth were not the same as that of the catholic Church Fathers, we now see that their methods were not so different. One can therefore now, as a result of the discovery of the Nag Hammadi library, speak of "gnostic heresiology".

---

[1] Rather, it began somewhere on one of the missing pages before p. 55. Pp. 51-54 are missing altogether, except for a single tiny fragment from each folio.

[2] [ⲡⲂⲀⲤⲓⲗⲉⲓⲀ]ⲏⲤ.

[3] ⲚⲤⲓ[Ⲙⲱ]/ⲚⲓⲀⲚⲞⲤ. These are said to "take [wives] and beget children" (58, 3f.) in contrast to another group which practives abstinence (ἐγκρατεύειν). All that remains of the name of the other group is Ⲛ[.......]/ⲀⲚⲞⲤ (58, 4f.).

[4] Cf. Gal. 1.8.

[5] This point is made—and I think somewhat overdrawn—by F. Wisse, "The Nag Hammadi Library and the Heresiologists" (op. cit.), 221f. One should distinguish between the motivations of individual gnostic authors and those of later compilers (or librarians) of gnostic literature.

GENIUS AND SPIRIT

BY

GILLES QUISPEL

The publication of the Coptic Gospel of Philip by Pahor Labib in 1956 has been of paramount importance for several reasons. Among other things it was only then that the relationship of Valentinus' concept of man with the Jewish-Christian theology of the Holy Spirit could be established. Let me make this point clear.

According to Eduard Schwartz, Valentinian Gnosis was a chaotic ruin, which could not be reconstructed so as to be a whole structure.[1] This then would mean that the most brilliant Gnostic that ever lived had to remain for ever a complete enigma. This situation was certainly not very satisfactory for scholarship. It is not amazing, therefore, that different scholars have tried to unravel this tangled tale and have come to much the same conclusions :[2]

1. The primitive doctrine of Valentinus was much more simple than that of his pupils Ptolemy and Heracleon. So Valentinus knew of only one Sophia and had no high appreciation of any thing that was "psychic". It is not clear, however, to what extent the views of these leaders of the Western School of Valentinianism may be due to a certain evolution in the thought of the founder, Valentinus, himself.

2. Valentinus was familiar with a gnostic myth similar to that contained in the Apocryphon of John and christianised it.

3. Gnostic doctrine in general should be considered as a mythical expression of Self experience. The centre and starting point of every system is man, his predicament in this world and his awareness of salvation. In the case of Valentinus, it was the syzygia, the *mysterium*

---

[1] E. Schwartz, in *Göttinger Gelehrte Nachrichten*, 1908, 127 : "ein wüster Trümmerhaufen, der sich zu einem verständlichen Bau nicht mehr zusammenfügen will".

[2] G. Quispel, The Original Doctrine of Valentinus, *Vigiliae Christianae*, 1, 1947, 43-73 (now also in my *Gnostic Studies*, I, 27-36); F. M. M. Sagnard, *La Gnose valentinienne et le témoignage de S. Irénée*, Paris 1947.

conjunctionis between man and his angel or transcendental Self, which was the kernel of the myth. It took some time before the genealogy of this angel could be established with some certainty. It turned out that this was the guardian angel, conceived as image and counterpart (iqonin) both in Judaism and primitive Christianity and ultimately derived from the Greek, Pythagorean concept of a daimôn.[1]

The discovery of Valentinian writings at Nag Hammadi (the Gospel of Truth, De Resurrectione, Tractatus Tripartitus, the Gospel of Philip, etc.) has greatly enhanced our knowledge of Valentinus and his school but contain nothing which would lead us to reconsider the above mentioned views.

Eduard Schwartz also held that the Pseudo-Clementine Homilies and Recognitions had nothing to do with Jewish Christianity, but formed a novel without any historical value.[2] This view was so unfounded and provocative that it must of necessity lead to a violent reaction. There is no doubt nowadays that the Pseudo-Clementine writings have a very special relationship with the Jewish-Christian Elkesaites. It is exceedingly probable that Jewish Christianity was responsible for the foundation of such congregations as Edessa, Alexandria, Carthage and Rome.[3] Moreover, it is clear that the Gospel of Thomas, found at Nag Hammadi and containing 114 Sayings attributed to Jesus, contains at least some logia transmitted in or even originating in a Jewish-Christian milieu.

I want to adduce a new argument to corroborate this thesis. All Jewish Christians were law abiding, though accepting Jesus as their Messias, and therefore kept the sabbath. So it has always been plausible that logion 27 of the Gospel of Thomas, in which the sabbath is prescribed, originated among Jewish Christians :[4]

> If you fast not from the world, you will not find the Kingdom; if you keep not the Sabbath as Sabbath, you will not see the Father.

---

[1] G. Quispel, *Makarius, das Thomasevangelium und das Lied von der Perle*, Leiden 1967, 39-64; idem, Das ewige Ebenbild des Menschen. Zur Begegnung mit dem Selbst in der Gnosis, *Eranos Jahrbuch* 36, 1967, 9-30 (= *Gnostic Studies*, I, 140-157).

[2] E. Schwartz, Unzeitgemässe Beobachtungen zu den Clementinen, *Zeitschrift für die neutestamentliche Wissenschaft*, 31, 1932, 151-199.

[3] J. Daniélou, Christianity as a Jewish Sect, in *The Crucible of Christianity*, London 1969, 261-282.

[4] A. Guillaumont, Nèsteuein ton kosmon, *Bulletin de l'Institut français d'Archéologie orientale*, 61, 1962, 15-23, offers an Aramaic translation of the logion.

Now according to the *Indiculus de haeresibus* of Pseudo-Jerome, the Masbotheans said that Jesus himself taught them to keep the sabbath in any case :

> Masbothaei dicunt ipsum esse Christum qui docuit illos in omni re sabbatizare.[1]

This is clearly an allusion to the Saying in the Gospel of Thomas.

Now *maṣbʿutaʾ* in Aramaic, *maṣbuta* in Mandaic means "baptism". Therefore, Masbotheans are "baptists".[2] Due to the new Mani Codex of the University of Cologne, we now know that the Jewish Christians in Southern Babylonia, among whom Mani lived from his fourth to his twenty-fifth year, were called "baptists"; not because they received the sacrament of baptism once in their life, but because they were addicted to ablutions, like the Mandeans and the Mohammedans.[3] The Masbotheans of Pseudo-Jerome seem to have been Jewish-Christian baptists, among whom circulated the Saying about the sabbath preserved in the Gospel of Thomas.

In general, the Jewish Christians expressed their faith in Jewish categories. One of the most astonishing and even shocking features of their theology is the Angel pneumatology.[4]

The expression "Angel of the Holy Spirit" is found in the Ascension of Isaiah, probably from Alexandria. There, the Holy Ghost is an angel, and yet adored :

> And I saw the Lord and the second angel, and they were standing; but the second one whom I saw was on the left of my Lord. And I asked, "Who is this ?", and he said to me, "Worship him, for this is the angel of the Holy Spirit, who speaks through thee and the rest of the righteous". (9, 35-36)

This, however, is not an isolated case. We find the same concept in the Bible, namely in Acts 8,26-29. There it is said that an *angel* of the Lord ordered Philip to go to the road which leads from Jerusalem to Gaza; whereupon the *Spirit* tells him to go to the carriage of the Ethiopian eunuch. That seems to be nothing but a variation of the same theme. In the source of Luke, the Spirit was conceived as an

---

[1] F. Oehler, *Corpus haereseologicum*, I, Berlin 1956, 283.

[2] J. Thomas, *Le mouvement baptiste en Palestine et Syrie*, Gembloux 1935, 42.

[3] A. Henrichs-L. Koenen, Ein griechischer Mani-Codex, *Zeitschrift für Papyrologie und Epigraphik*, 5, 1970, 133.

[4] W.-D. Hauschild, *Gottes Geist und der Mensch*, Munich 1972, 81.

angel, a messenger from God. It is sometimes said that the story of
Philip and the eunuch is a legend which circulated in Hellenistic
circles and rivaled the story about the conversion of Cornelius in
chapter 10. But the very archaic concept of the Spirit as an angel
seems to imply that the story is not of "Hellenistic", but of "Hebrew"
origin.

A somewhat different view has been inspired by a passage of Isaiah,
11,2. There it was told how the Spirit rested upon the Messiah. It
was possible to interpret this Spirit as being sevenfold.[1] And this
eventually led to the concept that there were seven spirits before the
throne of God. We find this in the Apocalypse of John, the writing
that together with the Letters of James and Jude, comes nearest of
all the books of the New Testament to the mentality of Jewish
Christianity. But if we keep in mind that the seven spirits are
different aspects of the one Spirit, then we discover that there is a
trinitarian scheme underlying Apoc. 1,4-5 :

> John to the seven churches which are in Asia : Grace be unto you, and peace,
> from him which is, and which was, and which is to come; and from the seven
> Spirits which are before his throne; and from Jesus Christ, who is the faithful
> witness, and the first begotten of the dead, and the prince of the kings of the earth.

We find the same concept in Clement of Alexandria, where we
would not expect it. He clearly took his views from an Alexandrian
tradition of Jewish-Christian origin, with which he only partly
identifies himself.[2] The general idea of this source is that God is
above every thing : subordinated to Him is the Son, who is the face
of God. Under the Son are to be located the seven protoktistoi, the
angels who were created first. After that, the archangels and the
angels near to man. It is completely clear that these seven protoktistoi
represented the Holy Spirit. It is for this reason that we are entitled
to speak about an angel pneumatology in Clement of Alexandria. For
our purposes it is important to keep in mind how easy it was for the
imaginative mind of the Jewish Christians to split the Spirit into
angels; and also that this tradition was known in Alexandria.

---

[1] K. Schlütz, *Is. 11, 2 (Die sieben Gaben des Heiligen Geistes) in den ersten vier christlichen Jahrhunderten*, Münster 1932.

[2] Chr. Oeyen, Eine frühchristliche Engelpneumatologie bei Klemens von Alexandrien, *Internationale Kirchliche Zeitschrift*, 55, 1965, 102-120, and 56, 1966, 27-47. The relevant texts have been collected and discussed by Oeyen, for instance *Paed.* III, 12, 87, 4; *Strom.* V, 35, 1; *Adumbrationes* 1 Peter 1, 10-11; 3, 12.

After these preliminary remarks, we can start with the discussion of our subject.

The concept of a genius or daimôn was well known to the Jews in Palestine of Hellenistic times, who called the guardian angel *iqonin* (ikon, image) and considered him to be the exact image and counterpart of the man to whom he belonged. The Christians of Palestine took over this concept as is shown by Acts 12,15. There the guardian angel of Peter, and not Peter himself, is said to be standing before the door. This, as so many other Jewish-Christian elements, was accepted by Aramaic Christianity which centered in Edessa. In the *Testamentum Domini* (Rahmani, p. 97) it is said : "For of every soul the Image (salma) or type is standing before the face of God even before the foundation of the world".

The Syriac word used here is related to the Hebrew *selem*, used in Gen. 1,27 to indicate the image of God in man. It certainly is an impressive interpretation of this passage : that is it not the outward appearance of man, or his reason, or his free will, but his eternal unconscious transcendental Self which is the real image of God. This notion of the Ikon was already known in Edessa at a very early date, if we accept that the Gospel of Thomas was written there about 140 A.D. Logion 84 runs as follows :

Jesus said : When you see your likeness, you rejoice. But when you see your images which came into existence before you, which neither die nor are manifested, how much will you bear !

Man is pleased when he looks at his outward appearance as reflected in a mirror. But when he sees his image, eikôn, or guardian angel which is now in heaven beholding the face of God ever since the world was created, will he be able to support this encounter with his real Self ?

Immediately before there is an other, extremely difficult logion (83) on the images, which we cannot discuss here. Perhaps we should conceive these two as doublets : two different versions of the same word of Jesus. Such doublets are numerous in the Gospel of Thomas and prove beyond any doubt that its author used two *written* sources, an encratitic and a Palestinian source. If this were true, it may be that the most simple version of the doublet has been taken from the Jewish-Christian source of the Gospel of Thomas. And thus the view would be confirmed that the Syrians had derived this concept from Jewish Christianity of Palestine.

Aphrahat has given a very curious interpretation of this guardian angel. With an allusion to Matthew 18,10, he speaks about the guadian angels of the little ones, who eternally behold the face of God and goes on to say that this is the Holy Spirit who permanently goes and stands before God, contemplates his face, and accuses everybody who does harm to the man in which he dwells. We quote the Latin translation of Parisot :

> Hic igitur Spiritus continenter vadit et stat ante Deum, faciem eius intuetur, atque eum qui templo a se in habitato noxam infert, ante Deum accusat.
>
> (*Dem.*, VI, 15; Parisot I, 298)

But for Aphrahat this one Spirit is identical with the seven spirits of Isaiah 11,2 and the seven eyes of Zechariah 3,9 :

> De eo lapide haec insuper definivit ac manifestavit : Ecce super illum lapidem oculos septem aperiam. Quidnam sunt igitur hi septem oculi qui aperti sunt super lapidem ? nisi Spiritus Dei, qui super Christum habitavit septem operationibus, sicut ait Isaias propheta : Requiescet et habitabit super eum Spiritus Dei, sapientiae et intellectus, consilii et fortitudinis, scientiae et timoris Domini. Hi sunt septem oculi qui super lapidem aperti sunt; et hi sunt septem oculi Domini, qui circum-spiciunt universam terram.
>
> (*Dem.*, I, 9; Parisot I, 19/22)

It is a well-known fact that the Demonstrations of Aphrahat contain many views which are also to be found in Jewish writings. These are, however, not to be attributed to the influence of the Jews in Mesopotamia upon Aphrahat. It seems more probable that these Jewish elements are due to the Jewish Christians, who brought the new religion to Mesopotamia.[1] It could be that this was also the case with the curious view that the Spirit is your guardian angel.

Nor is this view only to be found in Aphrahat. The mystic Macarius, who wrote in Greek but reflects the views of the Syrian church, implies in several passages that Spirit and Ikon are identical :

> Question : Adam had lost, as you say, both his own image as also the heavenly Image. So he must have possessed the Holy Spirit, if he had the Image.
>
> (Homilies, 12, 6) [2]

The same view is to be found in the Hymn of the Pearl, Acts of

---

[1] J. Neusner, *Aphrahat and Judaism*, Leiden 1971.

[2] Cf. Quispel, *Makarius*, 58.

Thomas 112. There the Self, which comes to encounter the prince, is, on the one hand, the garment left in heaven, the Holy Spirit; and, on the other, the Image (*eikôn*) of the King of Kings, God, was woven into it. The Self is simultaneously Spirit and guardian angel.

We find very much the same concept in very different quarters, namely in Rome in the second century. The Pastor of Hermas, written there between 100 and 140 A.D., very often reflects Jewish-Christian concepts. The Woman that manifests herself to Hermas is in reality the Holy Spirit (*Sim.* 9,1). This then presupposes the well-known Jewish-Christian concept according to which the Holy Spirit is a mother. Secondly, the name of the writing refers to the guardian angel of Hermas to whom the latter has been committed (at baptism) When the angel changes his appearance, then Hermas recognises him, evidently because he is his image and counterpart. The Jewish concept of the guardian angel as *iqonin* is implied (*Vis.* 5,1-3). In the special case of Hermas, however, the guardian angel is the angel of repentance, not the Holy Spirit. But in another passage, in his description of the true prophet, Hermas proves to be familiar with the last mentioned view :

> Therefore, when the man who has the Divine Spirit comes into a meeting of righteous men who have the faith of the Divine Spirit, and intercession is made to God from the assembly of those, then *the angel of the prophetic spirit who has been allotted to him* (*keimenos ep' autôi*, sc. the true prophet) fills the man, and the man, being filled with the Holy Spirit, speaks to the congregation as the Lord wills.
>
> (*Mand.* 11,9)

What is meant by the expression : the angel of the prophetic spirit ?

As I see it, it would be completely wrong to seek here any relationship with the Hellenistic and magical concept of a familiar (or : familiar spirit) : the daimôn paredros or spiritus familiaris.[1] There is nothing in this passage which suggests magical implications. Not even the suggestion of Irenaeus that the Valentinian gnostic Marc the Magician "probably has a daimôn paredros" (*Adv. haer.* 1,13,2) is anything else but an insinuation. In Antiquity, and even in our days, it was slandered that the daimonion of Socrates was a sorcerer's familiar : Cyrano de Bergerac says : "Je prêtai à Socrate son esprit familier".[2] So the Church Father suggests that Marc's higher Self

---

[1] J. Reiling, *Hermas and Christian Prophecy*, Leiden 1973.

[2] Cf. Minucius Felix, *Octavius*, 26, 9 : Socrates novit, qui ad nutum et arbitrium adsidentis sibi daemonis vel declinabat negotia vel petebat.

and guardian angel is nothing but a magician's familiar. But that is
neither here nor there.

Nor is it sufficient to refer to the Angel of the Holy Spirit in the
Ascension of Isaiah exclusively. There, the Holy Spirit is conceived
of as an angel. But in the passage of the Pastor of Hermas the "angel
of the prophetic spirit" is the Holy Spirit and at the same time a
guardian angel. The parallelism with Aphrahat and other Syrian
authors is remarkable. The only difference seems to be that in Hermas
the Holy Spirit only is the guardian angel of the true prophet, whereas
no such restrictions are made elsewhere.

But if we find the same concept in Mesopotamia and in Rome,
and if it seems certain that this is of Jewish-Christian origin, then it
would seem that they both drew from a common source. We may
trace this interpretation of the guardian angel back to some Palestinian
Christians of a very early date.

The same concept is to be found in Egypt. And this is not astonishing at all if, as becomes even more clear, Christianity was indeed
first brought to this country by Jewish Christians. It is true that
this passage is to be found in the Pistis Sophia, chapter 61. And it
may be true that the story in its present form is gnostic. But the
underlying idea must be Jewish-Christian, as is shown by the parallels
in Aphrahat and Hermas. In the Pistis Sophia, Mary, the mother of
the Lord, tells that, before the Spirit has descended upon Jesus at
his baptism, this same Spirit came to her into her house, resembling
(*epheine*) Jesus. Mary did not recognise him and thought he was
Jesus. The Spirit said to her: where is Jesus, my brother, that I
may encounter him? Mary binds him to a leg of the bed and goes to
fetch Jesus, who returns home. "And we looked at you and him and
found you resembling him. And he was freed from the bed. He
embraced you and kissed you and you too kissed him, you became
one (*oua ñouôt*)".

The Holy Spirit is here considered to be the guardian angel and
image (*iqonin* of Jesus, who forms a whole with him. We have reason
to suppose that the latter was a well-known theme in the Church of
Alexandria. This can be seen from a passage in *De principiis*, II, 10,7.
There Origen tries to interpret the difficult passage in Luke 12,46
about the Lord who will cut into two (dichotomèsei) his unfaithful
servant and put his "part" with the unfaithful. After offering several
possible solutions of these problematic words, the Alexandrian doctor
of the Church gives a third interpretation of what this separation

really means : with every believer, even if he be the smallest in the church, an angel is said to be present, who, according to the Saviour, beholds at all times the face of God. If this man becomes unworthy through disobedience, then this angel, who was of course one with the man to whom he was assigned (qui utique unum erat cum eo, cui praeerat), is said to be taken away from him. Then "his part", that is the part which consists of his human nature, is torn away (avulsa) from God's part and is reckoned among the unbelievers, because it did not pay heed carefully to the suggestions of the angel whom God had allotted to him.

Man is only a part of the whole; his guardian angel is his counterpart. Perdition is disruption of this unity. And so bliss cannot be anything other than the perfect union of the two.

Even before Origen, Clement of Alexandria shows us that there existed a special tradition in Egypt concerning the guardian angel. In his *Excerpta ex Theodoto* (10-15) he gives some notes about the corporality and the "spatiality" of the spiritual word which are frankly astonishing in the works of a Platonist. It is generally agreed that this theory of radical materialism, constructed on Stoic premises, is not only inconsistent with Clement's uncompromising Platonism, but also rejected by him elsewhere.[1] Clement must be following a source here. Long ago, it was pointed out that this source had much in common with one of the most provocative passages of the Pseudo-Clementine Homilies, 17,7,2.[2]

There it is said that the first and greatest commandment is to fear that God whose face the angels of the faithful are permanently beholding (Matth. 18,10). It is namely possible to see God because he has a form and all (bodily) members. This is the case in order that the pure in heart can see him (Matth. 5,8). Because God has a visible form, the image of God in man is his outward bodily appearance.

The source of Clement does not say exactly the same. The seven First-Created angels are said to behold Christ, because the face of the Father is the Son :

They (the First-Created) "always behold the face of the Father" (Matth. 18, 10) and the face of the Father is the Son, through whom the Father is known. Yet

---

[1] R. P. Casey, *The Excerpta ex Theodoto of Clement of Alexandria*, London 1934, 10.

[2] P. Collomp, Une source de Clément d'Alexandrie et des Homélies Pseudo-Clémentines, *Revue de Philologie, de Littérature et d'Histoire anciennes*, 37, 1913, 19-46.

that which sees and is seen cannot be formless or incorporeal. But they see not
with an eye of sense, but with the eye of mind, such as the Father provided.

When, therefore, the Lord said, "Despise not one of these little ones. Verily, I
say unto you, their angels do always behold the face of the Father" (Matth. 18, 10),
as is the pattern, so will be the elect, when they have received the perfect advance.
But "blessed are the pure in heart, for they shall see God" (Matth. 5, 8). And how
could there be a face of a shapeless being ?

(*Exc. ex Theodoto* 10, 6-11, 2)

It is clear that the tradition contained in the Clementines has undergone
a revision at the hands of a competent theologian, who may or may
not have been Clement's predecessor in Alexandria, Pantaenus. This
transpires from the fact that the dimensionality of the spiritual
world is still always stressed. Neither the archangels nor the First-
Created seven angels (Protoktistoi), nor even the Son himself are
shapeless and formless and incorporeal. But God himself is formless.
He takes on form in Christ, who is said to be his face or Prosôpon.

We have stated above that the First-Created angels here represent
the Holy Spirit. The world view of this source is strictly hierarchical :
God, the Son, the Spirit, the archangels.

Both the passage in the Pseudo-Clementines and the one in the
Excerpta deal with the dimensionality of the spiritual world. In both
the same passages from Matthew are quoted. One wonders whether
the source of the Clementines already contained the views about the
First-Created angels who are the Spirit. This is not impossible, because
the First-Created angels are traditional and also to be found in Hermas
(*Vis.* 3,4,1).

Be that as it may, one thing is certain : in Clement's source the
guardian angels of the faithful are identified with the Protoktistoi,
who are the Spirit. Guardian angel and Holy Spirit are one and the
same. This was a tradition already existing in Alexandria before
Clement. Most probably, it has to be traced back to the Jewish-
Christian founding fathers of the church of Alexandria. Otherwise,
how could we find the same concept in Rome (Hermas) *and* in
Mesopotamia (Aphrahat) ?

This historical fact is of great importance for the interpretation of
Valentinian Gnosis. It has already been said that the marriage of the
angel and the bride, or in other words of the Self and the Ego, is the
central idea of the whole myth, which can be considered as a poetic
expression of this basic experience. This led to an ontology of the
male and the female principle, Bythos and Sigè, as ground of being.

It also led to a high appreciation of marriage, a symbol of this eternal *dualitudo*, and of the female, who is, of course, not equal with, but of equal importance as the male (a rare view in the Christian world). Now we see clearly that the Valentinians, when formulating these bright ideas, could make use of an already existing tradition about the Spirit as guardian angel. This transpires above all from section 61 of the Gospel of Philip. There the author discusses the belief in *incubi* and *succubae*, male and female demons, who were thought to seek sexual intercourse with human beings. He states that among unclean spirits there are male and female. The males are those who unite with the souls inhabiting a female form; but the female are those who mingle with the ones in male form, through (the folly of) a fool.[1] And none shall be able to escape them, since they detain him, unless he receives a male power and a female power, namely the bridegroom and the bride. And one receives (this) in the symbolic bridal chamber.

This is an allusion to the so-called sacrament of the bridal chamber, in which the initiate is united to the angel or higher Self. Properly speaking, the initiate is already a bride, because he has a spark of spirit which sleeps unconsciously within him. Thanks to the revelation of Christ, man becomes conscious of this feminine side of himself. Man becomes a bride.

This concept has provoked the irony of Tertullian, who here can be quoted only in the *lingua pudicorum virorum* :

> fabulae tales utiles, ut Marcus aut Gaius, in hac carne barbatus et in hac anima severus maritus pater avus proavus, certe quod sufficit masculus, in Nymphone Pleromatis ab abgelo — tacendo iam dixi.
>
> (*Adv. Valent.* 32)

To express such criticism is extremely cheap. The "nymphos" of the Mithraic mysteries was also considered to be the "male bride" of the God. According to Christian mysticism, Christ is the bridegroom even of the male believers. And some psychologists of our days consider the *mysterium coniunctionis* of the male consciousness or *animus* with the female unconsciousness or *anima* to be the real issue of a man's life. We may be sure that the Valentinians expressed something very profound in their rite, but of course, as Christians, they used the symbolism of their religion. And this meant that the guardian angel was held to be assigned to man during the sacrament

---

[1] I guess this is an allusion to the demiurge, called Saklas, which means : "fool".

---

of baptism, which is the basis of the Valentinian "mystery of the bridal chamber".[1]

But at the same time the Christians used to say that the Spirit was conveyed to the believer through and during baptism. The Valentinians did that too. For in the same section of the Gospel of Philip it is said : "For if they had the Holy Spirit the unclean spirit would not cleave unto them".

H. G. Gaffron has not understood this passage : according to him, the last mentioned concept is merely an afterthought.[2] No, on the contrary, this is really very illuminating. It shows us that the angel and the Spirit according to this pasasge are one and the same, and thus discloses that the gnostic concept is rooted in the Angel pneumatology of Jewish Christianity.

The first to see this was W. D. Hauschild. In his book *Gottes Geist und der Mensch* he discussed all relevant passages and came to much the same conclusions as myself. I only want to add that this doctrine must go back to Valentinus himself. It must have been Valentinus who taught that Christ has brought down to earth the "angel of the Spirit" belonging to each one of the elect, who during his lifetime inspires the Gnosis and thus anticipates here and now the wholeness of Ego and Self in the Pleroma. It is because of this that we find traces of this concept in the Gospel of Philip. The latter was probably written at Antioch, as certain Syriac elements in it seem to show.[3] Now, according to Tertullian it was a certain Axionicus who was the only one at that time to remain faithful to the original doctrine of Valentinus; and Axionicus lived at Antioch :

> solus ad hodiernum Antiochiae Axionicus memoriam Valentini integra custodia regularum eius consolatur.
>
> (*Adv. Valent.* 4)

The Gospel of Philip, which may have been composed about the time during which Tertullian wrote this passage, and could thus

---

[1] G. Kretschmar, *Die Geschichte des Taufgottesdienstes in der alten Kirche* (Leiturgia, V), Kassel 1970, 31-32; G. Quispel, The Birth of the Child, *Eranos Jahrbuch*, 40, 1971, 285-309 (= *Gnostic Studies*, I, 221-239).

[2] H. G. Gaffron, *Studien zum koptischen Philippusevangelium unter besonderer Berücksichtigung der Sakramente*, Bonn 1969, 203 : "Die dritte Antwort ist die am wenigsten gnostische, sie gibt die vulgärchristliche Anschauung jener Zeit wieder und ist hier eher ein Nebengedanke".

[3] E. Segelberg, The Antiochene Background of the Gospel of Philip, *Bulletin de la Société d'Archéologie Copte*, 18, 1966, 205-223.

have been edited by Axionicus himself, may certainly be supposed to have preserved the original views of Valentinus himself.

On the other hand, it is remarkable that in the school of Ptolemy this concept has become purely eschatological. It is only at the final consummation of the worldprocess that the spirit, united to its angel, enters the bridal chamber of the Pleroma :

> Then comes the marriage feast, common to all who are saved, until all have become equal and know each other. Henceforth the spiritual elements having put off their souls, together with the Mother who leads her bridgroom, also lead their bridegrooms, their guardian angels, and pass into the bridal chamber within the Limit.
> (*Exc. ex Theodoto* 63, 2-64)

This means that man cannot attain his wholeness, not even anticipate it in part, during his lifetime. As so often, Ptolemy has changed here completely the teaching of his master. A realised eschatology has become a futuristic eschatology. This has its implications for the interpretation of the existing material. In the Valentinian inscription of Flavia Sophè, found in 1853 at the third milestone of the Via Latina in Rome, and written towards the end of the second or in the first half of the third century, it is stated that this lady "having been anointed by the bath of Christ with imperishable holy ointment, hastened to go to the *nymphôn* in order to behold the divine faces of the Aions". Margherita Guarducci was right when she recently interpreted this as meaning that Flavia, when dying, had received the *apolytrôsis* or last rites and then could enter the bridal chamber of the Pleroma without having received the sacrament of the "nymphôn" during her lifetime.[1] Ptolemy, who taught in the West (most probably in Rome) about the time that the inscription was written there, seems not to have known the sacrament of the nymphôn as a "happening" in this life. The inscription would seem to reflect the views of the school of Ptolemy.[2]

---

[1] Margherita Guarducci, Valentiniani a Roma : Ricerche epigrafiche ed archeologiche, *Mitteilungen des Deutschen Archaeologischen Instituts, Roemische Abteilung*, 80, 1973, 185. Here the complete text of the inscription and a photographic reproduction.

[2] In this respect Heracleon seems to have preserved the views of Valentinus, cf. Origen, *In Joh.*, XIII, 49, 324; In the *Tractatus Tripartitus*, attributed by some to Heracleon, we find many concepts deviating from Ptolemy; see the commentary by G. Quispel in the edition of this text (Vol. I, Bern 1973) by Malinine, Puech *et al.*, For the Valentinian concept of the guardian angel, see also H.-Ch. Puech, in *Annuaire du Collège de France*, 63, 1963, 201-213; 64, 1964, 209-217; 66, 1966, 260-266; 67, 1967, 253-257.

But the Angel pneumatology of Jewish Christianity is not only helpful for the interpretation of Valentinian Gnosis, it might also be relevant for discovering the right perspective from which to investigate Mani's religious experience.

The Twin or heavenly Self, who inspired Mani, protected him and waited for him at the hour of death, was an angel (the angel at-Taum), more specifically a guardian angel, and at the same time the Paraclete, the Holy Spirit.[1] "Angel" is Mani's own term. In the Manichean Homilies he says during his trial that he has received his wisdom from God through his angel.[2]

It has often been said that this concept is of Iranian origin. Then one must ignore the term "angel" and assume that the title Paraclete was only given later to Mani by western Manichees who tried to christianise superficially a thoroughly non-Christian religion.[3] The discovery of the Cologne Mani Codex has refuted this highly speculative and far-fetched theory.[4] Mani grew up in a congregation of Jewish-Christian Elchasaites in Southern Babylonia.

Much more scholarly was the endeavour of Erik Peterson to relate Mani's experience to the theology of Tatian.[5] As a matter of fact, Tatian, in his *Oration against the Greeks* (ch. 13), says that the Spirit forms a *syzygia* with the soul and so leads her to heaven. Now, in the new Mani Codex the Twin (which is the Spirit) is called syzygos.[6] It might be that this word came to Mani or the Manichees from the writings of Tatian, just as the title Paraclete stems from Tatian's Diatessaron.

But it is also possible that Mani had already found in his Jewish-Christian milieu the appropriate terms to express in words his overwhelming experience.

We have seen above that, according to Hermas, the angel of the

---

[1] Henrichs-Koenen, *Ein griechischer Mani-Codex*, 161-171.

[2] H. J. Polotsky, *Manichäische Homilien*, Stuttgart 1934, 47 : "Frage alle Menschen nach mir : ich habe keinen Meister und keinen Lehrer, von dem ich diese Weisheit gelernt hätte oder von dem ich diese Dinge hätte. Sondern, als ich sie empfangen habe, habe ich sie *von Gott durch seinen Engel* empfangen".

[3] G. Quispel, Mani, the Apostle of Jesus Christ, in *Epektasis, Mélanges patristiques offerts au Cardinal Jean Daniélou*, Paris 1972, 667-672.

[4] A. Henrichs, Mani and the Babylonian Baptists, a historical confrontation, *Harvard Studies in Classical Philology* ,77, 1973, note 118.

[5] E. Peterson, Einige Bemerkungen zum Hamburger Papyrusfragment der Acta Pauli, in his *Frühkirche, Judentum und Gnosis*, Rome 1959, 205.

[6] Henrichs-Koenen, *Ein griechischer Mani-Codex*, 161.

(prophetic) spirit is the guardian angel of the true prophet. He is not the guardian angel of every Christian. In fact Hermas himself is committed to the angel of repentance. But the Angel of the Spirit only inspires a true prophet. We saw that there is every reason to suppose that this concept was taken by Hermas from a Jewish-Christian tradition, because the Spirit as guardian angel was also known to Clement of Alexandria and Aphrahat. These latter, however, do not say that the Angel of the Spirit only inspires the true prophet. But this seems to have been the case with Mani.

According to the Cologne Codex, some of the Elchasaites among whom Mani lived and to whom he spoke about his new insights regarded him as a prophet (*hôsei prophètèn*); some even said that the Living Word spoke through him.[1] Mani was considered by some of his fellow Jewish Christians to be a prophet in the primitive Christian sense of the word, namely as somebody who was inspired by the Holy Spirit to deliver a special message to the congregation, like Agabus in Acts 11,27. And most probably Mani at that time shared their conviction and understood himself to be a prophet in this sense. Mani is so to say the last representative of that archaic office which in the Gentile Church was sooner or later eliminated and replaced by the monarchic episcopate, but which in Jewish Christianity seems to have persisted much longer.

The quoted passage of the Mani Codex is an allusion to the very special doctrine about the successive revelations of the true prophet, which we find in the Pseudo-Clementine writings. Mani adopted this doctrine and developed it so that Buddha, Zoroaster, Jesus (and probably also Elchasai), were considered a predecessors of Mani, the seal of the prophets.

And likewise Mani transformed the Jewish-Christian concept of the Angel of the Spirit as special guardian of the true prophet. Not that he modified it, but he enriched it so as to become really gnostic. For he held that this Twin was nothing alien to him, but in fact identical with his empirical Ego.

As the Cologne Codex (24,9) says :

I recognised him
that he was me,
from whom I had been separated.

(The English of this paper has been read by Peter Staples).

---

[1] Henrichs, Mani and the Babylonian Baptists, 55.

THE CONSTRUCTION OF THE
NAG HAMMADI CODICES

BY

JAMES M. ROBINSON

Pahor Labib, D. Phil. in Egyptology from the Humboldt University of Berlin, was the Director of the Coptic Museum in Old Cairo from 1951 to his retirement 19 September 1965. Early in this period he constructed a third floor to the Coptic Museum as a work area for an international committee for the Nag Hammadi codices which he envisaged. He published a first facsimile volume containing the Coptic Museum's part of Codex I and II, 1-110. This he presented at the first session of an international committee which he convened and chaired as President in September 1956. He wisely accepted an offer from the Jung Institute communicated to that meeting by its Director, Dr. C. A. Meier, to give the Jung Institute's parts of Codex I to the Coptic Museum in exchange for publication rights and photographs of the Coptic Museum's parts, conditions he met in 1956 and again in 1965. In 1961 he was designated by the Egyptian government and UNESCO President of an international planning committee to provide an inventory of the Nag Hammadi codices and propose a budget for their publication. This committee already recognized the scientific importance of the leather covers by proposing their inclusion in the envisaged plan of study. Pahor Labib has published together with Martin Krause the Apocryphon of John (II, *1*; III, *1*; IV, *1*) in 1963, and II, *6-7*; VI, *1-8* in 1972; and with Alexander Böhlig II, *5* in 1962 and V, *2-5* in 1963; and in cooperation with Alexander Böhlig and Frederik Wisse the Gospel of the Egyptians (III, *2*; IV, *2*) in 1975. In retirement he was Honorary Vice-President of the International Committee for the Nag Hammadi Codices sponsored by the Arab Republic of Egypt and UNESCO at its meeting December 1970. Since that time he has accompanied the work of the Technical Sub-Committee in its annual meetings at the Coptic Museum. It is eminently appropriate that a *Festschrift* in honour of him on the occasion of his seventieth birthday be published in a series of Nag Hammadi Studies, the area of science in which he has played such a decisive role throughout his professional career, which is the period in which most such studies have been carried on.

The leather covers of Codices I-XI are still extant; that of Codex XII is, like most of the quire, missing, as is that of Codex XIII, which consists of eight leaves removed in late antiquity and preserved inside the front cover of Codex VI. Berthe van Regemorter has described some five of the covers, but since her published articles [1] were written when she no longer had access to the covers themselves, they contain many inaccuracies and sometimes sufficient confusion to make it uncertain which cover is intended. In view of her expertise in the history of bookbinding this is all the more regrettable. Jean Doresse responded to her last article with a publication of photographs of all eleven covers and descriptions rectifying some details. [2] But his essay was also written on the basis of notes and photographs long after the covers themselves had ceased to be accessible to him; hence they involve some inaccurary that a verification by the originals would readily have rectified. Martin Krause and Pahor Labib published valuable analyses of the covers of Codices III and IV prepared with these covers in front of them, [3] but did not publish such analyses of the others. Hence there is lacking a description of all the covers prepared when they are all in view. This need is being met to an extent by the prefaces to the individual volumes of *The Facsimile Edition of the Nag Hammadi Codices*, [4] which also contain photographs of the covers. The present essay, rather than thus proceeding codex by codex, seeks a synoptic view, in order that trends and generalizations may begin to emerge from the data presented there.

The covers of the Nag Hammadi codices have been dated to the last half of the Fourth Century by John Barns (whose preliminary

---

[1] La reliure des manuscrits grecs, *Scriptorium* 8 (1954), 3-23; Le codex relié depuis son origine jusqu'au Haut Moyen-Age, *Le Moyen Age* 61 (1955), 1-26; La reliure des manuscrits gnostiques découvertes à Nag Hamadi, *Scriptorium* 14 (1960), 225-234.

[2] Les reliures des manuscrits gnostiques coptes découverts à Khénoboskion, *Revue d'Égyptologie* 13 (1961), 27-49.

[3] Martin Krause and Pahor Labib, *Die drei Versionen des Apokryphon des Johannes im koptischen Museum zu Alt-Kairo* (Abhandlungen des Deutschen Archäologischen Instituts Kairo, Koptische Reihe 1; Wiesbaden: Otto Harrassowitz, 1962 [appeared 1963]), 30-36. Since at that time Codex II was in Brussels, they reproduced van Regemorter's description of it.

[4] Thus far five volumes have appeared: *Codex VI*, 1972; *Codex VII*, 1972; *Codices XI, XII* and *XIII*, 1973; *Codex II*, 1974; *Codex V*, 1975.

results are published posthumously in the present volume), on the
basis of dated cartonnage in Codex VII from the last two decades
of the first half of that century, a judgment in which the other
palaeographical assessments tend roughly to concur. It remains
uncertain in his analysis whether the dates of the eleven extant
covers extend over a shorter or longer period of time. The present
essay seeks to identify distinguishing traits among the covers on the
basis of which they may be meaningfully grouped, as a presupposition
of any further discussion of their relative chronology and historical
setting.

I. *The Leather Skins*

The leather of the covers has been consistently called goatskin;
however an examination of the cover of Codex I by a professional
binder of ancient books reveals it to be of sheepskin, with only the
smaller appended pieces goatskin. A similar examination of the other
covers has been subsequently carried out by Anton Fackelmann,
with the following results : Most of the covers are of sheepskin
(Codices II, III, VI, VII, VIII, IX [upper half], X and XI), with
only Codices IV, V and IX (lower half) consisting of goatskin. The
patch on the flap of Codex VII is also of goatskin; the thongs and
the lining of the spine in Codex IV and the thongs on the flap of
Codices V and IX are of sheepskin. The leather stays at the centre
of the quire of Codices IV, V, VI and IX are of split leather and hence
cannot be further defined; this is also the case with the lining of the
spine of Codex VI.

The covers usually consist of a single piece of leather which, when
opened out fully, must have reached the dimensions 55.8 cm. broad
by 30.0 cm. high (Codex III), 52.3 cm. by 36.2 cm. (of an original
height of about 39.8 cm., Codex II), 47.7 cm. (or more) by 33.6 cm. to
33.9 cm. (Codex I), 41.6 cm. by 31.4 cm. (Codex VI) and 36.5 cm. by
32.0 cm. (Codex X). Just as the height of the cover of Codex II is
unusual due to a flap at the top of the front cover, the breadth in
all these instances includes a flap on the leading edge of the front
cover; it may be no coincidence that when a codex is relatively broad,
such a flap may be missing, though the total breadth of the skin is
comparable : 41.7 cm. broad by 30.0 to 30.7 cm. high (Codex VIII);
37.3 to 36.8 cm. by 31.5 to 31.3 cm. (Codex IV).

In four instances skins large enough for a cover of the desired dimensions were apparently not available, since more than one piece was used per cover (Codices V, VII, IX and XI). In the case of Codex VII one piece measuring 48.9 cm. broad by 31.1 cm. high comprises the bulk of the cover, supplemented by a piece 21.5 cm. by 8.7 cm. at the bottom of the front cover and flap, which overlaps 0.7 cm. the inside of the main piece.

In the case of Codex XI one piece measuring about 45.0 cm. broad by 42.3 cm. high comprise the back cover, all but the top 3.9 to 2.8 cm. of the front cover, and the flap; another piece 21.8 to 20.0 cm. broad by 9.7 to 5.9 cm. high overlaps on the outside 2.2 to 3.3 cm. to compose the top 7.3 to 5.9 cm. of the front cover and the folded-in top edge.

In the case of Codex V the combined skins measured 45.5 to 46.3 cm. broad and 33.7 to 32.6 cm high. One piece 22.0 to 21.7 cm. broad by 33.7 to 32.6 cm. high comprised the front cover and the beginning of the flap; it overlapped by 1.0 cm. on the inside the other piece comprising the back cover, which measured 16.8 to 16.6 cm. broad by 32.8 to 33.0 cm. high. A third piece 9.4 cm. broad by 20.4 cm. high sewn to the outer edge of the piece comprising the front cover composed most of the flap, although a small piece 3.9 by 9.2 cm. completed the bottom left corner of the piece comprising the front cover and the bottom right edge of the piece comprising the flap.

In the case of Codex IX the combined skins measured 38.1 cm. broad by 26.4 cm. high. One piece 17.9 to 16.1 cm. high comprised the top half; it overlapped by 0.7 cm. on the outside the other piece comprising the back cover and measuring 15.0 cm. high.

Holes were patched in the cover of Codex I on the inside before the cover was constructed. An oblong patch measuring 1.2 cm. by 1.9 cm. repaired a small hole on the front cover and a triangular patch 5.9 cm. by 6.8 cm. repaired a hole 1.5 cm. by 1.8 cm. on the back cover. Two round holes in the cover of Codex VIII 2.8 cm. broad by 2.2 cm. high and 1.7 cm. by 2.1 cm. and one triangular hole 1.4 cm. by 1.9 cm., all in the back cover, have been patched before the cover was constructed. A hole in the cover of Codex VII 2.7 cm. broad by 3.7 cm. high near the spine in the centre of the back cover was patched, but the patch, hardly larger than the hole, has become detached.

The flesh side of the skins on the inside was normally hidden by the cartonnage and hence had no artistic improvements. It is tan in color. The hair side is usually polished and sometimes stained.

Although the outside surfaces are darkened by dirt and handling, the edges that are folded in and thus protected retain the original coloration. The covers of Codices VI, IX and XI are golden tan, those of II and X only slightly more red in hue. The covers of IV and VIII are a medium brown. The covers of I, III, V and VII have a grey-black aspect to the brown. The accessory pieces of leather are often stained a different color from that of the hair side of the leather of the covers themselves. The two pieces of leather folded at the centre of the quire as stays for the binding thong are consistently tan (Codices I, IV, V, VI, VII, IX, X and XI), perhaps to avoid staining the centre sheet, except in Codex VIII, where one long piece, stained red-brown, serves instead of two shorter pieces. Thongs are tan in Codices II, III (top), IX, X and XI, but red-brown in Codices I, III (bottom), IV, V, VI, VII and VIII. Narrow thongs used for stitching conform to the color of the cover when two or more pieces of leather are combined into one cover (Codices V, VII and IX; XI lacks stitching). But these thongs are decorative red when attaching a thong ostentatiously to a flap, in Codices II (on the top flap) and III (on a contrasting tan leather pad), but not in Codex VII. These attachments of thongs on the flaps, together with the colored tooling, are the aesthetically most striking aspects of the leather covers.

Some of the covers have no tooling (Codices I, III, VI, IX, X and XI). There is no tooling on the cover of Codex VII except on the circular-shaped leather pad on top of the thong overlapping the outside of the flap; in this instance the tooling outlines the stitching, which is in a circle near the pad's edge and in a straight line across the pad as a continuation of the directionality of the thong.

The only tooling on the cover of Codex V consists of three horizontal lines about 0.2 cm. apart across the centre of the front cover where the thong encircles the codex; in the case of Codex IX a similar impression is conveyed by the stitching and seam necessitated by combining two skins into one cover. In both cases one may have to do with an imitation of the imprint of the encircling thong, which produces such an effect on the covers of Codices I, VI, IX and X.

On Codex IV horizontal tooling on both covers like that on the front cover of Codex V is matched by vertical tooling across the front and back covers, thus producing Greek crosses only roughly centered on both covers. There is similar vertical tooling down the spine. In the case of Codex VIII, in addition to the two or three horizontal lines across the centre of the covers and six vertical lines moving down the spine, there are two or three lines moving diagonally from each of the outer corners to the middle at the spine, forming a St. Andrew's cross when the cover is opened flat. One or two lines of tooling also outline the edges of the cover on Codices IV and VIII (as well as II).

By far the most ornate tooling is that of Codex II. In addition to two lines outlining the edges of the cover and three lines running the length of the spine, horizontal tooling is present across the centre of the front cover and the flap, where a figure is superimposed on it. Diagonals from the tip of the flap to the corners of the front cover complete the tooling on the flap. There is similar tooling (without the figure) on the flap at the top of the front cover. On both the top and the bottom half of the front cover there is a St. Andrew's cross. There is also vertical tooling in the diamond produced by the meeting of the two crosses at the centre of the front cover, thereby adding a Greek cross; these vertical lines are replaced by figures at the top and bottom of the front cover. There is also a column of spirals to the left of two vertical lines near the outer edge of the front cover. The back cover has a large St. Andrew's cross with three sets of two or three diagonals in each direction, between which there are spaces 1.3 to 1.9 cm. wide filled with interlocking heart and diamond shapes. The figures, spirals and outlines of the hearts and diamonds are stained black, as is at times the centre of the 1.0 cm. wide space between the lines on the front cover and flap.[1]

II. *The Construction of the Covers*

The actual construction of the cover itself normally began with the pasting of supplemental leather strips in two characteristic positions inside the cover.

---

[1] Henri-Charles Puech and Jean Doresse, Nouveaux écrits gnostiques découverts en Égypte, *Académie des Inscriptions et Belles-Lettres, Comptes rendu des séances de l'année 1948* (1948), 89; Puech, Nouveaux écrits gnostiques découverts à Nag-Hammadi, *RHR* 134 (1948), 244 report one having on its cover "the image of a serpent". This must refer to the spirals on the cover of Codex II. The source of this report is Jacques Schwartz, who saw Codices II and VII at Mansoor's shop adjacent to the old Shepheard's Hotel in March 1946. Van Regemorter, La reliure des manuscrits gnostiques découverts à Nag Hammadi, pp. 225-234, especially figures 2-5, has analyzed the tooling on the cover of Codex II. The concern expressed by Doresse, Les reliures des manuscrits coptes découverts à Khénoboskion, p. 29, that the tinting of the tooling had been touched up seems unfounded.

When there was a flap extending from the front cover (variously pointed, in the cases of Codices II, III, V, VII and XI, but blunt in the cases of Codices I, VI, IX and X), the outer edge of the front cover was not available to fold over the cartonnage that was to line the cover. Hence a strip of leather was folded and the lower surface pasted to the cover (Codices I, III, V and VII), with the upper surface available to fold over the cartonnage. In the cases of Codices II, VI, IX and X two overlapping half-length strips were pasted and tied to each other and to the cover (that of Codex II is missing). In the case of Codex IX there is, inside the fold at the top and tied down to the cover with it, a second folded piece of leather 5.0 cm. wide and 2,9 cm. high. Since it shares in the disintegrated condition of this part of the cover, its original dimensions and purpose cannot be ascertained. There seems not to have been a strip added at the left of the front cover in Codex XI. Since there is no flap on the covers of Codices IV and VIII, such a replacement strip is not necessary. Since there is a flap at the top of the front cover of Codex II, such a strip would there be necessary. An unattached strip has been identified as probably coming from this position; it had been both pasted and tied down.[1]

The second strip of leather often pasted at a characteristic position inside the cover is a lining to the spine, through which passed the thongs binding the quire into the cover, thus adding strength to the binding and making it unnecessary for these thongs to be visible on the outside of the spine. Such a lining was apparently not used in Codices I and XI, where such external knots occur, but is present in Codices III, IV, V and VIII, where they do not occur. In Codex VII

---

[1] Doresse, Les reliures des manuscrits gnostiques coptes découverts à Khénoboskion, p. 45, identified in Codex II a supplementary leather reinforcement beneath the strip of leather normally appended to the left side of the front cover. It may be visible on his photograph of 1949 reproduced in the *Facsimile Edition* : *Codex II*, plate 3, but is not visible on another photograph of the same period (plate 4). He notes, p. 29, that van Regemorter overlooked the normal strip of leather as well as the unusual reinforcement, and suspected that some of the covers had been "cleaned" of reinforcements and cartonnage by over-zealous restorers. Both strips of leather (if indeed the second actually existed) together with two thongs attaching them at the bottom as well as the bottom left corner of the front cover itself have apparently been ripped away at the points at which the side strips were tied down to the cover (compare plates 2-4 and 6 with 1, 7 and 8). The strip folded in at the bottom of the front cover was apparently lost prior to the photography of 1949 (see plates 3, 4 and 6). There is also a slit as if cut with a sharp instrument near the leading edge of the back cover to expose the knot tying the fold down to the cover.

the lining is missing, but since there are no holes in the spine of the cover, the lining may be assumed to have existed and to have been removed when the still-extant thongs passing both through it and the quire were removed. The spine is also lined in Codices VI, IX and X, although the thongs nevertheless pass through the leather of the cover and knot on the outside of the spine. In the case of Codex II, remains of paste suggest that there may have been such a lining, now missing, though holes in the spine indicate the thongs, now missing, passed through the cover. In the cases of Codices VI, IX and X the outer edges of the spine's lining were not pasted directly to the cover, but only the central third was pasted, the length of the strip. In the case of Codex III the outer edges of the lining were apparently pasted onto a first layer of cartonnage and then further layers were added.[1]

In the cases of Codices VI, IX and X a round leather cord lay horizontally between the cover and the lining just above (Codices VI and IX) or below (Codex X) the upper hole for the top thong and just above (Codices IX and X) or below (Codex VI) the lower hole for the bottom thong. It extended to approximately the middle of the front and back covers, apparently to add strength to the construction.

Several layers of papyrus, often inscribed (Codices I, IV, V, VII, VIII and XI) were then pasted in to line the cover. In the cases of Codices VI, IX and X the front and back covers were first lined separately, with the papyrus going under the outer edges of the cover and the outer edges of the leather strip lining the spine, thus not at this level lining the spine itself with papyrus. Then the outer edges of the leather lining of the spine were pasted down to this cartonnage, whereupon further layers of cartonnage were pasted over the whole surface. Then the edges of the skin were folded over the cartonnage to produce the actual dimensions of the codex.

Usually (Codices I, II, III, VI, VII, IX and X) the top and bottom folds were cut at each side of the spine, but sometimes (Codices IV,

---

[1] Van Regemorter assumed that only the outer edges but not the central segment the length of the strip were pasted down, making it possible for the fold in the quire to arch forward but the spine of the cover to arch backward when the codex was opened, as in a modern hardback book. This assumption, together with the subsequently discarded assumption that Codex III consisted of a plurality of quires, is no doubt responsible for her conclusion that the cover of Codex III, though crude in execution, is the most advanced in conception among the covers of the Nag Hammadi codices.

V and VIII) there were no such cuts. Sometimes the top and bottom edges were folded first, then the two sides folded over them (Codices II, V, VII, VIII, IX and X). Sometimes the sides were folded first, then the top and bottom edges folded over them (Codices IV and VII). There is some irregularity in Codex I, where the sides are folded first, except that at the top of the front cover the top was folded first; in Codex III, where on the front cover the top was folded first; and in Codex XI, where on the back cover the bottom was folded first, then the right side, then the top. The execution in the case of Codex XI is also very crude : the skin had not been trimmed to rectangular shape, and as a result the folds take very erratic shapes. There is no evidence of a fold at the left side of the front cover.

These folded-down edges are pasted to the cartonnage, usually without tying (Codices I, III, IV, V, VII, VIII and XI). But in some instances they are also tied down at the outer (Codices II, VI, IX and X) and inner (Codex II) corners. When there are two pieces added at the left of the front cover, they are tied at the centre; in this case the centre of the right side of the back cover is also tied (Codices II, VI, IX and X).

Finally a sheet is pasted over the folded-down edges and the whole inner side of the cover as a pastedown. That of Codex I is inscribed, but those of Codices V, VII and VIII are not; others are largely missing, though the extant vestiges are uninscribed. In Codex II the last inscribed leaf <145>/C, conjugate probably with a missing stub lying just before the front flyleaf, seems to have been pasted down.

Thongs emerge from the top and bottom of the front and back covers at the centre to tie the codex together at top and bottom when closed (except Codex XI). These thongs are attached to the cover in various ways. Sometimes the leather widens sharply on the inside so that it cannot be readily pulled through the narrow slit near the edge of the cover (Codices I, IV, V and VIII). The thongs of Codex VII are now missing but were attached in the same way. In these cases this base of the thong was pasted inside the cover before the cartonnage was added. The thongs of some codices are knotted in various ways through the cover, the cartonnage, and the folded-down edges of the leather (Codices VI, IX and X), and in the case of Codex III even over the pastedown. In the case of Codex II a short piece of thong passed at right angles through a slit in the thong on top of the folded-down edges to keep the thong from pulling out. The existence of a flap at the top of the front cover of Codex II means that the thong at the top of the back cover (broken off 14.7 cm. from the edge of the cover) cannot be intended to tie to a comparable thong at the top of the front cover. In view of the heaviness of the thong at the top of the back cover, it may have been sufficiently long to encircle the codex vertically when closed. The missing one of three detached thongs photographed by Doresse in 1949 may be this thong.[1]

The main thong of a codex emerged from a slit near the leading edge of the front cover when there is no flap (Codices IV and VIII). When there is a flap, the thong is attached to its tip. This is a long thong, capable of encircling the codex several times, with the tip finally tucked behind these encircling bands. The thong of Codex VII extended 71.5 cm., that of Codex VI 56.0 cm., that of Codex IX 53.8 cm., and that of Codex X 22.2 cm. In the case of Codex IV, the thong extends 103.1 cm., and consists actually of two thongs, the first (49.4 cm.) having at its end a hole through which the second (53.7 cm.) is passed and tied. The thong of Codex V may be similar : One thong extends 41.7 cm. and has a comparable hole in its tip; a detached thong 27.0 cm. long probably was broken off where it was tied through the hole in the first, making a total length of 68.7 cm. The thong of Codex III is broken off and lost at the tip of the flap; that of Codex VIII is broken off and lost 5.4 cm. from where it protrudes. The missing one of the three detached thongs photographed by Doresse in 1949 may be the main thong of Codex III or of Codex VIII.[1] A detached thong 27.3 cm. long may belong to Codex II, although there are no vestiges of stitching at the tip of the flap, but only an indistinct imprint of the thong's overlap on the inner side of the flap, and a faint indentation at the leading edge of the front cover perhaps resulting from the pressure of the encircling thong. There is no thong for Codex XI, nor is there any indication at the tip of the flap or imprinted on the covers that there had been such a thong. The edge of the flap of Codex I is ragged and may be lacking the tip or outer edge of the flap where such an indication of the attachment of the thong would be present; but the imprint of the thong seems visible encircling the cover, though the thong is missing.

---

[1] *The Facsimile Edition* : *Codex II*, plate 159 reproduces (from photographs by Doresse of 1949) at the left the thong perhaps belonging to Codex V, then at the right somewhat higher a thong perhaps belonging to Codex II, and then somewhat lower a thong, now missing, which may belong with Codex II (at the top of the back cover encircling the codex vertically) or with Codex III or VIII (as the main thong encircling the codex horizontally).

The attachment of these thongs to the flap is in some cases simple. In Codices V, VI, IX and X the thong overlaps on the outside of the flap and is simply stitched and pasted down. But in other instances this attachment is the occasion for decoration. A thong overlaps the outside of the flap at the top of the front cover of Codex II, to which it is pasted and stitched with a narrow red thong whose end is free. In the case of Codex VII the main thong overlaps the outside of the flap, but on top of this overlap a round and slightly pointed piece of leather is pasted; it is stitched and tooled in a circle near the perimeter and horizontally through the thong as well as the flap. Similarly Codex III has a diamond-shaped piece added, stitched with a narrow red thong through the main thong and the flap.

III. *The Binding of the Quire*

The quire is mounted to the cover by means of two thongs, round like a cord but made of leather, except in the case of Codex II, where vestiges of flax string survive. Codex I has in place one thong near the top of the spine and two near the bottom, with two further holes near the top of the spine through which a second thong at the top may have passed (now missing). The way in which two thongs at top and bottom functioned to bind in the four quires attributed to Codex I is not yet known, but may become clear when the leaves in Zürich are returned to Cairo and thus become generally available to the scholarly world.

Either the two ends of each thong protruded from the lining of the spine of the cover, through the cartonnage and the pastedown, and needed only to be passed through holes in the quire at the fold and then through the leather stays at the centre of the quire, to be knotted there (Codices IV, V and VIII); or they began at the centre of the quire and moved outward to be tied outside the spine (Codices I, II—though these thongs are missing—, VI, IX, X and XI). In the case of Codex VII such thongs are no longer in place, but two detached thongs correspond, in terms of the distance between them as they pass through the still-attached pieces of leather at the centre of the quire, with the distances between notches at the inner margins of leaves indicating the holes through which they passed. The knots are not inside the fold of the piece of leather at the centre of the quire, but at the outside. Since there are no holes in the spine of the cover, they must have been knotted beneath the lining, in which case the quire was bound in when the construction of the cover was begun. In the case of Codex III, knotted ends of one thong lie between the lining and the cover. If this is their original position, as impressions in the cover might indicate, they would have been also knotted at the centre of the quire,[1] or, if there were no knots at the centre of the quire, the thongs would have been bound in when the construction of the cover began.

At the centre of the quire there are usually two folded oblong pieces of leather (stays) through which the binding thongs pass to prevent them from ripping through the papyrus (Codices IV, V, VI, IX, X and XI); in the case of Codex VIII there is only one long stay serving both thongs. In the case of Codex I one such stay survives at the top and two at the bottom. In the case of Codex VII they are no longer bound in; but two such stays, made crudely by folding irregular pieces of leather twice, survive with their thongs. In the cases of Codices II and III these stays are missing.

In Codices IV and V the central sheet in the quire was uninscribed; at the centre of Codex VIII the same seems to have been the case, although only the second of the two conjugate leaves is extant.

There is considerable evidence of the migration or blotting of ink from one page onto its facing page. It is probable that this took place after the sheets were bound into the codex, since the traces correspond well when the two leaves are aligned in terms of the contours of their lacunae. But it is not distributed according to a pattern explainable in terms of the codex having been closed while the scribe was in the process of writing and the ink had not yet dried. Rather it occurs almost exclusively on the outer sheets near the cover (though it occurs near the center of Codices I and X) and can be noticed to diminish leaf after leaf as one moves away from the cover. This would suggest that air or moisture, perhaps from the glue, was present in the cover at the time the quire was bound in, and moved by osmosis a few leaves into the quire to produce the blotting. If this is due to the moisture in the glue of the cover, the codex would have to have been inscribed at the time of the binding process. Of course it is also possible that the covers became damp after the construction of the codex was complete. A few dark stains (in distinction from blotted letters), presumably of ink, occur in random locations.

After the quire was bound into the cover and the codex closed,

---

[1] Krause and Labib, *Apokryphon des Johannes*, p. 32.

the sheets must have been trimmed flush with the edges of the cover, as instances of sheets with the same dimensions as the cover would indicate. This would mean considerable waste toward the centre of the quire as the sheets become narrower, unless this progressive narrowing was taken into account when the sheets were made.

The quire was normally constructed[1] from more than one roll. When a roll was not quite long enough for its end to make a complete sheet, but was a bit longer than needed to produce at the end the breadth of one leaf, the concluding centimeters functioned as a stub passing through the fold in the quire so that the single leaf would be bound in. Such stubs are extant, conjugate with pp. 99/100 and 13/14 and lying between pp. 28-29 and 114-115 in Codex VII; and conjugate with pp. 13/14 and lying between pp. 1[28]-[12]9 in Codex VIII. Such stubs may with some assurance be conjectured elsewhere, though they are missing (uninscribed material is quite often missing).

In Codex V one leaf [67]/G (uninscribed) is 2.5 cm. narrower than adjacent leaves and has reversed fibre directions on a *kollema* comprising most of its breadth. This *kollema* may hence be identified as a *protokollon* customary at the beginning of a roll. In Codex VIII the leaf [89]/[90] also has reversed fibre directions throughout, apparently the *protokollon* of the roll at the top or center of the quire. In Codex II the sheet <49>/<50>+<91>/<92> may be the *protokollon* of the roll next to the top roll in the quire; it has reversed fibre directions except for the vestige of the second *kollema* on the outer edge of p. <92>. The pastedown of Codex V seems to have at its left edge (the leading edge of the front cover) a *protokollon* with reversed fibre directions.

By tracing fibre continuity from the edge of one sheet to the opposite edge of the next sheet higher in the stack, one can determine whether the left edge of one sheet joined the right edge of the sheet above it or the converse. In the first case the roll would seem to have been unrolled, cut and stacked from right to left : Codices I, II, III, IV, VI, VIII, IX, XI, the upper or inner roll of Codices V, X and XIII, the upper or inner three rolls of Codex VII, the lower or outer (?) roll of Codex XII, and the lower or outer roll of Codex X. But when the right edge of one sheet joined the left edge of the sheet above it,

---

[1] For a more detailed codicological analysis of the quires see my essay On the Codicology of the Nag Hammadi Codices, *Les textes de Nag Hammadi* : *Colloque du Centre d'Histoire des Religions, 23-25 octobre 1974* edited by Jacques-É. Ménard (Nag Hammadi Studies 7, 1975, 15-31).

the roll seems to have been unrolled, cut and stacked from left to right : the lower or outer roll of Codices V and VII.

Rolls were usually so constructed that at a *kollesis* the *kollema* on the left overlaps the *kollema* on the right,[1] with the result that the pen moves down as it crosses the seam. This arrangement is normally maintained in the leaves of the codices : Codices III, IV, and VI; the two rolls of the first quire of Codex I and the one roll of the third quire; the lower or outer roll of Codex V; the lower or outer three rolls of Codex VIII; the lower or outer(?) roll of Codex XII; the upper or inner three rolls of Codex VII; and the upper or inner four rolls of Codex II. But in a few cases the *kollemata* on the right overlap those on the left : Codices IX and XI, the upper or inner roll of Codices V and VIII, the lowest or outer roll of Codices II and VII, the one roll of the second quire of Codex I, and the inner or upper(?) roll of Codex XII. (In the cases of Codices X and XIII no *kolleseis* have been identified).

No direct evidence is provided by the codices as to the actual procedure in constructing the quires, and various alternative procedures could be conceptualized. For the sake of simplicity and clarity only one alternative is here used to describe the situation, without however assuming it is the only possible alternative. When the right *kollema* overlaps the left, the roll or stack of sheets has been rotated in a horizontal plane 180°, prior to which rotation they would have been normal rolls with the left overlapping the right. The rotation in the case of the upper or inner roll of Codices V and VIII is confirmed by the fact that the *protokollon* is thus brought into its correct position at the left end of the normal roll (as in the case of the *protokollon* in Codex II).

If one may thus assume the roll or stack of sheets had been rotated 180° in cases where the *kollemata* on the right overlap those on the left, then Codex IX, the one roll of the second quire of Codex I, the upper or inner roll of Codices V, VIII, and XII and the lowest or outer roll of Codices II and VII did not in the original roll lie in the sequence initially suggested by their position in the codex, but actually lay in the reverse sequence before being rotated. If this

---

[1] L. Mitteis and U. Wilcken, *Grundzüge und Chrestomathie der Papyruskunde* (Leipzig-Berlin, B. G. Teubner), I (1912), xxix : "Die Originale zeigen, dass immer die rechtshin folgende Seite mit ihrem linken Rande (ca. 1 bis 1 1/2 cm) *unter* den rechten Rand der vorhergehenden Seite geklebt wurde". An average *kollesis* in the Nag Hammadi library would be more nearly 3 cm. broad.

rotation took place after the rolls were cut, then all of Codex V was actually cut from left to right, all four rolls of Codex VII from right to left. If the rotation took place before the rolls were cut, then all of Codices I, II, VIII and IX were actually cut from right to left. Thus one avoids the anomaly of some rolls in a quire being cut in one direction but another roll in the same quire having been cut in the reverse direction, and according to the second option all the codices (except Codex V) turn out to have been cut from right to left.

In the case of Codex XIII the surviving eight leaves seem upside down, since the vertical fibres face up or inward. This is because the sheets were not cut with their breadth running in the same direction as the length of the roll, which is usually the case. Rather in Codex XIII the sheets were cut with their breadth at right angles to the length of the roll; the breadth of the sheet prior to trimming was the height of the roll. The surface that faces up or inward, though having vertical fibres in the codex, was the surface having horizontal fibres in the roll. Once the sheets were cut from the roll they were rotated 90°; if they were cut from right to left, they were rotated in a clockwise direction.

Codex II has an unusual quire, in that an additional ten sheets (roll five) were placed upside down (with vertical fibres facing up or inward) on top of the fourth roll whose top sheet is a *protokollon* with reversed fibre directions. Since the top sheet of roll four had thus effected one reversal of direction (vertical fibres up), it was apparently thought best to turn over in a vertical plane from side to side roll five so that its vertical fibres would also be up.

Codex XII is unusual in that alternate sheets have vertical fibres facing up or inward.

Codex I is unusual in that it is the only codex in the Nag Hammadi library to have more than one quire. The first quire (consisting of two rolls) includes pp. [1]-8[4], the second pp. 8[5]-118, the third pp. 119-[142], the fourth pp. [143]- the missing back flyleaf A/B (a quire consisting of a single sheet), according to the reconstruction of Rodolphe Kasser. Since the manuscript is not fully accessible, an independent judgment is not possible.

IV. *The Classification of the Covers*

Codices have usually been measured (in centimeters) in terms of their leaves, since the covers are often missing. However the measurements of the covers should provide the maximum dimensions of the leaves and provide a base for measurements less subject to the arbitrariness of incomplete leaves. Here the breadth measurements of the covers (at the top and bottom, excluding the flap) are followed by those of the leaves (near the outside of the quire, then near the centre). The sequence is in terms of the descending order of the breadth of the cover (or leaf, when the cover is missing) :

Codex	Cover	Leaf near Outside	Leaf near Centre
(XII)		[19.0]	
VII	36.0 to 35.5	17.5	15.2
III	34.5 to 35.0	15.7	14.1
(XIII)			13.9
XI	34.0	14.3	13.7
I	33.4 to 32.9	14.0	13.1
II	32.3 to 31.8	15.8	13.8
VIII	31.7 to 31.6	14.7	12.0
IX	29.8 to 30.8	15.2	13.6
VI	30.8 to 30.2	14.9	12.9
IV	30.5 to 30.0	13.3	13.4
V	28.5	13.4	11.3
X	27.0 to 27.3	12.2	11.4

Comparable data in terms of height is as follows :

Codex	Cover	Leaf
I	29.7 to 30.0	30.0
VII	29.0	29.2
XI	28.6	28.2
II	28.6	28.4
VI	27.7 to 28.0	27.9
(XIII)		27.2
X	26.7 to 26.9	26.0
IX	26.6 to 25.9	26.3
III	26.1 to 26.0	25.5
(XII)		[25.5]
VIII	24.0 to 24.3	24.2
V	24.0	24.3
IV	23.8 to 24.2	23.7

It is initially the classification in terms of height that provides some correlation with other criteria so as to lead to the identification of three groups. Codices IV, V and VIII are the shortest. Codices IV and VIII are also the only two without a flap. They alone are stained medium brown. Both (along with Codex II) have tooling outlining the edges of the cover. Both have tooling the length of the spine and horizontally across the centre of the covers (the latter trait shared with the front cover of Codex V). Additional vertical tooling on Codex IV produced on each of the two covers a Greek cross; additional diagonal tooling on Codex VIII produced a St. Andrew's cross when the cover is opened flat. Though differing in direction, this tooling sets Codices IV and VIII apart from those with practically none on the one hand and the ornate tooling of Codex II on the other (though again making them rather similar to Codex V). Codices IV and VIII (along with Codices III and V) have binding thongs knotted outside the spine. The thongs at the top and bottom of the covers of Codices IV and VIII (as well as V and VII) are attached to the cover by a base too wide to pull through the narrow slit in the cover inside of which they are pasted. The main thong of Codices IV and V actually consists of two thongs one attached to the end of the other; since the main thong of Codex VIII is broken off and missing, it cannot be determined whether a second thong was attached to the end. Codices IV, V and VIII are the only codices without cuts at each side of the spine in the top and bottom folds. They are the only covers that are not limp, but are thick and rigid enough to stay closed unless held open. Codices IV and V and probably VIII have an uninscribed sheet at the centre of the quire.

This number of prominent correlations makes it clear that Codices IV and VIII (and to a lesser extent Codex V) belong together as a distinguishable group among the Nag Hammadi codices. Unfortunately there is no equally apparent correlation of content or dialect, although they have been classed (together with Codices VI and IX) as written by the majority hand,[1] though a rapid survey in 1974 by M. Manfredi indicated different scribes.

Codices VI, X and IX are fifth, sixth and seventh in descending sequence of height (cf. also Codex II, fourth in this sequence). They are (with II and XI) the covers that retain the tan color of the original

---

[1] Martin Krause, Zum koptischen Handschriftenfund bei Nag Hammadi, *Mitteilungen des Deutschen Archäologischen Instituts Abteilung Kairo* 19 (1963), 110.

skin. They (with I, III and XI) have no tooling. They (together with Codex I) are the only covers with blunt rather than pointed flaps. They have knots at the outside corners to hold down the folds, as does Codex II, which however also has knots at the inside corners. They (together with Codex II) have two half-length strips rather than a single strip added at the left of the front cover, and hence the folds on the sides are tied at the centre as well as at the corners. The most distinctive traits shared by Codices VI, IX and X but by none others have to do with the lining of the spine, which unfortunately is missing in Codex II. Though this lining should make it unnecessary for the thong to pass through the cover and be knotted visibly on the outside of the spine, this is nonetheless done (Codex II may be another instance). Codices VI, IX and X are the only codices to have a horizontal thong lying between the cover and the lining near the top binding thong and another near the bottom binding thong. Only in the cases of Codices VI, IX and X does one find the central third only of the lining pasted to the cover the length of the strip, so that the cartonnage is thinner and the pasting firmer at the spine. There are thus sufficient prominent correlations between the covers of Codices VI, IX and X to make their proximity in height significant and to identify them (and to a lesser extent Codex II) as another group among the Nag Hammadi codices. Again there is no equally apparent correlation of content or dialect, or even of scribe, though Codices VI and IX have been ascribed to the majority hand; the scribe of X had been identified with the first hand of Codex I, though this identification has been largely given up.

The remaining four covers do not comprise as readily identifiable a group. Three of them (Codices I, VII and XI) are the first three in terms of height, but the fourth (Codex III) is next to last in that sequence. But before III is eliminated from consideration it should be noted that in terms of breadth it is at the centre of this third group, which thus claims the first four positions in terms of breadth (Codices VII, III, XI and I). According to the classification of leaves in terms of size worked out by E. G. Turner, the three highest, Codices I, VII and XI, belong to group five, and Codex III to a sub-group within group five, both of which classifications apply to codices that are predominantly of the Fourth and Fifth Centuries.

Distinctive characteristics of these four covers are less visible than in the case of the other two clusters, for this group tends to side with one or the other of the first two groups as a majority policy. They share with the first group (Codices IV, V and VIII) the use of red-brown thongs (applicable only to the bottom thongs of III; XI has no thongs), and the fact that the folds are pasted but not tied down. The fact that the cover of Codex V does not share fully in the traits of IV and VIII may be correlated with the fact that there are traits which it alone shares with the third group. The covers which have a grey-black hue to the brown leather are I, III, V and VII. These are the same covers which have a single strip added at the left of the front cover. The covers constructed of more than one piece of leather are Codices VII and XI together with V from the first group and IX from the second group. This reflection of the paucity of the raw materials is strengthened in the case of the third group by the fact that I and VII (like VIII) had holes in the leather that were patched prior to the construction of the cover.

There are other traits shared only with the second group. The top and bottom folds are cut at each side of the spine in I, III and VII as well as II, VI, IX and X. Codices I, III and XI, like VI, IX and X, have no tooling, and VII has tooling only on the leather pad covering the overlap of the main thong on the flap. The skins of Codices I and XI (except for the smaller piece) are paper-thin and might not be capable of receiving tooling; that of Codex XI (except for the smaller piece) is the only skin that is crumbly and has disintegrated into three pieces. The covers of the third group share with those of the second group over against those of the first group the fact that the knot on the thongs binding in the quire is at the spine rather than at the centre of the quire (though in III it may have been both). There is however a distinction between the second and third groups with regard to the lining of the spine. Whereas in the case of group two the thongs went through both a lining and the cover to knot outside the spine, there is no lining in Codices I and XI, the lining of VII is missing, and that of III is the worst of all the linings. The binding thongs of Codices III and VII seem to have been knotted between the lining and the cover. The folding of the edges of the covers is unusual in the third group. The top and bottom are folded first in VII (and IV), while the sequence of the folds is irregular for Codices I, III and XI. The only trait distinctive of the third group that is on the side of advanced technique is the decorative leather pad with its tooling (Codex VII) and stitching (Codices III and VII) over the overlapping thong on the front cover. In spite of these ornate attachments one would in general be inclined to consider the third group as characterized by the more primitive traits (Codex XI having the crudest cover of all). It is from this third group (Codex VII) that John Barns' analysis of the cartonnage (published in this same volume) indicated a provenance of the covers from the Pachomian monasteries shortly after the middle of the Fourth Century. Allusions to Diospolis (Parva) and Chenoboskion in the cartonnage of Codex I might support such a location for a second cover from group three. Whereas there is no obvious correlation of contents within group three, there is some correlation in terms of scribal hand. The first hand of Codex XI may be identified with the second hand of Codex I; the second hand of Codex XI may be identified with the hand of Codex VII. Codices III, VII and the second hand of XI write in Sahidic, along with the rest of the library (except for the Sub-Achmimic Codex X), but Codex I and the first hand of Codex XI are in Sub-Achmimic, giving group three a disproportionately large share of the minority dialect. Thus Codices I, VII and XI, though diverging in terms of dialect, are closely related by scribal hand (in distinction from III) and may hence be regarded as roughly contemporary.

Codices IV, V, VI, VIII and IX, though apparently not by one scribe, are sufficiently similar to indicate that groups one and two are roughly contemporary. The pejorative allusion to Anhomoians in Codex VI would tend to date it after the middle of the Fourth Century, which is the dating indicated by the cartonnage of Codex VII, whereas the hand of Codex II has been dated to the second quarter of the Fourth Century. Therefore it does not seem at present possible to distinguish chronologically among the three groups in any meaningful way.

One may wonder why two groups so closely associated in terms of scribal hands as groups one and two seem to be could diverge so clearly into distinct groups in terms of the leather covers. Perhaps an explanation can be suggested on the basis of one trait restricted to group one : Whereas an uninscribed front flyleaf is rather common, an uninscribed back flyleaf is not (though the fragmentary nature of the quires prevents firm assertion). But Codices IV, V and VIII are the only codices (except III) with uninscribed front and back flyleaves. In addition to this uninscribed sheet at the bottom of the stack, they share a distinctive trait not present elsewhere in the library, namely an uninscribed sheet at the top of the stack in the centre of the quire. Perhaps these uninscribed sheets at the top and bottom of the stack were intended to protect the inscribed quire before it was bound.

Only these three codices knot the thong at the centre of the quire, which may have been done to make it easier to untie the thongs and remove the paperback top cover when the quire was given a leather cover, a procedure which was not however actually carried out (though the first leaf at the centre of the quire of Codex VIII is missing). Thus the quires of groups one and two may have been more closely related to each other than are the covers.

The fact that the classification of the covers into three groups does not apply as readily to the scribal hands is a problem in part mitigated by a consideration of the distribution of duplication among the codices. There is no instance of two copies of the same tractate within one codex, but a number of instances of duplication within the library as a whole (I, *2* and XII, *2**; II. *1*, III, *1* and IV, *1*; II, *5* and XIII, *2**; III, *2* and IV, *2*; III, *4* and V, *1*). Codex IV is thus completely redundant and Codex III has as well duplication with Codices II and V. But none of this duplication falls within any one of the three groups (or within any one scribal hand). Thus the distribution of the texts provides some indirect support for the validity of the grouping of the codices on the basis of their construction.

COPTICA-MANDAICA

Zu einigen Übereinstimmungen
zwischen koptisch-gnostischen und mandäischen Texten

VON

KURT RUDOLPH

I.

Bereits in den ersten Studien über die Nag Hammadi-Texte — vor allem in dem bahnbrechenden Werk von J. Doresse, *Les livres secrets des gnostiques d'Égypte I* (1958) — werden verschiedentlich Verweise auf mandäisches Parallelmaterial gegeben. In der Folgezeit sind dementsprechend bei den jeweiligen Editionen dieser neuen Texte auch den Mandaica hin und wieder in den Kommentaren Aufmerksamkeit geschenkt worden. In meinen beiden Mandäerbüchern von 1960/61 habe ich selbst soweit damals möglich die zur Verfügung stehenden neuen koptisch-gnostischen Quellen herangezogen, sofern sie meiner Meinung nach etwas für das "Mandäerproblem" abzuwerfen versprachen. Im allgemeinen ist jedoch eine gewisse Zurückhaltung in der Diskussion zu diesen Beziehungen festzustellen, sicherlich mit gutem Grund, wenn man die schleppende Editionstätigkeit der Nag Hammadi Codices (= NHC) und die Sonderstellung der Mandaica mit ihrer eigenen Problematik im Gnostizismus (= Gn.) berücksichtigt.

Es ist deshalb sicherlich angebracht, über den Stand dieser etwas abseits von der gängigen NH-Forschung stehenden Fragestellung zu reflektieren und im Lichte der nun fast stürmisch zu nennenden Veröffentlichung der restlichen NH-Texte zu betrachten. Ich hoffe damit dem verehrten Jubilar, der soviel für die Betreuung und Herausgabe der wertvollen NHC getan hat, auch von dieser Seite her ein Stück Forschungsproblematik sichtbar zu machen (eingedenk der Tatsache, daß die von ihm und A. Böhlig herausgegebene "Adamsapokalypse" (NHC V,5) die ersten konkreteren Anhaltspunkte für die angesprochenen Beziehungen bieten).

Zunächst einige Worte zu Recht und Grenzen des Vergleichs! Das
Recht zur Heranziehungen der Mandaica ergibt sich schon daraus,
daß auch sie wie die NHC Produkte der gnostischen Religion sind.
Es ist derzeit so, daß — abgesehen vom Manichäismus — diese beiden
Bereiche das umfangreichste Quellenmaterial für das Studium des Gn.
zur Verfügung stellen. Da neuere Untersuchungen mandäischer Texte
immer mehr ihr relativ hohes Alter nachweisen konnten und gerade
in den älteren Schichten die auch aus anderen gnostischen Texten
bekannten Vorstellungen greifbar sind, ergibt sich von selbst, daß die
NHC für die Mandäistik eine wichtige "externe" Quelle bilden.[1] Doch
ebenso deutlich sind auch die Grenzen dieser Betrachtung: es sind,
trotz gemeinsamer Grundstrukturen, inhaltlich und sprachlich sehr
unterschiedliche Korpera. Gehören die Mandaica einem eigenständigen, originellen semitischen Sprachtyp an, so die NHC einer aus-
geprägten Übersetzungsliteratur, die zwar in ihrer koptischen End-
gestalt weithin einem speziellen Dialekt zugehört, ja ihn mitprägte,[2]
aber — bis auf einige Ausnahmen (s.u.) — griechischer Provenienz ist.
Vom Inhalt her gesehen bildet die mandäische Gnosis, wie H. Jonas
gezeigt hat, eine Kombination zwischen dem streng (iranisch-)dualisti-
schen und dem (syrisch-ägyptischen) emanationistischen Typ gnostischer Systeme,[3] während die NHC fast ausschließlich den letzteren
repräsentieren, ganz abgesehen davon, daß sie verschiedenen Schulen,
die uns die Häresiologen anführen, zugehören, wie den sog. "sethianischen", "ophitischen", "barbelognostischen" und valentianischen,
oder dem ebenfalls sehr eigenständigen Kreis der Hermetica. Aus
diesen Unterschieden ergeben sich schon eine Reihe Konsequenzen für
die vergleichende Arbeit:

---

[1] Über den gegenwärtigen Stand der Mandäerforschung unterrichten meine Beiträge:
Zum gegenwärtigen Stand der mandäischen Religionsgeschichte, in K.-W. Tröger (Hrsg.),
Gnosis und Neues Testament, Berlin 1973, S. 121-148; Quellenprobleme zum Ursprung
und Alter der Mandäer, in J. Neusner (Hrsg.), *Christianity, Judaism, and other Greco-
Roman Cults; Studies for Morton Smith at Sixty*, Leiden (Brill), 1975, S. 111-142. Einen
Überblick über die mandäische Literatur und ihren Editionsstand gebe ich in K. Treu
(Hrsg.), *Griechisch-christliche Schriftsteller... Historie, Gegenwart, Zunkunft*, Berlin
(Akademie-Verlag) 1976 (Texte u. Unters. zur altchristl. Literatur), und *"Studia Man-
daica"* I, Berlin (W. de Gruyter) 1975, S. 147-170.

[2] Vgl. P. Nagel, Die Bedeutung der Nag Hammadi-Texte für die koptische
Dialektgeschichte, in P. Nagel (Hrsg.), *Von Nag Hammadi bis Zypern*, Berlin 1972
(Berl. Byz. Arb. 43), S. 16-27.

[3] Vgl. dazu meine Untersuchungen, *Theogonie, Kosmogonie und Anthropogonie in
den mandäischen Schriften*, Göttingen 1965, S. 17ff., 248ff.

1. Die in Rede stehenden Quellenbereiche können offenbar nur in sehr beschränktem Umfang in direkten Zusammenhang gebracht werden.

2. Die festzustellenden Parallelen und "Similarismen" sind entweder aus dem gemeinsamen Fundus der gnostischen Vorstellungs-, Bilder- und Sprachwelt zu erklären oder aus einer vorgnostischen Traditionsgemeinsamkeit (z.B. jüdisch-biblisches oder syrisch-mesopotamisches Substrat, orientalischer Synkretismus).

3. Die nachweisbaren Gemeinsamkeiten können sowohl für die (relative) Chronologie beider Literaturkorpora von Bedeutung sein, als auch für die Geschichte (bes. die älteste) des Gn. insgesamt.

4. Auch die Unterschiede haben ihren heuristischen Wert : sie können einer "Kontrastdiagnose" (S. Morenz) dienlich sein, insofern sie etwa die o. gen. beiden Grundtypen gnostischer Systeme noch besser erkennen und beschreiben lassen.

Es gibt nun vor allem drei Tatbestände, die über das bisher Gesagte hinaus, eine Heranziehung der mandäischen Literatur für die NHC leichter rechtfertigen lassen und für die historische Perspektive der zu konstatierenden Zusammenhänge von gewichtigem Wert sind. Einmal hat sich bei einigen NH-Texten herausgestellt (und wird sich noch herausstellen), daß sie in letzter Form auf aramäische Vorlagen zurückgehen (EvThom, EvPhil, ApcAd, EvVer, vermutlich auch ExPsych) oder eine Reihe Traditionen verarbeiten, die in einem aramäischen Sprachraum verwurzelt sind (SoT Cod. II, HypArch, AJ, ThomAthl., ApcJac I.II). Zum anderen, gerade auf Grund dieser Feststellungen, aber auch schon aus älteren Erwägungen, ist der Entstehungsraum des Gn. immer mehr auf den syrisch-palästinischen Raum eingegrenzt worden. Damit zusammen hängt der dritte erwähnungswerte Tatbestand : der nachweisbare jüdische Grundstock in der Mehrzahl der neuen Quellen. Für jeden dieser drei Punkte bietet auch der Mandäismus genügend Belege : er stellt die ausgiebigste, in seltener Reinheit erhaltene Form "aramäischer" Gnosis dar, seine ältesten Bestandteile weisen auf den genannten Entstehungsraum hin und er basiert auf einem häretisch-jüdischen Substrat (Taufsekten).

Meine schon längere Zeit gemachten Beobachtungen zu unserem Thema haben nun vor allem folgende Ebenen festgestellt, auf denen mehr oder weniger engere Zusammenhänge zwischen den NH-Texten und den Mandaica zu konstatieren sind :

1. auf der Ebene der ideologisch-mythologischen Motive und Bilder ("Kunstsprache"), einschließlich gewisser "Systemteile",
2. auf der Ebene des Stils (bes. der Poesie),
3. auf der praktischen Ebene des Kultes, in erster Linie der Taufe und der Sterbezeremonie ("Seelenaufstiegsriten").

Da eine ausführliche Darstellung an dieser Stelle nicht erfolgen kann, gebe ich im Folgenden nur einen kurzen Überblick, der zur Diskussion anregen soll. Es handelt sich mehr um eine erste Materialzusammenstellung, als um eine erschöpfende Durchführung des Themas. Dabei bevorzuge ich allerdings die entweder erst kürzlich oder noch nicht edierten Texte,[1] da für die "älteren" (wie etwa AJ und ApcAd) vielfach schon die Mandaica herangezogen worden sind. Abgesehen von der ApcAd, sind es vor allem AuthLog (VI,*3*), Noēma (VI,*4*), ParSem (VII,*1*), 2LogSeth (VII,*2*), Zostr. (VIII,*1*) und Protennoia (XIII,*2*), die für unser Thema am ergiebigsten sind. Aus praktischen Gründen folge ich in diesem Rahmen mehr einer systematischen Anordnung entsprechend den eben genannten Hauptthemen und behalte mir eine von Schrift zu Schrift vorgehende Einzelanalyse vor. Die mandäischen Texte sind — ebenfalls aus Raumgründen — nicht in jeder Einzelheit angeführt worden, Wenn möglich habe ich auf meine Arbeiten, insbes. auf die "Theogonie", die einen großen Teil des Vergleichsmaterials in parallelstehender Umschrift und Übersetzung enthält, und meine Quellenauswahl [2] verwiesen. Im übrigen habe ich

---

[1] Ich bin Herrn Kollegen J. M. Robinson und seinem Team in Claremont/Calif. zu großem Dank verpflichtet, daß ich durch seine Hilfe den größten Teil der NHC in Probebearbeitungen zur Verfügung habe. Der Umgang gerade mit diesen Texten hat die obigen Ausführungen angeregt. Inzwischen sind ja die Faksimile-Bände im Erscheinen begriffen, und M. Krause hat NHC II, *6, 7*, VI, *1-8* (in ADIK Kopt. Reihe 2, 1971) und VII, *1-3.5* (in F. Altheim-R. Stiehl, *Christentum am Roten Meer II*, Berlin 1973, 1-229) ediert, worauf ich mich vor allem beziehe. Eine wichtige Hilfe waren mir darüber hinaus die von H.-M. Schenkes "Arbeitskreis" in Berlin angefertigten Übersetzungen, die erst zu einem kleinen Teil publiziert worden sind (vgl. *ThLZ* 98, 1973, H. 1-4.7, 99, 1974, H. 8.10; 100, 1975, H. 1.2). Einen instruktiven Überblick über den Inhalt der NHC (mit Literatur) bietet jetzt der von K.-W. Tröger herausgegebene Sammelband *Gnosis und Neues Testament*, Berlin 1973, S. 13-76 (S. 20 auch ein Vorschlag für die Abkürzungen der Texte, dem ich allerdings nicht in jedem Falle folge). Vgl. auch meine Ausführungen dazu in der *ThR* 34, 1969, S. 127-175, 181-231, 358-361, und : Nag Hammadi und die neuere Gnosisforschung, in P. Nagel, *Von Nag Hammadi bis Zypern* (s. S. 192 A. 2), S. 1-15.

[2] In W. Foerster (Hrsg.), *Die Gnosis*, 2. Bd. *Koptische u. mandäische Quellen*, eingel., übers. u. erläutert von M. Krause u. K. Rudolph, Zürich, 1971 S. 171-418 (mit Register

mir erlaubt, aus meiner Kenntnis der Mandaica heraus zu urteilen.
Es ist ja nicht zuletzt die Mandäistik, die aus derartigen komparativen
Untersuchungen großen Nutzen zieht.

II.

Die für die Gnosisforschung lange Zeit so charakteristische "Motiv-
jagd" führt auch in unserem Falle zu reicher Beute. In erster Linie
sind es die "Bilder" und "Phraseologien", in denen sich die "Motive"
und Motivkomplexe, ja ganze Motivschichten, zum Ausdruck bringen
und auf diese Weise einen Großteil der typisch-gnostischen Redeweise
oder "Kunstsprache" (Reitzenstein) bilden. Auch wenn damit keine
direkten Beziehungen zu beweisen sind, so ist doch damit der für die
gnostischen Koptica und Mandaica gemeinsame Sprachschatz festzustellen, bes. für die mandäische Literatur läßt sich die Herkunft
einiger Termini technici näher bestimmen. Folgende Auswahl kann
das belegen :

Der Name des zentralen mandäischen Erlösers Mandā ḏHaijê
("Erkenntnis des Lebens") läßt sich mit dem Attribut der Eslösers
("Sohnes") im TractTrip. I, 87,15f. "Erkenntnis des Vaters" (ⲡⲥⲁⲩⲛⲉ
ⲛ̄ⲧⲉ ⲡⲓⲱⲧ) oder mit dem im Zostr. 3,29 "Bote der Gnosis"
(ⲡⲁⲅⲅⲉⲗⲟⲥ ⲛ̄ⲧⲉ ϯⲅⲛⲱⲥⲓⲥ) vergleichen.

Ein Name des mand. Finsternisherrschers ist "der große Dämon"
(dew rba),[1] wie in Protenn. 39,21ff., der hier allerdings Demiurg
(Saklas, Jaltabaoth) und Herr der Unterwelt in einem ist; seine
Tätigkeit "Äonen zu schaffen" (40,4ff.) entspricht auch dem mand.
Tatbestand,

Wiederholt ist der Erlöser der "Fremde" (z.B. 2LogSeth 52,8f.
ⲱⲙⲙⲟ) oder Gott selbst (SJC 85,4), wie im Mandäischen nukraia
Beiname des "Lebens" und seiner Boten, die als "fremde Männer"
auftreten.[2]

Der für die Mandäer typische Zusammenhang von "Frucht" (pira)
und Wasser begegnet — wenn auch selten — in den NHC, z.B. Protenn.
37,2f. (s.u.), ein Text, der auch in anderer Verbindung das botanische

---

S. 459-469). Ich verweise auch auf die Register der Lidzbarskischen und Drowerschen
Textausgaben, sowie auf das *Mandaic Dictionary* von Drower-Macuch (1963), das viele
Belege anführt.

[1] Vgl. *Theog.*, S. 224, 231; *Mand. Quellen*, 22 0f.

[2] Dict. s.v. (293f.); *Mand. Quellen*, 234, 236, 265, 315ff., 343, 384.

Bild von Baum, Frucht, Zweigen und Blättern für die Finsternis und
der aus ihr abstammenden "Unwissenden" verwendet (44,20ff.).

Der "*Geruch* des Lebens" (*riha ḏhiia*) begegnet ÄgEv. III 67,22
(ⲡⲉⲥⲧⲟⲉⲓ ⲙ̄ⲡⲱⲛ︢ⳉ).

Die Umschreibung für das Salvandum und die Auserwählten ist
ApcPetr 78,4f. "*Geschlecht* der Seelen" (ⲡⲓⲅⲉⲛⲟⲥ ⲛ̄ⲧⲉ ⲛⲓⲯⲩⲭⲏ),
Melch (IX 1) 27,8 "Geschlecht des Lebens" (ⲧⲅⲉⲛⲉⲁ ⲙ̄ⲡⲱⲛ︢ⳉ).
Beide Ausdrücke kennt das Mandäische als häufigen term. techn.
šurbta ḏhiia ("Geschlecht des Lebens") und *kana ḏnišmata* ("Stamm"
oder "Ursprungsort der Seelen").[1]

Ebenso läßt sich "*Gewand*" als Ausdruck der Seins- oder Zustands-
beschreibung und als Schöpfungs- und Erlösungsmittel in beiden
Literaturen nachweisen : vgl. ParSem 12,22ff.; 18,9ff., 27ff.; 19,33ff.
(= 8,33ff.). Der Erlöser trägt das "Lichtgewand" (ebd. 12,8; 18,3;
ⲧⳉⲃⲥⲱ ⲛ̄ⲟⲩⲟⲉⲓⲛ; mand. *lbuša ḏnhura*) und vertauscht es beim
Gang zum Chaos mit dem "Feuergewand" (ebd. 18,4f., 27 ⲧⳉⲃⲥⲱ
ⲛ̄ⲕⲱ︢ⳉⲧ), das in der mand. Kosmogonie vom Demiurgen Ptahil für
seine Schöpfungsversuche im Chaoswasser ("finsteres Wasser") benutzt
wird.[2]

"*Glanz*" (*ziwa*), ständiges Attribut mand. Lichtwesen, auch selbst
personifiziert, tritt in den NHC nicht so häufig auf : ParSem 33,2
kann ϭⲱϣⲧ mit M. Krause als "Glanz" wiedergegeben werden
(vgl. Crum 838 b) und damit als Umschreibung für das Lichtwesen
Strophaia, doch ist auch "Schau" möglich. Der Soter Seth offenbart
nach 2LogSeth 50,22f. seinen "Mit-Pflanzungen" (ⲛ̄ϣⲃⲏⲣ ⲛ̄ⲧⲱϭⲉ)
die "Herrlichkeit" (ⲡⲓⲉⲟⲟⲩ = δόξα), wie z.B. *Mand. Liturgien*
127,5ff.[3]

"*Größe*" (μέγεθος, ⲙⲛ̄ⲧⲛⲟϭ) ist häufige Umschreibung für das
höchste Wesen (ParSem 12,23; 33,15; 2LogSeth 49,11; 50,10; 54,6f.;
57,5f.; 61,1) und die ihn umgebenden Geister (3StelSeth pass.), was
an den ständigen Beinamen *rbia* (= *rabbê*), *rurbia* (= *rurbê*) des
mand. Gottes "Leben" erinnert, der auch in einer Traditionsschicht
"Herr der Größe" (*mara ḏrabuta*) genannt wird. Sowohl die Lichtwesen (*uthrê*) als auch die Priester im kultischen Akt werden mit
"groß" (*rba*) oder als "Sohn der Größe" (*br rbia*) bezeichnet,[4] wozu

---

[1] Dict. s.v.; *Theog.*, 48ff., 293ff.; *Mand. Quellen*, Reg. s.v.

[2] Vgl. *Theog.*, 144ff., 214; *Mand. Quellen*, 237f.

[3] Vgl. *Mand. Quellen*, S. 365f.

[4] Vgl. Dict. s.v. *rba*; *Theog.* 79ff. u. pass.; *Mandäer* II, S. 25 mit Anm. 6.

2LogSeth 57,7f. "Sohn der Größe" (ⲡϣⲏⲣⲉ ⲛⲧⲉ ⲡⲓⲙⲉⲅⲉⲑⲟⲥ) für den Salvandus zu stellen ist.

Jerusalem als Symbol der Bösen begegnet ApcJac I, 25,15f., wie im Mandäischen diese "Stadt der Juden" von den bösen Gewalten beherrscht wird.[1]

Bekanntlich ist *"Leben"* (*hiia* = *haijê*) Titel des mand. Agnostos Theos. Auch in den Koptica beschreibt dieser Begriff ein höchstes Gut das dem höchsten Gott eignet: 3StelSeth 120,14f.; 123,18f.; 124,30 (Vater des Lebens); 125,30 (der präexistente Vater ist das Leben der Erwählten); ApcPetr. 70,23f. (der Vater, der das Leben denen offenbart hat, die aus dem Leben stammen); 76,15ff. In Zostr. steht der Begriff häufig in Verbindung mit Wasser und Wissen (s.u.): 68,24; 70,4; 73,10 (ⲧⲙⲛⲧⲱⲛϩ); 74,11; 75,8.17; 85,22; 86,17. Auch "Ort des Lebens" (ⲡⲙⲁ ⲙⲡⲱⲛϩ) ist belegbar (DialSot. 132,6f.), ein Ausdruck, der dem mand. *atar hiia* entspricht.

Ebenso steht es auch mit *"Licht"*, wie ein Blick auf Protenn. 36,32f. (der Vater ist das Licht); 46,24 (Licht ist die Quelle des Alls); 47,30ff. ("Ich bin das Licht,/das das All erleuchtet …") lehrt. Das "Abbild des Lichts" (ⲡⲓⲛⲉ ⲙⲡⲟⲩⲟⲉⲓⲛ) in ParSem 39,16f. (= Derdekeas) oder AJ (BG) 27,12 (= Ennoia) läßt sich mit der *dmut dnhura* vergleichen, ein Name, der sowohl Adam als auch den Salvator bezeichnen kann.[2]

Kennzeichen mand. Finsternisvorstellung ist *"Mangel* und *Fehl"* (*hasir ubṣir*), Eigenschaften, die der Lichtwelt und ihren Angehörigen nicht eignen,[3] eine Überzeugung, die auch in den NHC wiederholt geäußert wird, wie TractTrip 62,22.30.38; 66,11; SJC 85,15 (von Gott), AJ (BG) 30,16 (von der Barbelo-Pronoia); die abgefallene Sophia und ihre Produkte sind demgegenüber mit "Mangel" (ϣⲧⲁ) behaftet.

"Mysterien" sind im Gn. sowohl die geheimen Lehren (sprich: "Offenbarungen") als auch gewisse Riten. Im Mandäischen überwiegt letzteres,[4] in den Koptica die erstere Bedeutung (AJ (BG) 56,13; 61,13; 75,19; 76,16; 78,9; Protenn. 37,17f.; 41,3.27f.), aber auch

---

[1] *Mand. Quellen*, 377ff., 384 (Jb Kop. 54); *Mandäer* I, S. 51f., 89ff., 95ff.

[2] Vgl. *Mand. Quellen*, S. 252, 302, 363.

[3] GR I 6, 25 Lidzb. (= *Mand. Quellen*, S. 206), u.o.

[4] Vgl. Dict. s.v. *raza*; *Mandäer* II, S. 254ff. Das Mand. benutzt den Ausdruck häufig i.S. von magischem Machtmittel, das im Kampf zwischen Licht und Finsternis eine Rolle spielt (vgl. *Mand. Quellen*, S. 221, 229, 255, 263, 278, 288, 309, 342, 385). Er kann auch personifiziert werden (ebd. 231, 246, 334), bedeutet aber auch geheime Lehre (ebd. 241, 383).

Riten können so umschrieben werden (ApcPetr. 76,23ff. : Warnung
vor schlechten Lehren und Mysterien; Protenn. 41,24 : Taufe der
Mysterien).

Beliebtes Bild für den Vorgang der Entstehung und der Abkunft
ist "*Quelle*", wie in TractTrip 60,13f.; 62,8f.; Zostr 17,12; AJ (BG)
26,17-19 (Gott ist die "Lebenswasserquelle" und "Quelle des Pneumas"); 2LogSeth 61,3 ("Quelle der Wahrheit"). Im Mand. ist dieses
Bildwort (*aina, mambuha, mambuga*) noch stärker naturverhaftet :
die Lichtwelt ist ein Reservoir von Quellen und Flüssen (s.u. S. 215),
aber das Wort bedeutet auch "Anfang", "Beginn".[1]

Die Gnosis ist eine "Religion des *Rufes*", daher ist "Ruf", "Stimme"
oder "Wort" des Offenbarers oder Boten Zentralbestandteil des
Wortschatzes (ⲡ2ⲣⲟⲟⲩ; mand. *qala, kaluza, mimra*).[2] Die "Protennoia" bringt dafür einprägsame Beispiele (bes. 35f., 39f.), ebenso
EvVer 22,1-9.

Als Ziel der Seele gilt die "*Schatzkammer*" (ⲁ2ⲟ AuthLog 28,24, wo
der Nūs, der in der Sch. ist, eine Funktion hat wie das himmlische
Abbild der Seele); denjenigen, die in den verborgenen Schatzkammern
sind, offenbart der Soter seine Mysterien (Protenn. 37,16). In den
Mandaica sind "Schatzmeister" (*ganzibrê*) über die Seele eingesetzt;[3]
diese entstammt dem "Schatz des Lebens" (*ginzaihun d̲hiia*).[4] Die
"Schatzkammer des Herzens" ('*uṣar libh̲*) ist der Wohnort der "Erkenntnis des Lebens" (*manda d̲hiia*).[5]

"*Söhne* (Kinder) *des Lichts*" (ⲛ̅ϣⲏⲣⲉ ⲛ̅ⲧⲉ ⲡⲟⲩⲟⲉⲓⲛ) sind die
Auserwählten, die Gnostiker (2LogSeth 60,19; ApcPetr. 78,25f.;
Protenn. 37,19f.; 41,1 ? 16; 45,33; 49,22), bei den Mandäern ist dieser
Ausdruck (*bnia d̲nhura*) den Lichtwesen (Uthras) vorbehalten.[6]

Eine soteriologische Redensart verwendet das Bild vom "*Suchen
und Finden*" : "Denn du hast gefunden, wonach du gesucht hast"
(ⲁⲕϭⲓⲛⲉ ... ⲙ̅ⲡⲉⲧⲕϣⲓⲛⲉ ⲛⲥⲱϥ, Hermet. Traktat o.T. [VI,6],

---

[1] Vgl. Dict. s.v. *aina* und *mambuga*; *Mandäer* II, S. 66ff. (betr. himmlische Jordane),
1201 (betr. den kultischen Wassertrunk, der aus dem Jenseits stammt).

[2] Vgl. Dict. s.v.; *Mand. Quellen*, S. 309ff.; Reg. s.v. Ruf, rufen.

[3] *Mand. Quellen*, 254, 266, 268, 306.

[4] Ebd. S. 338 (vgl. GR 172, 13f./176,34), 366 (hier vom Pihtā). "Schatz des Lebens"
(*simat hiia*) ist auch Name des Lichtboten (303f.), personifiziert auch als ʿŌṣār-Hai
(Lit. 43). In GR V 1 ist "Schatzhaus" (*bit ginza*) Umschreibung für die Behausung
finsterer Wesen (ebd. S. 284).

[5] Vgl. *Theog.*, S. 271 (GR 244,5f./244,37-39).

[6] Vgl. Dict. s.v. *nhura*; *Theog.* 271; *Mand. Quellen*, Reg. s.v.

60,10f.) oder (von der Seele) : "Sie fand das, wonach sie suchte" (ⲁⲥϭⲓⲛⲉ ⲙ̄ⲡⲉⲧⲥϣⲓⲛⲉ ⲛ̄ⲥⲱϥ, AuthLog 35,15). Eine gleiche Phrase begegnet in den Mandaica in gleicher Anwendung : Die unbesiegbaren "Söhne des lichten Stammes", die Adamiten Hibil, Šitil und Anōš "suchten und fanden" (*bun uaška* Mand. Lit. 13,6; 144,13).

"Ihr habt gesucht und gefunden (*baiitun uaškatun*), meine Auserwählten, wiederum werdet ihr suchen und finden (*tibun utaškun*)" (ebd. 197,4f.).

Eine kultische Formel der Taufzeremonie lautet (ebd. 50,11f.) :

"Suche und finde, sprich und werde erhört" (*bia uaška amar u῾štma*).

Das bekannte Bild von der "*Trunkenheit*" für den Zustand der Unkenntnis (Agnoia) und Unerlöstheit ist in beiden Korpera vielfach anzutreffen : vgl. AuthLog 24,14ff.; AJ (BG) 59,20f. (Adam wird nüchtern vom Rausch); ThAthl. 139,37; 143,27, mit Ginza rect. III : 121,29f.; 123,30f., 37; 129,9f. (110,11; 111,24f.; 112,3f.; 116,2 Petermann), wo "Rausch" (*ruita*) die Waffe der Finsternis gegen Adam ist.

"*Vier* Helfer" (βοηθός) vermitteln zwischen der Norea und dem Vater des Alls Adamas (IX,2 (Norea) 28,27f.), wie die mand. "vier Männer, die Söhne des Heils" (*arba gubria bnia šlama*) als Empfänger und Betreuer der Seele auftreten.[1]

Über "*Wasser* des Lebens" s.u. S. 209f. Vom "finsteren Wasser" (ⲡⲙⲟⲟⲩ ⲛ̄ⲕⲁⲕⲉ) ist in der ParSem wiederholt die Rede (38,18; 45,29; 48,11), ein Ausdruck, den das Mandäische in Form des "schwarzen" oder "trüben Wassers (*mia siauia, mia ῾kumia*) zur Bezeichnung von Finsternis- und Unterwelt (Chaos) häufig verwendet.[2] Möglicherweise ist von daher auch die in einigen NHC-Texten auftretende Phrase "auf (oder in) das Wasser (herab)kommen" (ⲉⲓ ⲉⲝⲙ̄ ⲡⲓⲙⲟⲟⲩ ApcAd; ⲛⲏⲩ ⲉⲃⲟⲗ ϩⲓⲧⲙ̄ ... ⲉⲡⲓⲧⲛ̄ ⲉⲡⲙⲟⲟⲩ, ⲛⲏⲩ ⲉϩⲣⲁⲓ̈ ϩⲛ̄ ⲡⲙⲟⲟⲩ ParSem) i.S. des Auftretens in der irdischen Welt, verbunden mit einer Reminiszenz an die Taufe (so sicher in ParSem, s.u. S. 210), zu verstehen.[3]

---

[1] Vgl. *Theog.*, 102, 128, 137; Dict. s.v. *šlama*.

[2] Vgl. *Theog.*, 85ff., 125ff., 144ff., 204ff.; Dict. s.v. *mia* (S. 265); *Mand. Quellen*, Reg. s.v. Wasser.

[3] Vgl. dazu auch *ThR* 34, 1969, S. 168.

Das charakteristische Motiv vom *"Weckruf"* des Erlösers an den "schlafenden" Salvandus, insbes. in Gestalt Adams als Prototyp, ist von G. MacRae, ausgehend von AJ, näher untersucht worden.[1] Noēma 40,1ff. bringt dafür ein weiteres schönes Beispiel. In den Mandaica ist davon gleichfalls oft die Rede, wie ich, unter Einbeziehung relevanter NHC-Schriften, an anderer Stelle dargestellt habe.[2]

Der *"Weg"* oder "Pfad" (*'uhra, dirka*) des Heils, den der Erlöser geschaffen oder "eröffnet" hat, ist dem Mandäischen ein fester Topos der Soteriologie, vor allem in seiner konkreten Bedeutung des Weges der Seele beim Aufstieg zur Lichtwelt.[3] Für die NHC sei dafür auf SJC 105,12-14 (Aufstieg zum Vater entspricht der Kenntnis des Weges [ΤΕϨΙΗ] der "Lichtworte"), AuthLog 33,1, Hermet. Schrift o.T. (VI,*6*) 63,11 (Weg der Unsterblichkeit) und DialSot 120,22ff. (Christus lehrt den "Übergang" [διάβασις] für die "Erwählten") [4] verwiesen.

"Wohlgeruch" oder "Duft" ist die Eigenschaft und Gabe der Lichtwelt,[5] die im mand. Kult durch den Weihrauch (*riha*) symbolisiert wird. Einen kultischen Hintergrund (Salbung) hat der "gute Geruch" (ΠⲤϮ ΝΟΥϬⲈ) auch im EvPhil 125,36-126,6, wo auch der Gegensatz "Gestank" (der Nichtgesalbten) begegnet. Im EvVer 34,1-18 ist es der Duft, der den Vater mit den Seinen verbindet und im TractTrip 72,6ff. ist er ebenfalls auf den Vater bezogen. Im ThAthl. ist der Wohlgeruch für die Auserwählten (144,20), die sich vor der Verführung durch die "duftende Begierde" der Finsternis zu hüten haben (140,22f.). Auch ExPsych 132,13f. scheint der "Duft" (= Parfüm) im Brautgemach der Seele den soteriologischen Stellenwert i.u.S. zu haben.

Als Aufenthaltsort himmlischer Wesen, als deren Begleitung (e.A. Transportmittel) und als selbständige Wesenheiten tritt uns die *"Wolke"* entgegen, vor allem ist es der Ausdruck "Lichtwolke" (ΤΚⲖΟΟⲖⲈ, ΤϬΗΠⲈ N̄ΟΥΟⲈΙΝ), der verwendet wird: ParSem 5,13;

---

[1] Sleep and Awakening in Gnostic Texts, in U. Bianchi (Ed.), *Le Origini dello Gnosticismo* (Colloquio di Messina 1966), Leiden 1967, 1970², S. 496ff., 507.

[2] *Theog.*, 311ff., 322ff.; *Mand. Quellen*, 256, 261, 301, 312, 333, 361, 356, 384.

[3] Vgl. *Mand. Quellen*, 281, 282, 301, 305 ("der Pfad der Vollkommenen"); 325, 333, 336, 338, 340 ("Pfade der Kušṭā"), 348, 355, 363 ("Weg des Lebens" und "Pfade der Kušṭā").

[4] Vgl. zu diesem Bild ebd. 344 (GL III 25: die "Brücke" über das Finsternismeer, der "Damm" über den Hiṭpūn-Fluß) und 364 (ML 67: die "Fähre, die die Auserwählten hinüberführt").

[5] Vgl. *Dict.* s.v. *riha*; *Mandäer* II 41ff.; *Mand. Quellen*, 207, 209ff., 213f., 295, 297ff. (vom Lichtboten), 313, 344 (der Erlöser schenkt den Seelen seinen Duft), 383.

33,30f.; Zostr 4,21-23.31; ApcAd 69,20f.; 71,9f.; 75,18ff.; Sitz des
Jaldabaoth (AJ [BG] 38,7) des Sabaoth (SoT II 154,3f.), der Noachiden,
die sich in Lichtwolken verbergen (AJ 73,12); "Finsterniswolken"
verbergen das Licht (ThAthl 143,36f.; ApcAd 83,7). Im Mandäischen
ist *anana* in ähnlicher Bedeutung anzutreffen :[1] die Uthras wohnen
in "Wolken des Glanzes" (*anan ziwa*), die Lichtboten erscheinen in
ihnen und die Seele wird in sie aufgenommen.[2] "Lichtwolke" (*anana
ḏnhura*) ist zu einer eigenen Personifikation geworden : der himmlischen Eva, Paargenossin des Adakas-Zīwā.[3] *Anan(a)* ist schließlich
Name weiblicher Wesen, die den Uthras beigesellt sind.[4] In der ApcAd
ist es eine "Wolke der Begierde" (ογϭнпє йтє єпιθγμιλ), mit
der Gott eine Erscheinungsform des Phostēr erzeugt (81,16f.23).

In gleicher Weise wie im vorangehenden Vergleich steht es mit
dem in allen gnostischen Texten verbreiteten Bildwort *"Wurzel"*
für Ursprung und letzter Entstehungsort, das zur übertragenen
Bedeutung "Prinzip" führte, wie bei den "drei Wurzeln" des Alls
in der ParSem (2,6ff.; 10,4), Auch als Metapher für Äon begegnet
es (TractTrip 64,3; 71,20; 74,10ff.). Die "Wurzel des Lichtes"
(тноγнє μπογοєιν ParSem 39,10) entspricht der mand. "Wurzel
des Lebens" (*širša ḏhiia*), der der Erlöser und die Seele in gleicher
Weise zugehören.[5] Die Adamiten sind die "Wurzel des Lebens", hier
i.S. von "Geschlecht, Stamm".[6] Seine "Wurzel" zu kennen, ist heils-
notwendig (cf. HA 141,13.24; 145,15; EvVer 28,16; 41,26; 42,34f.;
Protenn. 47,28; ParSem 1,28f.; 24,21-24; 43,21-24). Die Mandäer
haben für diese ernste Sache den Ausdruck : "die Wurzel von den
Lichtwelten abschneiden" (*mipsiq širš̱ḫ mn almia ḏnhura*, GR 49,30f.),
der auch in der SoT Cod. II, 175,3 anklingt : "der Mangel wird bei
seiner Wurzel ausgerissen" (пωтλ νλπωρκ ϩλ тєϥнογнє),
ebenso wie in der ApcPetr. 80,17f. : "die Planē soll samt ihrer Wurzel
ausgerissen werden" (тογπλαнє єϥєтωκμ йтєснογнє). Auch

---

[1] Vgl. Dict. s.v. Lidzbarski, Ginza, Reg. s.v. Wolke, Lichtwolke.

[2] GR Lidzb. 130,23; 264,9.11 (Manda ḏHaijê nähert sich in einer "Lichtwolke");
302,7; 546,8; 561,15; 562,1; Lit. 73,1; 156,12; 183,2f.; 240,3.

[3] GR 117f. (= *Mand. Quellen*, S. 261f.); dazu *Theog.*, S. 291ff.; eine weitere Personifikation ist Anan-Nṣab ("die Wolke pflanzt", d.h. schafft, erzeugt).

[4] z.B. GR 402 : bes. im Hochzeitsritual.

[5] Vgl. *Mand. Quellen*, 301, 304f., 366 : "Wurzeln des Lichts" (*širšia ḏnhura*) finden
sich ebd. 213 unt. (= GR III : 66,9) als e.A. himmlisches Wesen (Äonen).

[6] Ebd. 261; als "Geschlecht" auch : 334, 336 (die Seele steigt mit der W. ihres
Vaters auf); 400. Vgl. dazu ApcPetr 79,4; ApcJac I, 35,21f.

die Finsternis hat im Mandäischen ihre Wurzel, aus der die bösen Mächte stammen.[1]

III.

Diese Aufstellung, die sich leicht ergänzen läßt, gibt einen gewissen Einblick in die gemeinsame Bildersprache; direkte Zusammenhänge sind daraus jedoch kaum zu eruieren (abgesehen davon, daß diese Sprache nicht allein auf gnostische Texte beschränkt ist). Dies gilt auch für stilistische Gemeinsamkeiten, die sich auf der Ebene der Hymnendichtung und Offenbarungsrede ("Ich-bin-Stil") mit dem semitischen Parallelismus membrorum in einzelnen Texten nach-weisen lassen (ExPsych, DialSot, Brontē, Protenn, ApcJac II, s.u. S. 204), worauf einzugehen hier kein Raum ist. Stärker fallen dafür Vergleiche mit bestimmten Lehrüberlieferungen oder "Systemteilen" ins Gewicht.

1. Ein solcher Systemteil ist das prototypische *Adam*geschehen. Schon auf Grund von AJ (BG) ließ sich ein "Grundtyp gnostischer Urmensch-Adam-Spekulation" feststellen, der auch im Mandäischen nachweisbar ist.[2] Weitere NHC-Texte, wie vor allem die HypArch (II,*4*) und SoT (II,*5*), haben das bestätigt.[3] Jetzt bietet 2LogSeth ein neues Glied in dieser Tradition (p. 53,9-55,9; 57; 62,27-34): die Archonten des Jaldabaoths schufen Adam, der ihnen allerdings bei seinem Erscheinen Schrecken einjagt; der Christus-Seth, der über die Prahlerei des Kosmokraters lacht, bringt zur Hilfe Adams die "kleine Ennoia" (54,24)[4] in die Welt, was zur "Verwirrung" der Engel und ihres "Hauses" führt. Aus p. 57 geht die Gleichsetzung von Adam und Seelenschicksal hervor, wie sie für die mand. Quellen typisch ist.

2. Ein anderes zentrales Thema ist die sog. "präirdische *Höllen-fahrt*" des Lichtboten oder Erlösers, der einen prototypischen Kampf

---

[1] *Širša dhšuka*: GR 313,26; 319,22; vgl. dazu EvPhil 131,9f.: "die Wurzel der Schlechtigkeit" (TNOYNE NTKAKIA) gilt es bloßzulegen; SoT II 145,29 (die Wurzel des Chaos); 174,3 (s.o.); ParSem 2,28 (schlechte Wurzel); 5,2; 6,5 (Finsternis-Wurzel TNOYNE NKAKE); 7,24ff. (Wurzel der Physis ist blind gegen das Licht); 47,3f. ("Wurzel der Schlechtigkeit" TNOYNE NKAKIA).

[2] Rudolph, *ZRGG* IX, 1957, S. 1-20; *Mandäer* I, S. 117 Anm. 1. Das Material (bes. aus GR III) jetzt auch in Mand. Quellen, S. 215ff.

[3] Vgl. *Theogonie*, S. 277 Anm.

[4] Vgl. die "Kleine Sophia" im EvPhil 60,15, die auch "Sophia des Todes" heißt.

mit der Finsternis besteht und den Heilsweg schafft.[1] Die ParSem
spricht mehrfach davon, daß der Offenbarer und "Sohn der Größe"
(19,24) Derdekeas zum Chaos hinabsteigt (14,4f.; 15,16ff.; 18f.). "Ein
Licht ging in das Chaos hinab, das voller Nebel und Staub war, um
der Physis zu schaden" (15,16-19). Derdekeas tritt dem zur Seite,
indem er zum Tartaros herabsteigt, zum "Licht des Pneuma", das
bedrückt war, um es vor der "Bosheit der Last" zu bewahren (ebd.
28-34). Weiterhin heißt es, daß derselbe sein "Lichtgewand" anlegt;
er "geht hinab ins Chaos" (18,2ff.) und kämpft mit Hilfe einer
Finsternis-Kraft gegen die Physis, die sich in Gestalt eines Abbildes
im Wasser als ein furchtbares Tier "mit vielen Gesichtern, indem es
unten krumm ist" offenbart (15,12-16); er ruht auf ihrem "starrenden
Auge" (Z.19; cf. 16,4f.: arglistig öffnet sich das Auge des Mutter-
schoßes).[2] Die Berührung mit der Physis, die ihre Weiblichkeit stark
macht und die zum Auswurf des Nūs (wie ein Fisch aufs Trockene)
aus dem "Mutterschoß" führt, erfolgt durch eine "Reibung" mit dem
Feuergewand (Z. 26ff.). Es erfolgt darauf die Entstehung der Tiere
und die Kosmogonie (durch eine "große Bitte" des Derdekeas an den
"Mutterschoß"). Ohne hier auf den nicht immer klaren Gedankengang
der Darstellung näher einzugehen, handelt es sich um einen stark
"entmythologisierten" Höllenfahrtsbericht, hinter dem noch ältere
Vorbilder hindurchschimmern, wie sie das Mandäische bewahrt hat.
Sein Grundgerüst besteht aus folgenden Vorgängen: der Abstieg
eines Lichtboten zur Finsternis, versehen mit Gewändern, die Auseinandersetzung mit der Physis zur Befreiung des Lichts oder Pneumas,
schließlich die Kosmogonie aus lichten und finsteren Teilen.

Auch in weiteren Texten klingen derartige Motive an: 2LogSeth
53ff. geht Christus zur Rettung Adams zu den Archonten. "Ich aber
befand mich im Rachen von Löwen ..." (55,9f.), wobei Urmensch-
und Kreuzigungsschicksal ineinandergezogen sind. Im gleichen Traktat
wird Christus geschildert, wie er an den Toren der Archonten und
ihrer Gefangenen unerkannt vorbeizieht, mit ihnen redet und ihre
Pein beseitigt (56,21-57,2). Dies erinnert an den Durchzug des mand.
Erlösers durch die himmlischen "Wachtstationen" (maṭarata).[3] In der

---

[1] Vgl. *Theogonie*, S. 213ff.; *Mand. Quellen*, S. 270-289.

[2] Vgl. GR 85,17f. Lidzb. = *Mand. Quellen*, S. 275: "die Augen des Ūr erblindeten
und leuchten nicht (mehr)". Die Gestalt der Physis ähnelt einem ungeheuerartigem
Wesen, wie sie im Mand. der zweigeschlechtliche Finsternisherrscher Ūr ist, aber auch
Züge der Rūhā, der Weltmutter, begegnen.

[3] Vgl. *Mand. Quellen*, S. 319ff.; unt. S. 206.

"Protennoia" (XIII,2) kommt diese nachdem die Epinoia die Schaffung der Unterwelt unterbricht und die Anthropogonie inauguriert, herab zum Chaos (40,29ff.) : "Ich habe die Fesseln der Dämonen der Unterwelt zerschnitten, die hohen Mauern der Finsternis niedergerissen, die festen Tore der Mitleidslosen aufgebrochen, ihre Riegel zerbrochen ..." (41,5-15). Er (der Logos) ist der Erste, der herabkam, durch die Regionen der Archonten steigt, um den Seinen sein Mysterium zu vermitteln, was zur Lösung von den Fesseln führt (41,27ff.). Auch im Anhang zur langen Fassung von AJ (Cod. II), p. 30,11ff., steigt die "Pronoia des Alls" (sekundär mit Christus identifiziert) dreimal zum Chaos, in die Mitte der Gefängnisse herab, um sich dann wieder zur "Lichtwurzel" (Z. 30) zurückzuwenden; in diesen Zusammenhang ist die Auferweckung des Salvandus und seine prototypische Belehrung gestellt (31,14ff.). Zukünftige Untersuchungen werden diese Traditionsstränge noch genauer zu fassen haben.

3. Die in Anknüpfung an die biblische Geschichte in einigen gnost. Texten vorhandenen *"Katastrophen"* der Urzeit sind im Rahmen einer Zeitalterlehre zugleich als Rettungsakte des auserwählten Geschlechts und seiner Führer dargestellt. Es handelt sich dabei um die Vernichtung der Menschheit (1.) durch Wasser (Sintflut) und (2.) durch Feuer ("Sintbrand"), wie in ÄgEv (61), ApcAd (67ff.; 73ff.) und Noēma (38f.; 40,9ff., hier durch die "Mutter des Feuers"). Den gleichen Tatbestand findet man auch im Mand., nur ist hier zusätzlich zu den "Wasserfluten" und "Feuerbränden" noch das Schwert vorangestellt; diesen (drei) Katastrophen entrinnen nach dem ursprünglich anzunehmenden Überlieferungsbestand die drei Adamiten Hibil, Šitil und Anōš.[1] Es sind die "Hüter" (*naṭar*), die das "Geschlecht des Lebens" bewahren, wie es auch im ÄgEv 61,9f. heißt (N̄ϩOYPIT ET2APH2 EΠⲰN2 N̄TΓENEⲀ).

4. Daß die *Kosmogonie* von den Archonten und ihrem Haupt, dem unterschiedlich benannten Demiurgen (Jaldabaoth,[2] Saklas [cf. mand. *sakla*, "Narr" als Name des Ptahil]) inauguriert wird, ist den meisten gnost. Quellen eigen. Beachtenswert ist darüberhinaus für unser Thema, daß in Noēma 37,30ff. das Feuer als Schöpfungsmittel fungiert, wie im Mandäischen (s.o. S. 196 mit Anm. 2).

5. Dem astralen Weltbild entsprechend, aber in einer charakteristi-

---

[1] Vgl. dazu *Throg.*, S. 299ff.; *Mand. Quellen*, S. 378f.; 381.

[2] Zur Deutung s. G. Scholem in den *Mélanges d'histoire des religions off. à H.-Ch. Puech*, Paris 1974, S. 405-421.

schen generellen Umwertung sind die 7 *Planeten* und die 12 Tierkreiszeichen Mächte der Unterdrückung (eine Konsequenz aus ihrem
das irdische Schicksal bestimmenden Einfluß); sie zählen daher zur
Kerntruppe der Archonten (vgl. ApcJac 25,27f.; 26,23; 2LogSeth
53,14f.; 58,18; NHC X ["Marsanes"] 17,3ff., wo in zerstörtem Zusammenhang die "7 Planeten" und "12 Tierkreiszeichen" genannt sind).
In den mand. Texten sind die "Sieben" (*šibiahê*) und "Zwölf" (*trisar*)
Hauptakteure der bösen und finsteren Seite des Kosmos.[1]

6. Stärker treten die Übereinstimmungen in der "*Seelenlehre*" ganz
allgemein hervor. So ist der "*Fall der Seele*" in den Körper (oft sowohl
mikro- als makrokosmisch gesehen) ein zentrales Thema der mand.
Literatur, vor allem der Masiqtālieder, die gerade für dieses tragische
Geschehen eindrucksvolle Formulierungen gefunden haben.[2] Daran
erinnert AuthLog 23,13ff.17 : "als man sie (die geistige Seele) in den
Körper hinabwarf, wurde sie zum Bruder der Begierde, des Hasses
und der Eifersucht, (d.h.) zur materiellen Seele".[3] In den verchrist-
lichten gnostischen Texten ist dieser Vorgang vornehmlich auf das
Eingehen Christi in das "*Soma*" bezogen (vgl. 2LogSeth 51,20ff.;
59,20ff.). Noch mehr lassen sich für das Thema des "*Seelenaufstiegs*"
oder der "Seelenreise" Gemeinsamkeiten bis in die Bildersprache
nachweisen, wie vor allem AuthLog wieder lehrt : Die Seele legt den
Körper ab und gibt sie denjenigen, die ihn ihr gegeben, d.h. den
Archonten (32,16f.; dazu GL II 5 : 461,35-462,3 Lidzb.).[4] Die Archonten ("Kaufleute") des Körpers sitzen danach da und weinen,
weil sie keine Geschäfte mehr machen können (32,17ff.; vgl. Lit.
201,7f.).[5] Die Seele erhält Ruhe (32,9f.16)[6] und "fand, was sie suchte",
(32,16f.; vgl. Lit. 164,11; oben S. 199); ihr unsichtbarer Weg, den sie

---

[1] Vgl. *Theog.*, S. 14ff., 180f.; 253ff. u.o.; Dict. s.v. *šibiahia, trisar*; *Mand. Quellen*,
Reg. s.v. Planeten, Sieben, Zwölf.

[2] Vgl. *Mand. Quellen*, S. 215ff., 291ff.; dazu *Theog.*, S. 259ff.

[3] Vgl. dazu etwa GR XVI 8 (393f. Lidzb.); GL II 10 (469, 15ff. Lidzb.), 13 (474f.);
III 3 (511,14f. = *Mand. Quellen*, S. 337: "die Welt der Finsternis, des Hasses, der
Eifersucht und der Zwietracht").

[4] Vgl. *Theog.*, S. 255; *Mand. Quellen*, S. 329f.

[5] Das Bild von Kaufmann (*tangara*) und Handel begegnet m.W. im Mand. in diesem
Zusammenhang nur im positiven Sinne : die Seele soll sich gute Werke besorgen (vgl.
Lit. 154f.); der Lichtbote ist ein "Kaufmann der Seelen" (*tangara ḏnišmata*, GR 172,17
Pet., 176,38 Lidzb. mit Anm. 7).

[6] Vgl. *Mand. Quellen*, S. 311, 338, 353 (die Ruhe der Guten = Uthras.). Term. techn.
ist dafür "die große Ruhe und Stütze des Lebens" (*niaha usimaka rba ḏhiia*) : Lit. 25,1;
75,5; 80,4; 125,4f.; 129,4.

geht, hat ihr ihr Hirte gelehrt (33,1f.; s.o. S. 200), wie im Mand. die
Seele ohne Hilfe eines Lichtboten den "Pfad" nicht finden kann. Der
im gleichen Traktat anzutreffende Glaube, daß die Seele einen unsichtbaren, geistigen Körper erhält (33,31f.), ist auch den Mandäern eigen
und hat vor allem in den jüngeren Priesterkommentaren zu einer
eigenen Lehre geführt.[1]

Ein anderer Text, der hier von Bedeutung ist, ist 2LogSeth 56-59:
der Erlöser befreit die von den Archonten Gefangenen (56f.), ein
Thema, das häufig in den Masiqtäliedern begegnet.[2] Die Seele, die aus
der Höhe stammt, kann nicht an der "Täuschung" (planē) vorbeigehen,[3] aber sie wird, wenn sie frei ist, an den Äonen vorbeigehen
können und von ihrer vornehmen Abkunft Gebrauch machen, um
ohne Mühe vor ihrem Vater zu erscheinen und, verbunden mit dem
Nūs, der Kraft eines Abbildes übergeben zu werden (57,27-58,4).
Vorbildhaft dafür ist der Weg des Soter; er ist das Unterpfand für
das ungehinderte Passieren der (himmlischen) "Tore" (58,4-11.13-59,9
mit Reminiszenzen an die Erhöhung Christi am Kreuz). Dies ist auch
der Grundgedanke der alten Masiqtälieder, die bekanntlich das Thema
der himmlischen Purgatorien (maṭarata "Wachthäuser") und dem
Durchzug der Seele durch sie in bes. eindrucksvoller Weise schildern.[4]
Auch das Motiv vom "Paß" für den freien Durchgang durch die
sublunare Welt fehlt nicht (69,33: "Symbole der Unvergänglichkeit"
geben die Erlösten bei ihrem Verlassen aus den "Orten der Welt"
zur Kenntnis).[5] Von den "Zöllnern" (τελώνης) und "Wächtern"
(ⲤⲈⲚⲢⲈϤⲀⲢⲈⲌ), die die Seelen mit Gewalt ergreifen und von ihnen
Auskunft verlangen, spricht auch ApcJac I, 33,2-21, wie es für die
mand. Texte üblich ist ("Haus der Zöllner", bit maksia).[6] Die "In-
thronisierung" der Seele nach der überstandenen Reise ist ausführlich in der Protenn. geschildert und entspricht den mand. Vorstellungen
(45,13-21; 48,13ff.): Eingehen in Licht und Herrlichkeit, das Erhalten
von Thronen (der Herrlichkeit), Kleidern (des Lichtes), das Empfangen
der Taufe in den Lebenswassern (s.u. S. 214), das Versetzen in den

---

[1] Vgl. *Mandäer* II, S. 274f.; OLZ 61, 1966, 215f.

[2] Vgl. *Mand. Quellen*, S. 351ff., bes. 243ff., 348f.; *Mandäer* I, S. 158f.

[3] Vgl. GL II 12 (*Mand. Quellen*, S. 472); 20 (440,30f. Lidzb.), 23 (495,16f. "Täuschung
und Blendwerk"); 28 (502,25-28 dass.); III 2 (510,5f.), 3 (= *Mand. Quellen*, S. 337),
9 (513, 30f. Lidzb. "Täuschung").

[4] Vgl. *Mand. Quellen*, S. 319ff., 324ff.

[5] Vgl. ebd. 344; *Mandäer* II, S. 94 Anm. 1.

[6] Ebd. 342, 352; Reg. der Lidzbarskischen Ausgaben s.v. Zöllner, Zöllnerhaus.

"Lichtort", die Rückkehr zum Ursprung, der Vaterschaft. "Dies (Licht ist es), in dem ihr von Anfang an wart, ihr, die ihr erleuchtet seid" (45,20f.). "Sie (die Seelen) begannen zu le[ben im ewi]gen li[ch]ten [Leben]" (48,34f. ergänzt nach Schenke). Die Verwandtschaft zu den GL-Hymnen ist in diesen Passagen bes. auffällig.[1] "Das Leben stützte das Leben/und das Leben fand das Seinige./Das Seinige fand das Leben,/und meine Seele fand, was sie ersehnte" (GL 429,24-27 u.o.; Lit 114,14f.).

7. Zwei der mandäischen Offenbarungsträger sind auch in den Koptica gut bezeugt : Sem und Seth. Der mand. Šum b(a)r Nū ("Sem, Sohn Noahs") ist allerdings nur schwach vertreten,[2] in der Haupt- sache im Johannesbuch Kap. 14-17, wo er, auch Šum-Kušṭā ("Sem die Wahrheit") genannt, als Lehrer, Auserwählter, Offenbarer und Verkünder mand. Weisheiten auftritt ; als Repräsentant der Gemeinde und vorbildlicher Frommer wird er vom Lichtboten selbst erlöst (65f.). In der "Paraphrase des Sēem" (VII,1) ist Sem gleichfalls Offenbarungs- empfänger (von Derdekeas) und Tradent gnostischer Lehre und Weisheit, das seine Sonderstellung begründet ; er ist zwar Visionär, aber kein Salvator, sondern Salvandus. Als einer der Söhne Noahs, wie nach biblischer Überlieferung, begegnet Sem sonst nur noch ApcAd 72,17, wie auch in den übrigen Mandaica (GR 28,4 ; 46,5 ; 410,6). Nach Šum bar Nū wird ein längeres Gebet des Qolastā genannt (Lit. 49,10f. ; 42,6 ; 109,6).

Was Seth anbelangt, so ist Šitil bekanntlich einer der drei zu Licht- boten avancierten Adamiten der mand. Mythologie,[3] der zwar gegen- über seinen "Brüdern" Hibil und Anōš keine ausgeprägte Rolle spielt, doch gilt er als Adam (seinem Vater !) überlegen und seine Seele als

---

[1] Vgl. ebd. 318, 326, 334, 336, 339, 344, 348f., 353,; Lit. 158 162f., 183, 193; s. auch *Mandäer* I, S. 159ff.

[2] Vgl. Dict. s.v. *šum* 2; *Theog.*, S. 302; Lidzbarski, *Das Johannesbuch der Mandäer*, 2. Teil (1915, ²1965), S. 58; P. Joüon, Les discours Shoum Koushta, un traité du Livre de Jean, traduit du mandéen et commentée, in : *Rech. de science relig.* XXIII, 1933, S. 80-101. Jüngere Legenden bei Drower, *The Mandaeans of Iraq and Iran*, Leiden 1962, S. 186f. (die hier vorgetragene Verknüpfung von Šum bar Nu mit "Sam Raia" hat Lady Drower später widerrufen : *The Thousand and Twelve Questions*, Berlin 1960, S. 258, A. 4; *samraia* ist der "Bahrenträger" !), 258-61. Offensichtlich ist hierbei Šum (Sem) mit der iranischen Sagengestalt Sām vermischt worden.

[3] Vgl. *Theog.*, S. 296ff., 303f.; Fict. s.v. *šitil*. Der Name ist wohl eine Analogie- bildung zu Hibil, doch kann dahinter auch die Endung -*il*, -*ēl* stecken oder anklingen, die die Vergöttlichung des Seth entsprechend griech. *Setheus* ausdrucken soll (vgl. Ptahil, u.a.). Vgl. auch kopt. manich. *Sethel* (Kephalaia 42f.).

die reinste, die im Seelengericht als aufwägbares Gewicht fungiert. Aus ihm sind "Welten und Generationen entstanden" (Joh.-buch 93,6f. Lidzb.) und er repräsentiert nach jüngeren Spekulationen die geistige, lichte Seite des Kosmos gegenüber Adam, der mit Körper, Dunkelheit und Erde verglichen wird.[1] In den NHC ist Seth in mehreren Traktaten stark vertreten als Haupt des auserwählten, standhaften Geschlechts der Licht- oder Gnosismenschen (ApcAd; AJ, 3StelSeth, 2LogSeth, ÄgEv, Zostr. 126,16; 130,16f.). Seine Offenbarer- und Soterfunktion hat zur Gleichsetzung mit Christus geführt (ÄgEv 54,20; 64,1ff.; 2LogSeth 49,14ff.; 52,3ff.; 69,20ff.). Die "Sethianer" bilden dementsprechend nach der Auffassung der Häresiologen eine eigen Richtung im Gn., deren Geschichte und Lehrentwicklung noch untersucht werden muß.[2]

IV.

Von den gnostischen Richtungen ist die mandäische diejenige, die bis heute als eine festgeprägte Kultgemeinschaft existiert. Es ist daher interessant Parallelen auf dem kultischen Sektor aufzuspüren, um so die vielfach verbreitet Meinung zu entkräften, daß der Gn. wesentlich eine kult- und ritusfeindliche Religion gewesen sei und mehr der "Vergeistigung der Kultusbegriffe" nacheiferte. Letzteres ist sicherlich nachweisbar, aber ebenso das Vorhandensein verschiedener ritueller und kultischer Zeremonien. Für die Mandäer sind Wassertaufe (maṣbuta) und Seelenmesse (masiqta) die zentralen Kultriten. Für beides gibt es auch in den NHC eine Reihe Belege.

Daß die Seelenaufstiegsvorstellung, wie wir sie oben kurz streiften, mit einer eigenen Zeremonie verbunden wurde, die der gefährdeten Seele Unterstützung zuteil werden lassen sollte, oder zumindst die Seelenreise im Wort begleitete, geht aus den beiden ApcJac (Cod. V) hervor. Apc.Jac I, 33,21ff. überliefert ein auch aus Iren. I, 25,5 bekanntes Traditionsstück, dessen "Sitz im Leben" eine *Totenzeremonie* gewesen ist.[3] In ApcJac II ist das "Sterbegebet des Jakobus"

---

[1] ATŠ § 242; s. die Belege *Theog.*, 304 Anm. 3-4.

[2] Vgl. die kritische Betrachtung von Fr. Wisse, The Sethians and the Nag Hammadi Library, in *Proceedings of the Society of Biblical Literature*, 1972, S. 601-607, die durchaus auch meiner Auffassung in dieser Frage konform geht.

[3] Vgl. Böhlig in seiner Edition der kopt.-gnost. Apokalypsen aus Codex V, S. 32f.; Schenke, *OLZ* 61, 1966, 28f. (koptische Textrekonstruktion auf Grund des Irenaeustextes); Rudolph, *Mandäer* II, S. 421f. Ein Beweis für die valentinian. Herkunft ist

(62,16-29) von W.-P. Funk als eine Bitte um einen reibungslosen
Seelenaufstieg erwiesen worden, dessen Herkunft gleichfalls aus einem
Sterbesakrament bzw. einer Totenmesse naheliegt.[1] Schließlich läßt
sich das im EvPhil mehrfach genannte "Mysterium (= Sakrament)
des Brautgemachs" mit H.-G. Gaffron am ehesten als eine *masiqta*-
ähnliche Zeremonie verstehen.[2]

Noch stärker sind die Zeugnisse für die *Wasserriten* (Taufe, Waschungen) vertreten, die z.T. auch schon von E. Segelberg gesammelt
und interpretiert worden sind.[3] A. Böhlig hat bekanntlich die ApcAd
auf Grund ihrer baptistischen (mandäischen) Terminologie auf "Kreise
syrisch-palästinischer Täufersekten" zurückgeführt oder zumindest
auch eine Bekanntschaft mit ihnen vorausgesetzt.[4] Dies läßt sich jetzt
auch für Zostr. Prot und vermutlich das ÄgEv nachweisen, wie wir
sehen werden. Bemerkenswert ist bei der Betrachtung der NHC unter
diesem Gesichtspunkt, daß sich zwei Grundrichtungen schnell feststellen lassen : eine die äußerlich-körperliche Taufe abwertende und
eine diese beibehaltende Richtung, wobei erstere zugleich eine "Vergeistigung" oder Neuinterpretation der Taufterminologie einschließt,
die allerdings auch der letzteren Strömung nicht fremd ist (vgl. ApcAd).
In der Mehrzahl der Fälle handelt es sich dabei um Reminiszenzen
an die aus dem Christentum übernommene Taufzeremonie, die um-
oder neuinterpretiert wird. Darüberhinaus ist der zur baptistischen
Terminologie gehörige Ausdruck "Wasser des Lebens" (ⲡⲘⲞⲞⲨ

---

damit allerdings nicht zu führen, da Irenaeus a.a.O. nichts davon verlauten läßt, nur
Epiphanius, pan. 36,3,2-6 Holl, bringt diesen Text in seinem Kapitel über die Herakleon-
Schule. "Woher er jedoch das Recht nimmt, die *alii* des Irenaeus gerade auf Herakleon
zu beziehen, bleibt dunkel" (Holl z.St.).

[1] *Die 2. Apokalypse des Jakobus aus Nag-Hammadi-Codex V*, neu hrsg. u. komm.
Theol. Diss. Humboldt-Univ. Berlin 1971, S. 258ff.; mand. Parallelen S. 264f. Der
Druck dieser Arbeit ist in den TU vorgesehen (1975).

[2] *Studien zum koptischen Philippusevangelium unter bes. Berücksichtigung der Sakramente*. Theol. Diss. Univ. Bonn 1969, S. 185ff., bes. 212ff.

[3] The Coptic-Gnostic Gospel according to Philip and its Sacramental System, in
Numen VII, 1960, S. 189-200; The Baptismal Rite according to Some of the Coptic-
Gnostic Texts of Nag-Hammadi, in *Studia Patristica V.* Ed. by F. L. Cross, Berlin
1962 (TU 80), S. 117-128 (betr. EvPhil, EvThom, HypArch, EvVer). Vgl. auch
H.-G. Gaffron, op. cit., S. 117-140.

[4] Op. cit., S. 94f.; *OrChrist.* 48, 1964, S. 46, 49; zurückhaltender im Abdruck dieses
Aufsatzes in *Mysterium und Wahrheit*, Leiden 1968, S. 151f. Ebenso auch G. MacRae,
The Apocalypse of Adam Reconsidered, in *Proc. of the Soc. of Bibl. Lit.*, 1972, S. 573-79,
und W. Hedrick, ebd. S. 583.

ⲙ̄ⲡⲱⲛ̣ϩ ⲉⲧⲟⲛϩ) häufig anzutreffen. Über Form und Abfolge der Wasserzeremonien (Taufen) werden kaum nähere Angaben gemacht; am ehesten noch im EvPhil (vgl. 120,30; 122,29f.; 123,23f.; 125,7f.). Der Untertauchritus im "lebenden Wasser" ist häufig mit dem Topos der "Gewandmystik" verbunden, was auf einen kultischen Akt der Bekleidung schließen läßt, ferner von Salbung oder Siegelung, und auch Zeugnisablegung in Anwesenheit von Taufzeugen (vgl. ParSem 31,22ff.) begleitet.

Zu den Traktaten, die eine *Abwertung der Wassertaufe* ausführlich und offen zum Ausdruck bringen, gehört die ParSem (VII,*1*). Dies wird vor allem an Hand der Johannestaufe, d.h. der Taufe Jesu durch Johannes den Täufer, illustriert (30-32; 37f.): sie ist "unvollkommen" und vom Erzdämon der Physis Soldas (= Jahwe, cf. 29,17!) veranstaltet, der mit dieser "Wasserfessel" (ⲧⲙ̄ⲣⲣⲉ ⲙ̄ⲙⲟⲟⲩ) die Welt in Bewegung setzen will (30,21-31; cf. dazu 37,26ff.). Nur durch die List des Soter Derdekeas wird diese "Taufe des Irrtums" (31,15f.) auch zu einem Glaubenszeugnis für das unbefleckte Licht, indem er in ihr erscheint (31,17ff.) und auf das Wasser herabkommt (32,5ff.), das sich in Wirbeln und Feuer gegen ihn erhebt,[1] aber dem Licht der Pistis und dem unauslöschlichen Feuer, in das er sich hüllt, nicht widerstehen kann: so wird der "Dynamis des Pneuma" zum Siege verholfen ("zu einem Übergang"). Mit scharfer Polemik wird die "Taufe der Unreinheit des Wassers" (ⲡⲃⲁⲡⲧⲓⲥⲙⲟⲥ ⲛ̄ⲧⲁⲕⲁⲑⲁⲣⲥⲓⲁ ⲙ̄ⲡⲙⲟⲟⲩ) als Irreführung durch die Dämonen gebrandmarkt: "sie ist finster, schwach, wertlos und zerstörerisch"; statt Sündenvergebung bringt das Wasser Irrtum (*Planē*), Unreinheit, Eifersucht, Mord, Ehebruch, Falsches Zeugnis, Spaltungen ("Häresien"), Diebstahl, Begierden, Geschwätz, Zorn, Bitterkeit, Schimpf hervor (37,19-35; vgl. auch 38,19ff. u. 36,25ff.). Daher hat für den Verständigen (Gnostiker) die "unreine Taufe" (ⲡⲁⲕⲁⲑⲁⲣⲧⲟⲛ ⲛ̄ⲃⲁⲡⲧⲓⲥⲙⲁ) keinen Wert mehr (38,3-9): sie verehren nicht mehr das Wasser (38,12f.). An seine Stelle tritt der Geist, das Licht und schließlich die Erkenntnis schenkende Offenbarung des Soter Derdekeas (38,22-29). Hinter diesen Aussagen steht der für ParSem typische Gegensatz von Wasser und Geist, ausgehend offenbar von der Schöpfung (vgl. Gen. 1,1f.) bis zum

---

[1] Dieses Bild erinnert an die Vorgänge bei der Taufe Mandā ḏHaijês durch Johannes in GR V 4: 192, 16ff.37f. Lidzb., die mit apokryphen christlichen Taufschilderungen übereinstimmen (vgl. Mandäer I, S. 72 Anm. 6). Zum Ausdruck "auf das Wasser kommen" s.o. S. 199.

Taufgeschehen (vgl. 2ff.; 36,25ff.; 37,14ff.). Das Wasser als "ein ganz geringer Körper" (37,14f.) gehört zur Physis (38,19f.). Diese Absage an das Wasser und seine kultische Lustrationswirkung in Gestalt der Taufe, wird zwar nicht ohne Absicht gegen die kirchliche Hochschätzung der Taufe gemünzt sein, aber es scheint dahinter eine gegen täuferische Praktiken (die mandäischen können hierfür als repräsentativ stehen) insgesamt gerichtete Tradition gewisser gnostischer Kreise stehen.[1]

Wir finden dieselbe Haltung noch in einem anderen Text: TestVer (= IX,3). Auch hier wird die äußere, körperliche Taufe abgelehnt (30,25-31,5; [69?],8-24). Der Jordan (ⲡⲓⲟⲣⲇⲁⲛⲏⲥ), in dem Jesus getauft und als Menschensohn zur Welt kam, ist die Kraft des Körpers (ⲧⲁⲩⲛⲁⲙⲓⲥ ⲙ̄ⲡⲥⲱⲙⲁ), d.h. der Wahrnehmung der Lust (ⲧⲁⲓⲥⲑⲏⲥⲓⲥ ⲛⲙ̄ϩⲏⲇⲟⲛⲏ); das Wasser des Jordans aber ist die Begierde nach der Vereinigung (ⲧⲉⲡⲓⲑⲩⲙⲓⲁ ⲛ̄ⲧⲥⲩⲛⲟⲩⲥⲓⲁ 31,2f.). Der Täufer Johannes ist der Archon des Muttererbes (ⲧⲁⲧⲉ 31,3-5). Nur die Gläubigen nehmen die Taufe (βάπτισμα) als eine Hoffnung auf Rettung(?), die Gnostiker dagegen orientieren sich daran, daß der Menschensohn niemand durch seine Jünger taufen ließ und sie sich selbst nicht tauften, als sie sich am Jordan versammelten; denn die Welt war hinfällig geworden und die "Väter der Taufe" ([ⲛ]ⲉⲓⲟ[ⲧ]ⲉ [ⲙ̄]ⲡⲃⲁⲡⲧⲓⲥⲙⲁ), d.h. wohl die Juden, lebten in Befleckung (69,15-21). Die "Taufe der Wahrheit" (ⲡⲃⲁⲡⲧⲓⲥ[ⲙⲁ] ⲛ̄ⲧⲙⲉ) ist demgegenüber eine andere: die Absage an die Welt (ⲧⲁⲡⲟⲧⲁ[ⲅⲏ ⲉⲡⲕⲟⲥⲙⲟⲥ 69,22f.). Wenn auch hier die christliche Tradition stärker-durchschlägt (Abwertung der Johannestaufe), so ist doch eine deutliche Ablehnung äußerer Wasserriten ersichtlich, die über die Polemik gegen die christliche Taufe hinauszielt.[2]

Ohne ausdrückliche Polemik weisen eine Reihe Texte *Umdeutungen der Taufe* i.S. einer Vergeistigung auf: TractTrip. II, 127,25ff. und 128,19-26 (sie ist Rückkehr zu Gott, Sohn und Geist; ein Gewand,

---

[1] Dies hat auch F. Wisse bereits bemerkt (in Essays on the Coptic Gnostic Library = *NovTest.* XII, 2, S. 136f.).

[2] Darauf zielt auch B. A. Pearson, Jewish Haggadic Traditions in *The Testimony of Truth* from Nag Hammadi (CG IX 3), in *Ex orbe religionum. Studia G. Widengren oblata.* Pars I, Leiden 1972, S. 457-470, wenn er den Text von 45,23-49,28 nach Palästina/Syrien im 1. Jh. v. Chr. verlegt (470). Anders A. Henrichs, in Jewish Gnostic Nag Hammadi Texts. *Protocoll of the 3rd Colloquy of the Center for Hermeneutical Studies in Hellenistic and Modern Culture 22. May 1972,* Berkeley/Calif., S. 12-19 (betont den alexandrinischen und markionitischen Einfluß).

das der Befestigung in der Wahrheit dient); 2LogSeth 58,16 (die
3. Taufe oder "Waschung" [πχωκμ] ist der Aufstieg des Erlösers
zur Herrlichkeit); ApcAd 85,22-25 (die Gnosis Adams ist die "heilige
Taufe" der Gnostiker). In der zuletzt genannten Schrift ist jedoch
zugleich auch die Existenz der praktisch geübten Wassertaufe nachweisbar (83,5-7; 84,5ff.; s.u.), so daß eine Vergeistigung der Taufterminologie nicht notwendigerweise eine Verwerfung kultischer
Waschungen bzw. Taufen einschließen muß. Auch im Mandäischen
steht beides nebeneinander.[1]

In welcher Weise die symbolische Beziehung zum Urwasser der
Kosmogonie in positiver Weise gesehen und keine Ablehnung der
Taufe daraus gefolgert wird, lehren DialSot (III,5) 134,5f.: wenn
jemand nicht vorher das Wasser (wie es entstanden ist?) versteht, (so)
weiß er nämlich nichts (davon), warum die Notwendigkeit für ihn
besteht, in ihm getauft (χιβαπγισμα) zu werden, und Noēma (VI,4)
37,7ff.: das Urwasser enthält Furcht und Licht und ist in den Dienst
der Fleischesschöpfung gestellt; ohne es hat nichts Bestand und es
besitzt Reinheit (Z. 25 wird vom Kommen des Geistes geredet, offensichtlich eine Anspielung auch auf das Taufgeschehen, und 40,5 vom
"Wasser des Lebens" [πμοογ μπωνϩ], das parallel zum Logos
verteilt wird).

In besonders auffälliger Weise ist in der *"Zostrianos"* betitelten
Offenbarungsschrift (VIII,1) von Taufen in den himmlischen Was-
sern (des Lebens) die Rede. Der Offenbarungsempfänger namens
Zostrianos (= Zoroaster, Zarathustra) erhält im Laufe seines Auf-
stiegs in die Regionen des Pleromas jeweils Taufen, die bei ihm e.A.
Seinsveränderung bewirken und ihn befähigen jede Region, ihre
Inhaber und Mysterien, zu schauen und zu verstehen. Schon kurz
nach seinem Verlassen der Erde (5f.) empfängt er in der 1. Station
seiner Reise, der Äthersphäre, eine Taufe (πωμc) und dadurch das
"Bild der Herrlichkeiten" (Sterne?), in das er sich verwandelt, dann
folgt eine siebenmalige Taufe in der Sphäre der Antibilder (ἀντιτόπος)
der Äonen (Planeten?), in zwei(?) weiteren Sphären schließen sich
erneut Taufen, darunter eine sechsmalige (5,28f.), an. In den fünf
Äonen des Pleromas selbst ist dann von fünf Taufen im Namen des
Autogenēs durch himmlische Mächte (darunter auch die bekannten
Taufengel Michar und Michea) die Rede (6ff.):

---

[1] *Mandäer* II, S. 90ff.

die 1. Taufe (ΠⲱⲘⲤ) mit anschließender Siegelung (σφραγγίζειν; vgl. auch 65,22 : Salbung) macht Z. zu einem die "Gottheit-schauenden Boten" (ⲟⲩⲁⲅⲅⲉⲗⲟⲥ ⲚⲢⲉϥⲚⲀⲩ ⲉⲚⲟⲩ[Ⲧⲉ]) und erhebt ihn über den 1. = 4. Äon (d.h. von unten oder oben an gezählt) (6,7-20),

die 2. Taufe ([Πⲱ]Ⲙ[Ⲥ]) macht ihn zum "vollkommenen Boten der Männlichkeit" (ⲟⲩⲁⲅⲅⲉⲗⲟⲥ Ⲛⲧⲉⲗⲓⲟⲥ Ⲛⲧⲉ †[]ⲘⲚⲦϨⲟⲟⲩⲦ) und erhebt ihn über den 2. = 3. Äon (7,1-18),

die 3. Taufe (ΠⲱⲘⲤ) macht ihn zum "heiligen Boten" (ⲟⲩⲁⲅⲅⲉⲗⲟⲥ ⲉϥⲟⲩⲀⲀⲃ) und erhebt ihn über den 2. = 2. Äon (7,9-15),

die 4. Taufe (ΠⲱⲘⲤ) macht ihn zum "vollkommenen Boten" (ⲟⲩⲁⲅⲅⲉⲗⲟⲥ Ⲛ]Ⲧⲉⲗⲓ<ⲟ>Ⲥ) und erhebt ihn über den 4. = 1. Äon (7,16-21),

die 5. Taufe (ΠⲬⲱⲔⲘ) macht ihn zu einem "göttlichen Wesen" (ⲚⲟⲩⲦⲉ) und führt ihn über den 5. Äon (55,15-22), wo er nochmals fünfmal getauft wird (55,25f.).

Z. erhält u.a. auch Aufklärungen über die Wasserarten, in denen er getauft oder gewaschen wird (15f.) : das "Wasser des Lebens" (ΠⲘ[ⲟⲟ]ⲩ Ⲛⲧⲉ ΠⲱⲚ2), das zum "Wesen des Lebens" (†ⲘⲚⲦ[ⲱ]Ⲛ2?) gehört, ist vollkommen und das des Autogenēs (15,3-6), das "Wasser der Segnung" (†ⲘⲚⲦⲘⲀⲔⲀⲢⲓⲟⲥ) gehört zur Erkenntnis (ΠⲤⲟⲟⲩⲚ) und zum Prōtophanēs (15,7-9), das "Wasser des Daseins" (†ϨⲩⲡⲀⲢⲝ[ⲓⲥ]) gehört zur verborgenen Gottheit (†ⲘⲚⲦⲚⲟⲩⲦⲉ). Die Fortsetzung dieser bemerkenswerten Aufzählung ist leider durch den zerstörten Text unterbrochen. Es ergibt sich aber aus dem vorhandenen Zusammenhang und auch aus anderen Stellen (bes. 17,1-3), daß nahezu jedes himmlische Wesen seine Wasserart wie seine Existenz besitzt. Die Äonen haben offensichtlich Wassernamen, bzw. sind bestimmten Wasserarten zugeordnet (vgl. 18). Die Taufe oder "Waschung" (ΠⲬⲱⲔⲘ) in ihnen zieht demzufolge Seinsveränderungen nach sich. Der fehlende Zusammenhang läßt das im Einzelnen nicht immer genau erkennen (z.B. 22,22) und es muß die Edition abgewartet werden. Die "Taufe der Wahrheit und Gnosis" (ΠⲱⲘⲤ ⲚⲧⲀ ΠⲘⲉ [Ⲙ]Ⲛ ⲟⲩⲅⲚⲱⲤⲓⲤ) verleiht einen Rang im Pleroma (24,19ff.). Eine Reihe von Waschungen sind für bestimmte Pleromaorte bestimmt (25,9ff.) und führen zur Erkenntnis (23,5ff., hier die Taufe des Prōtophanēs) oder Vollkommenheit (64,13ff.). Die himmlischen Wesen taufen ("waschen"), nicht nur die bekannten Taufengel (vgl. 6f.), sondern auch die Barbēlo (62, 25; 63,23).

Diese himmlischen Taufen oder "Waschungen" (term. techn. sind
ϫⲱⲕⲙ, ⲱⲙⲥ) in den himmlischen Gewässern sind nicht nur auf
Zostr beschränkt, sondern finden sich auch in der "Dreigestaltigen
Protennoia" (XIII,1), wo nicht nur der Term. techn. "Wasser des
Lebens" häufig zu finden ist (37,3; 41,23f.; 46,17f.; 48,7; 49,20f.),
sondern die erlösten Seelen werden von "Täufern" ($\beta\alpha\pi\iota\sigma\tau\acute{\eta}s$) nach
ihrem Aufstieg getauft ($\beta\alpha\pi\tau\acute{\iota}\zeta\epsilon\iota\nu$) 45,17f.; 48,18-22). Diese Täufer
sind, wie in einigen anderen Texten Micheus, Michar und Mnēsinus
(48,18f.); sie taufen den Salvatus, den erlösten "Gedanken" (ⲡⲙⲉⲉⲩⲉ)
oder "Geist" (Pneuma) in der "Quelle des Wa[ss]ers des Lebens"
(ⲧⲡⲏⲅⲏ ⲙ̄ⲡⲙ[ⲟⲟ]ⲩ ⲙ̄ⲡⲱⲛ2̄), nachdem er vorher mit den "Gewändern des Lichts" (ⲛⲟⲩⲥⲧⲟⲗⲏ ⲙ̄ⲡⲟⲩⲟⲉⲓⲛ) bekleidet worden
war (48,14-17). Nach der Taufe erhält er "Throne des Glanzes"
(ⲡⲉⲣⲟⲛⲟⲥ ⲙ̄ⲡⲉ[ⲟ]ⲟⲩ), "Glanz in dem Glanz der Vaterschaft",
wird in den "leuchtenden Ort seiner Vaterschaft" (ⲡⲧⲟ[ⲡⲟ]ⲥ
ⲛ̄ⲟⲩⲟⲉⲓⲛⲉ ⲛ̄ⲧⲉ ⲧ̄ϥ̄ⲙ̄ⲛ̄ⲧⲉⲓⲱⲧ) versetzt und empfängt die "Fünf
Siegel" (ⲥⲫⲣⲁⲅⲓⲥ) [1] und das Mysterium der Erkenntnis (48,21-34;
s.o. S. 197). Die dreifache Protennoia selbst "wohnt in [leucht]enden
Wassern" (36,6f.), wie es auch im AJ (BG) vom Agnostos Theos
geschildert wird (27,3; 26,19f.; s.o. S. 198). Mit einer himmlischen
Taufe der geschilderten Art scheint auch die ApcAd 84f. zu rechnen,
wie sie deutlich in dem verwandten ÄgEv 65,25 belegbar ist.
In beiden Schriften wird auch vom "Wasser des Lebens" gesprochen
(ApcAd 84,8.18; ÄgEv 64,11f.; 67,23f.), über das, wie über die Taufe
(ⲡ̄ϫⲱⲕⲙ), die Taufengel Michar, Micheus und Mnēsinus eingesetzt
sind. Diese himmlischen Täufer sind es nach der Darstellung der
ApcAd auch gewesen, die das "Wasser des Lebens" befleckten, indem
sie es zu dem "Willen der Kräfte" hinzogen (84,18).

Aus dieser kurzen Zusammenstellung einschlägiger Belege geht sehr
deutlich der "baptistische" Zug in einigen Texten der NHC hervor,
der auf eine konkrete kultische Grundlage (auch von Wiederholungs-
taufen bzw. Waschungen!) schließen läßt. Auffälligerweise fehlt in
dem dafür bes. einschlägigem Traktat Zostr die sonst in der Haupt-
sache verwendete christliche Taufterminologie ($\beta\acute{\alpha}\pi\tau\iota\sigma\mu\alpha$, $\beta\alpha\pi\tau\acute{\iota}\zeta\epsilon\iota\nu$).
Die Mandaica bieten für diesen Tatbestand das ausführlichste und
beste Vergleichsmaterial, wie schon Böhlig für die ApcAd erkannt

---

[1] Vgl. auch 49,24ff.: Wer die fünf Siegel besitzt, hat das Gewand der Unwissenheit
ausgezogen und das (Gewand des) strahlenden Lichts angezogen. Dazu auch ÄgEv.
66,3ff. und EvPhil 115,27-30 (§ 68), wo damit fünf Sakramente gemeint sind.

hatte.[1] Die mand. Lichtwelt ist eine Welt himmlischer Gewässer, der Jordane oder "lebenden Wasser" (*mia hiia*), an denen die Lichtwesen (Uthras) hausen und taufen.[2] Nach ihrem Aufstieg von der Tibil wird die Seele getauft,[3] ebenso der in Ungnade gefallene Demiurg nach seiner Rehabilitation.[4] Die Taufengel Šilmai und Nidbai oder (sekundär) Adatān und Jadatān sind über den Jordan bzw. die Jordane eingesetzt, aber auch für das tragische "Herabziehen" (*ngd*) der "lebenden Wasser" zur Tibil-Erde.[5] Nicht vorhanden ist dagegen die Vorstellung vom stufenweisen Aufstieg ins Pleroma an Hand himmlischer Gewässer, wie sie Zostr. bietet, doch hängt das einerseits mit der letzlich eigenständigen Verarbeitung "baptistischer" Ideen in den NHC zusammen, andererseits mit der mangelnden Systematik und unausgeglichenen Konzeption des mand. Pleromas.[6] Auch die Verbindung von Gnosisempfang und Taufe ist im Mand. nur schwach entwickelt [7], was darauf schließen läßt, daß hier die alte kultische Grundlage dominierend geblieben ist, im Unterschied zu den gnostischen Koptica.

Eine ins Einzelne gehende Untersuchung zu dem von mir angeschlagenem Thema steht natürlich noch aus und kann erst nach der vollständigen Edition der NHC in Angriff genommen werden. Auch wenn eine Reihe der zusammengetragenen Parallelen sich als trügerisch herausstellen sollten — über den vorläufigen Charakter der Vergleiche bin ich mir durchaus im Klaren —, so ist der Gewinn einer solchen komparativen (wohlgemerkt : innergnostischen !) Betrachtung sowohl für die Koptica als auch für die Mandaica nicht von der Hand zu weisen :

1. versucht sie Zusammenhänge in Stil und Sprachgebrauch gnosti-

---

[1] Vgl. auch meine Bemerkungen dazu in der *ThLZ* 90, 1965, 362 mit Anm. 10 und *ThR* 34, 1969, S. 166.

[2] Belege in : *Mandäer* II, S. 62f., 66ff.; *Mand. Quellen*, S. 212, 297.

[3] *Mandäer* II, S. 93 Anm. 7 (Belege), 99, 103, 156ff.; anderes gnostisches Material zur himmlischen Taufe s. ebd. S. 385ff., bes. das 2. Buch Jeû und sog. "Unbekannte altgnostische Werk" enthalten Aussagen, die denen mandäischer Texte ähneln, jetzt aber auch in den ob. gen. NHC-Texten zu finden sind (ebd. 393); *Mand. Quellen*, S. 290, 334.

[4] *Mand. Quellen*, S. 246, 353.

[5] Ebd. 355, 356f.; *Mandäer* II, S. 69f.

[6] Vgl. *Theogonie*, S. 17ff.

[7] Vgl. *Mandäer* II, S. 102f.

scher Texte aufzuzeigen, die auf den ersten Anblick weit aus-
einanderliegen.

2. gibt sie der Mandäistik die Möglichkeit den gnostischen Charakter
   alter mandäischen Überlieferungen sicherer zu eruieren und zu
   verstehen,

3. führt sie zu der historischen Ursprungsfrage zurück, die die
   Gnosisforschung im verstärkten Maße immer wieder beschäftigt.

OLD TESTAMENT EXEGESIS IN THE GNOSTIC EXEGESIS ON THE SOUL

BY

ROBERT McL. WILSON

The standard interpretation of the book of the prophet Hosea is quite simple and straightforward : it is the work of a man who was led by his own experience of a broken and unhappy marriage to a deeper insight into the relationship between Yahweh and Israel. One of the older introductions says : "He found himself swept away by an overwhelming love for a woman who belonged to a class against which his better nature revolted, and, in his love, he found a reflection of that which Yahweh bore to Israel, faithless and disgusting as she was ... in the agony of his own spirit, and in the deathless love he knew, he found an image of the heart of God, broken by the constant rejection of His love, and by the endlessly repeated apostasies of His beloved people".[1] Similarly Dr. Ackroyd writes : "The wife and the children are symbolic of the apostate state of Israel, expressed in terms of sexual unfaithfulness, for Israel has abandoned her God and worships other gods",[2] and Dr. J. L. Mays : "In Hosea's hands the myth of the divine marriage became an allegory of Yahweh's experience with Israel in Canaan ... the deities worshipped at the state and local shrines became Israel's illicit lovers whom she pursued to gain a harlot's hire of wine, grain and oil".[3]

There are of course problems in regard to points of detail : whether the whole should be regarded as symbolic, and not representative of historical fact, or whether chapter i should be regarded as historical and chapter iii as allegorical; or again, whether it is legitimate to identify the women of these two chapters and fill out the story, so that in the end Gomer was redeemed by Hosea from the slavery into

---

[1] Oesterley and Robinson, *Introduction to the Books of the Old Testament*, (London 1934), 352.

[2] *The New Peake Commentary*, (London 1962), § 530e.

[3] *Hosea. A Commentary*, (London, 1969) 9.

which she had fallen, and taken again into his home. Again, was
Gomer innocent at the time of her marriage, so that the command
"take to yourself a wife of harlotry" is to be understood as a piece
of Semitic determinism, regarding what subsequently happened as
fore-ordained from the outset ? Was she in fact even unfaithful ? One
discussion raises the question of incompatibility, and suggests that the
fault may not have lain entirely on the one side ;[1] another makes a
caustic comment about "slanderous insinuations against Gomer's
wifely virtue".[2]

On such points as these there is room for discussion and debate,
but in regard to the main lines of interpretation there is no question :
Hosea saw an analogy between his own personal tragedy and the
situation of his people. As Gomer had treated him, so had Israel
treated her God. How far his prophetic application has coloured his
narrative of events is matter for discussion, but one thing is clear :
the husband stands for Yahweh, and the wife is Israel. There can be
no doubt that this is the meaning, whatever the relation of allegory
to history in the book as a whole.

It is therefore something of a surprise, and indeed a shock, to find
a sizeable part of the second chapter lifted out of its context and
given a completely different application ; and even more surprising to
see how well the application fits in its new context. In the Nag
Hammadi Exegesis on the Soul, verses 4 to 9 of the second chapter
—the judgment passage—are quoted at length, with some slight
textual variation, in a catena of quotations relating to the harlotry
not of Israel but of the soul.

"So long as (the soul) is alone with the Father she is a virgin and
bisexual in her apparance. But when she fell into a body and came
into this life, then she fell into the hands of many robbers. And the
insolent tossed her to one another and [defiled] her. Some used her
violently, others persuaded her by a deceitful gift. In brief, they
dishonoured her" (127.22-32).[3] So run the opening times.

The text goes on to tell of the soul's repentance, her turning to the
Father, and his resolve to take pity on her. Then come the quotations,

---

[1] W. A. L. Elmslie, *How came our Faith*, (Cambridge 1948), 270f.

[2] R. H. Pfeiffer, *Introduction to the Old Testament*, (New York 1941, 1948), 568.

[3] Translations from Foerster, *Gnosis*, vol. 2 (ET Oxford 1973), 103ff. The Coptic
text is published by M. Krause and P. Labib, *Gnostische u. hermetische Schriften aus
Codex II u. Codex VI*, (Glückstadt 1971), 68ff.

introduced by the words "Concerning the harlotry of the soul the Holy Spirit prophesies in many places" (129.5-7). The quotations are, in order, Jeremiah 3:1-4 (LXX), Hosea 2:4-9, Ezekiel 16:23-26a (LXX) —the prophet concerned being identified in each case. The first two are adduced without comment, but the reference in Ezekiel to "the sons of Egypt" prompts the interpretative note "who are the sons of Egypt who have much flesh, if not the fleshly and the sensual and the things of the earth with which the soul is defiled in these places (i.e. in this world)?" (130.20-24). Then comes a string of New Testament quotations (Acts 21:25 and 2 Corinthians 7:1; 1 Corinthians 5:9f.; Ephesians 6:12) introduced by the words "But about this harlotry the apostles of the Saviour have given charge" (130.28-29).

The text continues with the soul's cleansing and restoration, consequent on her repentance, and the coming of the bridegroom to the bride. The references to the bridal chamber and the parallels with the Gospel of Philip lead Professor Krause, who edited the document for the Foerster volume, to assign it to the Valentinian school of Gnosticism, although Professor W. C. Robinson in the only detailed study so far published finds "marked affinities with the Naassene views".[1] Then comes another series of quotations, this time not in a single catena but interspersed with the author's own comments. These are, in order, Genesis 2:24b, Genesis 3:16b, Psalm 45(44):11f., Genesis 12:1, 2 Corinthians 3:6 and John 6:63, Psalm 103(102):1-5, John 6:44, Matthew 5:4a, 7b, and 6, Luke 14:26, Mark 1:4, 1 Clem. 8:3 (cf. Isaiah 1:18), Isaiah 30:15 (LXX), Isaiah 30:19 (LXX), Jeremiah 17:10. There are then a couple of allusions to the Odyssey, and finally an allusion to Deuteronomy 5:6 and a quotation of Psalm 6:7-10.

The primary concern of this paper is with the use of the Old Testament in the document, but it may be relevant at this point to give some consideration to its structure and composition. Jean Doresse in his survey of the contents of the library [2] notes that "various eclectic glosses and references have been inserted by the compiler of the manuscript". "Upon occasion he ranges well outside the specifically Gnostic literature to quote either from purely Biblical works like *Hosea* or the *Psalms*, or from the pagan classics. He also mentions 'the Poet'—Homer". Doresse observes that this mixture of references is not by any means unusual, and that "by giving place in their myths

---

[1] *Novum Testamentum*, 12 (1970), 116.
[2] *The Secret Books of the Egyptian Gnostics*, (London, 1960) 190f.

to some Homeric themes, the Gnostics were simply following the fashion of their times".[1]

Two points call for comment : first, Doresse's reference to "the compiler of the manuscript," taken in conjunction with an earlier reference to "the compiler who put Codex X together" [2] seems to imply a theory of redaction, and is so taken by Professor Robinson.[3] Secondly, Doresse deals with this text under the heading of "the great revelations of Gnosticism", the purely gnostic texts. Presumably removal of the quotations would leave a completely non-Christian document. On this it must be said that any such non-Christian document can *only* be recovered by removing the quotations, and we have no independent evidence that such a document ever actually existed; and secondly it must be asked whether certain elements in the resultant "document" do not in fact presuppose a knowledge of the quotations which follow later. To this we shall return.

Professor Martin Krause, in his review of the *status quaestionis* at the Messina Colloquium in 1966,[4] rejects Doresse's view that the work is purely gnostic, since it contains quotations from the New Testament. In his opinion the author is attempting to document from the biblical writings the widespread doctrine of the fall of the soul and its deliverance. Professor Robinson deduces that in Krause's view it was the author, not the compiler of the Codex, who "used biblical and Homeric quotations to proof-text the doctrine of the soul's fall and salvation", but this is perhaps to read more into Krause's report than is really there. Krause in fact is concerned only with the document as we now have it, and does not discuss the possibility of redaction at all.

It is only in Robinson's own article that the redaction hypothesis is worked out in detail. He argues that the quotations "are not integral to the narrative but are catchword insertions, interruptions which in most cases have not influenced their present context", and that their removal "leaves a narrative which, while not entirely clear, is relatively intact".[5] Further on he speaks of "a lengthy composition introduced by a sub-title, with transitions reiterating its theme",

---

[1] Ib., 192.

[2] Ib., 170. Codex X is Doresse's numbering, which differs from that later adopted as official.

[3] Op. cit., 103.

[4] *Le Origini dello Gnosticismo*, ed. U. Bianchi, (Leiden 1967), 72. Cf. also his contribution to the discussion, ib., 156.

[5] Op. cit., 104.

and claims that "the unity of the section, evident in its formal structure (theme stated in sub-title, reiterated in transitions) and in the exegesis linking three of its quotations, appears also in the wording and conceptuality of its redactional framework".

The passage in question runs from 129,5 to 131,13 and contains the first group of quotations already mentioned, from Jeremiah, Hosea and Ezekiel, with the NT quotations from Acts, the Corinthian letters, and Ephesians. One immediate question is whether the opening words "Concerning the harlotry of the soul the Holy Spirit prophesies in many places" should in fact be considered a sub-title, and not the author's transition to his chain of biblical evidences. It is after all pretty much of a piece with the later sentences which Robinson describes as transitional: "about this harlotry the apostles of the Saviour have given charge ..."; "therefore the apostles write ..."; "that is why Paul, writing to the Corinthians, said ...". The document certainly is designed to present biblical attestation for the Hellenistic doctrine of the soul, but whether the biblical documentation is a later interpolation into an already existing text is quite another matter. There is the alternative, that the author knew both the Hellenistic myth and the biblical literature, and sought simply to document the one from the other.

According to Robinson, the quotations in most instances have not influenced their present contexts, but there is at least one case in which this does not seem to hold. On p. 135 we read "The beginning of salvation is repentance. That is why John came before the coming (Parousia) of Christ, preaching the baptism of repentance (Mark 1:4 par.). Now the baptism of repentance takes place in sorrow and grief of heart" (135.21-26). This in Robinson's analysis belongs to one of the two hortatory sections in the book,[1] but he excludes the quotation, or rather allusion, in the second sentence (lines 22-24 of the text). The reference to "the baptism of repentance" in the final sentence however surely refers back to and presupposes the "quotation"— otherwise we must assume that the redactor not only inserted the allusion but also interpolated the words "baptism of" to bring his final sentence into conformity. This perhaps entails too great a confidence in the accuracy and precision of the analysis. The document may indeed be composite, it may have been subjected to interpolation

---

[1] See the table, op. cit., 106. The delimitation of lines 22-22 is a misprint for 21-22.

and redaction, but reconstruction of the various stages is at best a
tentative and precarious undertaking.

In the light of this it may be appropriate to look again at Robinson's
"narrative", to see if at other points it reflects knowledge of the
biblical passages quoted. For example, Robinson refers to the exegesis
linking three of the quotations in the "lengthy composition", which
runs : "But who are the sons of Egypt who have much flesh, if not
the fleshly and the sensual and the things of the earth with which
the soul is defiled in these places, when it received bread from them,
when it received wine, when it received oil ..." (130.20-28). The sons
of Egypt clearly come from Ezekiel, the bread, wine and oil from
Hosea, but the only link with the Jeremiah quotation seems to lie in
the reference to the *defilement* of the soul. Now in the opening lines,
if Dr. Krause's restoration is correct, we read : "the insolent tossed
her to one another and [defiled] her" (127.27-29), and in the "narrative"
following the quotations we find a reference to the soul running
everywhere, "consorting with whom she meets and defiling herself"
(131.14-15). Should these not also be considered to reflect the Jeremiah
quotation?

Similarly the description in the opening "narrative" of the soul
playing the harlot with her body and giving herself to everyone
(128.1-2), but later abandoned by her lovers and becoming a poor
deserted widow (128.17-18), seems to have at least some affinity
with Hosea. There may not be any very obvious echoes or allusions,
such as to suggest direct influence at this point, but the tenor of the
whole, coupled with the explicit quotation later, suggests that the
author had the book of Hosea in mind from the outset.

Subsequent to the quotations there are numerous passing allusions
which seem to refer back to them, as with the reference to the baptism
of repentance already mentioned. For example, "he accounted her
worthy that she turn her face away from her people and *the multitude
of her paramours*, in whose midst she formerly was" (133.20-23) seems
to echo the prophetic condemnations of Israel. The document would
appear to be more of a unity than Robinson allows. The alternative
to his redaction theory would then be that the author collected the
appropriate biblical passages and used them as proof-texts in the
course of his own exposition of the doctrine of the fall and deliverance
of the soul. His work thus reveals a somewhat deeper interest in, and
more intensive study of, the Old Testament than the Gnostics are
commonly given credit for. The remarkable thing is that from his

point of view, and in terms of his own principles of exegesis, the quotations fit so well.

Space does not permit of detailed discussion of all the quotations and their interpretation, which might prove tedious and repetitive. A few examples must suffice. Dealing with the soul's re-union with her true husband (p. 132), the author says that this marriage is not like fleshly marriage "but when they [accomplish] the unions they become a single life. That is why the prophet said concerning the first man and the first woman : 'They shall be one flesh' (Genesis 2:24b)" (132.34-133.3). A few lines further on we read : "This marriage has now joined them again with one another, and the soul has been united with her truly beloved, her natural lord, as it is written : 'For the lord of the woman is her husband' " (Genesis 3:16b). A reference to deliverance from captivity and the ascent to heaven is followed by a quotation of the opening verses of Psalm 103, and the comment : "If then she becomes new, she will ascend, praising the Father and her brothers through whom she has been saved" (134.13-27). Here the references to praise and renewal both come from the psalm ; the reference to her brothers derives from the gnostic myth of the fall of Sophia—in many respects a counterpart to the soul—in some forms of which the other aeons of the Pleroma appeal to the Father for her deliverance.

The document is in fact a gnostic presentation of the Hellenistic myth of the fall of the soul, buttressed by biblical and other quotations and allusions. Some aspects of the first of the passages just mentioned —references to the bridegroom and the bridal chamber—show affinities with the Gospel of Philip, and therefore suggest that the text belongs specifically to *Christian* Gnosticism. They do however also raise questions about the use of the marriage imagery—Christ as the Bridegroom, the individual soul (not the Church) as his Bride. How far back does it go, and where does this text fit in the history of the development ? Is it purely Christian, or are there Jewish antecedents ? Is our author dependent on a tradition, or have we here some unknown genius who thought it up for himself ?

From the point of view of the modern scholar, the document reveals the weaknesses of the proof-text method, and of allegory. The quotations are simply lifted out of context, without regard for their original setting or their original meaning. For us of course this involves an exegetical misdemeanour, but our principles and methods are different. The question is : how far can the interpretation here presented be upheld as valid in terms of the author's own method and in the light of his own situation ?

Another point relates to one of the dangers against which we must constantly be on our guard. We today have no doubt of the original intention of Hosea, and of the meaning of his prophecies. Coming to the Exegesis of the Soul with that knowledge we are bound to regard the book as something of an exegetical curiosity. But there are other cases in which the issue is not so clear, and in which it is possible for the unwary to assume the validity of just such a later interpretation, and then read that interpretation back into the original document.

NAG HAMMADI CODEX III : CODICOLOGICAL INTRODUCTION [1]

BY

FREDERIK WISSE

Codex III of the Coptic-Gnostic Library from Nag Hammadi has a close relationship to Dr. Pahor Labib. It is one of the prize possessions of the Coptic Museum of which he was director for many years. Furthermore, his name is connected with the publication of the first two tractates of the codex.[2] The codex was purchased for 250 Egyptian pounds on October 4, 1946 by the Coptic Library in Old Cairo which at that time was still distinct from the Coptic Museum. It was given the inventory number 4851. The entry in the inventory book lists as the seller Ragheb Andrawes (son of) Priest Abd el-Said. He was head of the Coptic school in Dechneh, about 20 km. to the east of Nag Hammadi. Although the inventory book lists 70 papyrus leaves, only 67 can be accounted for today. The discrepancy may be due to a miscounting at the time of the sale, but it should be noted that the book almost certainly suffered loss of pages after it was discovered.[3]

---

[1] The first discription of the codex is by Togo Mina. "Le papyrus gnostique du Musée Copte", *VigChr* 2 (1948), 129-36. It was at that time called Codex I. Mina's report presents few facts and is based on only a cursory examination of the codex. Another brief description was published by M. Krause and P. Labib, in: *Die drei Versionen des Apokryphon des Johannes im koptischen Museum zu Alt-Kairo* (ADAIK, Koptische Reihe 1; Wiesbaden 1962), pp. 17-20. They present photographs of the verso of the front flyleaf and pages 16, 24 and 40 on plates II-V. The facsimile edition of Codex III, to be published under the auspices of the Department of Antiquities of the Arab Republic of Egypt in conjunction with the United Nations Educational, Scientific and Cultural Organization, is expected in 1975. Much of the data which are the basis of the present introduction was gathered by the author in connection with the preparation for the facsimile edition by the Technical Sub-Committee of the International Committee for the Nag Hammadi Codices at its session in September 1973 in Cairo.

[2] Martin Krause und Pahor Labib, *Die drei Versionen des Apokryphon des Johannes*. Alexander Böhlig and Frederik Wisse in cooperation with Pahor Labib, *Nag Hammadi Codices III,2 and IV,2, The Gospel of the Egyptians*. (Nag Hammadi Studies IV), Leiden 1975.

[3] See *infra*, pp. 226 f.

Jean Doresse reports that the pages were in disarray when Togo
Mina, the director of the Museum at the time of purchase, showed
him the book.[1]

It is generally assumed that Codex III belongs with the other
Nag Hammadi Codices, but this is not completely certain. The scribal
hand does not connect it with the rest of the library. The codex came
to public notice separate from the rest of the collection. Even if it is
correct that the thirteen codices [2] were discovered together, the unity
of the Coptic Gnostic papyri collection in the Coptic Museum remains
questionable. The duplication of tractates and the great diversity of
the content is enough indication of this.

The leather cover of Codex III has been described in detail by
Martin Krause.[3] The planned facsimile edition will include plates of
the inside and outside of the cover, open and closed, and a description
by James M. Robinson. In contrast to Codices IV, V, VII and VIII,
no inscribed pieces of cartonnage were found with Codex III. The end
papers, if they survived, are now missing except for some fragments
which remained stuck to the binding.

Damage to the codex through deterioration is particularly evident
at the beginning and the end. Only a small fragment remains of the
first inscribed leaf and nothing of the second. Pages 5-8 and 21-44
suffered considerable loss on the inside of the leaves. Lesser damage,
mainly at the center top, is evident on pages 9-14, 49-54, 75-78, 81-88
and 95-100. Towards the end of the codex pages 117-132 suffered
major loss on the inside of the leaves; less so pages 133-144. Only
large fragments of two leaves remain of the end of the codex. Most
of this damage appears to have been caused by natural deterioration
during the long burial of the codex. Rough handling by inexpert
hands after the discovery could account for part of the loss suffered
on leaves 7/8, 20/21, 57/58 and 123/124. The small, loose fragments
which came with the codex to the Coptic Museum were, with few

---

[1] *The Secret Books of the Egyptian Gnostics : An Introduction to the Gnostic Coptic
manuscripts discovered at Chenoboskion.* New York and Londen 1960, p. 117.

[2] It would be more correct to speak of twelve codices, for James M. Robinson has
shown that the remaining pages of Codex XIII did not have their own leather cover
but were already in ancient times placed within the cover of Codex VI (Inside the
Front Cover of Codex VI, *Essays on the Nag Hammadi Texts in Honour of Alexander
Böhlig*, ed. M. Krause, Nag Hammadi Studies III, Leiden 1972, pp. 74-87).

[3] *Die drei Versionen*, pp. 30-32. He presents a photograph of the outside back cover
on plate I.

exceptions, successfully identified by Krause. They belong mainly to the last pages of the codex and appear to have broken off after the discovery. Moisture has penetrated up to page 5 and from page 129 to the end causing the ink to run and blot.

In addition to this natural and accidental damage six leaves appear to have been taken from the codex after its discovery. The present state of the codex indicates that leaves 19/20, 45/46, 47/48, 79/80, 109/110 and 115/116 must have been more or less complete at the time the book was unearthed. They may well have been removed selectively. Leaf 19/20 comes just before and leaves 45/46 and 47/48 just after a damaged section; they provided samples of the first two tractates of the codex. Leaf 78/90 is taken from the middle of the well-preserved third tractate. Leaves 109/110 and 115/116 are from the fourth tractate, the latter coming just before a damaged section which continues to the end. The conclusion suggests itself that these six leaves were purposely removed from the codex by a dealer to serve as samples for prospective buyers. If this is the case, they probably still exist.

Chart : The Quire of Codex *III*

73/74	—	75/76	33/34 - -	[115/116]
71/72	—	77/78	31/32 —	117/118
69/70 - -		[79/80]	29/30 —	119/120
67/68	—	81/82	27/28 —	121/122
65/66	—	83/84	25/26 - -	123/124
63/64	—	85/86	23/24 - -	125/126
61/62	—	87/88	21/22 - -	127/128
59/60	—	89/90	[19/20] - -	129/130
57/58 - -		91/92	[stub] - -	131/132
55/56	—	93/94	17/18 —	133/134
53/54	—	95/96	15/16 —	135/136
51/52	—	97/98	13/14 —	137/138
49/50	—	99/100	11/12 —	139/140
[47/48] - -		101/102	9/10 —	141/142
[45/46] - -		103/104	7/8 - -	143/144
43/44	—	105/106	5/6 - -	145/146
41/42	—	107/108	[3/4] - -	147*/C
39/40 - -		[109/110]	1/2 - -	
37/38	—	111/112	A/B - -	
35/36	—	113/114		

Codex III was made from one quire of thirty-nine papyrus sheets. At least one of these sheets was actually only a leaf with a stub to hold it in the binding. The quire has been drawn schematically in the chart. Dotted lines were used when one of the conjugate leaves was missing or when the center of the sheet was damaged to the extent that the fiber connection between the conjugate leaves could not be established with certainty. An asterisk indicates that the pagination is not certain.

The sheets were cut from five rolls of papyrus plus a partial roll or some odd remnants. The rolls can be reconstructed by tracing the horizontal fibers.[1] This not only illustrates the way ancient codices were made but also can establish the pagination where it is missing or uncertain.

The sixth roll,[2] which forms the top of the quire, was cut from right to left. This assumes that in the cutting process the horizontal fibers were facing up, and that the roll was unrolled towards the left as one expects from a right-handed cutter. The roll yielded the following seven sheets; they are identified in their original position in the roll and numbered according to the horizontal side :

74-75 |72-77 |70 - - [79] |68-81 |66-83 |64-85 |62-87.

The roll was made from two lengths of papyrus (kollemata) which were fused together. The joint (kollesis) occurs on page 66; the overlap runs left over right and measures 3,5 cm. in the middle. The quire was trimmed after being folded in the middle to give it a uniform appearance.[3] Thus one expects the original width of the sheets to be approximately the size of the bottom sheets of the quire, i.e. 31,5 cm. On this basis the original length of the roll was 220,5 cm., not counting possible wastage. The kollemata measure from left to right 130,5 cm. and 93,5 cm.

---

[1] The papyrus is of sufficiently good quality to establish with certainty the fiber connection between conjugate leaves and between ajoining sheets of the same roll, provided that at least a part of the side margins was preserved.

[2] This was actually the last roll in the cutting order; it is presented first, since it is best to start at a point where the roll reconstruction is unproblematic.

[3] The sheets at the top of the quire are at present as much as 3 cm. narrower than those at the bottom. Since the writing colomn remains more or less centered on the page throughout the codex, the trimming was done most likely before the writing; see also *infra,* p. 233.

The fifth roll was also cut from right to left. The roll yielded the following seven sheets :

60-89 |58 - - 91 |56-93 |54-95 |52-97 |50-99 |[48] - - 101.

The roll was made from two kollemata. The kollesis occurs between pages 95-52. The overlap runs left over right and measures 2 cm. in the middle. On the basis of an original sheet width of 31,5 cm. the kollemata measure from left to right 126 cm. and 96,5 cm. The original length of the roll was 220,5 cm. not counting possible wastage.

The fourth roll was cut from right to left. The roll yielded the following seven sheets :

[46] - - 103 |44-105 |42-107 |40 - - [109] |38-111 |36-113 |34 - - [115].

The leaves at the beginning and end of this roll are missing. Yet there can be little doubt about the reconstruction of the roll, for assuming fiber continuation from 101 to [46] or from [115] to 32 would lead to an improbable kollema length. The reconstruction also fits the pattern of the other rolls. The kollesis is lacking but must have occurred on the extreme right of the missing page 109. This would make the length of the kollemata about 120 cm. and 102 cm., and the original length of the roll the same as the fifth and sixth rolls.

The third roll was cut from right to left. The roll yielded the following seven sheets :

32-117 |30-119 |28-121 |26 - - 123 |24 - - 125 |22 - - 127 |[20] - - 129.

The kollesis appears to have been between pages 26 and 123. On the basis of an original sheet width of 31,5 cm. the kollemata can be estimated to have measured from left to right 112 cm. and 110 cm.[1] The original length of the roll was 220,5 cm. not counting possible wastage.

The papyrus at the bottom of the quire is of poorer quality than that of the top four rolls. This, and the poor state of preservation of a number of leaves, makes the roll reconstruction problematic. The problem begins with leaf 131-132 which must have joined to a stub rather than to a conjugate leaf.[2] This is in itself not unusual,

---

[1] It is unclear why from the sixth to the third roll the left kollema decreases in length while the right one increases.

[2] It is also possible that the stub belonged with 129/130 and that the missing leaf

since partial sheets made up of a leaf with a stub occur also in Codices
VII-VIII, and probably in XI. The parsimonious stationer included
the end piece of a roll in the quire if it exceeded the width of a leaf.[1]
The stub which joined to 131/132 is now lost. The problem is that
131/132 does not connect to sheet 17/18 - 133/134, as one would expect.
Thus it remains an odd piece.

Then follow seven sheets which appear to have come from a single
roll :

18-133 |16-135 |14-137 |12-139 |10-141 |8 - - 143 |6 - - 145.

The inside of the conjugate leaves of the last two sheets are lost, but
their position is confirmed by good fiber connections between the
sheets. The pagination of leaf 145/146 is assured by continuing text
from page 144 to 145. There is a kollesis on page 137 with a 2 cm.
overlap running left over right, and with a 1 cm. patch of vertical
fibers to cover the uneven edge on page 138. If the roll included no
more than seven sheets the original length would be 220,5 cm. not
counting possible wastage. The two kollemata measure in that case
88 cm. and 134,5 cm. This breaks the pattern of the first four rolls
which have the left kollema longer than the right one.

Two of the three bottom sheets of the quire are incomplete. It is
possible that one of them was a leaf with a stub. The main question
is whether the last inscribed page of the codex should be numbered
147 or 149.[2] Krause takes the latter and thus assumes that leaf
147/148 is missing.[3] He was unaware that 131/132 joined to a stub
and thus he assumed a quire of thirty-eight full sheets. This meant
that one leaf had to be missing if 149/C joined with the flyleaf A/B.[4]

---

[1] 19/20 joined 131/132. However, this would make the third roll unusually short, and
it would pose two unconnected sheets instead of one.

[1] Cf. W. Schubart, *Das Buch bei den Griechen und Römern*, (Handbücher der Staatlichen Museum zu Berlin; Berlin und Leipzig 1921), p. 129.

[2] Martin Krause (*Die Drei Versionen*, p. 19) and James M. Robinson following him
("The Coptic Gnostic Library", *NovTest* 12 [1970], 83) list 17 lines for this page. At
present parts of the 16 bottom lines are visible. It is likely that the margin at the bottom
corresponds to the bottom margin of the previous pages. This would mean that approximately five lines at the top are lost, and that parts of lines 6-21 survive.

[3] *Die Drei Versionen*, p. 18. He placed the missing leaf somewhere between pages
137 and 148. His assumption that a sheet was added at the bottom of the quire after
most of the codex was written is unnecessary. Furthermore, inscribing a loose quire
would have been very awkward; see also *infra*, p. 233.

[4] Had Krause known about the stub he would have had to assume that the last
inscribed page is 151 and that two leaves are missing.

Leaf 145/146 and the last inscribed leaf are both large fragments making it unlikely that an intervening leaf completely deteriorated. It could have been removed or lost after the discovery, but nothing compels us to this conclusion. It is simpler to assume that the last inscribed page was 147 and that the remaining fragments of two back flyleaves or a flyleaf and a stub were discarded.[1]

The pieces of the end papers which remain glued to the inside of the cover are too small to determine whether the end papers were once a part of the quire, as they are in Codex VII. If the end papers formed a sheet it would have to be at least 33 cm. wide; this is more than the estimated original width of the quire.

It is difficult to establish the original height of the pages, since all have suffered loss at the bottom or the top or both.[2] At present the highest leave is 99/100 which measures 25,8 cm. Since it is not clear whether the top edge has been preserved, it could have been higher yet. However, the height of the cover runs from 26 cm. on the left to 25,8 cm. on the right, so that the pages could not have been much higher than 25,8 cm. or they would have stuck outside the cover.

Where the center of the sheets has been preserved, the holes of the stitching which held the quire together are still visible. In contrast to most other Nag Hammadi codices for which such evidence remains, the leather thongs were knotted at the bottom of the quire rather than at the top. A leather strip, 9 cm. wide in the middle, was used to strengthen the spine and protect the papyrus from the knots in the stitching. The end papers were glued over this leather strip and the inside borders of the cover to join cover and quire together.

Codex III was paginated at the center of the writing column or

---

[1] Several blank pages and fragments from other Nag Hammadi codices are also now lost, though it is likely that they survived the burial.

[2] In the process of transferring the leaves of Codex III from glass to smaller plexiglass containers, strips of blank papyrus were trimmed from the bottom or top or both. The following forty leaves fell victim to this Procrustean method: 7/8, 23/24, 43/44 and 53/54 at the top; 25/26-33/34, 63/64, 83/84, 85/86, 89/90-103/104, 107/108, 111/112, 113/114, 117/118, 119/120, 125/126, 129/130-137/138 and 147*/C at the bottom; 35/36, 37/38, 75/76, 77/78, 81/82, 87/88, 105/106 and 127/128 at the top and the bottom. In the process a piece broke off the inside edge of leaf 111/112 and the outside edge of 43/44, 89/90 and 91/92. Only the piece from 43/44 contained text. A set of photos taken by Jean Doresse preserves the state of the papyrus before the trimming loss occurred.

somewhat to the left of the center.[1] The following page numbers
survive : [1]7, 18, 23, 24-32, 3[3], 34, [3]5, 36, 38, 40, 42, 44, 54, 55, 56,
60, 61, 62, 63, 64, 6[5], 66-74, 7[5], 7[6], 91, 92, 93, [9]4, 9[5], 9[6],
99-108, 111-114, 117-120, 123, 124, [12]5, [12]7, 1[28], 129, 130, [13]1, 132,
133, 134, 136, 1[39], 14[1]. The procedure of putting lines above and/or
below the page numbers, as in Codices IV-X, is not followed in Codex
III. It appears that the pagination was executed independently from
the writing, for the numbers become increasingly fainter until the
scribe dipped his quill into the ink again. One would think it was
done beforehand.

The codex is written in a casual, flowing uncial script, evidently
by an experienced scribe. Characteristic is the Ⲟ with a long sweeping
top stroke which often continues over one more of the following
letters.[2] Though the size of the letters and the spacing are far from
uniform, and the lines are often wavy, this detracts little from the
generally handsome appearance of the writing. Ligature is very
common, especially from ⲁ, ⲉ, ⲙ, ⲡ and ⲧ, but also at times from
ⲅ, ⲑ, ⲕ, ⲗ, ⲩ, ϩ, ⲭ and ✝. This tendency towards cursive writing
actually facilitates the reading, for ligature is limited to letters of
the same word.

The left margin of the writing column has been kept straight,
although it often tends to the right near the bottom. Since the scribe
makes the line break at the end of a word or syllable[3] the right
margin is much less regular. Diples have been used occasionally to
fill out short lines.[4] Letters with a stroke towards the right are often
extended when they come last in the line. This is particularly so
with ⲉ, ⲥ and ⲩ,[5] but at times also with ⲁ, ⲅ, ⲕ, ⲙ, ⲭ, ⲧ and ϩ. Letters
which cannot be extended towards the right, such as ⲛ, are sometimes
extra large to fill out the line. When a line tended to become too long
the scribe would crowd the letters at the end. In that case he would

---

[1] Also Codices I, X and XI (first scribe), written in Subachmimic, were paginated
above the center of the column. Codices IV-IX were numbered above the outside of
the writing column, while II and XII apparently had no pagination at all.

[2] Not infrequently the top stroke of the Ⲟ serves simultaneously as the supralinear
stroke over a following ⲛ.

[3] See the section on line breaks *infra*, p. 235 f.

[4] In 86,21 and 129,23 a double diple is used. Besides Codex III only Codex XII
employs diples as line fillers. Diples occur regularly in Codices I-IX at the end of tractates
and with titles.

[5] These letters tend to be extended into the margin even when the line is not short.

shift from the normal wide upsilon with a loop at the bottom to a slender one which looks like a small v with a long tail.

The size of the writing column is not constant in the codex. In the first tractate the height of the column is 20-20,5 cm., while in the other four tractates it averages 21,5 cm. The number of lines per column differs from tractate to tractate. Codex III,*3* and *5* have from 23 to 24 lines; III,*1* and *4* from 24 to 25 lines and III,*2* from 25 to 26 lines per page. Furthermore, the column on the left is consistently narrower than the one on the right, as one expects when writing in a fairly thick, tightly bound quire. The difference is the least near the beginning and the end, and, of course, in the middle. Finally, the width of the writing column appears to vary somewhat from tractate to tractate. The average widths of the left and right hand columns are, respectively, for III,*1* 10,2 cm. and 10,8 cm.; for III,*2* 10,5 cm. and 11,3 cm.; for III,*3* 10,3 cm. and 11 cm.; for III,*4* 9,8 cm. and 10,8 cm.; and for III,*5* 10,6 cm. and 11,6 cm.

The difference between the tractates in the line count and the size of the writing column are difficult to explain. One expects that they are due to tractate models taken from different codices, but how and why this influenced the writing column is not clear. It is also evident from other Nag Hammadi codices that the scribes were able to calculate beforehand how many pages they were going to need.[1] If a scribe copied parts from several codices he must have marked in these models how much text he was going to put on each page to the planned codex.

The high point to separate sentences, thought units and elements in a list, has been used only sparingly. It can easily be confused with the articulation mark on a final ⲛ̄ or ⲧ̄.[2] A paragraphos cum corone is employed twice in the text to mark a major division (76,12 and 96,14). It is used regularly at the end of a tractate and with subscript titles. There are three of these with the title of the first tractate on front flyleaf B. A colon has been used within the text in conjunction with the paragraphos cum corone in 76,12; 96,14 and 119,17.

Lines and diples are employed to fill out the last line of a tractate and to decorate the subscript titles as well as the title on the verso of the front flyleaf. A helical line separates the tractates. It is missing

---

[1] Codex VI may be the exception.

[2] The articulation mark has often been mistaken for a high point in the edition of ApocryJn in Codex III (M. Krause und P. Labib, *Die Drei Versionen*, pp. 55-108).

between the third and fourth tractates, perhaps because they have basically the same content.[1]

The scribe of Codex III employed an articulation mark on the final gamma, pi or tau of a word or syllable. This division mark is in the shape of a raised point or small circumflex placed above the right edge of the letter; the two are used interchangeably, though the small circumflex becomes more common towards the end of the codex and is preferred with gamma. The articulation mark is used regularly when the final letter of a word is pi or tau, and when a syllable ends with a gamma, e.g. ϣⲟⲣⲡ̇, ⲣⲟⲟⲩⲧ̇ and ⲁⲛⲁⲅⲕⲏ. When pi or tau closes a three-consonant syllable the function of the articulation mark can be taken over by the supralinear stroke, e.g. ϣⲣⲡ̇- or ϣⲣⲡ̄- or ϣⲣⲡ̄-, ϣⲟⲙⲛⲧ̇ or ϣⲟⲙⲛⲧ̄ or ϣⲟⲙⲛ̄ⲧ̄. Also the final pi and tau of a syllable, and the definite articles ⲡ and ⲧ are marked when they are followed, respectively, by a ⲡ or ⲧ (†), e.g. ⲫⲓⲗⲓⲡ̇ⲡⲟⲥ, ⲡ̇ⲡⲓⲣⲉ, ⲁⲧ̇ⲧⲁⲣⲟϥ, ⲁⲧ̇† ⲥⲃⲱ, ⲙⲛⲧ̇ⲧⲉⲗⲓⲟⲥ, ⲧ̇ⲧⲉⲗⲓⲁ.[2] An articulation mark with the final tau of a syllable before letters other than ⲧ appears to be optional, e.g. ⲁⲧⲭⲣⲟ and ⲁⲧ̇ⲭⲣⲟ, ⲉⲧⲭⲏⲕ and ⲉⲧ̇ⲣⲁⲣⲉⲣ. In a few cases kappa has an articulation mark, e.g. ⲣⲓⲧⲟⲟⲧⲕ in 94,3 and ⲙ̄ⲡϣⲓⲕ in 135,6. The articulation marks in Codex III are similar to the ones in Codex II, though somewhat less developed.[3] Codices IV-VI and VIII-IX mark the final pi or tau of a word or syllable with a "backstroke" (ⲡ̇ and ⲧ̇); Codices VII and XI (second scribe) used the "backstroke" only with tau.

Occasionally the verb ⲉ͡ⲓ has been marked with a circumflex, apparently to distinguish it from the prefix and suffix ⲉⲓ. It is found mainly in situations where it could be misread, such as in ⲛ̄ⲧⲁⲉⲓⲉ͡ⲓ and ⲁⲉⲓⲉ͡ⲓ.[4] Codices IV-IX and XI (second scribe) consistently put

---

[1] The Sophia of Jesus Christ (III, *4*) appears to be a christianized form of Eugnostos the Blessed (III, *3*); see M. Krause, "Das literarische Verhältnis des Eugnostosbriefes zur Sophia Jesu Christi : Zur Auseinandersetzung der Gnosis mit dem Christentum", *Mullus : Festschrift Theodor Klauser* (Jahrbuch für Antike und Christentum, Ergänzungsband I; hrsg. A. Stuiber und A. Hermann; Münster 1964), 215-23.

[2] When the final pi or tau come at the end of a line the articulation mark has often been omitted. In a few cases the article ⲧ before delta has been pointed, e.g. ⲧ̇ⲁⲩⲛⲁⲙⲓⲥ in 7,15 and 34,2.

[3] For division marks in II, *4* see "The Text and Orthography of the Coptic Hypostasis of the Archons (CG II, *4* Kr.)", by Bentley Layton, in : *Zeitschrift für Papyrologie und Epigraphik* 11 (1973), 190-200.

[4] III 93, 8; 96, 19; 106, 5; 107, 12; 118, 16.23. Other cases are 15, 15; 33, 4; 36, 10; 38, 20; 39, 18; 49, 15; 65, 18; 70, 24; 107, 14; 111, 1; 143, 12.14.

a circumflex on the verb ⲉ͡ⲓ and on ϩ͡ⲓ. The Greek particle ἦ is normally marked with a circumflex in Codex III.[1] Three times a circumflex has been placed on an omega, ϩⲱ͡ in 74,7 and 76,11, and ⲱ͡ϩⲉ in 142,19; the purpose is not clear. Another isolated case is the circumflex on omicron, ⲟ͡ ⲛ̄ϣⲟⲣⲡ̄, in 78,17.[2]

The supralinear strokes have been placed fairly exactly, either running over a single letter or from the middle of the first to the middle of the last letter of a two- or three-consonantal syllable. Since the stroke assigns syllabic value it overlaps the function of the articulation mark. In contrast to Codices IV-IX and XI (second scribe) they are not used simultaneously, but they can, in the case of three-consonantal syllabes, be used interchangeably, e.g. ⲙ̄ⲛ̄ⲧ̄ⲣⲣⲟ or ⲙ̄ⲛⲧ̄ⲣⲣⲟ or ⲙ̄ⲛⲧ̇ⲣⲣⲟ.[3] The scribe placed a stroke over two consonants only when the second one is ⲃ, ⲗ, ⲙ, ⲛ, ⲥ or ⲣ as in ⲟⲩⲁⲧ̄ⲃ̄, ϩⲗ̄ⲗ̄ⲟ, ⲥⲟⲕ̄ⲙ̄, ⲱϫ̄ⲛ̄, ⲧⲱϩ̄ⲥ̄ and ϩⲱⲧ̄ⲣ̄.[4] Perhaps the consonants with a stroke were pronounced with an ĕ as transitional vowel, and those without a stroke with û. The suffix ϥ normally has a supralinear stroke if it is preceded by a consonant. This may be due to a shift in stress to the suffix.

The names of supernatural beings have only occasionally been marked with a long supralinear stroke.[5] The abbreviated *nomina sacra* are always marked with a stroke. The abbreviation stroke above the last letter of a line representing a suppressed nu is only used in 7,9 and 23,31. Letters representing a number have the usual supralinear stroke.

The line break occurs at the end of a word or between syllables. Two types seem to go against the expected syllabic division. The break can come at any time before or after ⲟⲩ, e.g. ⲟⲩ/ⲟⲉⲓⲛ, ⲟⲩ/ⲱⲛϩ and ⲉⲣⲏ/ⲟⲩ. Perhaps ⲟⲩ functions in such cases as a vowel. Secondly, the tau tends to align itself with the syllable which follows, e.g. ⲉ/ⲧⲃⲉ, ⲧⲙ̄ⲛ/ⲧⲁⲧⲥⲟⲟⲩⲛ, ⲧⲙⲛⲧ̇ⲁ/ⲧⲥⲟⲟⲩⲛ, ⲉ/ⲧϣⲟⲟⲡ̇,

---

1 In Codices IV-IX and XI (second scribe) it is normally marked with an archaic *spiritus lene* which looks like a supralinear stroke with a small, verticle bar on the left.

2 In Codices IV-IX and XI (second scribe) omicron and omega normally have a circumflex when they have independent syllabic value.

3 See also the section on articulation marks above.

4 Occurrences of ϩⲟⲗⲉϭ and ⲛⲟϭⲛⲉϭ suggest that also ϭ belongs in this group. The same convention is followed in Codex II.

5 "The Father, the Mother and the Son" have been marked with a long stroke in 13, 15f. but not elsewhere.

ⲉ/ⲧⲙⲟⲟⲩⲧ̇ and ⲉ/ⲧⲟⲩⲁⲁⲃ.[1] The same phenomena can be observed
in Codex VII. They are relevant to the question of how the Coptic
was pronounced by the scribe.

The ⲛ̄ before pi has often not been assimilated to ⲙ̄. As in several
other Nag Hammadi codices, a doubling occurs when the genitival
ⲛ̄ precedes a definite plural article which has been assimilated to ⲙ̄
before pi or mu, e.g. ⲛ̄ⲛⲙⲙⲉⲗⲟⲥ and ⲛ̄ⲛⲙ̄ⲙⲁⲁϫⲉ.

There are far more corrections in Codex III than in any other Nag
Hammadi codex. They all appear to be from the hand of the original
scribe. Corrections are made by overwriting, sometimes after erasing
or washing out the underwriting, or by crossing out the error and
writing above the line. On page 24,17 the scribe signalled the omission
of several lines due to homoioteleuton with a large x in the margin.
The missing text is written in the bottom margin and is marked with
an anchor-like symbol, upside down where the error occurred, and
right side up where the correction was made. A lacuna obscures
whether the omission was also marked in the text. Most corrections
involve only small scribal errors, but some change the sense of the
text significantly. Many scribal errors requiring emendation remain.[2]
Both the corrections and the needed emendations show that the
accuracy of the scribe left much to be desired.

The first tractate of Codex III, the Apocryphon of John, runs
from 1,1-40,9. There is a title on front flyleaf B and a subscript title
in 40,10f. The beginning of the tractate is lost, but it is unlikely that
there was a superscript title. Internal evidence as well as the existence
of two independent parallel versions [3] leave no doubt that the tractate
was translated from the Greek.

The second tractate, the Holy Book of the Great Invisible Spirit,[4]

---

[1] See also the syllable forming in such words as ⲉⲧⲙ̄ⲙⲁⲩ, ⲉⲧⲛ̄ϩⲏⲧ̄ⲥ̄,
ⲁⲧⲥⲙⲟⲧ and ⲉϯⲛⲉ. In ⲁ/ⲥϯ the sigma shifts to the syllable which follows.
The presence of a stroke in ϣⲟ/ⲣ̄ⲡ̄ probably indicates that the last syllable received
more stress than usual due to the line break.

[2] See the published editions of III, *1* and *2*.

[3] Two copies of a long version of ApocryJn are preserved in II, *1* and IV, *1*. An
independent shorter version is contained in Codex Berolinensis 8502 (W. C. Till, *Die
gnostischen Schriften des koptischen Papyrus Berolinensis 8502* [*TU* 60², 2 ed. von H.-M.
Schenke; Berlin 1972], pp. 79-195).

[4] The tractate is known by the secondary title mentioned in the colophon (69,6):
The Gospel of the Egyptians. The incipit probably read, "The Holy book of the Egyptians
of the great invisible Spirit".

runs from 40,12-69,5. Then a scribal colophon follows (69,6-17) which closes with the title. Finally there is a decorated subscript title in 69,18-20. The colophon was not composed by the scribe of Codex III, but goes back to the Greek stage of the tractate. There is an independent version of the tractate in Codex IV,2. In both codices it follows directly upon ApocryJn to which it is related in content. As with the first tractate, the many copying errors indicate that it is not the first copy of this Coptic version.

The third tractate, Eugnostos the Blessed,[1] runs from 70,1-90,11. Its subscript title in 90,12f. echoes the incipit. There is an independent version in V,1. Also in this case there can be no doubt that the two versions were translated from the Greek, and that the version in Codex III had a Coptic model.

The fourth tractate, the Sophia of Jesus Christ,[2] runs from 90,14-119,17. There is a subscript title in 119,18. Another copy of the same version is preserved in BG 8502, and a Greek fragment in Papyrus Oxyrhynchus 1081. The evidence indicates that the Coptic version depends on the Greek and that the copy in Codex III had a Coptic model.

The fifth and last tractate, the Dialogue of the Savior, runs from 120,2-147,20.[3] There is an undecorated superscript title in 120,1 and a decorated subscript title in 147,21. There is no reason to doubt that the tractate was translated from the Greek.

All five tractates were written in Sahidic with some pre-classical forms and constructions. A comparison of the linguistic features of each tractate falls outside of the scope of this introduction.[4] Doresse has suggested the first half of the fourth century as date for Codex

---

[1] The variants in the parts of Eug (III, 3) which run parallel to SJC are presented by Till in his text edition of SJC (BG 8502). A German translation has been published by M. Krause, in : Die Gnosis; zweiter Band : koptische und mandäische Quellen, ed. W. Foerster (Die Bibliothek der Alten Welt, Reihe Antike und Christentum; Zürich und Stuttgart 1971), pp. 32-45.

[2] This is the form of the title in BG 8502, p. 127,11f. which echoes the incipit. The title in III 119,18 reads simply ΤⲤⲞⲫⲒⲀ ⲚⲒⲎⳅ. Till presents the variants of III, 4 with his edition of SJC in BG 8502, pp. 194-295.

[3] The line count is based on an estimate.

[4] Preliminary observations give evidence of close linguistic connections between the first two tractates of the codex. The possibility that several of the tractates of Codex III were translated from the Greek by the same person deserves to be further investigated.

III.[1] H.-Ch. Puech puts it in the middle or second half of the fourth century.[2] If the evidence from other Nag Hammadi codices is relevant at this point, this last date agrees more or less with the dates on the business receipts found among the cartonnage of Codex VII.

---

[1] Une bibliothèque gnostique copte découverte en Haute-Égypte, *Académie Royale de Belgique : Bulletin de la Classe des Lettres et des Sciences morales et politiques*, 5ᵐᵉ Série, 35 (1949), 435.

[2] Gnostic Gospels and Related Documents, *New Testament Apocrypha, Volume One : Gospels and Related Writings* (E. Hennecke, ed. W. Schneemelcher; English translation ed. R. McL. Wilson; Philadelphia and Londen 1963), p. 315.

"DIE LEHREN DES SILVANUS" ALS TEIL DER SCHRIFTEN VON NAG HAMMADI UND DER GNOSTIZISMUS

VON

JAN ZANDEE

Die Absicht dieses Artikels ist ein Vergleich der vierten Schrift aus Codex VII (84, 15-118, 9), "Die Lehren des Silvanus" mit anderen Schriften von Nag Hammadi und dem Gnostizismus. Man kann sich fragen, ob solch ein Vergleich überhaupt möglich sei. Beim heutigen Stand der Forschung ist es noch nicht von allen Schriften des Nag Hammadi Fundes zu sagen, ob sie "gnostisch" seien. Von verschiedenen Schriften ist von mehreren Forschern behauptet worden, dass sie bestimmt nicht gnostisch sind. Jedenfalls können wir nicht reden von der "gnostischen Bibliothek" von Nag Hammadi.

Wenn in diesem Artikel von gnostischen Zügen in einer bestimmten Schrift die Rede ist, ist damit nicht gemeint, dass diese Schrift ohne weiteres gnostisch ist, sondern nur, dass sie in gewissen Hinsichten mit gnostischen Gedankengängen verglichen werden kann. Von "den Lehren des Silvanus" steht es fest, dass sie nicht gnostisch sind.

Man wird mehrere gnostischen Themen vergeblich in dieser vierten Schrift aus Codex VII suchen, z.B. die Lehre des Pleromas und das Entstehen der sichtbaren Welt durch den Fall eines der Äonen. Die Schöpfung wird nicht einem niedrigen Gott, sondern dem Vater selber zugeschrieben, wobei Christus in biblischem Sinne als Schöpfungsmittler auftritt. "Die Hand des Herrn allein hat alle diesen Dinge geschaffen. Denn diese Hand des Vaters ist Christus und sie (die Hand) formt das All" (Sil. 115, 3-6). Wenn gesagt wird : "Es ist ja nicht richtig, den Schöpfer ($\delta\eta\mu\iota\upsilon\rho\gamma\delta\varsigma$) jedes Geschöpfs für unwissend zu halten" (Sil. 116, 7-9), so kann diese Aussage eben als anti-gnostische Polemik betrachtet werden. Der Terminus $\pi\nu\epsilon\hat{\upsilon}\mu\alpha$ wird anders als im Gnostizismus angewendet. Für "Silvanus" ist es der "Heilige Geist" Gottes, der den Menschen "erneuert" (Sil. 112, 25-27), und es ist nicht der göttliche Funken im Menschen, der vom Pleroma herrührt und dorthin zurückkehrt nach einem Prozess des Bewusstwerdens.

Der Standpunkt des Verfassers der "Lehren des Silvanus" ist der eines biblisch-christlichen Denkers. Christus ist der Sohn des Vaters, der in die Hölle dieser Welt herabgestiegen ist um den Menschen vom Widersacher zu retten. In seiner Wiedergabe des Christentums benützt er aber Gedanken, die ihren Ursprung im Hellenismus finden. Er lässt sich mit Philo, Sextus, Klemens von Alexandrien und Origenes vergleichen. Er ist in mancher Hinsicht vom Platonismus beeinflusst worden, und um so mehr von der Stoa. Dieser Tatbestand soll eine der Ursachen sein, weshalb "Die Lehren des Silvanus" mit dem Gnostizismus vergleichbar sind. Beide Systeme wollen christliche Gedanken in einer für Zeitgenossen verständlichen Form darbieten. Jetzt wollen wir einige vergleichbare Punkte näher betrachten.

1. Die Erkenntnis ($\gamma\nu\tilde{\omega}\sigma\iota\varsigma$). Am Anfang seiner Schrift ermahnt der Verfasser als ein Weisheitslehrer seinen Schüler, sich nicht von Begierden beherrschen zu lassen, sondern sich von rationellen Prinzipien ($\nu o\tilde{\upsilon}\varsigma$, $\lambda\acute{o}\gamma o\varsigma$) führen zu lassen. In diesem Falle wird er wie ein Weiser und nicht wie ein Törichter handeln. Jetzt hat er aber den Tod für sich als Vater, die Unwissenheit als Mutter und die schlechten Ratschläge als Freunde erwählt (Sil. 90, 21-28). "Sie haben dir die wahre Erkenntnis ($\gamma\nu\tilde{\omega}\sigma\iota\varsigma$) geraubt", sagt er (Sil. 91, 12-13). Er soll sich nicht der Begierde nach Gold oder Silber übergeben, im Gegenteil, es heisst : "Bekleide dich mit Weisheit ($\sigma o\phi\acute{\iota}a$) als mit einem Gewand, setze das Verstehen ($\dot{\epsilon}\pi\iota\sigma\tau\acute{\eta}\mu\eta$) auf dich wie eine Krone, und setze dich auf einen Thron des Wahrnemens ($a\check{\iota}\sigma\theta\eta\sigma\iota\varsigma$)" (Sil. 89, 20-24). "Es ist notwendig, Gott zu kennen, wie er ist. Du kannst Gott durch niemanden kennen ausser durch Christus, der das Bild des Vaters besitzt" (Sil. 100, 21-27). Das Verhalten des Menschen zu Gott wird hier, wie im Gnostizismus, als $\gamma\nu\tilde{\omega}\sigma\iota\varsigma$ bezeichnet. Gemäss der valentinianischen Schule ist die Erkenntnis die Vollendung des Pneumatikers. "Das Ende aber werde dann sein, wenn alles Pneumatische durch die Erkenntnis ($\gamma\nu\tilde{\omega}\sigma\iota\varsigma$) gestaltet und vollendet sei, das sind die pneumatischen Menschen, die die vollendete Erkenntnis von Gott haben" (Irenaeus, adv. haer. I 6, 1). Auch im valentinianischen Gnostizismus ist es Christus, der als Vermittler der Erkenntnis auftritt. Der obere Christus erbarmt sich der gestürzten Sophia und formt sie zur Erkenntnis des Vaters (Irenaeus, adv. haer. I 4, 5). In der Schrift "Asklepius" finden sich die Termini $\gamma\nu\tilde{\omega}\sigma\iota\varsigma$ und $\dot{\epsilon}\pi\iota\sigma\tau\acute{\eta}\mu\eta$ nebeneinander wie das in "Silvanus" der Fall ist. Der zweite Terminus hat eine mehr praktische Bedeutung und bezieht sich auf das Benehmen

des Menschen. "Daher geschieht die Schlechtigkeit bei vielen, wenn ihnen das Verstehen (ἐπιστήμη) nicht zuteil geworden ist über das was feststeht. Die Erkenntnis (γνῶσις) nämlich der Dinge, die wahrhaft feststehen, sie ist die Heilung von den Leidenschaften der Materie. Daher stammt das Verstehen (ἐπιστήμη) aus der Erkenntnis" (Asklepius, Codex VI : 66, 5-12). Auch bei "Silvanus" steht die Erkenntnis dem von Leidenschaften Beherrschtwerden (Sil. 84, 20; 90, 4) und der Gebundenheit an die Materie (ὕλη) (Sil. 92, 32) gegenüber.

Die Erkenntnis ist Selbsterkenntnis. Gotteserkenntnis und Selbsterkenntnis fallen gewissermassen zusammen. Der Mensch soll sein eigenes inneres Wesen entdecken. Dazu gehört an erster Stelle seine Beziehung zu Gott. In Gott hat er seinen Ursprung und seine Bestimmung. Seine geistigen Fähigkeiten sind göttlicher Art. "Kenne aber vor allen Dingen deine Geburt. Kenne dich selbst, das heisst, von welchem Wesen (οὐσία) du bist, oder von welchem Geschlecht (γένος), oder von welchem Stamm (φυλή)" (Sil. 92, 11-14). "Das göttliche (θεῖος) Denken (νοῦς) entnimmt (sein) Wesen (οὐσία) dem Göttlichen (θεῖον)" (Sil. 92, 25-27). Auf diese Weise hat "Silvanus" das γνῶθι σεαυτόν aufgefasst, einen Spruch, der nicht nur in Delphi eine wichtige Rolle spielte, sondern auch in mehreren philosophischen Schulen Griechenlands, und der auf verschiedene Weisen ausgelegt wurde. "Klopfe bei dir selbst an wie an einer Tür" (Sil. 106, 30-32), sagt der Lehrer, "Mache dir selbst auf, damit du ihn, der ist (d.h. Gott), kennen mögest. Klopfe bei dir selbst an, damit der λόγος dir aufmachen möge" (Sil. 117, 5-9). Wer an die Tür seiner eigenen Vernunft anklopft, findet dort das Göttliche. Der λόγος, die eigene Vernunft, fällt mit Christus, dem Λόγος Gottes, zusammen. Unbemerkt geht der Verfasser vom menschlichen λόγος zum göttlichen Λόγος über.

Auch im Gnostizismus fallen menschliche Selbsterkenntnis und Gotteserkenntnis zusammen. Wer sich seines eigenen pneumatischen Wesens bewusst wird, wird sich von Gott bewusst. Er kennt seinen Ursprung und die Bestimmung, zu der er auf dem Wege ist. Er kommt vom göttlichen Pleroma her und kehrt dorthin nach einem Prozess des Selbstbewusstwerdens wieder zurück. Die Valentinianer sagten : "Nicht allein das Bad macht uns frei, sondern auch die Erkenntnis, wer wir sind und was wir geworden sind; woher wir stammen und wohin wir geraten; wohin wir eilen und wovon wir erlöst sind; was es mit unser Geburt, was es mit unser Wiedergeburt auf sich hat" (Clemens Alex., Excerpta ex Theodoto, § 78, 2). In dem "Buch des Athleten Thomas" findet sich auch der Gedanke, dass der Mensch,

der sich selbst kennt, das tiefste Wesen der Wirklichkeit kennt,
sodass auch in diesem Fall Selbsterkenntnis und Gotteserkenntnis
zusammenfallen. "Erforsche dich und erkenne, wer du bist und wie
du warst oder wie du werden wirst. Da man dich ja meinen (der
Erretter spricht) Bruder nennt, für den es sich nicht ziemt, dass du
über dich selbst unwissend bist. Und ich weiss, dass du zur Erkenntnis
gelangt bist, denn du hast mich schon erkannt, dass ich die Erkenntnis
der Wahrheit bin, während du nun mit mir wandelst, selbst wenn du
es nicht weisst. Du hast schon erkannt, und man wird dich den 'Sich-
selbst-Erkenner' nennen, denn wer nämlich sich nicht erkannt hat,
hat nichts erkannt. Wer aber sich selbst erkannt hat, hat schon
Erkenntnis über die Tiefe ($\beta\acute{a}\theta os$) des Alls erlangt" (Buch des Athleten
Thomas, Codex II : 138, 8-18). Selbsterkenntnis, Christuserkenntnis
und Gotteserkenntnis sind hier miteinander verwoben. "Die Tiefe"
($\beta\acute{a}\theta os$) ist eine Bezeichnung des Mysteriums des göttlichen Wesens.
Nach Hippolyt ist $\beta\acute{a}\theta os$ bei den Valentinianern ein Name des höchsten
Gottes : "... damit ihr verstehen könnt, was 'die Tiefe' ($\beta\acute{a}\theta os$) — das
ist der Vater des Alls — ist" (Hippolyt, Ref. VI 35, 7).

2. Das Göttliche im Menschen. Nach der Meinung des Verfassers
der "Lehren des Silvanus" soll der Mensch sich von seinen geistlichen
Vermögen führen lassen. "Das Denken ($vo\hat{v}s$) ist der Führer, die
Vernunft ($\lambda\acute{o}\gamma os$) aber ist der Lehrer" (Sil. 85, 25-26). Mit dieser Auf-
fassung nähert er sich der Stoa. $No\hat{v}s$ und $\lambda\acute{o}\gamma os$ sind die göttlichen
Prinzipien im Menschen, die vom Verfasser beabsichtigt sind mit
seiner Ermahnung : "Entfliehe nicht dem Göttlichen ($\theta\epsilon\hat{\imath}ov$) und dem
Unterricht, die in dir sind, denn er, der dich unterweist, liebt dich
sehr" (Sil. 87, 22-25). Besonders das Denken ist von göttlicher Art.
"Das göttliche ($\theta\epsilon\hat{\imath}os$) Denken ($vo\hat{v}s$) entnimmt (sein) Wesen ($o\mathring{v}\sigma\acute{\imath}a$)
dem Göttlichen ($\theta\epsilon\hat{\imath}ov$)" (Sil. 92, 25-27). Nach der Meinung der Valen-
tinianer sind der psychische wie der pneumatische Teil des Menschen
göttlich ($\theta\epsilon\hat{\imath}a$ $\gamma\grave{a}\rho$ $\mathring{a}\mu\phi\omega$) im Gegensatz zum Körper (Clemens Alex.,
Excerpta es Theodoto, § 55), die Seele, da sie vom Demiurgen geschaf-
fen ist, und das Pneuma, da es vom transzendenten Gott herrührt.
Das Pneumatische ist also im höheren Sinne göttlich als das Psychische.
Nach der Meinung des Verfassers der "Lehren des Silvanus" ist die
Seele, das "Gebilde" ($\pi\lambda\acute{a}\sigma\mu a$), aus dem Gedanken des Göttlichen
($\theta\epsilon\hat{\imath}ov$) entstanden (Sil. 92, 21-23) und deshalb auch göttlich, sei es auf
mittelbare Weise. Was das Pneuma ist für den Gnostiker ist das
Denken ($vo\hat{v}s$), oder die Vernunft ($\lambda\acute{o}\gamma os$) für "Silvanus", nämlich das

θεῖον im Menschen. Dieser göttliche, rationelle Teil des Menschen soll zum Selbstverständnis geführt werden.

Wenn dieses geschieht, wird der Mensch gleich Gott. Wenn der Mensch sich auf eigene Faust Gott gleichmachen würde, würde dieses nach der Meinung des "Silvanus" "Dreistigkeit" (τολμηρία, vergleiche die τόλμα der Sophia, Irenaeus, adv. haer, I 2, 2) sein (Sil. 108, 22-32). Es ist aber durchaus möglich, dass der Mensch von Christus Gott gleichgemacht werde. "Er (Christus), der den Menschen erhoben hat, wurde wie Gott, nicht damit er Gott zum Menschen herunterbringe, sondern damit der Mensch gleich Gott werden möchte" (Sil. 111, 8-13). Der Gedankengang des "Silvanus" ist, dass durch die Wirkung des Christus und des Heiligen Geistes (Sil. 107, 35) das Göttliche im Menschen (νοῦς, λόγος) so gestärkt werden kann, dass der Mensch gleich Gott wird. Auch das Wesen Gottes besteht aus diesen geistigen Substanzen, sei es im vollkommenen Sinne : "Es ist allerdings gut, zu fragen und zu wissen, wer Gott ist. 'Vernunft' (Λόγος) und 'Denken' (Νοῦς) sind männliche Namen (Gottes)" (Sil. 102, 13-16).

Auch in anderen Schriften aus Nag Hammadi finden wir Aussprüche über das Göttliche im Menschen. "Ich spreche aber zu den Menschen, o Asklepius, die das Verstehen (ἐπιστήμη) und die Erkenntnis (γνῶσις) erlangt haben. Es ziemt sich nicht, dass wir denen aber, die nichtiger sind als diese, irgend etwas schlechtes sagen, da wir göttlich (θεῖος) sind und wir heilige Worte erhalten. Nachdem wir gelangt sind zum Wort der Gemeinschaft der Götter mit den Menschen, erkenne, o Asklepius, was der Mensch durch es vermögen wird ! Denn wie der Vater, der Herr des Alls, Götter schafft, so auch der Mensch, dieses sterbliche Lebewesen auf Erden, dass Gott nicht gleicht, auch er selbst schafft Götter. Nicht nur gibt er Kraft, sondern sie geben ihm Kraft. Nicht nur ist er Gott, sondern er schafft Götter" (Asklepius, Codex VI : 68, 12-34). In einem kurzen Text, der dieser Schrift (Asklepius) unmittelbar vorangeht, steht : "Wir freuen uns, als wir Licht empfingen in deiner Erkenntnis (γνῶσις). Wir freuen uns, weil du uns über dich belehrt hast. Wir freuen uns, weil du — während wir im Körper sind — uns zu Göttern in deiner Erkenntnis (γνῶσις) gemacht hast" (Codex VI : 64, 15-19). Das Kommen zur Gnosis wird von dieser Schrift als ein Prozess der Vergöttlichung betrachtet, wie auch bei "Silvanus" die Entwicklung des Denkens (νοῦς) und der Vernunft (λόγος) im Menschen ein Gleich-Gott-Werden ist. Die Schule Valentins unterschied einen "äusseren" und einen "inneren" Menschen. Nur der letzte hatte seinen göttlichen Ursprung im Pleroma und würde

wieder dorthin zurückkehren. "Die Seele bleibt bei ihm (dem Demiurgen), der innere Mensch (ὁ ἔσω ἄνθρωπος) aber — etwas mehr
Wesentliches als Seele und Körper — steigt auf über alles. Sie meinen,
dass dieser aus dem Pleroma, dort drüben, hinuntergestiegen ist"
(Epiphanius, Panarion XXXVI 2, 8).

Auch in anderen Schriften aus Nag Hammadi ist von Vergöttlichung
des Menschen die Rede. "Die (erste) Apokalypse des Jakobus" sagt :
"Und dann wirst du gelangen zu dem Seienden. Und du wirst nicht
Jakobus werden, sondern du bist der Seiende (= Gott, der Vater)"
(Die (erste) Apokalypse des Jakobus, Codex V : 27, 6-10). Im "Evangelium nach Philippus" lesen wir : "Es ist niemandem möglich, etwas
von den Feststehenden zu sehen, ausser dieser wird wie jene (pl.)
... du sahst etwas von jenem Ort (und) du wurdest zu jenen. Du
sahst den Geist (πνεῦμα) : du wurdest zu Geist. Du sahst Christus :
du wurdest Christus. Du sahst [den Vater : du] wirst Vater werden"
(Evangelium nach Philippus, Codex II : 61, 20-31). Der Anblick
Gottes macht jemanden zu Gott. Der hermetische Traktat "Poiman-
dres" sagt : "Das ist das gute Ende für die, die Erkenntnis erhalten
haben, zu Gott zu werden" (Corp. Herm. I 26). Diese Vergöttlichung
fängt mit dem Erhalten der Erkenntnis auf Erden an, wird aber nur
nach dem Verlassen der psychophysischen Existenz beim endgültigen
Wiederkehr zu Gott vollendet.

3. Unwissenheit. Öfter als das Wort γνῶσις findet sich in "Silvanus"
der Terminus "Unwissenheit". Wie die ἀγνωσία (oder ἄγνοια) in
gnostischen Schriften ist die Unwissenheit die Hauptsünde, aus der
alle Laster hervorgehen. "Verliere meine Unterweisung nicht und
erwerbe keine Unwissenheit, damit du dein Volk nicht irreführest"
(Sil. 87, 19-21). Der Lehrer rät seinem Schüler, kein Sammelbecken
unnützlicher Dinge zu werden, und er fährt fort : "Werde kein Führer
(geleitet von) deiner blinden Unwissenheit" (Sil. 88, 19-21). "Da du
aber Gott, den heiligen Vater, von dir geworfen hast, das wahre
Leben, die Quelle des Lebens, darum hast du den Tod als Vater
erworben und die Unwissenheit als Mutter bekommen" (Sil. 91, 5-12).
Da "Tod" und "Unwissenheit" beziehungsweise durch ein männliches
und ein weibliches Wort im Koptischen ausgedrückt werden, können
sie "Vater" und "Mutter" genannt werden. Diese Mächte haben dem
Schüler die wahre Erkenntnis geraubt. Der Lehrer ruft ermahnend
aus : "O du Seele, beharrende, in welcher Unwissenheit existierst du ?"
(Sil. 103, 28-29).

Wenn Sophia aus dem Pleroma herausfällt, gerät sie in Unwissenheit. "Der Äon, der mehr als Erkenntnis erlangen wollte, geriet in Unwissenheit (ἀγνωσία) und Gestaltlosigkeit" (Clemens Alex., Excerpta ex Theodoto, § 31,3). Vor dem Kommen Christi waren die Menschen nach der Schule Valentins (Markus) in Unwissenheit: "Bevor nun, sagt er, das Besondere des Namens erschien, dass heisst Jesus, der Sohn, waren die Menschen in grosser Unwissenheit (ἄγνοια) und Irrtum" (Irenaeus, adv. haer. I 15, 2). Auch in den hermetischen Schriften sind Erkenntnis und Unwissenheit einander gegenübergestellt. "Die Erkenntnis Gottes ist zu uns gekommen, (mein) Kind, und mit ihrem Kommen ist die Unwissenheit (ἄγνοια) vertrieben" Corp. Herm. XIII, 8).

4. "Die Lehren des Silvanus" und die gnostischen Texte benutzen die gleichen Synonyme für "Unwissenheit".

a) Der Tod. "Was ist der böse Tod anders als Unwissenheit?" (Sil. 89, 12-14). Vergleiche: "... damit der Mensch diese grösste Erfahrung empfangen würde von dem, was schlecht ist, welche der Tod ist, welche Unwissenheit ist in Bezug auf das Ende aller Dinge" (Tractatus Tripartitus, Codex I: 107, 29-32; es betrifft die Folge des Essens von der verbotenen Frucht im Paradies). "Nach jenen Tagen entfernte sich von mir und deiner Mutter Eva die ewige Erkenntnis (γνῶσις) des Gottes der Wahrheit. Seit jener Zeit wurden wir über tote Werke als Menschen unterrichtet" (Die Apokalypse des Adam, Codex V: 65, 9-16).

b) Blindheit. "Deine blinde Unwissenheit" (Sil. 88, 21). Nach einer gnostischen Schrift ist der Demiurg von psychischer Art und steht er deswegen ausserhalb der Wahrheit. Seine Eigenschaften sind: "Hochmut, Blindheit und Unwissenheit" (Die Sophia Jesu Christi, Papyrus Berolinensis 8502: 104, 4-5).

c) Schlaf. "Mein Sohn, höre auf meinen Unterricht, der gut und nützlich ist und beende den Schlaf, der schwer auf dir lastet" (Sil. 88, 22-24). Vergleiche: "So waren sie unwissend über den Vater, da sie ihn nicht sahen. Da es Schrecken, Bestürzung, Schwachheit, Zweifel und Spaltung hervorrief, gab es viele Nichtigkeiten, die durch diese wirkten, und nichtige Unsinnigkeiten, so wie sie sich dem Schlafe hingeben und sich in wirren Träumen befinden" (Evangelium der Wahrheit, Codex I: 29, 1-11).

d) Vergessen. Der Terminus erinnert an die Auffassung Platos, dass die Seele an die Materie gebunden ist und deshalb die Ideen vergessen hat. Sie soll wieder zur Erinnerung zurückgeführt werden. "Gib das Vergessen auf, das dich mit Finsternis erfüllt" (Sil. 88, 25-26). Im Evangelium der Wahrheit ist das Vergessen der Erfolg des Einflusses der Irrtum (*Πλάνη*). "Das war nun keine Demütigung für ihn, den undenkbar Unfassbaren; denn ein Nichts war die Angst, das Vergessen und das Gebilde der Lüge, während die Wahrheit, die feststeht, unveränderlich, unerschütterlich und unverschönbar ist" (Evangelium der Wahrheit, Codex I: 17, 23 ff.). Die Sethianer beschreiben die Geschichte der Sündflut folgendermassen: Wenn die Mutter das geistige Geschlecht Noahs zu retten versucht, bringen die Archonten heimlich Ham in die Arche hinein und auf diese Weise bleibt die Sünde in der Welt. "Daraus kamen Vergessenheit (*λήθη*) und Irrtum bei den Menschen, ungeordnete Fälle von Sünden und böse Vereinigung in die Welt" (Epiphanius, Panarion XXXIX 3, 4).

e) Finsternis. "Was ist der böse Tod anders als Unwissenheit? Was ist die böse Finsternis anders als das Vertrautsein mit dem Vergessen?" (Sil. 89, 14-16). "O Seele, beharrende, in welcher Unwissenheit existierst du? Denn wer ist dein Führer in der Finsternis?" (Sil. 103, 28-32). Nach der Meinung der Valentinianer haben die Hyliker keinen Anteil an der Gnosis, da ihnen das pneumatische Element fehlt. Sie leben in der Finsternis. "Deshalb fielen sie in die Grube der Unwissenheit, die 'die äussere Finsternis' und 'Chaos' und 'der Westen' und 'Abgrund' genannt wird" (Tractatus Tripartitus, Codex I: 89, 24-28). "Das hylische Geschlecht aber ist fremd in jeder Hinsicht, da es in der Finsternis ist; es wird sich scheiden vom Aufgang des Lichts, weil seine Offenbarung es zerstreuen wird" (Tractatus Tripartitus, Codex I: 119, 8-12).

f) Sklaverei. "Silvanus" ermahnt seinen Schüler, nicht "unwissend" zu sein (Sil. 87, 20). Er soll die Unterrichtung annehmen und keine niederen Gedanken in sich zulassen (Sil. 87, 30). Er soll sich vom göttlichen *λόγος* führen lassen (Sil. 88, 4). "Mein Sohn, begehrt jemand eine Sklave zu sein?" (Sil. 88, 6-7). Vergleiche: "Die Unwissenheit ist Sklave, die Erkenntnis (*γνῶσις*) ist Freiheit (*ἐλευθερία*)" (Evangelium nach Philippus, Codex II: 84, 10). In den Thomasakten (Perlenlied) wird erwähnt, wie der Königssohn einen Brief von dem König und der Königin empfängt, der ihn zurückruft aus dem Lande, wo er an die Materie gebunden und unwissend ist. "Gedenke, dass du ein Königssohn bist. Unter ein knechtisches Joch bist du gekommen. Denke an dein goldbesticktes Kleid; denke an die Perle ..." (Thomasakten, Perlenlied: 110, 44-45).

5. Die Folge der Unwissenheit ist ein Leben, das in die Materie versunken ist. Wenn die rationellen Prinzipien, νοῦς und λόγος, nicht die Führung haben, wird der Mensch von den Leidenschaften und Begierden beherrscht. Solche Auffassungen finden sich nicht nur im Gnostizismus, sondern gehören zum griechischen Denken. "Die Lehren des Silvanus" sind in dieser Hinsicht von der Stoa beeinflusst worden. Sie nennen das Denken (νοῦς) das ἡγεμονικόν im Menschen, ein Terminus, der typisch für die Stoa ist. Auf der ersten Seite seiner Schrift warnt "Silvanus" schon gegen eine unvernünftige Lebensweise. "Löse jedes kindliche Alter auf und erwirb dir Kraft des Denkens (νοῦς) und der Seele (ψυχή) und stärke den Kampf gegen jede Torheit der Leidenschaften (πάθος) der Liebe (ἔρως) und niedrige Schlechtigkeit (πονηρία) und Ehrgeiz und Kampflust und Neid, womit jemand sich ermattet, und Wut und Zorn und die Begierde (ἐπιθυμία) der Habsucht" (Sil. 84, 16-26). Der Unwissende "geht die Wege der Begierde (ἐπιθυμία) und jeder Leidenschaft (πάθος)" (Sil. 90, 3-4). "Er schwimmt in den Begierden (ἐπιθυμία) des Lebens (βίος)" (Sil. 90, 5-6). Dieses unvernünftige Leben bindet einen an das Fleisch. "Denke nicht an Sachen, die dem Fleisch (σάρξ) gehören" (Sil. 93, 4-5). "Du erlangst Freiheit, wenn du die Begierde (ἐπιθυμία) hinauswirfst, deren Tücken viele sind, und wenn du dich befreist von den Sünden der Lust (ἡδονή)" (Sil. 105, 20-25). Wer in den Begierden lebt hat die Verfassung "wilder (ἄγριον) Tiere (θηρίον)" (Sil. 108, 9). Er wird von dem "Feuer der Lust (ἡδονή)" verzehrt (Sil. 108, 5-6). Alle diesen schlechten Neigungen sind durch "Vernünftigkeit (λογισμός) zu überwinden" (Sil. 108, 15). "Der vernünftige (λογικός) Mensch ist der, der Gott fürchtet" (Sil. 108, 18-19).

Die gleichen Gedanken finden sich auch in Gnostizismus. Wer nicht vom Geist (πνεῦμα) geführt wird verfällt den Leidenschaften. Er ist an die Materie gebunden und der Körper beherrscht den Geist. Isidor, der Sohn des Basilides, sagt vom Gegensatz zwischen Begierden und Vernunft : "Wenn du nämlich einem einen Beweis gibst, dass die Seele nicht einheitlich ist, vielmehr durch die Gewalt ihrer Anhängsel die Begierden nach dem Schlechten entstehen, so werden die bösen Menschen einen aussergewöhnlichen Entschuldigungsgrund haben zu sagen : 'Ich wurde gezwungen, ich wurde verlockt, ich hab's gegen meinen Willen getan, ich hab's getan, ohne es zu wollen', während er doch selbst den Begierden nach dem Schlechten gleichsam vorangegangen ist und nicht mit den Gewalten der Anhängsel gekämpft hat. Man muss aber durch die Vernunft stärker werden und sich der

niedrigen Schöpfung in uns überlegen zeigen" (Clemens Alex., Strom.
II 20 = § 113,4-114,1). Im valentinianischen Mythus der Sophia
wird sie nach ihrem Fall von Leidenschaften beherrscht. "Die Über-
legung der oberen Sophia, die sie auch Achamoth nennen, die samt
der Leidenschaft (πάθος) von dem oberen Pleroma getrennt war,
war nach ihnen notwendigerweise in Schatten und in Orte der Leere
'ausgeschäumt' ... Als sie nun die Grenze (Horos) nicht durchschreiten
konnte, weil sie mit der Leidenschaft (πάθος) verbunden und allein
draussen gelassen war, da geriet sie in jede Art von Leiden (πάθος),
welches vielgestaltig und vielartig ist, und erlitt Trauer (λύπη), weil
sie nichts erfasste, Furcht (φόβος), wie das Licht möchte sie auch das
Leben verlassen, dazu Not (ἀπορία), aber alles in Unwissenheit
(ἄγνοια)" (Irenaeus, adv. haer. I 4, 1). Die Leidenschaften gewinnen
das Übergewicht, wenn einer nicht von der Vernunft geführt wird.
"Wenn aber Unverständnis und kein Verständnis (ἐπιστήμη) in der
Seele des Menschen ist, bleiben die Leidenschaften (πάθος), für die
es keine Heilung gibt, in ihr, wobei auch die Schlechtigkeit (κακία)
mit ihnen ist in der Form einer Wunde, für die es keine Heilung gibt"
(Asklepius, Codex VI : 66, 13-19). Die Begierden entstehen aus der
Gebundenheit der Seele an den Körper. "So verhält es sich auch mit
der geistigen (πνευματική) Seele (ψυχή). Als man sie in den Körper
(σῶμα) herabwarf, wurde sie Bruder der Begierde (ἐπιθυμία) und des
Hasses und der Eifersucht und materielle Seele. Daher nun kam der
Körper (σῶμα) aus der Begierde (ἐπιθυμία) hervor, und die Begierde
kam aus dem materiellen (ὑλική) Sein (οὐσία) ..., denn die Besitztümer
der ausserhalb (des Hauses) Geborenen sind die Leidenschaften (πάθος),
die Begierden, die Vergnügungen (ἡδονή) des Lebens (βίος), die
Eifersucht, der Hass, die Prahlereien, unnützes Geschwätz, die An-
klagen ..." (Die ursprüngliche Lehre, Codex VI : 23, 12-24). Auch
"die Lehren des Silvanus" führen das Böse auf die Materie, die durch
das Fleisch (den Körper) wirkt, zurück. "Die Materie (ὕλη) ist das
Wesen (οὐσία) des Körpers (σῶμα), der aus der Erde entstanden ist"
(Sil. 92, 32-33). Dieses an die Materie gebunden Leben steht einem
vom Denken (νοῦς), dem Göttlichen (θεῖον) im Menschen, geführten
Leben gegenüber (Sil. 92, 27).

6. "Die Lehren des Silvanus könnten noch in mehreren Hinsichten
mit dem Gnostizismus verglichen werden; der Raum gestattet dieses
jetzt aber nicht. Manche gnostische Schrift fängt mit einer Auseinandersetzung über den unbekannten Gott an und spricht über ihn in der

Terminologie der "negativen" Theologie. Der Vater ist der Unaus-
sprechbare, der Unfassbare, usw. Auch "die Lehren des Silvanus"
sagen, dass Gott den Menschen unerkennbar ist und sich allein durch
die Offenbarung in Christus zu erkennen gibt. "Die Lehren des
Silvanus" enthalten einen Passus von der Schöpfung des Menschen.
Er besteht aus drei Substanzen : Körper, Seele und Denken. Durch
das Denken ist er nach dem Bilde Gottes geschaffen. Die drei Teile
des Menschen entsprechen drei Gruppen ($\gamma \acute{\epsilon} \nu o s$) von Menschen, je
nach dem Umstand, ob sie vom Körper, von der Seele oder vom
Denken geleitet werden (Sil. 92, 15-29 ; 113, 24-31). All dieses ist der
valentinianischen Lehre der drei Geschlechter sehr gleich : Die Hyliker
gehen in das Verderben, die Psychiker können zwischen dem Guten
und dem Bösen wählen, und die Pneumatiker werden gerettet (Irenaeus,
adv. haer. I 5, 5-6 ; 7, 5).

7. Einige Schriften aus Nag Hammadi enthalten Gedanken und
Aussprüche, die eine grosse Übereinstimmung mit den "Lehren des
Silvanus" zeigen. Solches findet sich z.B. im "Evangelium nach
Philippus" und besonders in der Schrift "Die ursprüngliche Lehre".
Dieser letzten Schrift entnehmen wir einige Beispiele.

a) Die Leidenschaften und Begierden werden symbolhaft vorgestellt
wie Feinde, die das Lager des Menschen (d.h. seine Seele) bedrohen.
Wenn der Mensch sich von der Vernunft erleuchten lässt, wird er
diese Feinde besiegen. "Wenn du diese Dinge tust, o mein Sohn,
wirst du alle deinen Feinde besiegen und sie werden nicht in der Lage
sein, gegen dich Krieg ($\pi \acute{o} \lambda \epsilon \mu o s$) zu führen" (Sil. 86, 24-27). "So
verhält es sich mit der Seele, wenn sie alle Zeit ein Wort [empfängt],
um es ihren Augen wie ein Heilmittel zu geben, damit sie sieht und
ihr Licht die Feinde (lese $\pi o \lambda \acute{\epsilon} \mu \iota o s$ statt $\pi \acute{o} \lambda \epsilon \mu o s$), die mit ihr kämpfen
(-$\pi o \lambda \epsilon \mu \epsilon \hat{\iota} \nu$), verbirgt, und sie blind macht durch ihr Licht ..." (Die
ursprüngliche Lehre, Codex VI : 28, 10-17).

b) Der unvernünftige Mensch "schwimmt in den Begierden ($\dot{\epsilon} \pi \iota \theta v \mu \acute{\iota} a$)
des Lebens ($\beta \acute{\iota} o s$)" (Sil. 90, 5-6). "Der Teufel ... wirft ein Leid in dein
Herz, bis du betrübt bist wegen einer kleinen Sache dieses Lebens
($\beta \acute{\iota} o s$), und er ergreift uns mit seinem Gift und danach (mit) der
Begierde ($\dot{\epsilon} \pi \iota \theta v \mu \acute{\iota} a$) nach einem Gewande" (Die ursprüngliche Lehre,
Codex VI : 30, 27-35).

c) Der Körper wird negativ eingeschätzt. "Der Körper ($\sigma \hat{\omega} \mu a$) ist
aus der Erde entstanden mit einem irdischen Sein ($o \dot{v} \sigma \acute{\iota} a$)" (Sil. 92,
19-20). Die Seele "übergab den Körper ($\sigma \hat{\omega} \mu a$) denen, die ihn ihr

gegeben hatten" (Die ursprüngliche Lehre, Codex VI : 32, 16-17).
Dieser Passus bezieht sich auf die Seele, die sich bekehrt, sich von
der Welt abwendet und den Körper den niederen Mächten überlässt,
die für seine Schöpfung verantwortlich sind.

d) In "den Lehren des Silvanus" ist mehrmals vom "Widersacher"
und seinen Mächten, die den Menschen bedrohen, die Rede. Bisweilen
sind sie wirkliche Dämonen, die dem Menschen von draussen nachstellen. Man hat aber auch den Eindruck, dass diese "Mächte"
Personifikationen der Leidenschaften und Begierden sind, die den
Menschen von einem der Vernunft gemässem Leben abhalten. "Mögest
du gegen alle deinen Feinde, die Mächte (δύναμις) des Widersachers
(ἀντικείμενος), kämpfen" (Sil. 91, 19-20). "Du weisst doch wohl, dass
die Tücken (ἐπινοία) des Widersachers (ἀντικείμενος) nicht wenige
sind, und dass die Streiche (μάγγανον), die er hat, verschieden sind?"
(Sil. 94, 33-95, 4). Die Begierden machen die Seele zu einer Höhle der
Füchse und Schlangen. "Diese sind die Mächte (δύναμις) des Widersachers (ἀντικείμενος)" (Sil. 105, 34-106, 1). "Kämpfe den guten
Kampf, solange der Kampf dauert, während alle Mächte (δύναμις)
dir zusehen, nicht nur die heiligen, sondern auch alle Mächte des
Widersachers (ἀντικείμενος)" (Sil. 114, 1-6). "Die ursprüngliche Lehre"
sagt von den feindlichen Mächten, die dem Menschen nachstellen :
"Und die mit uns kämpfen, die feindlich (ἀντικείμενος) sind, die gegen
uns kämpfen, wir besiegen ihre Unkenntnis durch unser Wissen, da
wir schon den Unerreichbaren erkannt haben, aus dem wir hervor-
gegangen sind" (Die ursprüngliche Lehre, Codex VI : 26, 20-26). Der
Widersacher versucht, Menschen zu fangen mit einem Köder, der
schmackhaft aussieht, den Menschen aber ins Verderben lockt. "Der
Widersacher (ἀντικείμενος) aber hält Wache gegen uns, indem er uns
auflauert wie ein Fischer, da er uns fangen will, und sich freut, uns zu
verschlingen. Er bringt nämlich viel Nahrung (τροφή) vor unsere
Augen, die zu dieser Welt (κόσμος) gehören. Er wünscht, dass wir
eine von ihnen begehren (— ἐπιθυμεῖν) und wir nur ein wenig kosten
und er uns ergreift durch sein verborgenes Gift und uns aus einer
Freiheit bringt und uns in eine Sklaverei hineinnimmt" (Die ursprüngliche Lehre, Codex VI : 30, 6-20). Auch in den "Lehren des Silvanus"
findet sich die Auffassung, dass der Widersacher schlechte Gedanken
in unser Herz legt in der Form von guten. "Du hast aber dessen
betrügerische Art nicht erkannt, wenn du ihn als einen wahren Freund
empfingst. Denn er wirft schlechte Gedanken in dein Herz wie gute
und Heuchelei (ὑπόκρισις) in der Verkleidung starker Intelligenz ..."

(Sil. 95, 17-24). "Die ursprüngliche Lehre" fährt fort : "Das aber sind die Speisen (τροφή) mit denen uns der Teufel (διάβολος) auflauert" (Die ursprüngliche Lehre, Codex VI : 30, 26-27). Διάβολος als eine Variante von ἀντικείμενος findet sich auch in den "Lehren des Silvanus" (Sil. 88, 12). Der Böse verführt den Menschen mit allerhand begehrlichen Sachen, und so wird der Mensch von Geldgier, Prahlerei, Hochmut, usw. befangen. "Diese alle nun bereitet so der Widersacher (ἀντικείμενος) gekonnt und breitet sie aus vor dem Körper, da er wünscht, dass das Herz der Seele sie auf eine von ihnen beugt und er sie überwältigt. Wie (mit) einem Netz zieht er sie gewaltsam in Unwissenheit" (Die ursprüngliche Lehre, Codex VI : 31, 8-16).

e) Die Freiheit ist ein hochwürdiges Gut. Sie ist das Leben in der Vernunft, frei von Leidenschaften. "Befreie dich von jedem Fessel, sodass du Freiheit (— ἐλεύθερος) erwerbest, wenn du die Begierde (ἐπιθυμία) heraustreibest" (Sil. 105, 19-23). "Die ursprüngliche Lehre" warnt davor dass der Widersacher uns aus der Freiheit hinwegholt und in die Sklaverei hineinführt (Die ursprüngliche Lehre, Codex VI : 30, 18-20).

f) "Die Lehren des Silvanus" nennen das Leben in den Begierden oft "das Tiersein". "Vertraue dich der Vernunft (λόγος) an und entferne dich vom Tiersein" (Sil. 107, 17-19). Vergleiche : "Als sie (die Seele) die Erkenntnis ablegte, geriet sie in ein Tiersein" (Die ursprüngliche Lehre, Codex VI : 24, 20-22).

g) Wir wiesen schon auf den Terminus "Schlaf" als Bezeichnung der Unwissenheit in "den Lehren des Silvanus" hin. Vergleiche : "Daher nun schlafen wir nicht und vergessen nicht die Netze, die ausgebreitet sind im Verborgenen, die auf uns lauern, um uns zu fangen" (Die ursprüngliche Lehre, Codex VI : 29, 3-7). In "den Lehren des Silvanus" dreht es sich um die Verführungen des Widersachers, der die Begierden mit verführerischen Sachen aufstachelt. Wer von diesen Begierden übermannt wird, ist ein Unwissender. Er schläft statt zu wachen.

h) Beide Schriften erwähnen den sittlichen Kampf (ἀγών) gegen die Sinnlichkeit und für ein Leben gemäss geistigen Prinzipien. "Die Lehren des Silvanus" sagen : "Kämpfe den grossen Kampf solange der Kampf währt" (Sil. 114, 1-2), und wir lesen in "der ursprünglichen Lehre" : "Er nun, der Vater, da er seinen Reichtum offenbaren wollte und seine Herrlichkeit, machte diesen grossen Kampf in dieser Welt, da er wollte, dass die Kämpfer offenbar werden, und alle Kämpfenden das hinter sich lassen, was entstanden ist, und es verachten in einem erhabenen, unerreichbaren Wissen und sie hineilen zu dem, der

existiert" (Die ursprüngliche Lehre, Codex VI : 26, 8-20). Derselbe
Hang zu Weltverneinung findet sich bei "Silvanus" : "Vertraue
keinen Freund, denn diese ganze Welt (κόσμος) ist auf betrügerische
Weise entstanden" (Sil. 97, 30-33). Der Ausdruck "er, der ist", als
eine Bezeichnung Gottes, findet sich auch in "den Lehren des Silvanus"
(Sil. 117, 6-7).

Es gibt auch grosse Unterschiede zwischen den beiden Schriften.
Wir suchen in "der ursprünglichen Lehre" vergeblich nach der grossen
Rolle, die Christus als Erlöser und Offenbarung Gottes in "den Lehren
des Silvanus" spielt. Die vielen Ähnlichkeiten lassen aber die Vermutung zu, dass die beiden Schriften teilweise aus der gleichen Überlieferung schöpfen.

Wenn wir zum Schluss versuchen, aus dem Gesagten eine Folgerung
zu ziehen, könnte es diese sein, dass der Übergang vom Gnostizismus
zu nicht spezifisch gnostischen Auffassungen ein fliessender ist. Eine
scharfe Trennung zwischen den zwei Bereichen ist bisweilen nicht zu
vollziehen. Ein Beispiel davon ist die Schrift "Die Lehren des
Silvanus". Diese ist gewiss nicht einem bekannten gnostischen System
zuzurechnen. Es finden sich aber darin Gedanken, die gut in bestimmte
gnostischen Systemen passen würden. Selbstverständlich ist es
richtig, nach einer scharfen Definition des Gnostizismus zu suchen
und diese als einen Massstab zu benutzen zum Urteil, ob eine Schrift
gnostisch ist oder nicht. Wir sollen aber um das Gebiet des Gnostizismus
im engeren Sinne herum eine breite Marge bewahren, in der Raum ist
für geistige Strömungen, deren religiöse Einstellung grösstenteils mit
dem Gnostizismus parallel läuft, wenigstens in hohem Masse damit
vergleichbar ist.

EXEGETISCHE PROBLEME DER SCHRIFTEN VON NAG-HAMMADI CODEX VII

Berliner Arbeitskreis für koptisch-gnostische Schriften

Der Text ist zugänglich in *The Facsimile Edition of the Nag Hammadi Codices*, published under the auspices of the Department of Antiquities of the Arab Republic of Egypt in conjunction with UNESCO, Codex VII, Leiden 1972 und (mit Ausnahme der "Lehren des Silvanus") durch M. Krauses Ausgabe in F. Altheim/R. Stiehl: *Christentum am Roten Meer*, II, Berlin 1973, S. 1-229.

DIE PARAPHRASE DES SĒEM

VON

KARL MARTIN FISCHER

Bei der Übersetzung der Paraphrase des Sēem (p. 1,1-49,9) drängte sich mir immer stärker ein Problem in den Vordergrund. Übersetzung im eigentlichen Sinne setzt Verstehen voraus. Man muß sich im Übersetzungsakt gleichsam mit dem Verfasser des Textes identifizieren und ahnen, was er sagen will. Von da aus ist es auch möglich, kleinere Lücken im Text zu ergänzen. Die Paraphrase des Sēem sträubt sich aber auf eine ganz besondere Weise gegen ein Verstehen, obwohl die Schrift umfangreich und inhaltsreich ist und sogar ganz ausgezeichnet erhalten ist.[1] Diese ganz besondere Weise des Sichsträubens der Schrift gegen ein Verstehen wollen wir in unserem Beitrag verdeutlichen und nach einem möglichen hermeneutischen Zugang suchen.

Es ist zunächst nicht so, als sei alles und jedes unverständlich. Die Grundlinien sind erkennbar, die Tendenz eigentlich auch.[2]

Den Rahmen bildet eine Entrückung des Offenbarungsempfängers Sēem. In der Begegnung mit dem Offenbarer Derdekeas erfährt Sēem die Geheimnisse des Entstehens, Werdens und Vergehens dieser Welt und den Zuspruch, daß er und wie er mit den Seinen errettet wird. Die eigentliche Offenbarungsmitteilung beginnt mit 1,16. Derdekeas kündigt an: "Ich offenbare dir die genaue Beschaffenheit der Kräfte" (1,30ff.). Er nennt die drei Urprinzipien: das vollkommene Licht; die Finsternis; den ungezeugten Geist in ihrer Mitte. Ursprünglich herrschten sie alle für sich allein, dann aber kommt es zu einem

---

[1] Die geringen Zerstörungen auf den letzten Zeilen der Seiten 34-40 fallen nicht ins Gewicht und ihre Ergänzung ist fast überall befriedigend möglich. Vgl. dazu die Rezension von H.-M. Schenke zur Faksimile-Ausgabe von Codex VII, die in der ZÄS 102,2 erscheinen wird.

[2] Vgl. dazu die Erstinformationen von F. Wisse, The Redeemer Figure in the Paraphrase of Shem, *NovTest* XII, 1970, 130-140, und den Beitrag des Berliner Arbeitskreises: Die Bedeutung der Texte von Nag Hammadi für die moderne Gnosisforschung, in *Gnosis und Neues Testament* (ed. K.-W. Tröger), Berlin, 1973 bes. S. 57-60.

Zusammenstoß, der immer neue Kräfte und Gestalten hervorbringt, Teilungen und Vermischungen, Aktionen und Gegenaktionen, bis schließlich die Finsternis besiegt ist und alle ihre Gestalten zu einem finsteren Klumpen werden in der Art, wie sie es am Anfang waren (45,17-20).

Man erwartet nach diesem Rahmen eine gnostische Weltgeschichte, beginnend mit dem ersten Zusammentreffen der drei Urprinzipien, dann das Entstehen und der Charakter der tatsächlich vorhandenen Dinge wie die Gestirne, die Erde, das Wasser, die Tiere, Pflanzen und schließlich die Menschen. Als Fortsetzung erwartet man eine grobe Skizze der Weltgeschichte in der Art einer gnostischen Weltzeitalterlehre, wie sie uns in den sethianischen Schriften begegnet mit etwa den Stationen Vertreibung aus dem Paradies, Sintflut, Sodom, der Erscheinung des Erlösers und sein Sieg über die Mächte mit der Ankündigung des Endtriumphes und dem Einzug der Auserwählten in das Lichtreich. Kurzum, man erwartet eine Weltgeschichte in der Art, wie sie etwa die Titellose Schrift von Codex II bietet. Widersprüche und Abschweifungen von Thema nimmt man im Rahmen solcher Schriften in Kauf. Auch literarische Brüche, das unvorbereitete Auftauchen von Partien, die mit dem Gedankenfortschritt des Textes nichts zu tun haben, stellen für uns kein überraschendes Problem dar. Es gibt auch in unserer Schrift ein paar Stellen, wo man begründet eine solche Vermutung äußern darf.[1]

Dennoch scheint mir, daß man das eigentliche Rätsel dieser Schrift nicht ausschließlich auf literarkritischem Wege lösen kann. Gewiß nährt der in manchen Einzelheiten so ähnliche Bericht Hippolyts über eine Paraphrase des Seth Hoffnungen, eine in sich geschlossene Urschicht herauskristallisieren zu können.[2] Was man dabei gewinnen

---

[1] Auf den Bruch in 32,27 kommen wir später noch zurück. Literarische Fremdkörper könnte man in der Martyria, die auch als Hypomnesis bezeichnet wird, sehen (31,22-32,5; 32,30-34,16; 45,31-47,5). Diese langen Anrufungen aller Mächte der drei Urprinzipien könnten ursprünglich einen anderen Sitz im Leben gehabt haben, vielleicht in dem uns verschiedentlich überliefertem Sterbesakrament der Apolytrosis (Iren. adv. haer. I, 21,5; 1 ApcJac 33,21ff.; EvThom 50), wo diese Anrufungen als Passformeln dienen.

[2] Hipp. Ref. V, 19,1-22,1. Die Gemeinsamkeiten beziehen sich im Wesentlichen auf das Grundprinzip der Einteilung in die drei Urprinzipien mit ähnlicher Begrifflichkeit; das Prinzip der Vermischung und des Zusammenstoßes und die Sehnsucht des gefangenen Lichtes nach dem Ursprungsort. Einzelne ganz konkrete Bilder der Entstehung tauchen auch bei Hippolyt auf, aber bei ihm ist alles sehr viel deutlicher. Die Entstehung der einzelnen Dinge werden wirklich genannt, die Einbeziehung von Jesus Christus in das

könnte, wäre eine Vorstufe. Das wäre schon ein echter wissenschaftlicher Gewinn, aber das besonders heikle Problem liegt m.E. in der Redaktionsschicht, wo es zumindest dem letzten Verfasser nahezu völlig gelungen ist, eine solche Urschicht zu verdunkeln.

Es ist nämlich nicht so, als sei eine solche gnostische Weltgeschichte überhaupt nicht vorhanden. Für den Kenner schimmern bestimmte entscheidende Situationen noch durch, aber man muß schon sehr genau hinblicken. Die Entstehung der Tiere klingt in 19,13-18 an : "Damit die Werke der Physis durchschaut würden — denn sie ist blind — kamen viele Tiergestalten aus ihr hervor entsprechend der Zahl der wehenden Winde". Seltsamerweise wird die Schaffung von Himmel und Erde aber erst später erwähnt. Durch die Begegnung mit dem Offenbarer, der in einer Tiergestalt erscheint, wird die Physis veranlaßt, Himmel und Erde zu schaffen. "Der Himmel wurde geschaffen. Und aus dem Schaum des Himmels(meeres) entstand die Erde. Und auf meinen Wunsch hin erzeugte sie (die Erde) alle Arten von Futter entsprechend der Zahl der Tiere" (20,8-12). Mit der Entstehung des Menschen ist es noch schwieriger. Eigentlich erwartet man, daß das ein Höhepunkt des Dramas sein müßte, aber die Perspektive ist so verzerrt, daß man den Eindruck hat, als seien die Menschen schon längst da. Aber nun kommt doch noch eine Partie, wo man die Entstehung des Menschengeschlechts als Motiv wiedererkennen kann : "Als sich die Zeiten der Geburt näherten, versammelten sich alle Winde aus dem Wasser, das dem Lande nahe ist, und gebaren jede Unreinheit. Und überall, wo der einzelne Wind hinkam, verband er sich mit der Unreinheit, und es entstanden aus ihnen unfruchtbare Frauen und unfruchtbare Männer" (23,26-35). Gleich im Anschluß daran wird — aber auch nur ganz beiläufig — die Verleihung des Lichtes an die Auserwählten erwähnt. "Denn wie man gezeugt wird, so zeugt man. Um euretwillen offenbarte sich das Abbild des Geistes auf der Erde und dem Wasser. Denn ihr gleicht dem Licht, denn ihr besitzt (außer) einem Teil der Winde und der Dämonen auch einen Gedanken von dem Licht der Kraft des Wunders" (24,1-9). Erzählt und näher begründet ist das aber nicht, wir befinden uns ja schon in der Mitte der Schrift.

Als Reaktion der Physis, freilich geheimnisvoll geleitet von dem Offenbarer, bringt sie die Sintflut, um das Menschengeschlecht auszu-

---

System ist auch namentlich wirklich durchgeführt. Unsere Schrift hat zwar denselben Systemansatz, aber das bei Hippolyt noch Klare wird verschleiert und verschlüsselt.

rotten und so das Licht wieder in ihre Gewalt zu bekommen (24,34-25,35). Aber selbst diese fast noch klarste Partie ist verdunkelt. Der Rettungsort ist nicht eine Arche, sondern ein Turm, in den sich der "Dämon" (hier und an einigen anderen Stellen der Schrift ist Dämon positiv gemeint) flüchtet und so das Menschengeschlecht bewahrt wird. Schon hier schließt sich eine Weisung an Sēem an : "Kehre von nun an zurück und sei sehr froh für dein Geschlecht und den Glauben, denn ohne Leib und Zwang wird es bewahrt vor jedem finsteren Leib, während es die heiligen Dinge der Größe bezeugt und den, der sich ihnen offenbarte in ihren Gedanken nach meinem Willen. Und sie werden ruhen in dem ungezeugten Geist, ohne zu trauern" (25,35-26,10). Das wirkt wie der letzte Schluß und der Jubel über das "Verschließen des Mundes der Finsternis" (26,30) setzt den scheinbaren Schlußpunkt.

Unvermittelt geht es aber wieder von vorn los. Die Physis, die doch eigentlich schon besiegt ist, rühmt sich in Unwissenheit und speit die Feuerskraft aus, die in ihr ist. Und nun beginnt erneut eine kosmogonische Partie, wo wieder von dem Entstehen von Tieren und Menschen etwas gesagt wird (27,34-28,2). Eine erneute Offenbarung wird angesagt. Der Gerechte wird erscheinen an dem Ort, den man Sodom nennt (28,36-29,17). Sēem wird aufgefordert, schnell den Sodomiten die universale (καθολική) Lehre zu verkündigen, "denn sie sind deine Glieder" (29,15f.). Sie "werden das universale Zeugnis ablegen und werden zur Ruhe kommen mit einem reinen Gewissen an dem Ort ihrer Ruhe, welcher der ungezeugte Geist ist" (29,21-26). Dann wird Sodom zerstört werden.

Schließlich kommt es zu einer letzten Offenbarung, die noch mehr verschlüsselt ist als das Bisherige. "Der Dämon wird kommen mit dem Glauben" (29,33-30,2). Bei seiner Offenbarung bricht eine Art eschatologischer Trübsal aus mit Kriegen, Hungersnöten und Lästerungen. Um seinetwillen wird die ganze bewohnte Erde zerstört werden, weil man das Licht vernichten will. Es tritt auch ein Gegenspieler auf, der die Leute mit Wasser tauft und sie so an das schmutzige Element der Finsternis bindet. Aber dennoch breitet sich der Gedanke des Glaubens aus. Er wird ausgebreitet durch einen Dämon namens Soldas. Mit diesem Dämon verbindet sich der Offenbarer Derdekeas selbst. "Wenn nämlich die Tage kommen, die festgesetzt sind für den Dämon, der taufen wird mit Irrtum, dann will ich mich offenbaren in der Taufe des Dämons, damit ich offenbar mache durch den Mund des Glaubens ein Zeugnis für die, die ihm (dem Glauben) gehören"

(31,13-22). Das Zeugnis besteht in einer Anrufung aller Wesenheiten der drei Welten, die alle unbekannte und nicht identifizierbare Namen tragen, die man am ehesten in Zauberformeln noch einmal wiederfinden könnte (31,22-32,5). Nach diesem Zeugnis werden sich Wasserstrudel und Feuerflammen gegen ihn erheben, er aber wird hindurchschreiten. Sēem wird aufgefordert, das alles richtig zu beurteilen und im Gedanken des Lichts zu wachsen, keine Gemeinschaft zu haben mit dem Feuer und dem finstern Leib, der ein unreines Werk ist (32,19-25). Es folgt eine Schlußbemerkung : "Das ist die Paraphrase" (32,27).

Damit ist die Schrift allerdings noch nicht zuende. Man kann aber mit gutem Grund vermuten, daß hier wirklich eine literarische Naht vorliegt. Was nun folgt, ist eine Erläuterung des Vorherigen. Man hat den Eindruck, als beginne nun ein Dialog zwischen Sēem und Derdekeas über das Geschaute. Eigentümlicherweise liegt aber keine Dialogform vor, sondern es sind nur die Antworten des Offenbarers mitgeteilt. Die Themen sind in keiner durchschaubaren Ordnung behandelt. Es sind Fragen nach den in dem Zeugnis des Offenbarers genannten Wesenheiten, nach seinem Abstieg und Aufstieg, nach dem Schicksal der Seelen, der Vernichtung der Welt. Die Antworten des Offenbarers sind aber keineswegs klarer als der vorhergehende Teil, zumindest sind sie nicht konkreter und bleiben in dem gleichen verschwommenen mythologischen Rahmen. Die letzte Ausführung des Offenbarers bezieht sich auf die Zerstörung der Welt, dem vollständigen Ende der Physis (45,8-31). Der wirkliche Schluß ist, daß Sēem von sich sagt, daß er alle diese Dinge vollendet habe und nun offensichtlich im Begriff ist, ganz von dieser Erde zu scheiden. Er spricht dieselben Anrufungen, die Derdekeas vorher als sein Zeugnis mitgeteilt hat (46,13-47,5). Dann steigt er aber doch wieder aus der Ekstase herab auf die Erde hindurch durch die Sphären unter dem Geleit des Derdekeas. Er wird von Derdekeas entlassen mit der Weisung : "Von nun an wandle, Sēem, in Gnade und bleibe im Glauben auf der Erde ... Denn ohne dich werden sie (die geschauten Dinge) nicht enthüllt werden, bis du sie öffentlich ausgesprochen hast. Wenn du aufhörst, auf der Erde zu sein, werden sie den Würdigen gegeben werden" (48,30-49,5).

Das ist so ungefähr der Rahmen der Schrift. Deutlicher ist er auf keinen Fall, eher haben wir noch einiges dazugetan, um das im konkreten Text noch mehr Verschlüsselte deutlich zu machen. Die Verschlüsselung und ihr Prinzip ist das eigentliche Problem. Die

mythologische Welt, in der der Verfasser seine Schau schildert, ist
in sich so fremd und eigenartig, daß man zwar da und dort durch
motivgeschichtliche Forschungen ein paar Bausteine des Mosaiks
zusammenfügen kann, aber nicht das Ganze wirklich durchleuchten
kann.

Die Verschlüsselung beginnt schon bei den Namen. Genau genommen
ist nur ein einziger Name für uns mit klaren Assoziationen verbunden,
nämlich Sodom und die Sodomiten, und zwar in der uns aus sethianischen Schriften bekannten Umkehrung des alttestamentlichen Sinnes,
indem die Sodomiten gerade die Auserwählten sind und das Straf-
gericht eine bösartige Aktion der Finsterniswelt, ist um das Licht zu
vernichten. Alle anderen Namen sind verschlüsselt. Der Offenbarungsempfänger Sēem [1] ist uns aus der sonstigen Literatur nicht bekannt,
vor allem die merkwürdige Schreibweise mit Eta und Epsilon hinter-
einander ist nirgends sonst nachgewiesen. Der Offenbarer Derdekeas
läßt sich noch viel weniger identifizieren.[2] Der bei der Sintflut
geschickte Dämon, der zur Rettung einen Turm errichten soll, soll
wohl Noah sein, aber der Name wird nicht genannt. Man kann zwar
auf eine apokryphe Überlieferung hinweisen, nach der Noah der
Erbauer des Turms zu Babel gewesen sein soll, aber das erklärt nicht
die Verschlüsselung. Hinter dem Gegenspieler, der die Menschen durch
die Wassertaufe an das schmutzige Element bindet, vermutet man
Johannes den Täufer. Dessen Gegenspieler, mit dem sich Derdekeas

---

[1] F. Wisse, a.a.O., S. 138, Anm 1, hat zwar auf eine Stelle bei Augustin (de haer. 19)
hingewiesen, wo von einer Verehrung Sems als Erlöser gesprochen wird, aber Augustin
weist ausdrücklich darauf hin, daß es sich da um eine Verwechslung handelt, weil einige
meinen, Seth sei Sohn Noahs gewesen. Andrerseits sagt Hippolyt (Ref. V, 22.1), daß
er eine Paraphrase des Seth kenne. Der Seth-Aspekt kommt sogar in unserer Schrift
am Anfang deutlich heraus. Die Bestimmungen in 1,18-21, "weil du von einer unge-
mischten Kraft stammst und du der Erstgeborene auf der Erde bist", passen nur auf
den Adamssohn Seth. Der in 1,29f. völlig in der Luft hängende Satz, "da deine Wurzel
ins Vergessen gefallen ist", gehört eigentlich noch zu der Anrede. Dann könnte die ins
Vergessen gefallene Wurzel aber niemand anderes als Eva sein. Es sieht fast so aus,
als habe der Verfasser unserer Schrift absichtlich den eigentlich passenden Namen
getilgt und an seine Stelle einen anderen gesetzt, der zumindest in dieser Schreibweise
nicht bekannt ist. Der Aspekt des Sem als des Noahsohnes findet sich in der Partie
26,20ff.

[2] Versuche einer Ableitung vgl. bei Wisse, a.a.O., S. 133, Anm. 3. Schenke in seiner
Rezension vermutet, daß die "Suche nach ihm in den Sprachen der Menschen von
vornherein vergeblich" ist, "falls er nämlich der 'Sprache der Engel' angehört". Er
verweist dabei noch auf die Merkwürdigkeit, daß der Name in dieser Schrift in nicht
weniger als 4 verschiedenen Schreibweisen begegnet.

identifiziert, trägt zwar einen Namen, nämlich Soldas, aber auch
dieser Name bleibt im Dunkeln, auch wenn man da und dort eine
Beziehung aufspürt.[1]

Diese durchgehende Tilgung von konkreten Namen kann doch nicht
Zufall sein, dahinter muß ein Prinzip stecken. Die Geschichte mit dem
Wassertäufer ist in diesem Zusammenhang besonders auffällig. Nachdem man in der eigentlichen Paraphrase geneigt ist, hinter dem
Täufer Johannes zu vermuten, und zwar eindeutig negativ (29,33ff.),
kommt die Schlußpartie noch einmal darauf zurück. Wieder tritt der
negativ gezeichnete Wassertäufer als Gegenspieler des Soldas auf,
aber da erscheint plötzlich eine Himmelsstimme, die spricht: "Selig
ist allein Rebouel [2] unter allen Geschlechtern der Menschen..."
(40,12ff.). Dieses Zeugnis hört man und daraufhin wird das Weib, weil
es die Kenntnis besitzt, enthauptet. Dieses Weib wird näherhin
bezeichnet als die Grundlage der Kraft des Dämons, der den finsteren
Samen taufen wird mit Unreinheit. Man möchte das am liebsten so
entschlüsseln, daß die Rebouel die positive Seite des Täufers ist, die
Zeugnis ablegt. Das heißt, daß der Täufer ambivalent gesehen wird.
Negativ ist seine Tauftätigkeit mit Wasser, positiv sein Zeugnis für
den Offenbarer. Das bedeutete dann wohl, daß die Ablehnung ganz
und gar der Taufe als solcher gilt, nicht aber der Botschaft des
Johannes. Dann aber gilt die Polemik nicht den Johannesjüngern, die
doch wohl kaum in dem Blickfeld dieser gnostischen Gruppe gelegen
haben dürften, sondern denen, die nach wie vor die Wassertaufe
proklamieren und das ist die Großkirche.[3] Aber eben diese Polemik
ist so verschlüsselt, daß man seinen ganzen Scharfsinn aufbieten
muß, um sie zu enträtseln.

Dieses höchst merkwürdige Prinzip, von scheinbar etwas anderem
zu reden, als von dem, was gemeint ist, prägt die Schrift als ganze.
Ganz eigentümlich, und eigentlich kaum so recht begreiflich, ist, daß
es in dieser Schrift keinen Gott gibt, weder einen transzendenten
jenseitigen Gott, noch einen bösen Demiurgen. Das Phänomen der
Konturenlosigkeit aller Kräfte und Mächte bedarf besonderer Über-

---

[1] Schenke, a.a.O., vermutet eine Beziehung zu Esaldaios (Hipp. Ref. V, 7.30), bzw.
Esaddaios (Hipp. Ref. V, 26,3), aber auch das führt m.E. nicht weiter, wenn es sich
um eine bewußte Verschlüsselung handeln sollte.

[2] Der weibliche Name Rebouel findet sich sonst nur in der Übersetzung Theodotions
von Prov. 31.1, Aber das hilft uns nicht weiter, auch hier soll der Name verschlüsseln.

[3] So auch Schenke, a.a.O.

legung. Es sind in der eigentlichen kosmogonischen Partie ja nur Urprinzipien, die miteinander im Streit liegen. Die Bilder des Kampfes, Zusammenstoß, Vermischung und Entmischung bringen eigentlich immer wieder nur mythologische unfaßbare Gestalten und Kräfte hervor, die man sich nicht so richtig vorstellen kann. So bringt z.B. die Physis ein Abbild des Nous in ihre Gewalt, das sie in einer Wolke erzeugt. Dieser stößt an die mittlere Sphäre, den "ungezeugten Geist". Bei diesem Zusammenstoß spaltet sich die Physis in vier Teile, die Wolken genannt werden, die merkwürdige und nicht so recht zueinander passende Namen tragen : Hymēn, Chorion,[1] Kraft und Wasser. Ebensolche Teilungen aufgrund neuer Aktionen entstehen in den beiden anderen Sphären, von denen höchstens ihre Entstehung und vielleicht ihr Name, aber nie ihre Funktion mitgeteilt wird. Zwischen diesen Teilbereichen entstehen auch Beziehungen, doch werden sie nicht richtig durchsichtig. Klar ist nur, daß diese Beziehungen und Aktionen, soweit sie von der finsteren Physis ausgehen, unrein und bösartig sind, während die obere Welt allein durch die Offenbarung ihres Lichtes und durch Abwehr der Unreinheit reagiert. Aber wirklich konkrete Dinge entstehen nicht.

Nur die Entstehung der Sonne kann man entschlüsseln, obwohl das Nomen Sonne charakteristisch wieder fehlt. Der finsteren Physis offenbart sich der lichte Geist. "Als sie aber sah, daß ihre Gestalt finster war im Vergleich mit dem Geist, empfand sie Schmerz. Und in ihrem Schmerz setzte sie ihren Nous hinauf zum Scheitel der Glieder der Finsternis. Dieser war das Auge der Bitterkeit der Bosheit" (3,4-10). Es ist bemerkenswert, daß in unserer Schrift gerade die beiden Dinge der Welt, die sonst als die Grundlage des Lebens angesehen werden, geradezu haßerfüllt negativ bezeichnet werden. Das Wasser ist von vornherein das Prinzip der Finsternis, und die Sonne als das Licht der Welt ist das "Auge der Bitterkeit der Bosheit", mit dem die Physis den mißglückten Versuch unternimmt, den lichten

---

[1] Bei diesen beiden Begriffen hat der Übersetzer seine besondere Not. Entweder man läßt sie unübersetzt stehen, aber wer versteht sie dann, oder man übersetzt sie ganz korrekt und das wirkt dann ganz komisch. Von einer Wolke des Jungfernhäutchens zu sprechen, wirkt lächerlich. Für χόριον gibt es nicht einmal ein ganz genau passendes Wort, denn in diesem Falle muß es die den Fötus umhüllende Fruchtblase sein, einige übersetzen es darum mit Nachgeburt, weil sie ja nach der Geburt ausgestoßen word, aber das wäre gerade hier fehl am Platz. Es ist überhaupt sehr schwierig, diese Begriffe in Beziehung mit Wolkensphären zu bringen, andrerseits möchte man die gewollte sexuelle Metaphorik nicht zerstören.

Geist nachzuahmen. Freilich hat sie damit noch das ihr Beste von sich geschleudert und sich so des Restes von Licht entleert, das sie vorher noch besaß. Die Lichtwelt bedient sich dieses Lichtes, damit der Abgrund noch deutlicher in seiner Krummheit erkennbar wird. Die Physis hat sich selbst entblößt. Man hat den Eindruck, als wollte der Verfasser bewußt metaphorisch reden. Das ist eigentlich gar keine Kosmogonie, sondern eins ins Mythologische projiziertes Daseinsverständnis. Vielleicht ist die Undurchschaubarkeit der entstehenden Kräfte, Wolken und Wurzeln auch nur der gewollte Ausdruck dafür, daß man die die Welt beherrschenden Kräfte überhaupt nicht orten kann.

Bei dieser Unkonkretheit der entstehenden Dinge verwundert es auch nicht, daß keine Kosmogonie im eigentlichen Sinne geschildert wird und dieselben Prozesse sich mehrfach abspielen, wobei die Rollen sogar vertauscht sind. Ein erster Anfangsentwurf (2,10-3,29) konkurriert mit einem zweiten (3,30-4,18). Nach dem ersten Entwurf beginnt die Bewegung der Urprinzipien damit, daß die Finsternis sich in ihrer Bosheit so über dem Wasser bewegte, daß der über ihr befindliche Geist erschrickt und in die Tiefe blickt, woraufhin die Physis in Schmerz gerät und den Nous von sich schleudert. Nach dem zweiten Entwurf beginnt die Bewegung damit, daß das Licht wegen seiner großen Überfülle und Freude sich offenbaren will und selbst in die Tiefe hinabsteigt, um von dort den letzten Rest des Lichtes zu holen. Soll man das literarkritisch lösen, indem man dem Verfasser unterstellt, er habe zwei verschiedene Fassungen nebeneinander gestellt? Sprachlich läßt sich das nicht gut rechtfertigen, denn die Metaphern bleiben im Prinzip erhalten. Man müßte eine Ebene finden, von der aus auch das verzerrte mythologische Gegeneinander als Reflexion eines echten Widerspruchs verstehbar wird. Mir erscheint das als die Widerspiegelung des psychischen Dramas der Gnostikers, der diese Welt haßt, seiner Angst und der Hoffnung auf eine Befreiung von außerhalb der Welt. Die ganze Schrift besteht aus solchen metaphorischen Bildern, die sich selbständig machen, aber in ihrem Ausgangspunkt eine verstehbare gnostische anthropologische Grundposition haben.

Mit 4,18 beginnt schließlich ein dritter Entwurf, der zwar in gewisser Weise mit dem Vorhergehenden verzahnt ist, aber doch im Prinzip den gleichen Vorgang, die Entstehung der Bewegung zwischen den drei Urprinzipien, zum Inhalt hat. Er beginnt so, daß der Nous das unruhige Feuer, das sich noch in der Physis befindet, an sich zieht.

Bei diesem Vorgang entsteht eine Wolke aus dem Wasser. Die Erde
wird nun als Mutterschoß bezeichnet, der in ein unreines Begehren
gerät. Nun wählt der Verfasser eine sexuelle Metaphorik. In der
sexuellen Erregung schlägt das Wasser den Mutterleib, der Nous löst
sich auf und sinkt hinab in die Tiefen der Finsternis. Logisch verträgt
sich das mit den ersten beiden Darstellungen nicht. Wollte man einen
Ausgleich suchen, dann gehörte diese Partie vor den ersten Entwurf.
Es würde dann gesagt, wie die Finsternis überhaupt in den Besitz des
Nous kommt, den sie dann schließlich im Schmerz aus sich heraus-
schleudert. Man könnte so literarkritisch operieren, aber ob das der
Schrift gerecht wird, ist mir wieder fraglich. Im Folgenden begegnen
immer wieder sexuelle Metaphern. Eine ganz ähnliche Partie findet
sich auch 18,32-19,4. Das Erscheinen des Derdekeas bringt sie zum
Begehren und zwingt sie zum gebären, indem er ihr befiehlt : "Es
komme hervor aus dir Same und Kraft auf der Erde !" Und da
entstehen Winde und Dämonen, die sich miteinander vermischen.
Bei jedem Wind entsteht ein Mutterschoß in der Gestalt von Wasser,
und ein unreines Glied entsteht bei jedem Dämon nach dem Vorbild
der Finsternis (22,3-8). Nachdem sie miteinander verkehrten, wandten
sie sich voneinander ab und verfielen in Trauer (22,9-12), ähnlich wie
es der Finsternis als dem Mutterschoß ergangen war, die nach der
Geburt als "Witwe" zurückbleibt (20,35). Keines der Bilder ist richtig
durchgeführt, aber es bleibt der Eindruck des Ekels über den ganzen
Schöpfungsvorgang. Logische Folge ist in diesem Bildgestammel nicht
zu finden und wahrscheinlich auch nicht zu suchen. Es sind wieder
ins Metaphorische gesteigerte gnostische Daseinserfahrungen. Die
Sphäre der Sexualität ist an und für sich ekelhaft, der sexuelle Verkehr
kostet die beste Kraft und zurückbleibt man einsam, einsamer und
kraftloser als vorher.

Wir haben hier nur eine Auswahl getroffen aus der Symbolsprache
dieser Schrift, um deutlich zu machen, daß eine logische Ordnung
nicht vorliegt, ja, daß man den Eindruck gewinnen muß, daß der
Verfasser eine solche Ordnung gar nicht erstrebt. Der von uns am
Anfang angedeutete Rahmen einer gnostischen Weltgeschichte ist
offensichtlich bis fast zur Unkenntlichkeit überfremdet. Alle Namen,
an die man sich halten könnte, sind getilgt, die eigentlichen Vorgänge
des Entstehens und Werdens der Dinge der Welt sind verschleiert.
Was übrig bleibt, sind Bilder, die je für sich eine ganz besondere
Daseinserfahrung gnostischen Weltgefühls ausdrücken. Zur Deutung
der Schrift bedarf man m.E. auch psychoanalytischer Methoden.

Wirklich klar ist nur der Schrei des besseren Ich, dessen Verflochten-
heit an diese Welt durch die der Drei-Urprinzipienlehre entsprechende
trichotomische Anthropologie noch gesteigert wird, denn selbst die
Seele ist eine "Last der Finsternis". An den Stellen, wo sich der
Verfasser zur direkten anthropologischen Aussage durchringt, ist
der Text auch in sich klar und verständlich. Diese Stellen müßten
m.E. als Ausgangspunkt der ganzen Interpretation dienen. Ein solches
Stück ist m.E. 24,16-27 : "Es ist aber eine Seligkeit, o Sēem, wenn
jemandem Anteil gegeben wird (am Geist) und wenn er auszieht aus
der Seele und eingeht in die Gedanken des Lichtes. Denn die Seele
ist eine Last der Finsternis. Und die, die wissen, woher die Wurzel
der Seele gekommen ist, können auch die Physis überwinden. Denn
die Seele ist ein Werk der Unreinheit und eine Schändung des lichten
Gedankens". Genau das haben die ganzen sich als kosmogonisch
ausgebenden Partien in immer neuen Bildern sagen wollen, dem
Woher der Seele nachzuspüren und aufzuweisen, daß sie eine Schändung
des lichten Gedankens ist, sei es, daß sie im unreinen Begehren von der
Finsternis hinabgezogen und besudelt wurde, sei es, daß sie eine
frevelhafte Nachbildung des lichten Gedankens ist. Im Grunde ist das
in den Einzelheiten nicht wesentlich. Man hat eher den Eindruck, als
wolle der Verfasser alle Möglichkeiten der Beantwortung des Rätsels
der Schändung des lichten Gedankens zu Wort kommen lassen.
Wichtig ist allein die Konsequenz der totalen Weltverneinung :
"Selig sind die, die erkannt haben, als sie schliefen, in welcher Gewalt
ihr Verstand ruht" (47,16-20).

Wenn aber die ganze Schrift wesenhaft Darstellung des psychischen
Dramas ist, dann ist es einsichtig, warum der Verfasser sich hütet,
sich auf eine geprägte dogmatische Aussage einzulassen. Er entzieht
sich auf eine ganz merkwürdige Art dem Vorwurf falscher Lehre,
indem er die Lehrpunkte überhaupt vermeidet. Er interpretiert nicht
das Alte Testament um, obwohl man motivgeschichtlich die Abhängig-
keit noch spürt, sondern setzt diese Uminterpretation in gewisser
Weise voraus, aber verfremdet sie zugleich wieder. Sintflut und
Sodomgericht sind keine eigenen Geschichtsstationen, sondern typische
Beispiele dafür, wie die dämonisch besessene Physis die Geistträger
überwältigen will, aber wie ihnen doch durch den Boten des Jenseits
Hilfe kommt. Alle scheinbar in der Vergangenheit spielenden Gesche-
nisse werden ihrer Konkretion so entkleidet, daß sie Widerspiegelungen
des um sein wahres Selbst ringenden Gnostikers werden.

Von dieser ganz bewußten Verfremdung aus muß man auch an die

Frage nach dem christlichen Einfluß herantreten. Wie der Name Gottes vermieden wird, so auch der von Jesus Christus. Die durch die ganze Schrift hindurch allein wirkende Erlöserfigur heißt Derdekeas. Der Verfasser scheint den Namen selbst gesucht zu haben, um jedes Vorverständnis auszuschließen. Es gibt Bildpartien, wo man keine Beziehung zwischen dem sonst üblichen gnostischen Christus und Derdekeas finden kann, aber an anderen Stellen, vor allem in der Partie um Soldas, mit dem sich Derdekeas verbindet, spürt man motivgeschichtlichen Einfluß des christlich-gnostischen Christus- bildes. Soldas scheint wieder ein verschlüsselter Name für Jesus zu sein, mit dem sich der himmlische Christus (= Derdekeas) verbindet. Auch die Partie 36,2ff. setzt das christlich-gnostische Erlöserbild voraus: "Ich bin es, der die Tore geöffnet hat für immer, die ver- schlossen waren von Anfang an, und der sie denen, die nach dem Leben streben und denen, die würdig sind der Ruhe, gezeigt hat. Ich habe Verstand gegeben den Verständigen. Ich eröffnete ihnen alle Einsichten und die Lehre der Gerechten. Und ich wurde ihnen in keiner Weise zum Feind. Als ich aber ausgesetzt war dem Zorn der Welt, war ich siegreich".

Auffallend ist weiter, daß die rechte Haltung zum Heil durchweg nicht Gnosis, sondern Glaube genannt wird und gelegentlich von der Buße gesprochen wird. Das ist ohne christlichen Einfluß schwer denkbar. Auch das ist wieder so gut verschlüsselt, daß man den konkreten Inhalt des Glaubens nicht anders beschreiben kann als das Wissen um das Woher und Wohin, aber eben gerade ohne personale Beziehung, wie es Glaube eigentlich voraussetzt.

Der Verfasser vermeidet zwar bewußt die Aufnahme des Namens der christlichen Erlösergestalt und doch macht er Anleihen, wie er sie überall macht. Polemisch ist er, aber auch eben verschlüsselt genug, nur gegen die von der Kirche geübte Taufe. Auffallend ist ist schließlich, daß er die von ihm gebotene Lehre immer wieder als die universale (καθολική!) ausgibt. Das könnte bedeuten, daß er bewußt Synkretismus treibt, damit jeder sich irgendwie getroffen fühlt, wenn er nur einstimmt in das Daseinsverständnis, das die ganze Schrift beherrscht.

Die Art und Weise, in der der Verfasser alle aufgenommenen Motive verfremdet, läßt kaum einen anderen Schluß zu, als daß die Schrift ein gnostisches Spätprodukt ist. Die Schrift will nicht in erster Linie verstanden werden, sondern auf der Grundlage einer gemeinsamen Geisteshaltung meditativ weitergesponnen werden. So haben ihn wohl auch die Mönche verstanden, die diese Schrift in ihren Leseschatz aufnahmen, weil sie sich ihrem geheimnisvollen Reiz nicht entziehen konnten.[1]

---

[1] Das Ergebnis erscheint mir nun doch ein wenig anders, als wir es in unserem Beitrag (a.a.O., S. 60) intendierten, daß die Paraphrase des Seem urwüchsiger sei als der Bericht Hippolyts. Noch weit pointierter in dieser Richtung hatte sich F. Wisse (a.a.O., S. 140) geäußert : "The tractate contains a redeemer figure whose features agree with those aspects of N.T. Christology which have a high probability of being pre-Christian origin. As such, the Paraphrase of Shem deserves serious consideration in a discussion of Christian origins, and promises to be relevant to the understanding of the development of Christology in the New Testament". Das könnte man, wenn man der hier vorgelegten These folgt, so keinesfalls sagen. Erwägenswert bleibt dann allein, ob bestimmte Aspekte des Derdekeas motivgeschichtlich auf eine vorchristliche gnostische Erlösergestalt hinweisen. Hier wären allerdings noch umfangreiche motivgeschichtliche Untersuchungen anzustellen.

DER ZWEITE LOGOS DES GROSSEN SETH

*Gedanken zur Christologie in der zweiten Schrift
des Codex VII (p. 49,10-70,12)*

VON

KARL-WOLFGANG TRÖGER

1. *Der lachende Christus*

Die ganze Passionsgeschichte rollt hier als Tragikomödie ab. Ein Welttheater im klassischen Stil. Eine göttliche Komödie und zugleich : Die Tragödie des Menschen. Das Gethsemane-Gebet, jenes "Mein Gott, mein Gott, warum hast du mich verlassen" ist hier undenkbar. Es fehlt das wahrhaft Menschliche im wahrhaft Göttlichen. Die Frage nach dem "Cur deus homo" ist gegenstandslos. Gott *wird* nicht Mensch. Der Mensch wird Gott, wird *wieder* Gott. Der lächerlich kleine, der blinde und irrende, der unerlöste Bewohner dieser Finsterniswelt aber sucht den unverwundbaren Erlöser zu demütigen und zu beseitigen. Es trifft ihn nicht. Er ist es nicht. Ein anderer, ein Mensch, erleidet dies alles, während der Erlöser über der Szene steht und lacht. Nicht das weise Lächeln des wissenden Buddha. Sondern die händereibende Schadenfreude des eigentlich gemeinten, aber nicht getroffenen Zuschauers, der sich elegant zurückzieht.

Der Zweite Logos des großen Seth schildert und kommentiert diese Ereignisse — die scheinbare Bezwingung des Erlösers durch die Mächte der Finsternis, sein wahres Wesen und Erleben — in spannender Anschaulichkeit. In seiner Offenbarungsrede erzählt der Erlöser : "Ich aber war im Rachen von Löwen ... Ich wurde ihnen nicht ausgeliefert, wie sie geplant hatten. Ich war doch überhaupt nicht dem Leiden unterworfen. Jene bestraften mich (mit dem Tode), doch ich starb nicht wirklich, sondern (nur) dem Anschein nach ... Ich trennte ab von mir die Schande ... Ich aber litt (nur) in ihrer Vorstellung und ihrer Meinung nach ... Denn dieser Tod von mir ist es, von dem sie denken, daß er ihnen zunutz eingetreten sei, während sie in ihrem Irrtum und in ihrer Blindheit ihren Menschen

an(s Kreuz) nagelten (und so) an ihren Tod (auslieferten); denn ihre
Gedanken sahen mich nicht, denn sie waren Taube und Blinde.
Dadurch, daß sie das aber tun, richten sie sich (selbst). Wahrlich
⟨nicht⟩ mich sahen und bestraften sie; ein anderer — ihr Vater —
war jener, der die Galle und den Essig trank. Nicht ich war es, der
mit dem Rohr geschlagen wurde; ein anderer war es, der das Kreuz
auf seiner Schulter trug, nämlich Simon. Ein anderer war es, dem die
Dornenkrone aufs Haupt gesetzt wurde. Ich aber ergötzte mich in der
Höhe an dem ganzen (scheinbaren) Reichtum der Archonten und dem
Samen ihres Irrtums ⟨und der Prahlerei⟩ ihres eitlen Ruhmes; und
ich lachte über ihren Unverstand" (p. 55, 9-56, 20).[1]

Das ist ein auch für Gnostiker des dritten, vierten Jahrhunderts
nicht alltäglicher Text! Denn nur selten wird die gnostische Christologie in dieser Weise entfaltet. Aufregend, auch für den Gnosiskenner,
ist der Text zudem, da er als gnostische Originalschrift bestätigt,
was der Ketzerbestreiter Irenäus bereits im zweiten Jahrhundert von
der Christologie des Basilides berichtet: den gekreuzigten Simon und
den lachenden Christus.

2. Der leidende Simon

Das Basilides-Referat des Irenäus (Adv. haer. I 24,4) und das
christologische Hauptstück im Zweiten Logos des großen Seth unterscheiden sich nicht wesentlich. Beide stellen nachdrücklich fest:
Christus hat nicht gelitten, trug das Kreuz nicht selbst, ward auch
nicht gekreuzigt und — wie der Zweite Logos hinzufügt: starb auch
nicht wirklich. Das alles widerfuhr vielmehr dem Simon, dem Menschen
Simon von Kyrene, dem Vater des Alexander und Rufus ("ihr Vater",
p. 56,6; Mk 15,21). Wie kommt es dazu? Wieso "nagelten sie in
ihrem Irrtum und in ihrer Blindheit *ihren Menschen* ans Kreuz" und
nicht den Erlöser? Wozu dieser ganze Mummenschanz, wozu die
Umwertung der Passionsgeschichte und Aushöhlung der zentralen
christlichen Heilsvorstellung? Das vordergründige Motiv heißt:
Leidensunfähigkeit des Erlösers, — der tiefere Grund: die Geschiedenheit der Lichtwelt von der Finsterniswelt, der radikale Dualismus in
der Gnosis. Erscheint der Erlöser als Repräsentant der Lichtwelt,
als Erwecker des zwar göttlichen, aber von den Mächten der Finsternis
bislang in Unwissenheit gehaltenen Menschen — dann kann, dann

---

[1] Vgl. die Übersetzung in der *ThLZ* 1975, 102 f.

darf er nicht dem Leiden unterworfen sein. Sein *wirkliches* und nicht bloß scheinbares Leiden wäre sinnlos, bedeutete den Sieg der Archonten. Denn der gnostische Erlöser kommt nicht in die an sich gute und nur vom Menschen pervertierte Welt des Schöpfers, um das Böse zu bannen, Sünde zu vergeben und den Menschen in seiner Gänze vor Gott zu stellen, sondern er kommt zur Sammlung des Lichtes aus der Finsternis. Den gefangenen Menschen heimzuholen, ihn zu erwecken, ihm den Weg zu bereiten — das ist seine Mission. Dazu braucht es kein Leiden, kein Kreuz, keine Auferstehung. Denn der gnostische Erlöser bedarf zum Erlösungswerk nicht der tiefsten Erfahrung des Menschseins: der völligen Einsamkeit und Verlorenheit. Er *"muß"* nicht leiden, "für" nichts und "für" niemand. Und der seiner Herkunft nach göttliche Mensch hat einen solchen Erlöser auch nicht nötig. Das Unterpfand seiner Errettung ist seine verborgene Identität mit dem Erlöser, die der himmlische Erwecker wieder ins Bewußtsein ruft. Das ist alles. Das genügt.

Wie soll nun aber die Gnosis, wie soll irgendeine gnostische Richtung, die in den Sog des Christentums geraten ist, mit dieser Aporie, mit dem Paradoxon des leidenden Christus und dem Ärgernis des Kreuzes fertig werden? Wie kann sie — aus welchen Gründen auch immer: aus Gründen der Anpassung, der Selbstbehauptung, der Attraktivität — christliche Elemente aufnehmen, ohne ihr Wesen preiszugeben? Wie kann sich überhaupt eine christlich-gnostische oder eine gnostisch-christliche Gemeinde bilden, wo doch Christentum und Gnosis in ihrem Wesen so verschieden sind? Oder sind sie er gar nicht? Wie hat eine christlich überfremdete Gnosis diese Probleme gelöst?

Die Antwort lautet im Hinblick auf die christologische Frage: durch den *Doketismus*. Schon um 100 hat Kerinth, der die Weltschöpfung dem ersten Gott, der obersten Macht über dem All abspricht und einer niederen Macht anlastet, den Menschen Jesus scharf von Christus getrennt. Erst nach der Taufe sei Christus in Gestalt einer Taube von der obersten Macht auf Jesus herabgestiegen, der daraufhin den unbekannten Vater verkündigte und allerlei Wunder und Machttaten vollbrachte. Schließlich habe sich Christus von Jesus wieder getrennt. Während *Jesus gelitten* habe und von den Toten auferstanden sei, blieb der pneumatische *Christus leidensunfähig* (Iranäus, Adv. haer. I 26,1).

Das Wunder der Jungfrauengeburt wird damit — übrigens ganz im Sinne des Judenchristentums — hinfällig, Joseph und Maria sind die natürlichen Eltern des natürlichen Menschen Jesus. Leiden und

Kreuzigung widerfahren nicht dem pneumatischen Christus, sondern Jesus, einem auserwählten Menschen. Desgleichen die Auferstehung von den Toten. Das ist im Prinzip die Lösung, die sich einem Gnostiker anbietet : die scharfe Trennung von Christus und Jesus. Der gnostische Ansatz lautet demnach : dort himmlischer Christus — hier irdischer Jesus. Jener ein Gottwesen — dieser ein Mensch.

Um zwischen beiden dennoch eine Beziehung herstellen zu können, griff man zur Vorstellung des *Scheinleibes*. Nur scheinbar ist der Erlöser Mensch gewesen, lehrt Satornil. Denn er ist ungeboren, unkörperlich und ohne Gestalt (Iren., Adv. haer. I 24,2). Ebenso die Archontiker : Christi Leib hat gar nicht existiert, ist vielmehr nur zum Schein erschienen (Epiphanius, Pan. XL 8,2).

Von diesen Grundlinien aus werden alle gnostischen Systeme verständlich, die einerseits Christus und Jesus in ihr Gedankengebäude einbauen, auch die Lebens- und Leidensgeschichte Jesu heranziehen, andererseits das Wesen der Gnosis zu wahren versuchen. Basilides (um 120) braucht dazu nicht nur Christus und Jesus, sondern auch Simon : Er läßt den erstgeborenen Nous des ungezeugten und unnennbaren Vaters, Christus genannt, auf der Erde als Mensch erscheinen : als Jesus. Jesus aber verwandelt Simon so, daß dieser für Jesus gehalten wird und an seiner Stelle leidet, während Jesus selbst die Gestalt Simons annimmt (!), bei der Hinrichtung Simons dabeisteht und die ahnungslosen, unwissenden, eifernden Menschen *verlacht*. Da Jesus die unkörperliche Kraft und der Nous des ungezeugten Vaters war, konnte er sich nach Belieben verwandeln, um endlich wieder zu dem aufzusteigen, der ihn gesandt hatte. Die Mächte der Finsternis konnten ihn, den Unsichtbaren, nicht hindern, weshalb er sie auch *verlachte*. Aus diesen Gründen ist nach Basilides nicht der Gekreuzigte zu bekennen, sondern jener, der in Menschengestalt kam, Jesus genannt und scheinbar gekreuzigt worden ist (Iren., Adv. haer. I 24,4). Eine Trennung von Christus und Jesus ist hier in der Weise erfolgt, daß die Menschengestalt des Nous "Jesus" genannt wird. Der Leidende aber ist Simon. Von Hippolyt wird die Lehre des Basilides derart referiert, daß nur der aus der Gestaltlosigkeit (sc. dem Chaos) stammende *leibliche Teil Jesu gelitten habe*, während sein psychischer, aus der Hebdomas stammender Teil auferstanden und zur Hebdomas zurückgekehrt sei. Er nennt als Zweck des Leidens die Scheidung des Vermengten — so wie sich auch bei Jesus selbst jene Scheidung vollzog ! (Ref. VII 27, 10-12. Vgl. Clem. Alex., Strom. I 21). Die Trennung ist also auch hier durchgeführt, nur anders dargestellt.

Vom Valentinianismus schließlich weiß Irenäus gar eine vierfache Zusammensetzung des "Herrn" zu berichten : aus dem Pneumatischen (von der Mutter Achamoth), dem Psychischen (vom Demiurgen), der "Oikonomia" — seinem kunstvoll gestalteten Leib — und schließlich dem als Taube auf ihn herabgekommenen Sotēr. Am Kreuz gelitten habe nur der psychische und oikonomische Christus. *Der Sotēr* und das Pneumatische dagegen seien *leidensunfähig*. Als Jesus zu Pilatus geführt wurde, zog sich deshalb das Pneuma Christi (von Jesus) wieder zurück (Adv. haer. I 7,2). So wird auch in diesem System, das die Großkirche nolens volens einbezieht, die Leidensunfähigkeit des Sotēr unüberhörbar proklamiert.

3. *Der ganz andere Christus*

Sind auch alle diese Ausformungen gnostischer Christologie weder terminologisch (man vergleiche nur den unterschiedlichen Gebrauch des Begriffs "psychisch") noch inhaltlich kongruent, so lassen sie sich doch ohne weiteres in ein und dasselbe Koordinatensystem einzeichnen. Die Quintessenz ist allemal, *daß der himmlische Erlöser nicht leidet*. Der Leidende, der Gekreuzigte ist *"ein anderer"*. Wie immer auch der wahre, himmlische Erlöser genannt wird : Christus, Sotēr oder nicht-leiblicher Jesus — er ist *"leidensunfähig"*, steht unangefochten über der Passion und *"lacht"* über die Anti-Lichtaktionen der dämonischen Kräfte. Diese Haltung ist einem Gnostiker anscheinend so selbstverständlich, daß Celsus fragen kann : "Was hat Jesus denn Rühmenswertes getan wie ein Gott ? Hat er die Menschen verachtet und verlacht und über das gespottet, was ihm widerfuhr" — wie es, muß man hinzufügen, dem wahren Erlöser zukommt ? "Wenn nicht früher, wieso zeigt Jesus nicht wenigstens jetzt etwas Göttliches, warum befreit er sich nicht aus dieser Schmach, warum rächt er nicht den Frevel, der an ihm und seinem Vater begangen wird ?" (Origenes, Contra Celsum II, 33.35).[1]

Was Celsus hier fordert, findet man im Zweiten Logos des großen Seth weithin erfüllt. Hier arrangiert Christus — vorgestellt als Gestalt des himmlischen Seth — seine großen Täuschungsmanöver. Zuerst, beim Abstieg, gegen die Archonten, indem er ständig seine äußere Gestalt verändert und deren Aussehen annimmt, dadurch unbehelligt an ihnen vorüberzieht (p. 56,20 ff.). Sodann vorm Aufstieg, als er vor

---

[1] Vgl. *BKV*[2] (Koetschau).

der Kreuzigung das "leibliche Haus" (p. 51.20 ff.) heimlich wieder
verläßt und als Zaungast der Passion des Simon über die Dummheit
der Dunkelmächte *lacht*. *Er* ist der wahre Erlöser, der göttliche Sotēr.
Er und nicht etwa der Sohn Davids, den man auch — horribile dictu
und lächerlich genug — "Menschensohn" genannt hat. Er und nicht
jener Christus der Christen (p. 63,4ff.). Er allein darf von sich sagen :
"Ich, Jesus Christus, der Sohn des Menschen, der über den Himmeln
thront" (p. 69,21 f.) — "ein Wesen oberhalb der (Archonten-)Himmel"
(p. 52,1-3). Er allein ist der wahre gnostische Erlöser, der nicht nur
die erbärmlichen Handlanger der Archonten bei Simons Kreuzigung
verspottet, sondern sogar über die göttliche Selbstprädikation des
hochgestellten, eitlen und verblendeten Kosmokrators "schallend
lacht" (p. 53,27 ff.).

Interessant ist nun, daß jene "Celsus-Doktrin" noch in einer
weiteren Nag-Hammadi-Schrift, in der Apokalypse des Petrus (VII,*3*),
enthalten ist. Die hier vertretene Christologie ist trichotomisch, bisweilen auch nur dichotomisch : Jesus hat einen leidensfähigen Leib,
einen leiblosen Leib und einen allein geistig wahrnehmbaren, vom
Licht erfüllten Geist (p. 83,4-12) : "Was sehe ich, Herr; bist du es
selbst, den sie greifen ... Oder wer ist der, der neben dem Holz
(stehend) heiter ist und *lacht*? Und *einem anderen* schlagen sie auf die
Füße und auf die Hände ! Der *Erlöser* sagte zu mir : Der, den du
neben dem Holz (stehend) heiter sein und *lachen* siehst, ist *der lebendige
Jesus*. Der aber, in dessen Hände und Füße sie die Nägel schlagen,
das ist *sein fleischliches (Abbild)* ... Ich habe dir gesagt, daß sie Blinde
sind ... Denn den Sohn ihrer (eitlen) Herrlichkeit (d.i. den sarkischen
Menschen) haben sie anstelle meines Dieners (sc. des lebendigen Jesus)
zuschanden gemacht. — Ich (d.i. Petrus) aber sah einen auf uns
zukommen, der ihm und dem, der neben dem Holz (stehend) *lachte*,
glich — er war aber (wie ein Bild) gemalt [1] mit heiligem Geiste — und
er ist *der Erlöser* ... (Dieser spricht:) Denn jener, den sie angenagelt
haben, ist der Erstgeborene, das Haus der Dämonen und der Steinkrug,
in dem sie wohnen, ⟨der Mensch⟩ des Elohim, ⟨der Mensch⟩ des
Kreuzes, der unter dem Gesetz ist. Der aber, der nahe bei ihm steht,
ist der *lebendige Erlöser*, ⟨der seelische Erstgeborene, der⟩ zuvor in
ihm ⟨war⟩, ergriffen und (wieder) freigelassen wurde und (nun)
(*schaden*)*froh dasteht* ... Er *lacht* über ihre Blindheit im Wissen darum,
daß sie Blindgeborene sind. Es wird also (nur) *das Leidensfähige*

---

[1] Vgl. den Beitrag von H.-M. Schenke.

⟨leiden⟩, insofern als der *Leib* das 'Lösegeld' ist. Der aber, den sie freigelassen haben, ist mein *leibloser Leib.* Ich (selbst) aber bin der nur geistig wahrnehmbare Geist, der (Geist), der erfüllt ist mit strahlendem Licht ..." (p. 81,7-83,10).[1] Auch hier gilt : Der Sinn eines leidenden Erlösers bleibt dem wahrhaft gnostisch Denkenden verschlossen.

Nicht immer freilich ist das christologische Problem der Gnosis so elegant und konsequent gelöst wie hier und im Zweiten Logos des großen Seth. Nicht überall hat das Zauberwort "Doketismus" den Antagonismus zwischen Christentum und Gnosis erträglich gemacht. Nicht überall ist dieser Widerspruch empfunden worden. Es gibt auch Gnostiker, die das Leiden und die Kreuzigung ihres Erlösers lehren. Man liest im Evangelium Veritatis : "Darum duldete der barmherzige, treue Jesus, indem er die Leiden auf sich nahm ..., da er wußte, daß dieser Tod Leben *für viele* ist ... Er wurde an ein Holz genagelt ... Bis zum Tode erniedrigt er sich, während das ewige Leben ihn bekleidet. Nachdem er abgelegt hat die vergänglichen Kleider, hat er die Unvergänglichkeit angezogen ..." (p. 20, 10-32). Doch selbst in dieser Schrift sind doketische Züge spürbar, vielleicht sogar beabsichtigt, denn es heißt : "Die Wesen der Hyle waren ihm (sc. Jesus) fremd; sie sahen seine Gestalt (sein wahres Wesen ?) nicht. Er kam nämlich in Fleischesgestalt (oder gar : in einem scheinbaren Fleische ?) heraus, wobei nichts sein Gehen hinderte. Die Unvergänglichkeit ist nämlich Unfaßbarkeit" (p. 31, 1-8). Auch die Epistula Iacobi Apocrypha (NHC I,*1*), die den Kreuzes-Glauben hervorhebt (p. 5,33 ff.), hat doch immerhin eine dichotomische Christologie und unterscheidet Jesus als den Sohn des Menschen und als Sohn des heiligen Geistes. Ersteren sollen die Gläubigen übertreffen! Dem Sohn des heiligen Geistes aber sollen sie gleich werden (p. 6,19 ff.). Und "wehe denen, die den Sohn (nur) als Menschen gesehen haben. Heil denen, die ihn nicht (nur) als Menschen gesehen haben, nicht ihm angehangen haben ..." (p. 3,17 ff.). Jedenfalls müßte einem Gnostiker, der sich um christologische Darstellung bemüht, wenigstens der Satz vor Augen stehen : "So ist Christus, auch wenn er ergriffen wird, seinem Wesen nach doch ungreifbar" (Silv NHC VII,*4*/p. 102, 1-4; vgl. Zostr NHC VIII,*1*/p. 131,14 f.). Symptomatisch für das christologische Dilemma in der Gnosis ist eine Wendung im Brief des Petrus an Philippus (NHC VIII,*2*), wo es nach einer kirchlich-orthodox anmutenden Schilderung von Passion,

---

[1] Vgl. die Übersetzung in der *ThLZ* 1974, 581.

Kreuzigung und Auferstehung Jesu plötzlich heißt : *"Jesus ist diesem Leiden fremd"* (p. 139,21 f.).

Leiden, Passion und Kreuzigung als irdisches Geschehen, als Vorhaben der Finsterniswelt berühren also nicht den himmlischen Erlöser. In der Vorstellung hylischer Wesen mag der Sotēr gelitten haben, nicht jedoch in Wirklichkeit. "Nichts von dem, was sie über mich sagen, habe ich gelitten !" (Johannesakten, 101); "Niemals habe ich irgendwie leiden müssen, noch wurde ich gequält" (1ApcJac NHC V,*3*/p. 31, 18-20). Wo Passion und Kreuz in die Gnosis Eingang finden, dienen sie der Bloßstellung demiurgischer Hybris und Dummheit. Der lachende Christus ist ein Indiz. Die Kreuzigung wird zur Siegesfeier über die Welt des Demiurgen, zum Exempel für die radikale Scheidung von Licht und Finsternis. Es sei denn, die Gnosis schlägt bei dem Versuch, sich Christliches zu adaptieren, in Christentum um — wie in 'Melchisedek', NHC IX,*1* : "(Es) werden (Leute) auftreten in seinem (Jesu) Namen und [über ihn] sagen : ... 'er hat sich nicht dem Leiden unterworfen', wo er sich doch dem Leiden unterworfen hat; ..." (p. 5,1 ff.).

Dies alles ist im Ansatz und Prinzip zu verstehen. Linear, nicht dimensional. Es will die Komplexität gnostischen Denkens nicht ignorieren, die reiche Nuancierung einer Religion und Weltanschauung nicht verwischen. Es soll vielmehr die hintergründigen Antagonismen zwischen gnostischem Denken und christlichem Glauben markieren. Natürlich befanden sich Christentum und Gnosis in oft verwirrender Nähe, und die vorschnelle Frage nach 'Rechtgläubigkeit und Ketzerei' vermag *beide* in Verlegenheit zu bringen. Dennoch hat die Praxis selbst den Trennungsstrich gezogen. Für die Gnosis war der Doketismus im Grunde eine Verlegenheitslösung, oft genug der Preis einer vermeintlichen Christlichkeit. Für die Kirche aber bedeutete er eine Gefahr. Sie mußte sich von allen Versuchen abgrenzen, das Geheimnis der Mensch*werdung* Gottes in Frage zu stellen oder preiszugeben. Sie mußte das "wahr Mensch und wahrer Gott" finden, festhalten, bewahren. Was das Christentum im Innersten zusammenhält, ist eben Gottes Selbstmitteilung im geschichtlichen Jesus Christus. Sein volles Menschsein aber zeigt sich in Gethsemane und am Kreuz. Der leidende und für die Leidenden bittende Christus ist ein ganz anderer als der vom Leiden distanzierte und über dem Kreuz lachende gnostische Erlöser. Der gnostische Erlöser verachtet die "Verlorenen". Jesus aber liebt sie, sucht sie, heilt sie : "Die Gesunden bedürfen des Arztes nicht, sondern die Kranken !" (Lk 5,31). Ist es doch die Liebe des

Schöpfers zu seinen Geschöpfen, die sich im christlichen Erlöser offenbart. Christus also : der ganz andere. Das gilt vom Standpunkt der Gnosis wie für den des christlichen Glaubens gleichermaßen. Nur selten hat ein vom Christentum beeinflußter Gnostiker diese radikale Differenz so deutlich empfunden wie der Autor vom Zweiten Logos des großen Seth. Und wenn man seine, von Verfolgungen diktierte betont antikirchliche Haltung und Polemik bedenkt, ist diese massiv-doketische Christologie zweifellos beabsichtigt. Er lehrt ganz bewußt den leidenden Simon und den lachenden Christus.

BEMERKUNGEN ZUR APOKALYPSE DES PETRUS

VON

HANS-MARTIN SCHENKE

Die Apokalypse des Petrus (ApcPt) (p. 70,13-84,14), ein rätselhafter Text, den man aber dennoch, wenn man die geeigneten exegetischen Methoden auf ihn anwendet, verstehen kann, ist die Verlautbarung eines gnostifizierten Judenchristentums, ihr Inhalt im Grunde nur eine doketische Deutung der in den traditionellen Evangelien erzählten Passion Jesu, aber dargeboten als eine vom "irdischen" Jesus gewährte Vision (nebst Audition) des Petrus ein paar Tage vorher, die nun zugleich als Rahmen für eine knappe Prophezeiung Jesu über den alsbald einsetzenden vielfältigen und bis zum nicht fernen Weltende währenden Abfall von der wahren, allein durch Petrus vermittelten Gnosis dient. Die im Laufe der Zeit und in mehreren Etappen gewonnene Auffassung unseres Arbeitskreises von der ApcPt ist bereits in mehr oder weniger kurzer Form an verschiedenen Orten niedergelegt worden (Gnosis und NT, hrsg. v. K.-W. Tröger, 1973, 61f.; ThLZ 1974 [Übersetzung mit Einführung und Anmerkungen]; ZÄS 102,2 [im Rahmen einer Rezension der Faksimile-Ausgabe von NHC VII]). Im Rahmen dieses Beitrages sollen nun drei besonders schwierige, aber auch besonders wichtige Einzelstellen — in Weiterführung der bisherigen Arbeit — herausgehoben und in ihrer exegetischen Problematik besprochen werden.

(1) *p. 71,15-72,4*

Der Text lautet :

ⲚⲦⲞⲔ ⲆⲈ ϨⲰⲰⲔ ⲠⲈⲦⲢⲈ ϢⲰⲠⲈ
ⲈⲔⲈ ⲚⲦⲈⲖⲒⲞⲤ ⲚϨⲢⲀⲒ̈ ϨⲘ ⲠⲈⲔⲢⲀⲚ
ⲚⲘⲘⲀⲒ̈ ϨⲰ
ⲠⲎ ⲈⲦⲀϥⲤⲰⲦⲠ̄ ⲘⲘⲞⲔ·
ϪⲈ ⲈⲂⲞⲖ ⲘⲘⲞⲔ ⲀⲒ̈ⲈⲒⲢⲈ ⲚⲞⲨⲀⲢⲬⲎ ⲘⲠⲒⲔⲈⲤⲈⲈⲠⲈ
ⲈⲦⲀⲒ̈ⲦⲀϨⲘⲞⲨ ⲈϨⲞⲨⲚ ⲈⲨⲤⲞⲞⲨⲚ·
ϨⲰⲤⲦⲈ ⲆⲘ̄ϬⲞⲘ

ϢⲀⲚⲦⲈ ⲠⲒⲀⲚⲦⲓⲘⲓⲘⲟⲛ ⲚⲦⲈ ⲦⲀⲒⲔⲀⲓⲟⲤⲨⲚⲎ ⲚⲦⲈ
ⲠⲎ ⲈⲦⲀϤⲢ̄ϢⲟⲣⲠ̄ ⲚⲦⲰ̄Ϩ̄Ⲙ ⲘⲘⲟⲔ·
 ⲈⲀϤⲦⲀϨⲘⲈⲔ ϪⲈ ⲈⲔⲈⲤⲟⲩⲰⲚϤ̄ Ⲛ̄ⲐⲈ ⲈⲦⲈⲤⲘ̄ⲠϢⲀ Ⲛ̄ⲀⲀⲤ·
ⲈⲦⲂⲈ ⲦⲀⲠⲟⲬⲎ ⲈⲦⲠⲎϨ ⲈⲢⲟϤ·
  Ⲙ̄Ⲛ ⲚⲒⲘⲟⲩⲦ Ⲛ̄ⲦⲈ ⲚⲈϤϬⲒϪ·
   ⲀⲨⲰ ⲚⲈϤⲟⲩⲈⲢⲎⲦⲈ·
  Ⲙ̄Ⲛ ⲠⲒⲦ̄ⲔⲀⲘ ⲈⲂⲟⲗ Ϩ̄ⲒⲦⲚ̄
  ⲚⲎ Ⲛ̄ⲦⲈ ⲦⲘⲈⲤⲟⲦⲎⲤ
  Ⲙ̄Ⲛ ⲠⲒⲤⲰⲘⲀ Ⲛ̄ⲦⲈ Ⲡ̄Ⲣ[ⲟ]ⲩⲟⲈⲒⲚ Ⲛ̄ⲦⲀϤ·
ⲈⲨⲈⲒⲚⲈ Ⲙ̄[Ⲙ]ⲟϤ
 Ϩ̄[Ⲛ ⲟ]ⲩϨⲈⲗⲠⲒⲤ Ⲛ̄ⲦⲈ ⲟⲩⲆⲒⲀⲔⲟⲚⲒⲀ
  ⲈⲦⲂⲈ ⲟⲩⲂⲈⲔⲈ Ⲛ̄ⲦⲈ ⲟⲩⲦⲀⲈⲒⲟ·
Ϩ̄ⲰⲤ ⲈϤⲚⲀⲤⲟⲟϨⲈ ⲘⲘⲟⲔ Ⲛ̄Ϣⲟⲙ̄Ⲧ Ⲛ̄ⲤⲟⲠ Ϩ̄Ⲛ ⲦⲈⲒ̈ⲟⲩϢⲎ·

Dieser Text (den wir — das Folgende in gewisser Weise vorabbildend
— gleich soweit wie möglich sachlich gegliedert haben) ist überladen,
schwer durchschaubar und unkonkret. Das liegt zunächst einmal
daran, daß von Jesus hier sowohl in der ersten als auch in der dritten
Person die Rede ist. Wie solches kommt, kann man deutlich an zwei
Appositionen bzw. Umschreibungen für das Ich Jesu ablesen, die wir
ohne weiteres bzw. zunächst wenigstens (gewissermaßen linguistisch
experimentierend) in "Ich-bin"-Sätze verwandeln und aus dem
Textgefüge herausnehmen können :

(ⲀⲚⲟⲔ ⲠⲈ) ⲠⲎ ⲈⲦⲀϤⲤⲰⲦ̄Ⲡ̄ ⲘⲘⲟⲔ· ϪⲈ ⲈⲂⲟⲗ ⲘⲘⲟⲔ ⲀⲒ̈ⲈⲒⲢⲈ
Ⲛ̄ⲟⲩⲀⲣⲬⲎ Ⲙ̄ⲠⲒⲔⲈⲤⲈⲈⲠⲈ ⲈⲦⲀⲒ̈ⲦⲀϨⲘⲟⲩ ⲈϨⲟⲩⲚ ⲈⲨⲤⲟⲟⲩⲚ·

"(Ich bin) der, der dich erwählt hat; denn ich habe durch dich
einen Anfang gemacht für die übrigen, die ich zur Erkenntnis
berufen habe".

(ⲀⲚⲟⲔ ⲠⲈ) ⲠⲎ ⲈⲦⲀϤⲢ̄ϢⲟⲣⲠ̄ ⲚⲦⲰ̄Ϩ̄Ⲙ ⲘⲘⲟⲔ· ⲈⲀϤⲦⲀϨⲘⲈⲔ
ϪⲈ ⲈⲔⲈⲤⲟⲩⲰⲚϤ̄ Ⲛ̄ⲐⲈ ⲈⲦⲈⲤⲘ̄ⲠϢⲀ Ⲛ̄ⲀⲀⲤ·

"(Ich bin) der, der dich als Ersten berufen hat und dich zu dem
Zweck berufen hat, daß du ihn so erkennst, wie es angemessen ist".

(Davor muß man natürlich für die Dauer des Experiments das
Ⲛ̄ⲦⲈ in Gedanken zu Ⲛ̄ⲦⲀⲒ̈ "von mir" transformieren.)

Diese Aussagen sind nun aber auch sachlich von großer Relevanz. Denn hier tritt uns nichts geringeres entgegen als der typisch juden- christliche Gedanke einer nur über Petrus laufenden apostolischen Tradition (vgl. Mt 16,17-19; Joh 21,15-19; den Hintergrund der Glosse Gal 2,7b.8; die Petrusgestalt in den Kerygmata Petrou und im Nazaräerevangelium [15a.16]), und zwar in gnostischer Metamorphose. Es ist die gleiche Metamorphose, die uns die NH-Texte an der Gestalt des Herrenbruders Jakobus geschehen zeigen (vgl. EvThom Spr. 12; 1ApcJac; 2ApcJac). Natürlich ist der Petrus- und Jakobusprimat, sei es in ursprünglich judenchristlicher, sei es in gnostischer Version, alternativ.

Die Dunkelheit unseres Textes liegt weiter ganz wesentlich an der scheinbar ungeordneten Fülle der Assoziationen in seiner zweiten Hälfte. ⲛⲓⲙⲟⲩⲧ ⲛ̄ⲧⲉ ⲛⲉϥϭⲓ.ⲭ ⲁⲩⲱ ⲛⲉϥⲟⲩⲉⲣⲏⲧⲉ ⲙⲛ̄ ⲡⲓ†ⲕⲗⲟⲙ "die Fesseln seiner Hände und Füße und die (Dornen-)Bekränzung" muß sich auf die Verspottung des gefangenen Jesus beziehen. ⲛⲏ ⲛ̄ⲧⲉ †ⲙⲉⲥⲟⲧⲏⲥ ⲙⲛ̄ ⲡⲓⲥⲱⲙⲁ ⲛ̄ⲧⲉ ⲡ̄ⲣⲟⲩⲟⲉⲓⲛ ⲛ̄ⲧⲁϥ "die (Wesen) der Mitte und sein leuchtender Leib" läßt an die Szene der Verklärung Jesu denken.

ⲉⲩⲉⲓⲛⲉ ⲙ̄ⲙⲟϥ ϩⲛ̄ ⲟⲩϩⲉⲗⲡⲓⲥ ⲛ̄ⲧⲉ ⲟⲩⲇⲓⲁⲕⲟⲛⲓⲁ ⲉⲧⲃⲉ ⲟⲩⲃⲉⲕⲉ ⲛ̄ⲧⲉ ⲟⲩⲧⲁⲉⲓⲟ dürfte auf Verrat und Gefangennahme gehen; die komischen Genetive beruhen vielleicht auf einem bloßen Schreiber- versehen infolge des Übergangs auf eine neue Seite, denn es passen zusammen nur einerseits ⲟⲩϩⲉⲗⲡⲓⲥ ⲛ̄ⲧⲉ ⲟⲩⲧⲁⲉⲓⲟ und anderer- seits ⲟⲩⲇⲓⲁⲕⲟⲛⲓⲁ ⲛ̄ⲧⲉ ⲟⲩⲃⲉⲕⲉ; vielleicht ist also eigentlich gemeint "ihn bringend in Hoffnung auf ein Geschenk (und) in Aus- führung eines Dienstes um Lohnes willen".

Und schließlich deutet ϩⲱⲥ ⲉϥⲛⲁⲥⲟⲟϩⲉ ⲙ̄ⲙⲟⲕ ⲛ̄ϣⲟⲙⲧ̄ ⲛ̄ⲥⲟⲡ ϩⲛ̄ ⲧⲉⲓ̈ⲟⲩϣⲏ "damit er dich dreimal in dieser Nacht zum Abfall bewege" auf die Verleugnung des Petrus hin (ⲥⲟⲟϩⲉ dürfte das Verb mit der Grundbedeutung "entfernen" sein [Crum 380a,16]; zur hiesigen Bedeutungsnuance vgl. Till: BSAC 17,214 [ⲥⲟϩⲉ "Ab- fall" (?)]).

Die Fülle dieser Beziehungen ist nun schon an sich für die Erkenntnis des Wesens der ApcPt von Bedeutung. Diese Phänomene eben sind der Grund für die Einschätzung, daß die Basis der ApcPt eine ganz bestimmte (gnostisch-revolutionäre) Exegese der Evangelien-Tradition, namentlich der Passionsgeschichte, ist. Und die Unklarheit der ApcPt, die Unvorstellbarkeit vieler ihrer Schilderungen, hängt wesentlich damit zusammen, daß der Verfasser es nicht hinreichend vermag,

diese gnostische Exegese in "Theater" umzuwandeln; vielleicht ist das
überhaupt eine unlösbare Aufgabe.

Nun sind allerdings nicht alle Unklarheiten im zweiten Teil in
dieser Weise "prinzipiell". Wenn wir mit dem über die Assoziationen
Gesagten Recht haben und also ΠΙϮΚΛΟΜ auf die Verspottung geht,
ΝΗ N̄ΤΕ ϮΜΕϹΟΤΗϹ aber auf die Verklärung, dann muß, trotz der
sprachlich scheinbar glatten Verbindung, dazwischen ein Bruch
angenommen werden. Eine Anspielung auf die Verspottung und eine
auf die Verklärung können unmöglich hier unter einem gemeinsamen
Gesichtspunkt gemacht sein. Nun ist ΝΗ N̄ΤΕ ein ungewöhnlicher
Bohairismus (vgl. Stern: Kopt. Gram., § 246 Ende), während dieses
Demonstrativpronomen mit folgendem Relativsatz in der ApcPt
geradezu stereotyp ist. Vielleicht sollte man hier also einfach die
Auslassung einer Zeile durch Homoioteleuton (ad vocem ΝΗ) anneh-
men; etwa: ΠΙϮΚΛΟΜ ΕΒΟΛ Ϩ ΙΤN̄ ΝΗ ⟨ΕΤϹШΒΕ · ΑΡΙ ΠΜΕΕϤΕ
N̄ΝΗ⟩ N̄ΤΕ ϮΜΕϹΟΤΗϹ "die Bekränzung durch die ⟨Spötter.
Erinnere dich an die (Wesen)⟩ der Mitte" usw.

Wenn wir den Text weiter zurückverfolgen, stoßen wir auf die
weitere Schwierigkeit, daß der Konjugationsbasis ШΑΝΤΕ ein Verb
fehlt: ШΑΝΤΕ ΠΙΑΝΤΙΜΙΜΟΝ N̄ΤΕ ϮΔΙΚΑΙΟϹϤΝΗ N̄Τ(ΑΪ) ⟨...⟩
"damit der Nachahmer (mein)er Gerechtigkeit ⟨...⟩". Dies Fehlen
hängt natürlich mit der hier eingeschobenen Umschreibung für das
Ich Jesu zusammen. Vielleicht fehlt das Verb gar nicht wirklich,
sondern ist einfach in dieser Umschreibung anakoluthisch impliziert.
Dann müßte das gemeinte Verb, auf das ШΑΝΤΕ zusteuert, eben
ϹΟΟϤΝ sein: "damit der Nachahmer (mein)er Gerechtigkeit (von dir
angemessen erkannt wird)".

Schließlich ist am Anfang noch eine Alternative zu entscheiden,
nämlich ob ΕΚΕ mit ШШΠΕ zusammen eine conjugatio periphrastica
bildet, oder ob ШШΠΕ mit ΝM̄ΜΑΪ zusammengehört, während ΕΚΕ
als normaler Umstandssatz aufzufassen wäre. Sobald man die zwei
Möglichkeiten überhaupt sieht, wird man die zweite als allein
befriedigend vorziehen.

Nach alledem heißt der Text: "Du aber, Petrus, bleibe — vollkommen seiend in deinem Namen — bei mir allein als dem, der dich
erwählt hat; denn ich habe durch dich einen Anfang gemacht für die
übrigen, die ich zur Erkenntnis berufen habe. Sei also standhaft,
damit der Nachahmer der Gerechtigkeit (,die mein ist, als) dessen,
der dich als Ersten berufen hat und dich zu dem Zweck berufen hat,
daß du ihn so erkennst, wie es angemessen ist, (von dir angemessen

erkannt wird; solche Erkenntnis ist erforderlich) wegen der Geschiedenheit, die ihm eignet, infolge der Fesseln seiner Hände und Füße und
der Bekränzung durch die ⟨Spötter. Erinnere dich an die (Wesen)⟩
der Mitte und seinen leuchtenden Leib, wenn man ihn abführt in
Hoffnung auf ein Geschenk (und) in Ausführung eines Dienstes um
Lohnes willen, damit er dich dreimal in dieser Nacht zum Abfall
bewege". (Zu ⲈⲦⲠⲎϨ ⲈⲢⲞϤ als der Umschreibung eines Possessivverhältnisses [praktisch parallel zu einem N̄ⲦⲀϤ] vgl. 1Kor 15,10;
2Kor 1,11.18 im sahidischen NT.)

Der Abschnitt insgesamt ist nach alledem zu verstehen als die mit
allen Registern an Petrus ergehende Aufforderung, seinem Namen
"Fels" entsprechend und seiner Bestimmung getreu den wahren
Erlöser, der sich vor der Passion von dem Menschen Jesus trennt,
nicht zu verleugnen und d.h. der Versuchung zu widerstehen, sich
etwa zu diesem dem Leiden unterworfenen Jesus zu bekennen. Das
impliziert wiederum eine typisch gnostische Deutung der traditionellen
Erzählung von der Verleugnung des Petrus, bei der dessen "ich kenne
den Menschen nicht" (Mt 26,72.74) radikal umgewertet wird, ähnlich
dem Verrat des Judas bei den Kainiten (Irenäus adv. haer. I 31,1).

(2) *p. 74,27-34*

Es geht um folgenden Text:

ϨⲈⲚϨⲞⲈⲒⲚⲈ ⲘⲈⲚ ⲤⲈⲚⲀϮ ⲢⲀⲚ ⲈⲢⲞⲞⲨ ⲬⲈ ⲈⲨⲀϨⲈⲢⲀⲦⲞⲨ ϨⲚ
ⲞⲨϬⲞⲘ N̄ⲦⲈ ⲚⲒⲀⲢⲬⲰⲚ · N̄ⲦⲈ ⲞⲨⲢⲰⲘⲈ ⲘN̄ ⲞⲨⲤϨⲒⲘⲈ ⲈⲤⲔⲎⲔ
ⲀϨⲎⲞⲨ ⲈⲤⲈ N̄ⲞⲨⲘⲎⲎϢⲈ ⲘⲘⲞⲢⲫⲎ ⲘN̄ ⲞⲨⲘⲎⲎϢⲈ N̄ⲚⲘⲔⲀϨ ·

Schwierigkeiten macht hier zunächst das N̄ⲦⲈ ⲞⲨⲢⲰⲘⲈ, das mit
dem Vorhergehenden nicht sinnvoll zu verbinden ist. Andererseits
erwartet man natürlich irgendeine Angabe darüber, wie die hier
apostrophierten Leute nun eigentlich heißen. Und der ⲬⲈ-Satz läßt
sich nur schwer als Namensangabe verstehen. So scheint es wohl am
besten zu sein, die erwartete Bezeichnung hinter dem N̄ⲦⲈ ⲞⲨⲢⲰⲘⲈ
zu vermuten, vor dem man dann so etwas wie ⟨ϨN̄ ⲞⲨⲢⲀⲚ⟩ als
ausgefallen anzunehmen hätte. ⲞⲨⲘⲎⲎϢⲈ ⲘⲘⲞⲢⲫⲎ und
ⲞⲨⲘⲎⲎϢⲈ N̄ⲚⲘⲔⲀϨ sind wahrscheinlich die Äquivalente von
πολύμορφος und πολυπαθής (vgl. zu diesem Gebrauch von ⲘⲎⲎϢⲈ
Crum 202 a [unter b]). Dann hieße der Satz: "Etliche fürwahr werden
sich benennen — weil sie unter der Gewalt der Archonten stehen —
⟨nach dem Namen⟩ eines Mannes mit einem nackten, vielgestaltigen

und vielerlei Leiden ausgesetzten Weib". Gemeint sind also wahrscheinlich die Simonianer, denn die Bezeichnung des Mannes paßt
eigentlich nur auf Simon Magus als den Partner der Helena. Diese
Polemik gegen Simon und die Simonianer, die in einer Schrift, die
selber gnostisch ist, zunächst außerordentlich überraschend erscheinen
muß, hat man wahrscheinlich in unmittelbarer Beziehung zu dem
kurz vorher genannten "argen Betrüger" (p. 74,18f.), wenn mit ihm
Paulus ("der feindliche Mensch" der Kerygmata Petrou) gemeint sein
sollte, zu sehen und erklärt sich dann wohl aus dem judenchristlichen
Substrat der ApcPt bzw. dem traditionellen Petrus-Bild, zu dem
Simon Magus als Gegner gehört, wie sich ja auch noch andere Quer-
verbindungen zu den Pseudoklementinen insgesamt und besonders
den Kerygmata Petrou aufdrängen (viele Meinungen statt der ursprünglichen einfachen Lehre; Verdrehung der Petruslehre nach
seinem Tod; falsche Lehren von Träumen und Dämonen bestimmt).

Wenn die Deutung unserer Textstelle auf Simon richtig ist, dann
kann man der hiesigen Bezeichnung seiner "Partnerin" Helena einen
wichtigen Hinweis für das Verständnis des Simonianismus entnehmen.
Denn die Bezeichnung "ein nacktes, vielgestaltiges und vielerlei
Leiden ausgesetztes Weib" paßt im Grunde weniger auf eine wirkliche
Frau als auf eine Göttin bzw. ein mythologisches weibliches Wesen
(vgl. die Selbstoffenbarung des weiblichen Wesens, das in der zweiten
Schrift von NHC VI spricht). So würde sich unser Text einfügen in
die an anderem Ort aufgezeigte Kette der Indizien aus Nag-Hammadi-
Texten, die das alte Problem, ob die simonianische Helena mythologi-
sierte Historie oder historisierte Mythologie ist, endgültig im Sinne der
Unhistorizität der Helena zu lösen drängen. (Die Relevanz der Kirchenväter für die Erschließung der Nag-Hammadi-Texte [Teil III], Die
griechischen christlichen Schriftsteller — Historie, Gegenwart, Zu-
kunft, TU, Berlin [im Druck].)

Ich möchte hier nun noch eine der am Schluß des genannten Aufsatzes angestellten Erwägungen um einen Schritt weiterführen,
nämlich daß die Erkenntnis, daß die Dirne Helena als Braut und
Objekt der Erlösung Simons vermutlich eine gegnerische Persiflage
der von ihm verkündeten Seelen-Lehre ist, nicht ohne Auswirkung
auf unser Bild vom Selbstverständnis Simons bleiben kann. Mit dem
Wegfall der einen Person des Zwei-Personen-Stückes ändert sich
auch die Rolle der anderen Person, und d.h. in der Sache: ist das
punktuell Einmalige des Erlösungsvorganges dahin und die Auffassung Simons als des höchsten Gottes in Person. Wenn es keine

Braut gibt, kann Simon sich auch nicht als Bräutigam verstanden haben. Er könnte sich in Wirklichkeit höchstens verstanden haben als Erscheinungsform der großen Kraft in dem welt-langen Prozeß der Errettung der gefallenen All-Seele. Mit diesen Gedanken sind wir aber nun schon längst in das Kraftfeld einer anderen klassischen Alternative der Simon-Forschung geraten, die da lautet : Ist eigentlich der Simon des Irenäus oder der Simon der bei Hippolyt zitierten Apophasis Megale der echte ? Nachdem die Frage längst zugunsten der Irenäus-Darstellung entschieden zu sein schien, ist sie nämlich jetzt wieder völlig offen, seit J. Frickel das, was Hippolyt zitiert, als bloße Paraphrase der angeblich von Simon stammenden Apophasis Megale (und nicht als diese selbst) identifizieren konnte (Die "Apophasis Megale" in Hippolyt's Refutatio (VI 9-18) : Eine Paraphrase zur Apophasis Simons, Orientalia Christiana Analecta 182, Roma 1968; Ein Kriterium zur Quellenscheidung innerhalb einer Paraphrase, Le Muséon 85/1972, 425-450). Der Simon der in der Paraphrase zitierten Fragmente der Apophasis Megale hat durchaus Chancen, gegenüber dem nunmehr "angekratzten" Simon des Irenäus zu bestehen, zumal eines dieser Fragmente sachlich unmittelbar mit der (von uns als im Grunde simonianisch verdächtigten) zweiten Schrift von NHC VI zusammenhängt (vgl. *ThLZ* 1973, 98f.). Kurzum, unsere Erwägungen und Frickels Bemühungen könnten konvergieren.

(3) p. 82,3-9

Es heißt an dieser Stelle :

ⲁⲛⲟⲕ ⲇⲉ ⲁⲉⲓⲛⲁⲩ ⲉⲟⲩⲁ ⲉϥⲛⲁϩⲱⲛ ⲉⲣⲟⲛ ⲉϥⲉⲓⲛⲉ ⲙ̄ⲙⲟϥ
ⲙⲛ̄ ⲡ̄ⲏ ⲉⲛⲉϥⲥⲱⲃⲉ ϩⲓⲝ̄ⲙ̄ ⲡⲓϣⲉ ⲛⲉϥⲥⲏϩ ⲇⲉ ⲡⲉ ⲛ̄ϩⲣⲁⲓ̈ ϩⲛ̄
ⲟⲩⲡ̄ⲛⲁ ⲉϥⲟⲩⲁⲁⲃ ⲁⲩⲱ ⲛ̄ⲧⲟϥ ⲡⲓⲥⲱⲧⲏⲣ ·

Was sachlich hier gemeint ist, kann von vornherein als klar gelten : Es ist die Rede von der Erscheinung des wahren Erlösers, der im Schema einer trichotomischen Christologie als pneumatisches Wesen gedacht ist. Schwierigkeit macht nur die konkrete Vorstellung, in der der Text das zum Ausdruck bringt. Man kann das Problem hier mit einem Rätselraten vergleichen, bei dem zu erraten ist, wer oder was ⲟⲩⲁ ist. Und des Rätsels Lösung hängt einzig und allein von der Deutung des ⲥⲏϩ ab.

Zunächst wird kaum ein Interpret auf den Gedanken kommen, in diesem ⲥⲏϩ nicht das Qualitativ von ⲥϩⲁⲓ̈ zu sehen. Der Anstoß

kommt hier von außen. Die Religionsgeschichte hilft der Philologie
auf die Sprünge. Mir persönlich hat die Erinnerung an die berühmte
Passage des Perlenliedes über das Strahlenkleid des Königssohnes die
Augen geöffnet, besonders die Verse 76-78 :

"(Doch) plötzlich, als ich es mir gegenüber sah,
wurde das ⟨Strahlen(kleid)⟩ (ähnlich) meinem Spiegelbild mir gleich ;
ich sah es ⟨ganz⟩ in mir,
und in ihm sah ich (mich) auch ⟨mir ganz⟩ gegenüber,
so daß wir Zwei waren in Geschiedenheit
und wieder Eins in einer Gestalt".
(Übersetzung nach Hennecke/Schneemelcher : Nt. Apokr.[3] II, 352.)

Die gesuchte Vorstellung dürfte also die Gewandvorstellung sein,
die geläufige Vorstellung von der irdischen bzw. himmlischen Gestalt
der Menschen bzw. des Erlösers als eines Gewandes. Noch näher als
das Perlenlied steht unserem Text die Vorstellung vom himmlischen
Gewand des Erlösers am Anfang der Pistis Sophia und in der ParSem.
(Vgl. sonst noch OdSal 7,4; 11,11; 13; 15,8; 17,4; 21,3; 25,8; 33,12;
Ginza 461,31; 559,29-32 [Lidzbarski]; Mand. Lit. 81 [Lidzbarski]; und
R. Reitzenstein : Die hellenistischen Mysterienreligionen, 1927[3], 226;
W. Bousset : Hauptprobleme der Gnosis, 1907, 303[2].)
Diese exegetische Auffassung ist natürlich nur möglich, weil man
das bereits als Schlüssel bezeichnete ϭⲏϩ unseres Textes auch als
Qualitativ von ⲥⲱϩⲉ "weben" (Crum 381a,15) verstehen kann (vgl.
als Analogie z.B. ⲕⲱⲧⲉ/ⲕⲏⲧ [Crum 124a,11]). Diese Qualitativform
ist zwar im Sahidischen bisher noch nicht belegt, wohl aber die
bohairische Entsprechung ⲥⲏϧ. Und diese unsere Ableitung ent-
spräche durchaus der inneren Gesetzlichkeit der koptischen Sprache
(vgl. Stern : Kopt. Gram., § 351 Absatz 3).
Dieses koptische Verb ist auch sonst in metaphorischem Gebrauch
im Rahmen der Gewandvorstellung nachweisbar (vgl. H. de Vis :
Homélies Coptes II, 102,7-11 : ⲙⲁⲣⲟⲩ ϩⲱⲟⲩ ϯⲛⲟⲩ ⲛⲧⲟⲩϭⲓϣⲓⲡⲓ
ⲛ̄ϫⲉ ⲛⲏ ⲉⲧⲓⲣⲓ ⲙ̄ⲡϣⲏⲣⲓ ⲙ̄ⲫ̄ϯ ⲉϥⲩⲥⲓⲥ ⲥⲛⲟⲩϯ ⲉⲩⲥⲱⲧⲉⲙ
ⲉⲡⲓⲁⲣⲭⲏⲁⲅⲅⲉⲗⲟⲥ ⲉϥϫⲱ ⲙ̄ⲙⲟⲥ ϫⲉ ϯⲥⲁⲣⲝ ⲟⲩⲉⲃⲟⲗ ϧⲉⲛ
ⲟⲩⲡⲛ̄ⲁ̄ ⲉϥⲟⲩⲁⲃ ⲧⲉ ⲕⲉⲅⲁⲣ ⲡⲓⲡⲛ̄ⲁ̄ ⲉⲑⲟⲩⲁⲃ ⲡⲉ ⲉ̄ⲧⲁϥⲟⲩⲟⲭⲥ
ⲟⲩⲟϩ ⲁϥⲥⲱϧⲓ ⲙ̄ⲙⲟⲥ ⲁϥⲁⲓⲥ ⲛⲟⲩⲁⲓ ⲛⲟⲩⲱⲧ ⲛⲉⲙⲁϥ "Es
mögen jetzt auch beschämt werden diejenigen, die den Sohn Gottes
zu zwei Naturen machen, wenn sie hören, wie der Erzengel sagt :
"Das Fleisch stammt aus heiligem Geist". Denn der Heilige Geist ist

es, der es geschnitten und gewebt hat (und der) es zu einem einzigen mit ihm (selbst) gemacht hat"); ebenso wie sein griechisches Äquivalent ὑφαίνειν (vgl. Exc. ex Theod. 59,4 : σῶμα τοίνυν αὐτῷ ὑφαίνεται ἐκ τῆς ἀφανοῦς ψυχικῆς οὐσίας, δυνάμει δὲ θείας ἐγκατασκευῆς εἰς αἰσθητὸν κόσμον ἀφιγμένον "Es wird ihm (dem Erlöser) also aus der unsichtbaren seelischen Substanz ein Leib gewebt, der aber kraft göttlicher Kunstfertigkeit (als wahrnehmbarer) in die wahrnehmbare Welt gekommen ist").

Nach alledem hätten wir unsere Stelle zu übersetzen : "Ich aber sah etwas auf uns zukommen, das ihm und dem, der neben dem Holz (stehend) lachte, glich — es war aber gewebt in heiligem Geist — und dies ist der Erlöser".

Vielleicht trägt dieses Neuverständnis der Textstelle gerade mit der dazugehörigen Öffnung des Blickes für den Anfang der Pistis Sophia nicht unerheblich zum sachlichen Verständnis der zwischen Dichotomie und Trichotomie scheinbar schwankenden Christologie der ApcPt bei : Der auf Erden wandelnde Erlöser besteht nur aus zwei Naturen; das eigentliche geistige Wesen des Erlösers ist gar nicht herabgestiegen, sondern wirkt vom Himmel aus.

BEMERKUNGEN ZU DEN LEHREN DES SILVANUS

VON

WOLF-PETER FUNK

Die vierte Schrift des Codex (p. 84,15-118,7; abgekürzt Silv) bietet dem sprachlich-literarischen Verständnis — verglichen mit den vorangehenden Schriften — nur wenig Probleme. (Vgl. im übrigen ThLZ 1975, 7-23.) Umso lohnender dürfte es sein, auch diese einer Lösung näherzubringen. Wir wollen einige davon herausgreifen.

p. 89,12-16 : Bei dem vorliegenden synonymen Parallelismus stolpert man über das Ende : "Was ist der schlimm(st)e Tod, wenn nicht — die Unwissenheit. Was ist die schlimm(st)e Finsternis, wenn nicht — die Erkenntnis des Vergessens". Während hier bloßes "Vergessen" ausgezeichnet als Synonym zu "Unwissenheit" passen würde (Erinnerung : *Vergessen* = Wissen : *Unwissenheit* = Leben : *Tod* = Licht : *Finsternis*), ist unklar, wie ΠϹΟΟΥΝ Ν̄ΤΒ̄ϢΕ "die Erkenntnis des Vergessens" bzw. "das Wissen um das Vergessen" dieselbe Stelle auszufüllen vermöchte. Nach der gnostischem Denken innewohnenden Logik — und dieser Satz steht mit seiner Begrifflichkeit deutlich auf gnostischem Boden — dürfte auch ein solches negatives Wissen mindestens einen ersten Schritt auf dem Wege der Selbsterkenntnis bezeichnen und wäre damit unbedingt positiv zu bewerten.[1] Könnte man nun in einem Text von weniger prägnanter Sprache diesen Ausdruck — im Sinne etwa einer "vermeintlichen Erkenntnis, die das Vergessen bereitet" — noch hinnehmen, so erscheint eine solche Deutung in der verdichteten Sprache des vorliegenden Parallelismus membrorum nicht annehmbar. Die semantisch glatteste Lösung wäre zweifellos eine Textkorrektur, die die Genitivbeziehung umkehrt : ΕΙΜΗΤΙ ΕΤΒ̄ϢΕ Μ̄ΠϹΟΟΥΝ "wenn nicht — das Vergessen des Wissens". Ein derart schwerwiegender Eingriff in den Text ließe sich freilich nur durch die Annahme rechtfertigen, der koptische Übersetzer habe den Ausdruck mißverstanden (griech.

---

[1] Vgl. dazu auch Silv p. 101, 26f. : "Wenn du die Sünde erkennst, ist sie nichts Wirkliches" (Seneca, ep. mor. 28 : Initium est salutis notitia peccati).

vielleicht εἰ μὴ ἡ τῆς γνώσεως λήθῃ) bzw. — wie das bei Übersetzungen zuweilen vorkommt — in laxer Weise der Reihenfolge der
Wörter gegenüber ihrer durch die Endungen festgelegten grammati-
schen Beziehung den Vorzug gegeben. Daß der koptische Übersetzer
des Silv einer solchen Gefahr zuweilen tatsächlich unterlag, zeigt seine
entstellende Wiedergabe des Zitats von Sap. 7,25 in p. 113,2 (falsche
Beziehung von εἰλικρινής) und mit gewisser Wahrscheinlichkeit auch
die hier unmittelbar vorangehende Stelle p. 89,8-10, wo es vermutlich
einmal hieß : "... und empfangt ein gutes und auserlesenes Geschenk :
die Verständigkeit" (MS : "... und empfangt ein Geschenk : die gute
und auserlesene Verständigkeit"); vgl. Prov. 4,2. Hiernach wäre die
erwogene Umstellung bei weitem nicht so kühn, wie es zunächst
scheinen mag. Oder soll man COOYN einfach im Sinne einer semiti-
sierenden ἐπίγνωσις auffassen : "Anerkennung des Vergessens", d.h.
"Eingehen auf das Vergessen" ?

p. 93,33 : Die Rekonstruktion dieser Zeile, von deren ersten vier
Buchstaben nur ganz schwache Reste vorn und hinten erhalten sind :
.[..].TC̄P̄ⲀO6I N̄TⲀⲀHⲐIⲀ · erscheint nicht zuletzt darum besonders
problematisch, weil man aufgrund des durchgängigen Sinnzusammen-
hanges (zuvor : "die schlechte Seele wendet sich hin und her", danach :
"für dich, o Men[sch], ist es [bess]er, dich dem Menschen zuzuwenden,
anstatt der tierischen Natur") eine Möglichkeit finden möchte, wie
sich die Zeile, die mindestens einen Nebensatz zu enthalten scheint,
syntaktisch in den Kontext einfügen lâßt. Dies will indes nicht recht
gelingen, wenn man alle Grenzen, die der Textbestand setzt, gebührend
berücksichtigt. Diese sind (1) der vorhandene Rest des ersten Buch-
stabens, der deutlich die Spitze eines von links oben schräg nach rechts
unten verlaufenden Striches (wie bei ⲗ oder ⲇ) zeigt, (2) der Charakter
des folgenden Satzes als eines Relativsatzes, da sich der Anfang nur
als ⲉTC̄ lesen läßt, (3) der besondere Charakter des Verbs P-ⲀO6I
(δοκεῖν), dessen syntaktische Möglichkeiten bereits im Griechischen
sehr eng begrenzt sind. Geht man letzterem nach, so stößt man jedoch
sehr schnell auf die u.E. einzige Lösung des Problems. Das sahidische
Neue Testament verwendet ⲀOKⲈI durchweg in unpersönlicher
Konstruktion mit der Bedeutung "es dünkt jemanden", "jem. meint",
wobei das logische Subjekt stets mit der Präposition N̄-, NⲀ⸗ (dat.)
angeschlossen wird.[1] Außerdem ist es gewiß kein Zufall, daß unsere

---

[1] Vgl. L.-Th. Lefort, *Concordance du Nouveau Testament sahidique, I. Les mots
d'origine grecque* (= CSCO 124), Louvain 1950, S. 74f.

Relativform ετⲥ̄ fast stereotyp bei diesem Verb auftritt, da es
vorwiegend in Cleft sentences vom Typ ογ πετⲥ̄ⲗοκει ⲛⲁ⸗
(Fragesatz) verwendet wird. Auf den vorliegenden Text angewandt,
bedeutet dies, daß das ⲛ̄- vor ⲧⲁⲗⲏⲑⲓⲁ nur die Dativpräposition
sein kann, mithin "die Wahrheit" personifiziert als logisches Subjekt
erscheint. Dies ist zwar für die vorliegende Schrift singulär,[1] bildet
jedoch in der Sache nur eine interessante Variante der sonst in der
Schrift personifiziert auftretenden "Weisheit" — eine Variante, die
aus der älteren Weisheitsliteratur ebenso wie aus der jüdischen
Apokalyptik geläufig ist (als Illustration aus der näheren Umgebung
der Nag-Hammadi-Schriften mag der Deuteengel "Wahrheit" in
OdSal 38 dienen). Für die Ergänzung der Lakune selbst dürfte nun
kaum eine andere Möglichkeit bleiben als die der meisten neutestamentlichen Stellen : der Anfang läßt sich zu dem Interrogativpronomen
ⲁ[ⲱ ergänzen,[2] der Rest zu π]ετⲥ̄, so daß es sich auch hier um einen
unabhängigen Fragesatz handeln wird, der den Zusammenhang jedoch
nicht sprengt, sondern nur auflockert : "Was meint (dazu) die
Wahrheit ?"

  p. 98,3-5 : Der überlieferte Text lautet übersetzt : "Es gibt niemanden, und es gibt keinen Bruder ; ein jeder strebt nach seinem Vorteil".
Verstehen könnte man die Logik der ersten Hälfte u.U. im Sinne von
"es gibt (überhaupt) niemanden (sc. der dir von Nutzen sein könnte),
auch nicht (bzw. erst recht nicht) einen (wirklichen) Bruder". Aber
dies mutet für den knappen koptischen Ausdruck recht weit her-
geholt an — inmitten eines Textes, der sich in der Regel klar aus-
drückt. Einfacher erscheint da die Anahme, ⲗⲁⲁγ sei hier nicht
absolut, sondern attributiv gebraucht, und das dazugehörige Substantiv ausgefallen. Vergleicht man den Satz im Paralleltext des
Antoniuspergaments (BM 979a, Zeile 12f.),[3] so findet man an dieser
Stelle den in dem Abschnitt mehrmals vorkommenden Ausdruck
ⲱⲃⲏⲣ (sogar zweimal, dabei scheint es sich aber um eine gewöhnliche
Dittographie zu handeln) : {ⲙⲛ ⲱⲃⲏⲣ ⲁγ} ⲙ̄ⲛ ⲱⲃⲏⲣ ⲁγⲱ ⲙ[ⲛ]
ⲥⲟⲛ | πⲁⲣⲁ ⲧⲉϥⲛοϥⲣⲉ "{Es gibt keinen Freund un⟨d⟩} es gibt

---

[1] Diese Personifizierung könnte der Grund dafür sein, daß der Kopte hier im Gegensatz zu p. 101,12 ἀλήθεια als Fremdwort übernimmt.

[2] Bei der Lesung ⲁ ist zu beachten, daß der Buchstabe am Zeilenanfang in der Regel
nicht mit der sonst erkennbaren dicken Schleife, sondern mit dünnem Anstrich geschrieben wird, vgl. z.B. weiter oben p. 89,1 ; 91,11.24.

[3] Vgl. dazu W.-P. Funk, Ein doppelt überliefertes Stück spätägyptischer Weisheit,
ZÄS voraussichtlich 1975.

keinen Freund und es gibt keinen Bruder über seinen (eigenen) Vorteil hinaus". Nach dem oben Gesagten scheint uns mit dieser Lesart nicht nur eine bessere Variante erhalten zu sein, sondern das nämliche, das auch in Silv ursprünglich gestanden haben wird, wobei das Substantiv hier lediglich noch ΛΑΑΥ bei sich hatte, das dann bei ϹΟΝ nicht wiederholt wurde. Wir schlagen daher vor, Silv p. 98,3 zu lesen : ΜΝ ΛΑΑΥ ⟨ΝϢΒΗΡ⟩ · ΟΥΔΕ ΜΝ ϹΟΝ · "Es gibt keinen ⟨Freund⟩, und es gibt keinen Bruder".

p. 101,33-102,5 : Diese Passage ist von besonderem Interesse als prägnanter Ausdruck für den gemäßigten Doketismus, den die "Lehren des Silvanus" offensichtlich vertreten, bzw. für die dialektische Weise, in der man hier an das christologische Problem herangeht, wobei das größere Gewicht dennoch auf der Betonung der Nichtweltlichkeit des Erlösers liegt. Der Gedanke wird in Form eines Vergleichs entwickelt — ähnlich wie in p. 99,7-15 dient dabei die Sonne als Beweis für die Realmöglichkeit des widersprüchlich erscheinenden Gedankens : "Die Sonne ist nämlich (sc. mit ihrem Licht) an jedem unreinen Ort und verunreinigt sich (selbst) doch nicht" (p. 101,31f.). Im folgenden wird die diesbezügliche christologische Aussage in dreifacher Form gegeben, wobei die Parallelität der drei Antithesen — trotz einer wiederholten Vergleichseinführung und einer näheren Bestimmung im dritten Teil — als dreier Konditionalsätze nicht zu übersehen ist. Daraus ergibt sich für die Lakune am Ende von Z. 35 mit ziemlicher Sicherheit die Lesung ΝΤΑΥΧ[ΠΟϤ]. Will man diese Passage nun aber grammatisch exakt übersetzen, so kann man dies nur mit einer gewissen Arglosigkeit hinsichtlich des Sinnes erreichen, die Stelle müßte dann lauten : "So ist auch Christus, wenn er sich im Mangel befindet, dennoch ohne Mangel — und wenn [er] als Ungezeugter ge[zeugt] wurde — ebenso ist auch Christus, wenn er ergriffen wird, seiner ὑπόστασις nach doch ungreifbar". Dabei wird sofort klar, daß das mittlere Glied der Aussage in dieser Form nicht in die gedankliche Abfolge paßt : es müßte natürlich — hält man sich an den vorhandenen lexikalischen Bestand — heißen : "und wenn [er] ge[zeugt] wurde, ist er doch ungezeugt". Diese Übersetzung ist jedoch grammatisch ausgeschlossen, und zwar nicht nur durch das Ε am Anfang von Zeile 1, das den kurzen Nominalsatz in die Form eines Umstandssatzes bringt, sondern auch durch das in p. 101,35 vor der Lakune noch deutlich lesbare Tempus des Vordersatzes : Perfekt II, das einen solchen Umstandssatz bzw. eine andere nähere Bestimmung, auf der die Betonung des Satzes liegen soll, geradezu erfordert. Da also eine solche Bestimmung durch

zwei voneinander unabhängige grammatische Kriterien gefordert wird,
die tatsächlich vorhandene Bestimmung (p. 102,1; vgl. erste Übersetzung oben) jedoch aus syntaktischen (fehlt Nachsatz) und semanti-
schen (Kontext) Gründen nicht in Frage kommt, sondern nur den
Nachsatz bilden kann, läßt sich vermuten, daß hier etwas ausgefallen
ist. Der Satz stimmt genau bis zum ⲅ in Zeile 1, und der Rest wäre
ebenfalls wieder klar, wenn man ihn in der genannten Weise als
Apodosis auffassen könnte — so daß sich unter strikter Beibehaltung
der gegebenen sprachlichen Mittel folgender Konjekturrahmen ergibt :
ⲁⲩⲱ ⲉϣϫⲉ ⲛ̅ⲧⲁⲩϫⲡⲟϥ ⲉⲩ⟨... ⲡⲉ · ⲁⲗⲗⲁ ⲟⲩ⟩ⲁⲧϫⲡⲟϥ ⲡⲉ
"und wenn er als ⟨...⟩ gezeugt wurde, ist er ⟨doch⟩ ungezeugt". Der
ausgefallene Wortbestand dürfte damit ziemlich genau der Länge
einer Zeile entsprechen. Bei dem ausgefallenen Substantiv konnte es
sich beispielsweise um ⲣⲱⲙⲉ "Mensch" handeln, so daß die gesamte
Struktur der Passage in sachlich und sprachlich tragbarer Form
folgendermaßen ausgesehen haben könnte :

```
(ⲧⲁⲓ̈ ⲧⲉ ⲑⲉ ⲙ̅ⲡⲉⲭⲥ̅)
        ⲉϣϫⲉ ϥ2ⲙ̅ ⲡϣⲧⲁ ·
                ⲁⲗⲗⲁ ⲟⲩⲁⲧϣⲧⲁ ⲡⲉ ·
(ⲁⲩⲱ)
        ⲉϣϫⲉ ⲛ̅ⲧⲁⲩϫⲡⲟϥ ⲉⲩⲣⲱⲙⲉ ⲡⲉ ·
                ⲁⲗⲗⲁ ⲟⲩⲁⲧϫⲡⲟϥ ⲡⲉ ·
(ⲧⲁⲓ̈ ⲧⲉ ⲑⲉ ⲙ̅ⲡⲉⲭⲥ̅)
        ⲉϣϫⲉ ⲥⲉⲁⲙⲁ2ⲧⲉ ⲙⲉⲛ ⲙ̅ⲙⲟϥ ·
                ⲕⲁⲧⲁ ⲧⲉϥ2ⲩⲡⲟⲥⲧⲁⲥⲓⲥ ⲇⲉ
                ⲟⲩⲁⲧⲁⲙⲁ2ⲧⲉ ⲙ̅ⲙⲟϥ ⲡⲉ ·
```


"(Ebenso ist Christus,)
    auch wenn er sich im Mangel befindet,
        doch ohne Mangel,
(und)
    auch wenn er als Mensch gezeugt wurde,
        doch ungezeugt.
(Ebenso ist Christus,)
    auch wenn er ergriffen wird,
        seinem Wesen nach
        doch ungreifbar."

INDEX

I. DIE BIBLIOTHEK VON NAG HAMMADI

II. BP 8502 (= BG) 76,4. 236 f.

III. CODEX BRUCIANUS 79

IV. PISTIS SOPHIA 145

V. GNOSTISCHES FRAGMENT (Kahle, Bala'izah I, 473-477)

VI. CORPUS HERMETICUM

VII. MANICHAICA 66

X. ALTTESTAMENTLICHE APOKRYPHEN UND PSEUDEPIGRAPHEN

XI. ODEN SALOMOS 118

XII. QUMRAN

XIII. RABBINISCHE LITERATUR

XIV. JOSEPHUS

XV. PHILON VON ALEXANDRIA
(Abkürzungen nach Studia Philonica I, 1972, 92)

XVI. NEUES TESTAMENT

XX. ALTCHRISTLICHE LITERATUR

XXI. INSCHRIFTEN UND PAPYRI

XXII. ANTIKE HEIDNISCHE LITERATUR

XXIII. MODERNE AUTOREN